BARUN LAW
법무법인(유한) 바른

고객을 위해 '바른' 변호사가
모인 법무법인(유한) 바른!

WWW.BARUNLAW.COM

KB043871

바른 '조세팀' 구성원

바른 길을 가는 든든한 파트너!

이원일	하종대	최주영	손삼락	박성호	최문기
대표 변호사	파트너 변호사	팀장 변호사	파트너 변호사	파트너 변호사	파트너 변호사
조세쟁송/자문	조세쟁송/자문	조세쟁송/자문	조세쟁송/자문	조세쟁송/자문	조세쟁송/자문

조현관	김기복	김기목	김현석	추교진	이수경
세무사	세무사	세무사	세무사	파트너 변호사	변호사
세무조사/자문	세무조사/자문	세무조사/불복	세무조사/불복	조세쟁송/자문	조세쟁송/자문

구성원 소개

이정호	파트너변호사	조세쟁송/자문	백종덕	변호사	조세쟁송/자문	유상화	변호사	조세쟁송/자문
김지은	변호사	조세쟁송/자문	김준호	변호사	조세쟁송/자문	정찬호	변호사	조세쟁송/자문
김정준	변호사	조세쟁송/자문	김영미	변호사	조세쟁송/자문			

Barun Law
Capabilities

법무법인(유한) 바른
서울 강남구 테헤란로 92길 7 바른빌딩 (리셉션: 5층, 12층)
TEL 02-3476-5599   FAX 02-3476-5995   CONTACT@BARUNLAW.COM

목차

DL E&C

목차

▎서현파트너스

성 명	직 책	주요 경력
오재구	고문	중부지방국세청장
강성원	고문	한국공인회계사회 회장 · KPMG 삼정회계법인 대표이사 · 서현회계법인 회장
신동복	이현세무법인 회장	금천세무서장 · 국세청 심사2과장
이재덕	부회장	서일회계법인 대표이사 · 증권감독원
김용균	상임고문	중부지방국세청장 · 국세공무원교육원장
김학수	부회장	안진회계법인 대표

성 명	직 책	주요 경력
안만식	서현파트너스 회장	
배홍기	서현회계법인 대표이사	산동 KPMG · 삼정회계법인 · 기재부 공공기관운영위원회 위원
마숙룡	세무본부 본부장	서울청 · 중부청 조사국 · 중부청 국세심사위원
김진태	감사본부 본부장	삼정회계법인
최상권	종합서비스본부 본부장	안진회계법인

업무 분야	성명	직책	주요 경력
회계감사 · 재무실사 · IPO 전담	김남국	파트너	삼일회계법인
	김주호	파트너	안건회계법인
	김하연	파트너	안진회계법인
	이종인 / 이기현	파트너	서일회계법인 / 대주회계법인
	정인례 / 황영임	파트너	서일회계법인 / 삼정회계법인
	이기원 / 현명기	파트너	안진회계법인 / 대주회계법인
	구양훈 / 신호석	파트너	한영회계법인 / 삼정회계법인
기업회생 · 구조조정 전담	김형남	회계사	안진회계법인
R&D 관련 사업비 정산	박희주	파트너	하나은행 · 서일회계법인
금융기관 여신거래처 경영컨설팅 전담	강정필	파트너	안진회계법인
국제회계 · 외투기업 전담	옥민석	파트너	산동회계법인 · 한영회계법인
사업구조 Re-Design 및 Value Up	최상권	파트너	안진회계법인
ERM, Audit Analytics 내부감사 · 내부통제 기업지배구조 · 윤리 · 준법경영	권우철	파트너	안진회계법인 · 삼정회계법인
	한주호	이사	안진회계법인 · 삼정회계법인 · 더존
	오영주	이사	안진회계법인 · 삼성SDS
금융기관 전담	박상주	파트너	안진회계법인
내부회계관리제도	김진태	파트너	삼정회계법인
	신호석 / 권준엽	파트너	삼정회계법인 / 안진회계법인
재무자문 (M&A, 실사, 가치평가) · 경영컨설팅전담	김병환	파트너	한영회계법인
	안상춘	파트너	삼일회계법인
방산원가 자문	장탁순	고문	방사청 사업 · 비용 분석과장
법인세 및 세무조사지원	마숙룡	대표	서울청 · 중부청 조사국 · 중부청 국세심사위원
	정시영 / 한성일	파트너	삼일회계법인 · 한영회계법인 / 국세청
	송영석 / 최원일	파트너	삼정회계법인 / 이현회계법인
조세불복 전담	송필재	고문	조세심판원 부이사관
	박환택	변호사	세무대학7기 · 국세심사위원 · 사법연수원 33기
	김준동	변호사	법무법인 두현 대표 · 주요 공공기관 자문변호사
국제조세 전담	박주일	파트너	국세청 국조 · 서울청 조사국 · 국세청
	강민하	파트너	이현세무법인
가업승계 전담	왕한길 / 신지훈	상무	국세청 / 삼정회계법인

※ 제휴법인 임원 포함

PKF 瑞賢 Alliance
Logos & WISE

서현파트너스
서현회계법인
이현세무법인
서 현 I C T

서울시 강남구 테헤란로 440 포스코센터 서관 3층
Tel : 02-3011-1100 | 02-3218-8000
www.shacc.kr | www.ehyuntax.com | www.shcgr.kr
광주지점 062-384-8211 | 부산지점 051-635-0222

금융의 모든 순간

NH농협금융

암보험,
조목조목
뜯어보세요!

예방에서 **진단·치료**까지 **통합** 보장인지

NH농협생명 홍보모델
장윤정

행복 두배 NH통합암보험
[갱신형, 비갱신형, 무배당]

진단 전
01 암 진단 여부를 확인하는 전립선 및 갑상선 바늘생검조직병리진단 보장

* 갑상선바늘생검조직병리진단특약(갱신형,비갱신형,무배당)_C, 전립선바늘생검조직병리진단특약(갱신형,무배당)_C 가입시
* 부위 및 횟수 관계없이 연간 1회 한
 [단, 최초계약일부터 1년 이전에 진단확정시 해당 보험금의 50% 지급]

진단 시 ▶
02 소액암, 일반암, 고액암까지 보장하는 통합 암보험

* 주계약 및 소액암진단특약(갱신형,비갱신형,무배당)_C, 82대고액암진단특약(갱신형,무배당)_C 가입시
 [단, 최초계약일부터 1년 이전에 진단확정시 해당 보험금의 50% 지급]

진단 후 ▶
03 표적항암약물허가치료 및 특정항암호르몬약물허가치료 보장

* 표적항암약물허가치료(금특약갱신형,무배당)_C, 특정항암호르몬약물허가치료(금특약갱신형,무배당)_C 가입시
* 각 최초 1회 한
 [단, 최초계약일부터 1년 이전에 진단확정시 해당 보험금의 50% 지급]

◆ 자세한 사항은 전국 농축협과 NH농협생명 FC를 통해 상담해보세요

모두가 이로운 보험
NH농협생명

세상의 모든 주름을 위한
레티놀라운 진화

| 아이오페 레티놀 엑스퍼트 |

IOPE

 아모레몰이나 가까운 아리따움 매장에서 지금 바로 만나보세요.

H 현대해상

나에게 딱 맞는
할인특약

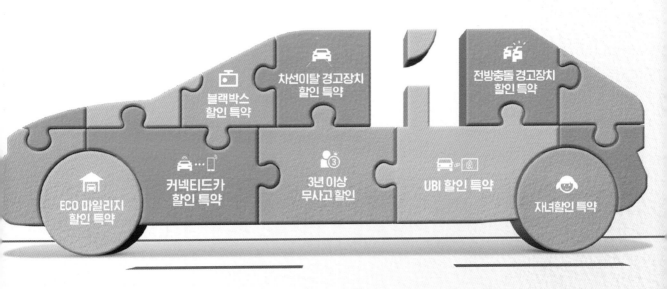

당신에게 꼭 맞는 자동차보험의 완성

현대해상 Hicar 자동차보험

현대해상 하이플래너를 만나보세요 Tel. 1588-5656 / www.hi.co.kr

경제성장률

가계비용절감

기업가치

회계가 바로 서야
경제가 바로 섭니다

투명 회계 선순환의 법칙을 아십니까?
기업의 회계가 투명해지면 기업가치가 높아지고
국가의 회계가 투명해지면 경제성장률이 올라가 일자리가 많아지고
생활 속 회계가 투명해지면 아파트 관리비가 절감되어
가계의 실질 소득이 늘어나고!
회계가 투명해지면 어제보다 살기 좋은 대한민국이 만들어집니다.

투명한 회계로 바로 서는 한국 경제!
경제 전문가 공인회계사가 함께하겠습니다

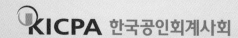
KICPA 한국공인회계사회

THE KOREAN INSTITUTE OF
CERTIFIED PUBLIC ACCOUNTANTS

EY 한영

Building a better working world

세무본부장	고경태	kyung-tae.ko@kr.ey.com
기업세무	우승엽	seung-yeop.woo@kr.ey.com
	유정훈	jeong-hun.you@kr.ey.com
	신장규	jang-kyu.shin@kr.ey.com
	고연기	yeonki.ko@kr.ey.com
	김승모	seungmo.kim@kr.ey.com
	서석준	sukjoon.seo@kr.ey.com
	양기석	ki-seok.yang@kr.ey.com
	양지호	jiho.yang@kr.ey.com
	이정기	jungkee.lee@kr.ey.com
	임효선	hyosun.lim@kr.ey.com
	권성은	sung-eun.kwon@kr.ey.com
	박기형	ki-hyung.park@kr.ey.com
M&A자문 및 국제조세	이기수	ki-soo.lee@kr.ey.com
	장남운	nam-wun.jang@kr.ey.com
	염현경	hyun-kyung.yum@kr.ey.com
	정일영	ilyoung.chung@kr.ey.com
	김영훈	yung-hun.kim@kr.ey.com
이전가격 자문	정인식	in-sik.jeong@kr.ey.com
	남용훈	yong-hun.nam@kr.ey.com
	정훈석	hoonseok.chung@kr.ey.com
	하동훈	dong-hoon.ha@kr.ey.com
인적자원 관련 서비스	정지영	jee-young.chung@kr.ey.com
금융세무	이덕재	deok-jae.lee@kr.ey.com
	김동성	dong-sung.kim@kr.ey.com
	김철	cheol.kim@kr.ey.com
	오은미	eun-mi.oh@kr.ey.com
	김스텔라	stella.kim@kr.ey.com
관세	박동오	dongo.park@kr.ey.com

서울특별시 영등포구 여의공원로 111
02-3787-6600
www.ey.com/kr

딜로이트 안진회계법인

서울시 영등포구 국제금융로 10 서울국제금융센터 One IFC 9층 (07326)　　　　Tel : 02-6676-1000

■ 세무자문본부 (리더 및 파트너 그룹)

본부장 : 권지원 02-6676-2416

전문분야	성명	전화번호	전문분야	성명	전화번호
법인조세 / 국제조세	한홍석	02-6676-2585	금융조세	신창환	02-6099-4583
	김지현	02-6676-2434		박지현	02-6676-2360
	이신호	02-6676-2375		이정연	02-6676-2166
	Scott Oleson	02-6676-2012		최국주	02-6676-2439
	고대권	02-6676-2349	이전가격	이용찬	02-6676-2828
	권기태	02-6676-2415		류풍년	02-6676-2820
	김석진	02-6138-6248		송성권	02-6676-2507
	김선중	02-6676-2518		이한나	02-6676-2421
	김중래	02-6676-2419		인영수	02-6676-2448
	김한기	02-6138-6167		최은진	02-6676-2361
	민윤기	02-6676-2504	세무조사대응 / 조세불복	조규범	02-6676-2889
	박종우	02-6676-2372		강이	02-6676-2544
	박준용	02-6676-2363		김점동	02-6676-2332
	신기력	02-6676-2519		김태경	02-6676-2873
	신창환	02-6099-4583		이호석	02-6676-2527
	오종화	02-6676-2598		정영석	02-6676-2438
	윤선중	02-6676-2455		최재석	02-6676-2509
	이재우	02-6676-2536		홍장희	02-6676-2832
	이재훈	02-6676-1461	Business Process Solutions	박성한	02-6676-2521
	임홍남	02-6676-2336		이용현	02-6676-2355
	조원영	02-6099-4445		정재필	02-6676-2593
	최승웅	02-6676-2517	해외주재원 세무서비스	서민수	02-6676-2590
	하민용	02-6676-2404		권혁기	02-6676-2840
M&A세무	Scott Oleson	02-6676-2012	개인제세 / 재산제세	김중래	02-6676-2419
	김영필	02-6676-2432		신창환	02-6099-4583
	우승수	02-6676-2452	관세	정인영	02-6676-2804
	유경선	02-6676-2345		유정곤	02-6676-2561
	이석규	02-6676-2464		정재열	02-6676-2511
일본세무	김명규	02-6676-1331		정진곤	02-6676-2508
	이성재	02-6676-1837	지방세	장상록	02-6138-6904

Tax Leader   Partner **주정일** (709-0722)

국내 및 국제 조세

Partner

이중현 (709-0598)	**오연관** (709-0342)	**이영신** (709-4756)
이상도 (709-0288)	**김상운** (709-0789)	**김성영** (709-4752)
정민수 (709-0638)	**남동진** (709-0656)	**김진호** (709-0661)
나승도 (709-4068)	**신현창** (709-7904)	**남형석** (709-0382)
노영석 (709-0877)	**정복석** (709-0914)	**오남교** (709-4754)
이동복 (709-4768)	**박태진** (709-8833)	**정선흥** (709-0937)
정종만 (709-4767)	**류성무** (709-4761)	**조성욱** (709-8184)
조창호 (3781-3264)	**장현준** (709-4004)	**차일규** (3781-3173)
조한철 (3781-2577)	**최혜원** (709-0990)	**서백영** (709-0905)
선병오 (3781-9002)	**신윤섭** (709-0906)	**김광수** (709-4055)
김영옥 (709-7902)	**성창석** (3781-9011)	**최유철** (3781-9202)
박기운 (3781-9187)	**서연정** (3781-9957)	**허윤제** (709-0686)

이전가격 및 국제 물류관련 Tax 서비스

Partner

전원엽(3781-2599) | **Henry An**(3781-2594) | **조정환**(709-8895) | **김영주** (709-4098) | **김찬규** (709-6415)

Global Tax Service

Partner **이중현**(709-0598) | **김주덕**(709-0707) | **이동열** (3781-9812) | **김홍현** (709-3320)

금융산업

Partner **정훈**(709-3383) | **박태진**(709-8833) | **박수연**(709-4088)

Private Equity / M&A 세무자문

Partner **탁정수**(3781-1481) | **정민수**(709-0638) | **김경호**(709-7975) | **이종형**(709-8185)

주재원 및 해외파견 소득세 자문

Partner **박주희**(3781-2387)

상속 증여 및 주식 변동

Partner **이현종**(709-6459) | **이용**(3781-9025)

지방세

Partner **조영재**(709-0932) | **양인병**(3781-3265)

산업별 전문가

분류	이름	전화번호
소비재	정낙열	709-3349
헬스케어/제약	서용범	3781-9110
도소매/호텔/레저	오종진	709-0954
화학	이기복	3781-9103
에너지/유틸리티	선민규	709-3348
철강	김병묵	709-0330
운송/물류	백봉준	709-0657
자산운용	진휘철	709-0624
은행/저축은행/캐피탈	박정선	3781-9373
보험	이유진	709-7932
증권	유엽	709-8721
Private Equity	탁정수	3781-1481
핀테크	김경구	709-0326
자동차/부품	신승일/이기복	709-0648/3781-9103
건설/조선	이정훈	709-0644
방위산업	김태성	709-0221
엔터테인먼트/미디어	한종엽	3781-9598
게임/블록체인	이재혁	709-8882
전자/반도체/전자상거래	홍준기	709-3313
통신	한호성	709-8956
부동산/SoC	신승철	709-0265
공공기관/공기업	윤규섭	709-0313

리더	직위	성명	사내번호
CEO	회장	김교태	02-2112-0401
COO	부대표	이호준	02-2112-0098
감사부문	대표	한은섭	02-2112-0479
세무부문	대표	윤학섭	02-2112-0441
재무자문부문	대표	구승회	02-2112-0841
컨설팅부문	대표	정대길	02-2112-0881

세무부문(Tax)

부서명	직위	성명	사내번호
기업세무	부대표	한원식	02-2112-0931
	부대표	이관범	02-2112-0911
	전무	이성태	02-2112-0921
	전무	박근우	02-2112-0960
	전무	김학주	02-2112-0908
	전무	이상길	02-2112-0931
	상무	나석환	02-2112-0931
	상무	유정호	02-2112-0960
	상무	장지훈	02-2112-0960
	상무	김병국	02-2112-0931
	상무	홍하진	02-2112-0960
	상무	류용현	02-2112-0908
	상무	이근우	02-2112-0911
	상무	조수진	02-2112-0908
	상무	최은영	02-2112-0911
	상무	홍승모	02-2112-0911
	상무	김형곤	02-2112-0908
	상무	김진현	02-2112-0921
	상무	이상무	02-2112-0269
상속·증여 및 경영권승계	부대표	한원식	02-2112-0931
	전무	이상길	02-2112-0931
	상무	김병국	02-2112-0931

국제조세	부대표	오상범	02-2112-0951
	전무	김동훈	02-2112-2882
	전무	이성욱	02-2112-2882
	상무	민우기	02-2112-2882
	상무	박상훈	02-2112-2882
	상무	조상현	02-2112-0951
	상무	서유진	02-2112-0951
	상무	조용균	02-2112-0269
국제조세(일본기업세무)	상무	김정은	02-2112-0269
	상무	이상무	02-2112-0269
M&A/PEF 세무	부대표	오상범	02-2112-0951
	전무	이성욱	02-2112-2882
	상무	서유진	02-2112-0951
	상무	민우기	02-2112-2882
	상무	조용균	02-2112-0269
이전가격&관세	부대표	강길원	02-2112-7953
	전무	백승목	02-2112-6676
	전무	김상훈	02-2112-6676
	상무	윤용준	02-2112-7953
	상무	김태준	02-2112-6676
	상무	김태주	02-2112-0595
	상무	김현만	02-2112-0595
금융조세	상무	계봉성	02-2112-0921
	상무	김성현	02-2112-7401
	상무	박정민	02-2112-7401
	상무	유승희	02-2112-7401
	상무	최영우	02-2112-7401
Accounting & Tax Outsourcing	전무	김경미	02-2112-0471
	상무	백승현	02-2112-7911
	상무	홍영준	02-2112-7911
	상무	홍민정	02-2112-0471
Global Mobility Service (주재원, 해외파견 등)	상무	정소현	02-2112-7911
	상무	홍민정	02-2112-0471
지방세	전무	이성태	02-2112-0921
	상무	홍승모	02-2112-0911

		www.samdukcpa.co.kr	
삼덕회계법인	**본사**	**서울시 종로구 우정국로 48 S&S빌딩 12층**	
Tel : 02-397-6700	Fax : 02-730-9559	E-mail : samdukcpa@nexiasamduk.kr	

삼덕회계법인 주요구성원

법인본부		이름	전화번호	E-mail
대표이사		김명철	02-397-6705	kmc@nexiasamduk.kr
경영본부장		유동현	02-397-6852	caspapa11@nexiasamduk.kr
품질관리실장		손호근	02-397-6788	shonhk@nexiasamduk.kr
준법감시인		안종정	02-397-6743	cpahn1569@nexiasamduk.kr
국제부장		권영창	02-397-6654	youngchang.kwon@nexiasamduk.kr
감사		전용한	02-397-8376	jeonalex@naver.com
감사		안영수	02-397-5107	ys@nexiasamduk.kr

감사본부		본부장	전화번호	E-mail
본사	감사1본부	김상현	02-397-6899	shkim@nexiasamduk.kr
	감사2본부	한일도	02-2076-5501	hanildocpa@gmail.com
	감사3본부	민경성	02-397-5122	keymin@nexiasamduk.kr
	감사4본부	강선기	02-397-6665	seonkee.kang@nexiasamduk.kr
	감사5본부	심형섭	02-397-6855	san6949@hanmail.net
	감사6본부	윤용운	02-397-6649	echoyun@naver.com
	감사7본부	정태권	02-739-5660	tgchungmj@naver.com
	감사8본부	김진수	02-2076-5468	kjssac@nexiasamduk.kr
	감사9본부	신종철	02-2076-5527	jongcheol.shin@nexiasamduk.kr
	감사10본부	조석훈	02-397-6739	mirage@nexiasamduk.kr
	감사11본부	손성배	02-739-5661	sbsoncpa1023@gmail.com
	감사12본부	조영재	02-739-8543	jjajan@nexiasamduk.kr
분사무소	감사13본부	조용희	02-408-1610	goodtax@nexiasamduk.kr

SHINSEUNG
Accounting Corporation

"신승회계법인은 기업의 성공을 돕고
납세자의 권리를 보호하는 세무 동반자인
세무전문 회계법인 입니다."
www.ssac.kr

□ **임원 소개**

김충국 대표세무사

고려대학교 정책대학원 세정학과	국세청 심사2담당관
중앙대학교 경영학과	국세청 국제세원관리담당관
중부지방국세청 조사3국장	서울지방국세청 국제거래조사국 팀장
서울지방국세청 감사관	조세심판원 근무

신승회계법인은 회계사 60명, 세무사 10명 등 200여명의 전문인력이 상근하여
전문지식과 다양한 경험을 바탕으로 고객에 맞춤형 세무 서비스를 제공하는 조직입니다.

□ **주요업무소개**

조세불복, 세무조사대응
과세전적부심사 / 불복업무 / 조세소송지원

상속 증여 컨설팅
상속 증여 신고 대행 / 절세방안 자문

병의원 세무
개원 행정절차 / 병과별 병의원 세무 / 교육

Outsourcing
기장대행 / 급여아웃소싱 / 경리아웃소싱

세무 신고 대행
소득세 / 부가세 / 법인세 등 신고서 작성 및 검토

기타 세무 서비스
비상장주식평가 / 기업승계 / 법인청산업무

SHINSEUNG
Accounting Corporation

서울특별시 강남구 삼성로85길 32
(대치동, 동보빌딩 5층)

T. 02-555-8402

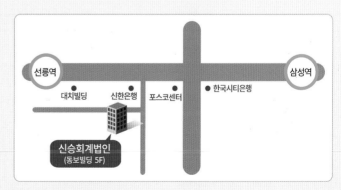

예일회계법인 주요구성원

구 분	성 명	직 책	전문분야
서 울 본 사	김 재 율	한국공인회계사	대표이사
	권 한 조	한국공인회계사	회계감사 / NPL
	김 현 수	한국공인회계사	회계감사 / 기업구조조정
	김 현 일	세무사	세무조사 / 조세심판
	박 진 수	한국공인회계사	M&A / 투자자문
	박 진 용	한국공인회계사	회계감사 / 인증서비스
	배 원 기	한국공인회계사	회계감사 / NPL
	송 윤 화	한국공인회계사	회계감사 / 기업구조조정
	윤 태 영	한국공인회계사	회계감사 / NPL
	이 수 현	한국공인회계사	회계감사 / 품질관리
	이 승 재	한국공인회계사	회계감사 / 기업구조조정
	이 재 민	미국공인회계사	M&A / 투자자문
	이 재 영	한국공인회계사	기업구조조정 / 기업회생 / 실사 및 평가
	이 태 경	한국공인회계사	국내외 인프라 부동산 투자자문 / 실사 및 평가
	주 상 철	한국공인회계사/한국변호사	정산감사 / 조세쟁송
	함 예 원	한국공인회계사	세무조정 / 세무자문 / 세무조사
부산 본부	강 대 영	한국공인회계사	회계감사 / 세무자문 / 컨설팅
	하 태 훈	한국공인회계사	회계감사 / 세무자문 / 컨설팅
Indonesia Desk	정 동 진	한국공인회계사	회계감사 / 세무자문
YEIL America LA	임 승 혁	한국공인회계사	회계감사 / 세무자문
YEIL America NY	최 호 성	한국공인회계사	회계감사 / 세무자문

예일회계법인
예일회계법인
우) 06737 서울시 서초구 효령로 해창빌딩 3~6층
T 02-2037-9290   F 02-2037-9280   E shyi@yeilac.co.kr   H www.yeilac.co.kr

bakertilly

우리회계법인

대표전화 : 02-565-1631 www.bakertilly-woori@co.kr
본사 : 서울 강남구 영동대로86길 17 (대치동,육인빌딩)
분사무소 : 서울 영등포구 양산로53 (월드메르디앙비즈센터)

우리회계법인은 220여명의 회계사를 포함한 380여명의 전문가가 고객이 필요로 하는 실무적이고 다양한 전문서비스를 제공하고 있습니다.

Best Solution

우리는 기업 발전에
이바지한다는 사명감을
가지고 일한다.

우리는 고객의 발전이
우리의 발전임을 명심한다.

Best Value

Best Practice

우리는 주어진 일을 할 때
항상 최선을 다하여
끊임없이 노력한다.

주요업무

Audit & Assurance
법정감사, 특수목적감사, 펀드감사, 기타
임의감사 및 검토 업무

Taxation Service
세무자문 관련 서비스, 국제조세 관련
서비스, 세무조정 및 신고 관련 서비스,
조세불복 및 세무조사 관련 서비스

Corporate Finance Service
M&A, Due Diligence, Financing(상장자문),
Valuation 업무

Public Sector Service
공공부문 회계제도 도입 및 회계감사,
공공기관 사업비 위탁정산 업무

IFRS Service
Accounting & Reporting, Business Advisory,
System & Process

Consulting Service
FTA 자문 서비스, SOC 민간투자사업 및
PF사업 자문 서비스, K-SOX 구축 및 고도화,
ESG(환경 사회 지배구조) 자문 업무

Business Recovery Service
회생(법정관리)기업에 대한 회생 Process지원,
법원 위촉에 따른 조사위원 업무, 구조조정 자문 업무

Outsourcing Service
세무 및 Payroll Outsourcing 서비스,
외국기업 및 외투기업 One-stop 서비스

신뢰와 믿음을 주는
정진세림회계법인

정진세림 회계법인

투명하고 공정한 경제질서 확립의 파수꾼 역할을 다하기 위하여
최상의 전문서비스를 제공합니다.

전문적인 최고급 인력을 보유

정진세림회계법인은 2002년 설립된 젊은 회계법인으로써 고객과 함께 성장의 길을 달려가고 있으며 파트너를 포함한
공인회계사와 전문경영컨설턴트.전문직 직원을 포함하여 160명 이상의 최고급 인력을 보유하고 있습니다.

최고 수준의 서비스를 제공

또한 소속공인회계사들은 국내 BIG4, 기업체 및 공공기관에서 경력을 쌓으므로써 감사,세무,컨설팅 등의 업무수행과
국제적 Network를 통한 최상의 종합적인 전문서비스를 제공하고 있습니다.
회계감사 및 회계관련 서비스, M&A, 세무관련 서비스 및 각종 경영 컨설팅을 통한 다양한 분야에서 전문적인 지식과 경험을 바탕으로
최고 수준의 서비스를 제공하겠습니다.

Organization

사원총회

| 감사위원회 | 운영위원회 |

대표이사
전이현 CPA

품질관리실	경영지원실	본점	지점
문경록 CPA	성효경 CPA	이 송 CPA	김종연 CPA
		구승권 CPA	강 원 CPA
		문태호 CPA	정영한 CPA
		신동표 CPA	마창훈 CPA
		한동욱 CPA	
		장지환 CPA	
		김병순 CPA	

본점: 서울시 강남구 역삼로 121(역삼동) 유성빌딩 3~5층
문의전화 : 02-501-9754   팩스번호 : 02-501-9759

지점: 서울시 강남구 역삼로3길 11(역삼동) 광성빌딩 본관2층
문의전화 : 02-563-3133   팩스번호 : 02-563-3020

2019년 11월 주권상장법인 감사인등록 금융위원회 승인

25

Crowe Horwath™ **한울회계법인**

저희는 효율적이고 능동적인 자문을 제공하여 귀사의
경영목표를 달성하는데 있어 최상의 동반자가 될 것입니다.

■ 한울회계법인 조세전문가 그룹

"한울에서 만나는 최고의 파트너"

■ 주요 업무영역

- 회계감사 및 기업실사
- 주식이동세제와 가업승계 등 상속증여세 절세 세무컨설팅
- 비영리법인의 세무고문 및 절세전략
- 기업회생계획의 설계 및 기업구조조정 절세전략
- 기업합병(M&A)상의 절세전략
- 기업부설연구소의 설립절차에 따른 R&D비용 절세전략
- 법인세,부가가치세, 지방세 등 기업관련 세금전략 및 세무고문
- 쟁점 사항에 대한 조세불복 및 세무조사 대응 관련 행정해석(예규) 및 판례의 법리적 검토 및 의견서의 작성

한울회계법인 서울 강남구 테헤란로 88길 14, 3·5·6·7·8·10층(신도빌딩)

대표: 02-2009-5700   직통: 02-2009-5764   FAX: 02-2084-5834

다이아몬드 클럽

세무·회계 전문
홈페이지 무료제작

DIAMONDCLUB

다이아몬드 클럽은
세무사, 회계사, 관세사 등을 대상으로 한
조세일보의 온라인 홍보클럽으로
세무·회계에 특화된 홈페이지와
온라인 홍보 서비스를 받으실 수 있습니다.

01 경제적 효과
기본형 홈페이지 구축비용 일체무료 / 도메인·호스팅 무료
홈페이지 운영비 절감 / 전문적인 웹서비스

02 홍보 효과
월평균 방문자 150만명에 달하는
조세일보 메인화면 배너홍보

03 기능적 효과
실시간 뉴스·정보 제공 / 세무·회계 전문 솔루션 탑재
공지사항, 커뮤니티등 게시판 제공

가입문의 02-3146-8256

한국세무사회 공식 ▶ YouTube
세무사TV
복잡한 세금, 세무사를 만나
쉽게 한번에 해결!

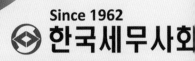
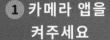 카메라 앱을 켜주세요

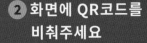 화면에 QR코드를 비춰주세요

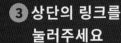 상단의 링크를 눌러주세요

한국세무사회 임원진

원경희 회장
서울시 강남구 강남대로84길 23,
1609호(역삼동, 한라클래식)
TEL : 02-508-3939
FAX : 02-508-3336

임채수 부회장
서울시 송파구 올림픽로35가길 11,
1016호(신천동, 한신코아오피스텔)
TEL : 02-3431-1900
FAX : 02-3431-5900

고은경 부회장
경기도 군포시 엘에스로182번길
3-15, 601호(산본동, 우경타워)
TEL : 031-477-4144
FAX : 031-477-7458

김관균 부회장
경기도 수원시 영통구 봉영로 1612
301,302호(영통동, 보보스프라자)
TEL : 031-202-0208
FAX : 031-202-5598

이대규 부회장
서울시 영등포구 여의나루로 67,
902호(여의도동, 신송BD)
TEL : 02-3215-1300
FAX : 02-761-6640

김효환 상근부회장
서울시 서초구 명달로 105
TEL : 02-521-9451
FAX : 02-597-2945

한헌춘 윤리위원장
경기도 수원시 팔달구 매산로
56, 2층(매산로2가)
TEL : 031-257-0013/4
FAX : 031-257-0333

김겸순 감사
서울시 영등포구 선유동1로 33,
1층(양평동3가, 성도빌딩)
TEL : 02-2632-4588
FAX : 02-2632-3316

남창현 감사
서울시 도봉구 노해로69길 15,
703호(창동, 세정BD)
TEL : 02-906-8686
FAX : 02-906-8621

이동일 세무연수원장
서울시 영등포구 선유로 254,
402호(양평동4가, 대웅빌딩)
TEL : 02-2678-1727
FAX : 02-2679-4888

정동원 총무이사
서울시 동작구 여의대방로24길
16, 2층(신대방동, 우송BD)
TEL : 02-817-6739
FAX : 02-817-6740

유은순 회원이사
서울시 강서구 화곡로 296, 302호
(화곡동, 강서아이파크)
TEL : 02-2696-2011
FAX : 02-2696-2021

김신언 연구이사
서울시 관악구 과천대로 939, 205-2호
(남현동, 르메이에르강남타운2차)
TEL : 02-588-3200
FAX : 02-3487-2772

전진관 법제이사
경기도 부천시 길주로 307, 504호
(중동, 로얄프라자)
TEL : 032-324-3100
FAX : 032-323-6012

박연근 업무이사
서울시 강남구 삼성로96길 6,
1301호(삼성동, LG트윈텔1)
TEL : 02-3487-4957
FAX : 02-6499-0646

정경훈 전산이사
충북 충주시 번영대로 10,
3층(칠금동, 소망빌딩)
TEL : 043-857-7227
FAX : 043-857-7226

조진한 홍보이사
서울시 서초구 사임당로1길 10,
2층(서초동, 바우BD)
TEL : 02-585-2111
FAX : 02-585-2777

경준호 국제이사
서울시 영등포구 여의나루로 67,
902호(여의도동, 신송빌딩)
TEL : 02-3215-1300
FAX : 02-761-6640

박충원 감리이사
서울시 성북구 삼선교로 38,
2층(삼선동2가)
TEL : 02-745-8931
FAX : 02-745-8933

홍도현 업무정화조사위원장
서울시 서초구 서초대로 3-4,
205호(방배동, 디오슈페리움1차)
TEL : 02-525-1255
FAX : 02-525-1369

한국세무사회

중부지방세무사회

납세자 권익보호 41년! 세정 동반자 41년!
소통과 화합으로 강한 중부지방세무사회를 만들어가겠습니다.

유영조 회장

중부지방세무사회는
- 공공성을 지닌 조세전문가 단체입니다.
- 납세자와 함께 합니다.
- 성실한 납세의무 이행에 이바지합니다.

이중건
부회장

천혜영
부회장

 최영우 총무이사
 이은자 연수이사
 김선명 연구이사
 김경태 업무이사
 권용언 홍보이사
 박정현 국제이사
 목명균 정화위원장
 김갑수 이사
 김병채 이사
 황영순 이사
 최봉순 이사
 허창식 이사

 허기우 이사
 임영탁 이사
 박현규 이사
 이영은 이사
 홍기철 이사
 지준각 자문위원장
 배택현 연수교육위원장
 오필성 조세제도연구위원장
 이종현 홍보상담위원장
 유수진 국제협력위원장
 송영덕 청년세무사위원장
 김병찬 감리위원장

 전구식 수원지역세무사회장
 박연기 동수원지역세무사회장
  황재호 화성지역세무사회장
 박명삼 동화성지역세무사회장
 정병찬 용인지역세무사회장
 정찬홍 기흥지역세무사회장
 정철식 안양지역세무사회장
 김문학 동안양지역세무사회장
 이우복 성남지역세무사회장
 한우영 분당지역세무사회장
 백종갑 안산지역세무사회장
김용진 시흥지역세무사회장

  두용균 평택지역세무사회장
  채백희 이천지역세무사회장
김장환 경기광주지역세무사회장
김창열 남양주지역세무사회장
백정현 구리지역세무사회장
 박재수 강릉지역세무사회장
 이해운 삼척지역세무사회장
 조광덕 속초지역세무사회장
 양종천 춘천지역세무사회장
 윤동수 홍천지역세무사회장
   김용식 원주,영월지역세무사회장

31

중부지방세무사회 / 주소 : 서울특별시 서초구 명달로 105, 5층(서초동) / 전화 : 02-597-1366 / 팩스 : 02-597-1369

인천지방세무사회

김명진 회장

"상생과 화합으로 한 단계 더 도약하는 인천지방세무사회를 만들어 가겠습니다."

◢ 부회장, 상임이사, 이사, 위원장

최병곤 부회장

오형철 부회장

김성주 총무이사

송재원 연수이사

윤현자 연구이사

구현근 업무이사

박종렬 홍보이사

강갑영 국제이사

이기진 업무정화조사위원장

김석동 이 사

이명주 이 사

옥승찬 이 사

허덕무 이 사

조영문 이 사

권오항 이 사

배성효 이 사

임정완 자문위원장

이경희 연수교육위원장

김광래 청년세무사위원장

이은선 조세제도연구위원장

이윤환 홍보상담위원장

채지원 국제협력위원장

홍석일 세무조정감리위원장

◢ 지역세무사회장

양기인 인 천

김희규 북인천

김한수 서인천

조명석 남인천

주영진 연 수

김규헌 김 포

이기진 부 천

이재순 남부천

장진기 의정부

윤영복 포 천

공순권 고 양

장창민 동고양

김성주 파 주

노기원 광 명

인천지방세무사회 인천 계양구 경명대로1017번길 7 / 전화 (032)225-0490 팩스 (032)225-0491

한국세무사고시회

"세무사고시회는 변화와 혁신으로 회원과 함께 하겠습니다."

▥ 변화와 혁신의 고시회
- 코로나 시대에 따른 온라인 교육 확대 및 양질의 연수교육실시
- 다양한 분야의 블루오션을 개척하여 업역 확대 및 회원 역량 강화
- 유튜브 등 소셜미디어를 통한 독립적인 비대면 창구 활성화
- 세무사제도 발전과 불합리한 세무사법 개선 위한 공청회 및 세미나 개최
- 청년세무사들의 어려운 환경개선을 위한 실질적인 제도 신설 및 확대

▥ 함께하는 고시회
- 세법개정안이나 이슈가 되는 조세문제에 대한 대안제시
- 회원들의 사업현장에서 필요로 하는 자료 제공 및 사업 추진
- 업무수행시 활용 가능한 세무실무편람 및 핵심세무시리즈 지속적 발간
- 소통과 화합을 통해 지방고시회와의 유대관계 강화
- 국제교류 활성화를 통해 국제조세에 대한 회원의 역량 강화

제25대 한국세무사고시회 집행부

회장
이 창 식

감사
백 정 현

감사
천 혜 영

부산고시회장
김 대 현

광주고시회장
김 진 환

대구고시회장
강 태 욱

충청고시회장
김 진 세

총무부회장
이 석 정

기획부회장
최 정 인

연수부회장
김 희 철

연구부회장
장 보 원

사업부회장
하 수 용

지방·청년부회장
강 현 삼

재무·대외협력부회장
박 유 리

조직부회장
김 선 명

홍보부회장
윤 수 정

국제부회장
김 현 준

총무상임이사
심 재 용

기획상임이사
김 순 화

연수상임이사
차 주 황

연구상임이사
배 미 영

사업상임이사
임 희 수

지방·청년상임이사
황 선 웅

재무·대외협력상임이사
박 수 빈

조직상임이사
최 영 환

홍보상임이사
김 조 겸

국제상임이사
김 정 윤

회원연수센터장
김 준 기

국제협력센터장
최 세 영

홍보지원센터장
한 상 희

세제지원센터장
윤 지 영

청년회원지원센터장
김 현 주

조직지원센터장
김 범 석

사무국장
김 현 배

서울시 강남구 봉은사로 516, 307호(삼성동, 미켈란147)
Tel. 02-581-6700 | Fax. 02-581-6800 | E-mail. gosihoi@hanmail.net
www.gosihoi.or.kr | 유튜브 「세무사고시회TV」 | 인스타그램 「gosihoi」

국립 세무대학 출신 세무사 모두는
납세자의 권익보호를 위해
최선을 다하겠습니다.

제 10대 회장 황성훈
국립 세무대학 세무사 일동

서울시 중구 을지로 5길 26, Mirae Asset Center 1 서관 10층
T : 02·6030·8520 | 02·6260·2860

www.bnhtax.com | www.bnhacs.com

SINCE 1999
Gwang Gyo Tax Accounting Corp.

광교세무법인이 함께합니다.

수원본점: 경기도 수원시 장안구 경수대로 1110-12 4층(광교빌딩) TEL: 031-8007-2900
서울지점: 서울시 강남구 언주로 337 8층(동영문화센터) TEL: 02-3453-8004

WWW.GWANGGYO.BIZ

지점		직책	성명	주요경력	전화번호
서울 지점		회장	전군표	국세청장 / 조사국장 / 대통령직 인수위원회 / 서울청 조사1국장 / 행시20회	02-3453-8004
		세무사	박종성	국무총리조세심판원장 / 조세심판원심판관 / 행시 25회	
		세무사	김영근	대전지방국세청장 / 서울청 납세지원국장 / 광주청 조사2국장 / 행시 23회	
		세무사	김명섭	중부청 조사3국장 / 국세청 조사1과장 / 서울청 조사1국 1과장	
		세무사	장남홍	종로,양천세무서장 / 서울청, 중부청 감사관 / 서울청 조사4국 4과장, 조사2국 1과장	
		세무사	송동복	경인청 국제조세과 / 서울청 이의신청 위원	
		세무사	고경희	한국여성세무사회 회장/ 국세공무원교육원 겸임교수 / 국세청 24년 근무	
		세무사	송우진	고양,동울산세무서장 / 서울청 조사1국,조사4국팀장 / 국세청, 대전청, 부산청 감사관실	
		세무사	길혜전	KEB하나은행 신탁본부 / 서울시 여성능력개발원 자문위원 / 인하대학교	
		고 문	은진수	부산지방법원 판사 / 서울지방검찰청 검사 / 공인회계사 / 세무사 / 감사원 감사위원	
		변호사	이건호	고려대학교/변호사시험 제9회	
		변호사	김지수	이화여자대학교/변호사시험 제9회	
서울	삼성	세무사	이용현	국세청 17년근무 / 연세대 법무대학원 조세법석사 / 세무대학 7기	02-6203-8558
	성동	세무사	김대훈	국세청 법규과장 / 서울청 감사관 / 군산, 성동세무서장	02-462-7301
	금천	세무사	김영춘	한국세무사회 홍보상담위원 / 한국프렌차이즈 경영학회 감사 / 금천세무서 상담위원 / 제39회 세무사	02-804-3411
	광명	세무사	노기원	수원,시흥세무서 / 중부지방국세청 조사국 / 세무대학 7기	02-2683-0303
	경향	세무사	이영득	중부산세무서장 / 서울청 조사1국 / 국세청 심사2과 / 남양주 조사과장 / 서울청 감사관실	02-6959-9911
	논현	세무사	이미경	인하대 수학과 / 한국세무사회 기업진단감리상임위원 / 제40회 세무사	02-3446-9924

광교세무법인이 함께합니다.

수원본점: 경기도 수원시 장안구 경수대로 1110-12 4층(광교빌딩) TEL: 031-8007-2900
서울지점: 서울시 강남구 언주로 337 8층(동영문화센터) TEL: 02-3453-8004

WWW.GWANGGYO.BIZ

지점	직책	성명	주요경력	전화번호
수원 본점	세무사	이효연	조세심판원 상임심판관 / 행정실장 / 행시 제22회	031-8007-2900
	세무사	김운섭	동수원, 순천 세무서장 / 국세청 조사2과장 / 서울청 법인납세과장 / 세무대학 1기	
	세무사	정정복	중부청 조사3국 / 중부청 조사2국 / 동수원, 수원, 안양 세무서 / 세무대학 7기	
	세무사	이형진	성남, 전주세무서장 / 중부청 조사3국1과장 / 서울청 조사3국	
	세무사	김보남	전주세무서장 / 서울청 조사2국 / 국세공무원 교육원 교수	
	세무사	서정철	동수원 조사과장 / 중부청 조사 1,3국	
	세무사	오동기	국세청 국세조세담당관실 / 중부청 조사 1,2국 / 동안양, 평택, 수원, 광주 세무서 / 세무대학 11기	
	세무사	김일섭	중부지방국세청 조사1국1과4팀장 / 안산세무서 법인납세과장	
	세무사	김진희	경기도청 지방세 심의위원 / 충남대학교 경영학과 / 제38회 세무사	
수원 영통	세무사	신규명	수원, 동대문, 나주세무서장 / 국세청 감사담당관실 감사1,2팀장 / 동수원세무서 조사과장	031-202-5005
	세무사	배상진	동수원세무서 재산계장 / 중부청 조사3국 / 세무대학 5기	
	세무사	최병열	중부청 조사3국 / 평택세무서 / 세무대학 13기	
수원 팔달	세무사	류병하	중부청, 수원, 동수원, 안산, 평택세무서	031-255-8500
동수원	세무사	노익환	중부청 징세송무국, 조사3국 / 국세청 기획조정관실 / 평택세무서 / 세무대학 4기	031-206-3900
화성	세무사	최봉순	화성지역세무사회장 / 중부청 조사국 / 재산제세 소송전문	031-355-4588

SINCE 1999
Gwang Gyo Tax Accounting Corp.

광교세무법인이 함께합니다.

수원본점: 경기도 수원시 장안구 경수대로 1110-12 4층(광교빌딩) TEL: 031-8007-2900
서울지점: 서울시 강남구 연주로 337 8층(동영문화센터) TEL: 02-3453-8004

WWW.GWANGGYO.BIZ

지점	직책	성명	주요경력	전화번호
흥덕	세무사	유병관	중부청 법인세과, 조사국, 국제조세과 / 국세청 조세범조사전문요원	031-214-9488
상현	세무사	김선득	용인법인세과장 / 중부청 법인세과 / 중부청 납보관실 / 전주세무서 재산법인세과장	031-329-2400
동안양	세무사	이영은	동안양세무서 납세자권익존중위원 / 한국세무사회 법제위원 / 중앙대학교	031-459-1700
안산	세무사	조준익	안산세무서장 / 국세청 감사계장	031-401-5800
장안	세무사	이철균	중부청 조사2,3국 / 수원.안산.화성.북인천 세무서 / 부산대학교	031-365-5461
안성	세무사	정재권	중부청 조사국 / 법인, 소득, 양도조사 전문 / 세무대학6기	031-674-4701
용인	세무사	김명돌	용인지역세무사회장 / 중부청 / 안동세무서	031-339-8811
이천	세무사	구본윤	이천세무서장 / 홍성세무서장 / 중부지방국세청 조사2.3국 / 중부청 인사계장 / 중부청조사1국	031-635-3500
경기 광주	세무사	정희상	이천세무서장 / 중부청조사2-1과장 / 해남세무서장 / 용인,남양주세무서	031-768-7488
남양주	세무사	정평조	남양주,포천,동울산세무서장 / 중부청 조사1국,조사3국 / 국세청 재산제국, 감사관실 / 세무대학 1기	031-554-3686
평택	세무사	지용찬	인천대학교 경제학과 / 제43회 세무사	031-8094-0016
고양	세무사	신종범	동고양·서대구·김천세무서장 / 중부청 조사3국 팀장·소비세팀장 / 세무대학 1기	031-969-3114
부천	세무사	나명수	부천세무서장 / 서울청 국제거래조사국 팀장 / 국세청 역외탈세 담당관실 / 국립세무대학2회졸업,한양대학원 석사	032-229-2001
인천	세무사	조명석	남인천세무서 / 중부청 법인세과, 조사국 / 세무대학1기	032-817-8620
파주	세무사	이기철	파주,인천세무서장 / 수원.동래 세무서 / 중부청 / 기획재정부 세제실 / 경상대학교	031-948-8785
원주	세무사	권달오	동안양세무서 조사과장 / 중부지방국세청조사2,3,4국사무관	033-901-5951
울산	세무사	송정복	동울산세무서장 / 서울청조사3국,4국 / 금천세무서 / 삼척세무서	052-915-3355
대전	세무사	장광순	예산세무서장 / 대전청조사2국관리과장 / 대전청 조사2국3과장	042-257-2893
광주	세무사	김성철	광주청 세원분석국장 / 광주청 조사1국 2과장	062-385-5017
전북	세무사	정진오	전주세무서 부가세과장 / 북전주세무서 진안지서장 / 군산세무서 조사과장 / 광주청 송무2계장	063-855-2284
제주	세무사	문승대	서대문세무서 운영지원과장 / 중부청 조사3국 / 경인청조사국	064-702-0931

土(흙) + 恩(은혜)

생물들이 흙에서 자라서 돌고 돌아 흙으로 돌아오는 것 처럼,
은혜 또한 은혜를 받으면 다시 돌려주는 것 처럼

신뢰를 토대로
고객만족을 실현하겠습니다.

김 시 재 대표세무사

- 서초세무서장
- 서울지방국세청 조사3국 조사1과장
- 고양세무서장
- 대구지방국세청 납세지원국장
- 동대구세무서장.구미세무서장
- 국세청 조사국, 서울청조사 1·4국, 중부청 조사3국
- 조사.감사.법인.재산.부가.소득 등 39년 세무경력
- 경영지도사

이 홍 로 대표세무사

- 남양주세무서장
- 중부청 조사1국 국제거래조사과장
- 삼척세무서장
- 중부청 세원분석국·조사1국 사무관
- 국세청 부가가치세과사무관
- 남양주세무서부가·세원2과(재산법인)과장
- 서울청 조사1국 여의도 소공 남대문세무서등근무

김 대 식 대표세무사

- 이천세무서장
- 논산세무서장
- 국세청 감사관실, 기획관리관실, 직세국, EITC
- 서울청 조사4국
- 중부청 조사1·2국
- 속초·강릉·중부·반포·양천 근무

박 경 윤 대표세무사

- 북인천세무서장
- 경주세무서장
- 국세청 대변인실
- 중부청 조사3국
- 서울청 조사1국, 조사4국
- 국세청 징세심사국
- 종로, 남대문, 동작, 금천, 동수원, 인천, 남인천세무서 등 39년 근무

류 영 기 대표세무사

- 국립세무대학 5기
- 국세청 법규과(부가예규담당)
- 서울지방국세청 조사국, 법무과
- 중부지방국세청, 서초, 종로, 대방, 청량리, 성동
- 고양, 북인천세무서 등 25년 세무경력
- 세무사 49회 합격
- (前) 김포세무서 국세심사위원

전 상 은 대표세무사

- 국립세무대학 1기
- 이천세무서장, 김천세무서장
- 수성세무서 개청단장 및 수성세무서 초대서장
- 서울지방국세청 조사3국·4국 조사팀장
- 마포세무서 재산세과장
- 국세청 심사과, 조사2과
- 서초, 삼성, 동부(현 성동), 남산(현 중부), 동대문, 용산

안 옥 자 대표세무사

- 강남세무서장
- 국세청 재산세국 부동산거래관리과장
- 서울지방국세청 조사1국 조사3과장
- 서울지방국세청 징세과장
- 영주세무서장
- 조사·법인·재산·부가·소득 등 34년 세무경력
- 국민대학교 대학원 경영학박사 (회계정보학)

정 인 화 대표세무사

- 마포세무서장
- 중부지방국세청 조사1국 조사1과장
- 김해세무서장
- 국세청 조사국 조사1과
- 서울지방국세청 조사1,3국
- 조사(13년)·법인·소득·부가 등 32년 세무경력
- 성균관대학교 경영대학원 졸업

이 화 순 대표세무사

- 금천세무서장
- 서울청 세원분석과 개인신고분석과장
- 홍천세무서장
- 국세청 징세법무국 징세과
- 시흥세무서 조사과장
- 서울청, 소공, 남대문, 남산, 삼성세무서 근무(37년 세무경력)

홍 대 근 대표세무사

- 대구지방국세청 납세자보호담당관, 소득재산세과장
- 동대구세무서 소득세과장
- 서대구세무서 재산법인세과장
- 남대구세무서 법인계장
- 북대구세무서 법인계차석
- 거창, 남원, 영주, 구미, 경주 등 근무(국세경력 32년)

이 태 욱 대표세무사

- 국립세무대학 7기
- 국세청 고객만족센터 (부가세상담)
- 서울지방국세청 조사4국, 법무과
- 반포,종로,서대문,구로세무서 등 국세경력 22년
- 세무법인 다솔 근무

이 재 규 대표세무사

- 국립세무대학 6기
- 동안양세무서 소득세과장
- 용인세무서 납세자보호담당관
- 국세청 첨단탈세방지담당관실 팀장
- 국세청 조사국 세원정보과
- 서울지방국세청 조사4국
- 국세청, 지방국세청 및 세무서 조사분야 20년

토은가족 연락처

- 서초 : 서울시 서초구 서초대로 74길 23(서초동 1327) 서초타운트라팰리스 901호 Tel. 02-6013-0300
- 남양주 : 경기도 구리시 안골로 43(교문동,동호빌딩301호) Tel. 031-553-1700
- 이천1점 : 경기도 광주시 곤지암읍 경충대로 770 세건빌딩4층 Tel. 031-761-2670~1
- 북인천 : 인천시 계양구 계양대로44, 601호 (작전동422-3, 덕음프라자) Tel. 032-548-5500
- 김포 : 경기도 김포시 김포한강로 119, 승문프라자 401호(장기동) Tel. 031-996-9051
- 이천2점 : 경기도 이천시 부악로 24 신흥빌딩 3층 301호 Tel. 031-633-7700
- 강남 : 서울시 강남구 강남대로 354 (역삼동, 혜천빌딩1202호) Tel. 02-514-8300
- 마포 : 서울시 마포구 동교로 191, 디비엠빌딩 404호 Tel. 02-3152-3030
- 금천 : 서울시 금천구 시흥대로 152길 11-31 Tel. 02-868-4500
- 동대구 : 대구광역시 동구 동부로 22길 48 유성푸르나임 202호(신천동) Tel. 053-475-1234
- 반포 : 서울 서초구 방배로 25길 22 전광빌딩 2층 Tel. 02-534-4668

세무그룹 토은 www.toeuntax.com

40

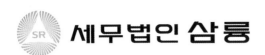 **세무법인 삼룡**

www.samryung.com

"최고의 조세전문가 그룹 「삼룡」은 프로정신으로 기업경영에 보다 창의적이고 효율적인 세무서비스를 제공하도록 최선을 다하겠습니다."

□ 주요업무

세무조사 대리 | 조세관련 불복대리 | 세무신고 대리 | 기업경영 컨설팅

□ 구성원

서국환 회장/대표세무사
광주지방국세청장
서울청 조사2국장
서울청 조사4국 3과장
중부청 조사 1국 3과장
국세청 조사·심사·소득 과장
익산·안산세무서장 등 30년 경력

이정섭
본사·수원지사 대표세무사
중부청 조사 1국
목포·평택·수원세무서 등 16년 경력
전주대학교 관광경영학 박사

정인성
서초지사 대표세무사
서울청·용산·영등포세무서 등 23년 경력
세무사 실무 경력 20년

최상원
영통지사 대표세무사
중부지방국세청 법무과
중부지방국세청 특별조사국
영남대학교 졸업

김대진
서수원지사 대표세무사
세무사 48회
서울시립대학교 졸업

이정화
안양지사 대표세무사
세무사 44회
아주대학교 경영학 석사
(현)숭의여자대학교 세무회계과 겸임교

국승훈 세무사
세무사 55회
명지대학교 경영학과 졸업

이상화 세무사
세무사 57회
울산대학교 경제학과 졸업

서준용 세무사
세무사 57회
동아대학교 경제학과 졸업

 稅務法人 三隆

본　　사	서울시 강남구 강남대로 84길 23, 1603호 (역삼동, 한라클래식)	Tel. 02-3453-7591	Fax. 02-3453-759
수원지사	경기도 수원시 영통구 영통로 169, 3층 (망포동 297-8)	Tel. 031-273-2304	Fax. 031-206-730
서초지사	서울시 서초구 사임당로 174, 603호 (서초동, 강남미래타워)	Tel. 02-567-6300	Fax. 02-569-9974
안양지사	경기도 안양시 동안구 시민대로 230, B동 6층 610, 611호 (관양동, 평촌아크로타워)	Tel. 031-423-2900	Fax. 031-423-216
영통지사	경기도 수원시 영통구 영통동 998-6 아셈 프라자 401호 (동수원세무서 옆)	Tel. 031-273-7077	Fax. 031-273-717
서수원지사	수원시 권선구 매송고색로 636-8, 302호 (고색동)	Tel. 031-292-6631	Fax. 031-292-663

www.hanatax.net
www.mgiworld.com
taxfirm@daum.net

고객의 성공 !!
세무법인 하나 가 추구하는 최고의 가치입니다.

세무법인 하나 구성원

- 대표이사 이규섭　경원대 경영학박사, 국세청 18년
- 회　장　김정복　국가보훈처장관, 중부지방국세청장
- 부회장　안형준　세무대3기, 속초, 서인천세무서장 등 국세청 31년
- 고　문　이동훈　대구지방국세청장, 서울청조사국장
- 감　사　오충용　금천세무서 세원관리과장 등 국세청 36년

- 세무사　조동관　동부제강, 부동산CEO, LOSS분석사
- 세무사　김성국　[31회] 한국외대(경제학), 한일은행
- 세무사　고재화　서울청 조사국 등 국세청 30년
- 세무사　이선훈　세무대 3기, 국세청 27년
- 세무사　이승민　역삼·서초·강남 등 국세청 23년
- 세무사　정윤호　서울지방국세청·서초·용산세무서등 근무
- AICPA　이선영　홍익대(경영학), 푸르덴셜투자증권

- 대표이사 김용철　세무대 1기, 국세청법규과, 의정부세무서장 등 국세청 31년
- 고　문　김호업　중부지방국세청장, 서울청조사국장(행시21회)
- 전무이사 전영창　서울청 조사국 등 국세청 24년
- 전무이사 최태영　국세청감사 조사국 등 국세청 27년

- 세무사　조현옥　서초·삼성세무서 등 국세청 24년
- 세무사　이명식　세무대 1기, 국세청 22년
- 세무사　이명원　세무대 1기, 국세청 24년
- 세무사　이철우　[35회] 경북대(경영학)
- 세무사　우신동　서울지방국세청 조사국·징세법무국 등 국세청 20년
- 공인회계사 이창석　동국대학교, EY 한영 감사본부

- 세무사　성노주
- 세무사　배 수
- 세무사　강진욱
- 세무사　양승철
- 세무사　한지영
- 세무사　고다현
- 세무사　김진희
- 세무사　박지상
- 세무사　이수미
- 세무사　조예솔

세무법인 하나 부설 조세연구소 구성원

- 고　문　정진택　국세청국장, 서울청조사국장(행시13회, CPA)
- 고　문　박재익　조세심판원, 세제실 등

- 고　문　김종재　수원세무서장, 서울청조사국 등 국세청 39년

Your
Best Partner!

세무법인 하나

본점 서울시 강남구 논현로79길 72 (역삼동, 올림피아센터 3층) T.02)2009-1600 **관악지점** T.02)861-0141
부천지점 T.032)614-0141 **대구지점** T.053)742-3241 **전주지점** T.063)276-7776 **구미지점** T.054)454-2975

편안한 세금

택스홈
세무법인 택스홈앤아웃

Vision
세무서비스의 경계를 허물고
다양한 서비스를 포괄하는 플랫폼(Platform, 場)을 통해,
고객의 일생(一生)을 넘어 후대에 이르기까지
최고의 가치를 제공하는 Only One인 세무법인이 된다.

" 택스홈앤아웃은 약속을 지키는 전문가그룹입니다. "

신웅식 대표이사

성남, 송파, 반포, 제주세무서장
국세청 재산세과장, 부동산거래관리과장
부산지방국세청 조사2국장
서울지방국세청 조사4국 4과장
국세청 심사1과, 납세자보호과, 징세과 계장

김문환 부회장

국세청, 지방청 및 세무서 근무
중부지방국세청조사1국장 (전)
사단법인대한주류공업협회장 (전)
국세청총무과장, 조사2과장 (전)
녹조근정훈장 (1994)
홍조근정훈장 (1995)

강남지점대표/세무사	김형운	이사/세무사	김현진	세무사	남장현	세무사	김나영
전무이사/세무사	박상혁	이사/세무사	고숙경	세무사	지민정	세무사	김원대
전무이사/세무사	박상언	이사/세무사	안정진	세무사	김지혜	세무사	문준연
상무이사/세무사	이성우	이사/세무사	엄수빈	세무사	최보선	세무사	이임주
상무이사/세무사	백길현	이사/세무사	고상원	세무사	정치은	세무사	류지화
이사/세무사	전유호	세무사	이민형	세무사	이헌수	세무사	이지혜
이사/세무사	박상호	세무사	조아로미	세무사	김종현	세무사	이호준
이사/세무사	양재림	세무사	임인규	세무사	정희원	세무사	권지연
이사/세무사	안동섭	세무사	황상태	세무사	김소현	세무사	강용한
이사/세무사	이호준	세무사	허 재	세무사	최원우	세무사	노승현
이사/세무사	이성렬	세무사	유창현	세무사	김상돈	세무사	김도영
이사/세무사	최규균	세무사	최하늘	세무사	유지현	세무사	이대규
이사/세무사	조형준	세무사	최솔잎	세무사	문석권	세무사	왕 현

지점안내

- 본   점 : 서울 강남구 언주로148길 19 청호빌딩 2층, 7층   T. 02-6910-3000
- 압구정   지점 : 서울 강남구 논현로 722 신한빌딩 6층   T. 02-6910-3900
- 송 파   지점 : 서울 송파구 양재대로 932 가락몰 업무동 616   T. 02-6910-3999
- 강 서   지점 : 서울 강서구 공항대로212 6층 612,613,614,615   T. 02-6910-3114
- 위너스   지점 : 서울 서초구 강남대로99길 45 엠빌딩 202   T. 02-6910-3090
- 인 천   지점 : 인천 남동구 선수촌공원로17번길 8 정방빌딩 404,405,406   T. 032-884-5604
- 에스에스 지점 : 서울 성동구 성수일로 89 메타모르포빌딩 702호   T. 02-6288-3230
- 삼 성   지점 : 서울 강남구 봉은사로49길 7 대양빌딩 5층   T. 02-6910-3910
- 마 포   지점 : 서울 마포구 양화로 7길 44, 2층   T. 02-6288-3200
- 역 삼   지점 : 서울 강남구 테헤란로14길 5 삼흥역삼빌딩 6층   T. 02-6910-3111
- 영등포   지점 : 서울 영등포구 경인로 775 에이스하이테크시티 제1층 3-102호   T. 02-6910-3160
- 광 진   지점 : 서울 광진구 용마산로 18 신성빌딩 2층   T. 02-467-4122

44

대표이사 · 세무사 **신학순**

"세원세무법인"은 고객의 진정한 동반자입니다.

세원세무법인은 풍부한 실무경험과
양질의 서비스로 고객만족을 추구합니다.

세원세무법인의 파트너

세무사 · 경영학박사 **김상철**

세무사 **김종화**

세무사 · AICPA **공익성**

세무사 **연제관**

세무사 · 법무사 **강창규**

세원세무법인의 세무사

■ **한규진** 세무사   ■ **유찬영** 세무사   ■ **이윤서** 세무사   ■ **지유미** 세무사   ■ **김미정** 세무사

세원세무법인의 주요업무

세무컨설팅 : 합병 및 주식평가, 주식이동 관련 세무, 세무진단 및 조사입회, 코스닥등록

부동산컨설팅 : 양도/상속/증여세 자문, 재개발 관련 용역, 취득세 등 지방세 관련 용역

국제조세 : 외국법인 등 설립, 조세협약, 기술도입 및 인적용역관련 자문

조세불복 : 과세전적부심사청구, 이의신청 및 심사청구, 심판청구

법무자문 : 각종 등기업무, 각종 소장 작성, 일반법무상담 및 자문

기타 : 공익법인 사무관리, 회사설립 및 법인전환, 법규해석 및 의견서작성

www.sewontax.com

서울본사
서울특별시 강남구 역삼로 170 리오빌딩 4층
TEL : 02-568-0606 FAX : 02-3453-8516

분당지사
경기도 성남시 분당구 판교역로 192번길 16
TEL : 031-726-1104 FAX : 031-726-1107

법무팀
서울특별시 강남구 역삼로 170 리오빌딩 4층
TEL : 02-568-0608 FAX : 02-565-0811

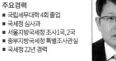

이안세무법인
IAN TAX FIRM

고객의 가치 창출을 위해
이안(耳眼) 세무법인은
귀 기울여 듣고, 더 크게 보겠습니다

장 호 강 고문

(전) 영등포세무서장
(전) 중부청 조사1국 조사1과장
(전) 포항세무서장
(전) 서울청 조사 1국·2국 서기관

윤 문 구 대표세무사

국립세무대학(2기) 졸
경영학박사 / 세무학박사
(현) 서울고검 국가송무상소심의위원
(현) 서울시 지방세 심사위원
(전) 국세청 국세심사위원
(전) 국세청 납세자보호위원
(전) 서울청 조세범칙심의위원

이 동 선 전무

(전) 서울청 조사1국·2국
(전) 강남·삼성·역삼·서초·
　　영등포세무서

이 경 근 상무

국립세무대학(13기) 졸
(전) 서울청 조사1국
(전) 국세청 국세상담센터
　　상속세 및 증여세법 상담관

김 태 호 이사 (세무사)

경기대학교 경영학과,
경제학과 졸

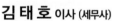

최 은 경 이사 (세무사)

서울시립대학교
행정학과 졸

유 준 희 세무사

연세대학교 미래캠퍼스
경제학과 졸

지 상 현 세무사

웅지세무대학교
회계정보학과 졸

이안세무법인
IAN TAX FIRM

서울시 서초구 서초대로 40길 41 2층 (서초동, 대호IR빌딩)
TEL 02.2051.6800　FAX 02.2051.6006
www.iantax.co.kr

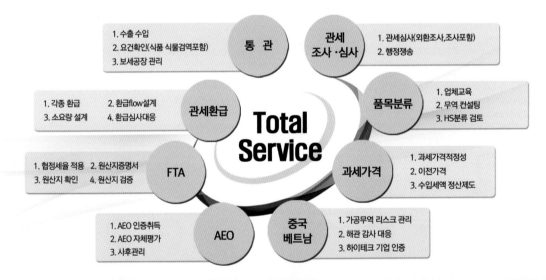

律村

법무법인(유) 율촌(律村)은
"뜻을 모으고 실력을 합쳐 법률가의 마을을 세우다" 라는
의미를 가지고 1997년 설립되었습니다.

www.yulchon.com

율촌 조세부문 주요 구성원

율촌 조세는 다릅니다.

김동수
변호사 / 부문 대표
분야: 조세자문

조윤희
변호사
분야: 조세쟁송

이승호
고문
분야: 세무조사

김낙회
고문
분야: 입법, 관세,
조세심판

전동흔
고문
분야: 지방세

장재형
세무사
분야: 입법, 예규

윤충식
세무사
분야: 조세심판

정경석
세무사
분야: 세무조사

임정훈
세무사
분야: 세무조사, 조세자문

송상우
회계사
분야: 조세자문(금융)

김연종
관세전문위원
분야: 관세

김규동
외국회계사
분야: 국제조세

박만성	고문:	세무조사	오영석	회계사:	국제조세(일본)	신기선	변호사:	조세쟁송
양병수	고문:	세무조사	최규환	회계사:	금융조세	이강민	변호사:	조세자문
이경근	세무사:	국제조세	양원봉	회계사:	조세자문	이종혁	변호사:	조세쟁송, 관세
이창수	세무사:	유권해석	소진수	회계사:	구조조정, 가업승계	김근재	변호사:	조세쟁송
김실근	세무사:	감사원	조준영	회계사:	국제조세	박세훈	변호사:	관세
전성훈	세무사:	세무조사	이상우	회계사:	조세자문	최용환	변호사:	국제조세
문준영	세무사:	조세진단	김형배	관세전문위원:	관세, ACVA	전환진	변호사:	조세쟁송
채종성	세무사:	조세진단	안수정	외국변호사:	국제조세	이주헌	변호사:	조세쟁송
Jeremy A. Everett	외국회계사:	국제조세	조정철	변호사:	조세형사, 관세	성민영	변호사:	조세쟁송
이민규	회계사:	조세자문(기업)	전영준	변호사:	조세쟁송, 조세자문	곽태훈	변호사:	조세쟁송

법무법인(유)
율촌

KOREA'S PREMIER LAW FIRM
KIM & CHANG

TOP
—
"Band 1" rankings in 18 practice areas in Chambers Asia-Pacific 2022

ALL
—
"Tier 1" rankings in 15 practice areas in The Legal 500 Asia Pacific 2022

INNOVATIVE
—
Recognized as the "National Law Firm of the Year: South Korea" in IFLR Asia-Pacific Awards 2021

ONLY
—
The only Korean law firm in ALM Global 100

BEST
—
Recognized 70 times as "Korea Law Firm of the Year" over the past years

MOST
—
112 experts ranked by Chambers in 2021 – the largest among Korean law firms

www.kimchang.com

다양한 조세 전문가들의 시너지를 통한 최적 솔루션 제시

김·장 법률사무소 조세 그룹

조세 분야 Top Tier Rankings 선정

Chambers Asia-Pacific 2022
The Legal 500 Asia Pacific 2022
Asialaw Profiles 2022
World Tax 2022, World Transfer Pricing 2022
Benchmark Litigation Asia-Pacific 2021

조세 일반

한만수 변호사 02-3703-1806	백우현 공인회계사 02-3703-1047	이종국 호주공인회계사 02-3703-1016	조용호 공인회계사 02-3703-1116	최임정 공인회계사 02-3703-1143
권은민 변호사 02-3703-1252	이지수 변호사 02-3703-1123	양규원 공인회계사 02-3703-1298	김요대 공인회계사 02-3703-1436	최효성 공인회계사 02-3703-1281
임송대 공인회계사 02-3703-1088	양승종 변호사 02-3703-1416	정광진 변호사 02-3703-4898	심윤상 미국변호사 02-3703-1221	Sean Kahng 미국변호사 02-3703-1694
곽장운 미국변호사 02-3703-1708	서봉규 공인회계사 02-3703-1015	류재영 공인회계사 02-3703-1529	임양록 공인회계사 02-3703-4543	황찬연 공인회계사 02-3703-1807
전한준 호주공인회계사 02-3703-1770	김해마중 변호사 02-3703-1612	민경서 변호사 02-3703-1277	이종명 변호사 02-3703-1915	이재홍 변호사 02-3703-1917

이전가격

여동준 공인회계사 02-3703-1061	남태연 공인회계사 02-3703-1028	한상익 공인회계사 02-3703-1127	이제연 공인회계사 02-3703-1079	이규호 공인회계사 02-3703-1169
Michael Quigley 미국변호사 02-3703-1042	Christopher Sung 미국변호사 02-3703-1115	이상묵 공인회계사 02-3703-1278	박재석 공인회계사 02-3703-1160	최동진 공인회계사 02-3703-1319

금융조세

김동소 공인회계사 02-3703-1013	임용택 공인회계사 02-3703-1089	박정일 공인회계사 02-3703-1040	백원기 공인회계사 02-3703-1659	이평재 공인회계사 02-3703-1156
권영신 공인회계사 02-3703-5782	이성창 조세전문위원 02-3703-1780	임동구 공인회계사 02-3703-1646	박종현 공인회계사 02-3703-1817	박지영 공인회계사 02-3703-4953

세무조사 및 조세쟁송

정병문 변호사 02-3703-1576	김의환 변호사 02-3703-4601	백제흠 변호사 02-3703-1493	조성권 변호사 02-3703-1968	하상혁 변호사 02-3703-4893
하태흥 변호사 02-3703-4979	김희철 변호사 02-3703-5863	이상우 변호사 02-3703-1571	박재찬 변호사 02-3703-1808	이종광 공인회계사 02-3703-1056
정영민 공인회계사 02-3703-1449	박동희 공인회계사 02-3703-1279	진승환 공인회계사 02-3703-1267	박재홍 공인회계사 02-3703-1440	기상도 공인회계사 02-3703-1330
서재훈 공인회계사 02-3703-1845	서창우 공인회계사 02-3703-1846	안재혁 변호사 02-3703-1953	이은총 변호사 02-3703-4588	

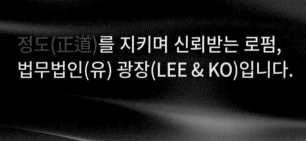

정도(正道)를 지키며 신뢰받는 로펌,
법무법인(유) 광장(LEE & KO)입니다.

 법무법인(유) 광장

• 주요 구성원

조세쟁송 및 자문

이상기 변호사
기획재정부 고문변호사
한국조세협회 부이사장
Tel: 02-2191-3005

이인형 변호사
서울행정법원 부장판사
수원지방법원 평택지원장
Tel: 02-772-5990

손병준 변호사
대법원 조세전담 재판연구관
대전지방법원 부장판사
Tel: 02-772-4420

마옥현 변호사
대법원 조세전담 재판연구관
광주지방법원 부장판사
Tel: 02-6386-6280

김성환 변호사
대법원 조세전담 재판연구관(총괄)
춘천지방법원 부장판사
Tel: 02-6386-7900

김경태 변호사
대전지방법원 판사
한국세무학회 부학회장
Tel: 02-772-4414

임수혁 변호사
중부세무서 납세자보호위원
미국 UC Berkeley School of Law 법학석사(LLM)
Tel: 02-772-4973

이건훈 변호사
서울대학교 법과대학 석사과정(조세법 전공)
미국 UCLA School of Law 법학석사(LLM)
Tel: 02-6386-6211

박영욱 변호사
국세청 과세품질혁신위원회 위원
변호사시험(조세법) 출제위원
Tel: 02-772-4422

김상훈 변호사
한국지방세연구원 지방세구제업무 자문위원
중부세무서 국세심사위원회 위원
Tel: 02-772-4425

유정호 변호사
국세청 정기연수과정 강사 (금융조세)
Allianz Global Investors 펀드매니저
Tel: 02-2191-3208

장연호 회계사
국세청 금융업 실무과정 강사
삼일회계법인 금융/보험조세팀 근무
(한국·미국 등록 회계사)
Tel: 02-772-5942

이인수 회계사
김·장 법률사무소
삼일회계법인
Tel: 02-6386-7905

정재훈 회계사
신한금융지주
삼일회계법인
Tel: 02-772-5931

이진욱 회계사
딜로이트 안진회계법인
University of Florida S.J.D. 과정 수료
Tel: 02-2191-3240

김한준 회계사
삼일회계법인 국제조세본부
삼일회계법인 감사본부
Tel: 02-6386-6687

조세예규 및 행정심판

강지현 변호사
국무총리 소속 조세심판원 사무관
기획재정부 세제실 사무관(조세특례제도과)
Tel: 02-772-4975

김병준 세무사
조세심판원 조정팀장
국세청 심사과
Tel: 02-6386-6376

이전가격

박성한 미국회계사
EY한영회계법인
삼일회계법인
Tel: 02-6386-7952

김민후 미국변호사
Deloitte Anjin LLC
Ernst & Young Korea
Tel: 02-6386-6271

고문

정병춘 고문
국세청 차장
광주지방국세청장
Tel: 02-772-4757

윤영선 고문
제24대 관세청장
기획재정부 세제실장
Tel: 02-6386-6640

원정희 고문
부산지방국세청장
국세청 조사국장
Tel: 02-6386-6229

김재웅 고문
서울지방국세청장
중부지방국세청장
Tel: 02-6386-7890

"각 분야 최고의 전문가들이 한자리에 모였습니다"

조세소송 및 불복, Tax Planning and Consulting, 세무조사, 국제조세, 이전가격 등
한 분의 고객을 위해 변호사, 회계사, 세무사, 고문, 전문위원 등
조세 각 분야 최고 전문가들이 힘을 합치는 로펌, 그곳은 광장(Lee & Ko)입니다.

"조세분야 최고 등급(Top Tier)의 로펌입니다"

국제적으로 유명한 평가기관인 Legal 500, Tax Directors Handbook 등에서
최고 등급 평가를 받아온 로펌, 그곳은 광장(Lee & Ko)입니다.

"존경받는 로펌, 신뢰받는 로펌이 되겠습니다"

고객이 신뢰하고 고객에게 존경받는 로펌, 가장 기분좋은 수식어 입니다.
대외적으로 인정받고 신뢰받는 로펌, 그곳은 광장(Lee & Ko)입니다.

초심을 잃지 않고 자만하지 않으며 먼 미래를 내다보며 준비하겠습니다.
항상 고민하고 새로운 도약을 준비하는 로펌,

'법무법인(유) 광장(Lee & Ko)' 입니다.

국제조세

심재진 미국변호사
AmCham Tax Committee Co-Chiar
PwC Moscow and Price Waterhouse, New York
Tel: 02-2191-3235

권오혁 미국변호사
Deloitte Anjin LLC
Deloitte Tax LLP
Tel: 02-6386-6627

김정홍 미국변호사
기획재정부 국제조세제도과장
대법원 재판연구관(조세조)
Tel: 02-6386-0773

류성현 변호사
대한변호사협회 세제위원회 위원
서울지방국세청 사무관
Tel: 02-2191-3251

이환구 변호사
중부세무서 납세자보호위원
UCLA Law School LLM(Tax track)
Tel: 02-772-4307

오혁 미국변호사
미국 RSM International Inc., International Tax
미국 Deloitte Tax LLP, Washington National Tax
Tel: 02-772-4349

인병춘 회계사
KPMG 국제조세본부장
KPMG Tax Partner
Tel: 02-6386-7844

김태경 회계사
한국국제조세협회 이사
한국조세연구포럼 이사
Tel: 02-2191-3246

관세

박영기 변호사
관세청 통관지원국 사무관
서울본부세관 고문변호사
Tel: 02-2191-3052

태정욱 변호사
관세청 관세평가자문위원
서울본부세관 관세심사위원
Tel: 02-6386-6373

조재웅 변호사
관세청 법률고문
관세평가분류원 관세평가협의회 위원
Tel: 02-6386-6617

김창희 전문위원
제29회 관세사
품목분류, 통관, 요건, FTA 전문
Tel: 02-6386-6645

세무조사 지원

조태복 세무사
성동, 중부산 세무서장
국세청 법인세과, 법령해석과
Tel: 02-6386-6572

장순남 세무사
서울지방국세청 조사4국 서기관
국세청 조사국 사무관
Tel: 02-772-5928

최진구 세무사
중부지방국세청 운영지원과장
서울지방국세청 조사국 조사팀장
Tel: 02-772-4256

권영대 세무사
서울지방국세청 국제거래조사국 조사팀장
국세청 조사국 국제조사과
Tel: 02-6386-6585

이호태 세무사
중부지방국세청
국세청
Tel: 02-6386-6602

배인수 세무사
서울지방국세청 조사4국
서울지방국세청 조사1국
Tel: 02-772-5986

이병하 세무사
서울지방국세청 국제거래조사국
국세청 국제조사과
Tel: 02-772-5987

권태영 세무사
국세청 자산과세국
서울지방국세청 조사4국
Tel: 02-6386-6583

지방세

김해철 전문위원
행정안전부 지방세특례제도과
한국지방세연구원 지방세 전문상담위원
Tel: 02-772-4354

형사

장영섭 변호사
서울중앙지방검찰청 금융조세조사1부장검사
법무부 법무과장
Tel: 02-772-4845

감사원

이세열 고문
감사원 심사담당과장
감사원 조세담당국 인사운영팀장
Tel: 02-6386-7840

조세쟁송·자문

세무조사·기업세무

국제조세

관세

화우 조세전문그룹

TAX
EXPERTS

화우 조세전문그룹

화우 조세전문그룹은 대한민국 조세분야
최고수준의 전문가들로 구성되어 유기적으로
협업하고 있습니다. 그 동안 축적된 경험과
업무역량으로 고객들에게 격이 다른 법률
서비스를 제공하여 국내 뿐만 아니라
세계에서도 실력을 인정받고 있습니다.

화우 조세전문그룹 대표 구성원

 임승순 대표변호사　 전오영 대표변호사　 김덕중 고문　 박정수 변호사　 이진석 변호사

 정재웅 변호사　 전완규 변호사　 이경진 변호사　 김용택 변호사　정종화 변호사

| 법무법인(유) 화우 조세전문그룹 |

임승순 대표변호사	서울행정법원 부장판사	이경진 파트너변호사	서울지방국세청 송무국 송무과장
전오영 대표변호사	국세청 조세법률고문	김용택 파트너변호사	Southern Methodist University School of Law, LL.M.
김덕중 고문	국세청장	정종화 파트너변호사	Vanderbilt Law School, LL.M.
박정수 파트너변호사	대법원 재판연구관(조세조)	강 찬 파트너변호사	Northwestern University School of Law, LL.M.
오태환 파트너변호사	서울행정법원 판사	강우룡 회계사	삼정회계법인 세무본부
이진석 파트너변호사	대법원 재판연구관(조세조)	김대호 회계사	한영회계법인 세무본부
정재웅 파트너변호사	서울지방국세청 조세법률고문	박재우 미국변호사	KPMG LLP (New York), 미국 NY주 변호사
전완규 파트너변호사	Southern Methodist University School of Law, LL.M.		

 법무법인(유) 화우
YOON & YANG

법무법인(유) 화우　서울시 강남구 영동대로 517 아셈타워 6, 17, 18, 19, 22, 23, 34층 우) 06164
T. 02-6003-7000　E. hwawoo@hwawoo.com

세무법인 화우

YOON & YANG TAX SERVICES GROUP

종합적이고 포괄적인 세무관리 및 법률서비스를 제공하는 세무전문법인

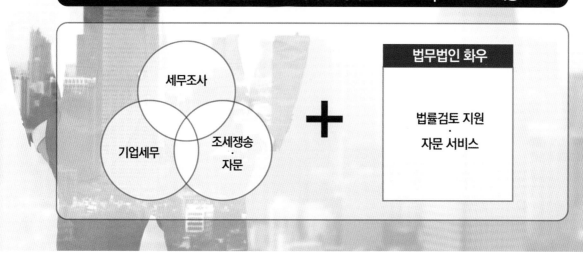

법무법인과 유기적인 협업으로 고객이 만족하는 One-Stop Service 제공

세무조사

기업세무

조세쟁송 · 자문

+

법무법인 화우

법률검토 지원 · 자문 서비스

세무법인 화우는 국세청 조사국, 서울청조사1국, 조사4국 등에서 근무한 대표세무사를 비롯해 조세분야 25년 이상의 경력 세무전문가로 구성돼 종합적으로 포괄적인 세무관리 및 법률서비스를 제공합니다.

기업사활의 중요한 요소인 기업의 세무·회계정보의 신뢰성과 재무건전성 확보를 위해 세무법인 화우는 늘 고객의 대한 배려와 상호신뢰로 고객의 입장에서 고민하고 함께 해결해 나가겠습니다.

세무법인 화우 주요 구성원

이한종 대표세무사
삼성세무서장

정철환 세무사
국세청 기획조정관실

정충우 세무사
서울지방국세청 조사국

조형래 미국회계사
국세청 및 산하 세무서/미국공인회계사

김정운 세무사
서울지방국세청 조사3국

이경진 세무사
서울지방국세청 조사국

이주환 세무사
서울지방국세청 조사4국

김민정 세무사
이현회계법인

임기준 세무사
(주)케이씨씨 회계부 과장

권혁윤 세무사
제51회 세무사

세무법인 화우　서울시 강남구 영동대로 517 아셈타워 6층 우) 06164 | tax.hwawoo.com

T. 02) 6182-8800 F. 02) 6182-8900 E. tax@hwawoo.com

이한종 대표세무사　T. 02) 6182-8800 F. 02) 6182-8900 E. onebell2@hwawoo.com

세무법인 화우
YOON & YANG
TAX SERVICES GROUP

법무법인(유한) 태평양

조세업무에 대한 풍부한 경험과 전문성

| 세무조사 대응 | 조세형사 | 국제조세 |
| 조세쟁송 | 관세/국제통상 | 일반 조세자문 |

주요 구성원 소개

송우철 변호사
조세쟁송
02.3404.0182

조일영 변호사
조세자문/조세쟁송
02.3404.0545

유철형 변호사
조세자문/조세쟁송
02.3404.0154

강석규 변호사
조세자문/조세쟁송
02.3404.0653

김승호 변호사
조세자문/조세쟁송
02.3404.0659

심규찬 변호사
조세자문/조세쟁송
02.3404.0679

장승연 외국변호사
미국 Ohio주
국제조세/관세 및 통상
02.3404.7589

김동현 공인회계사
조세자문/조세쟁송
02.3404.0572

김태균 공인회계사
금융조세/국제조세
02.3404.0574

최찬오 세무사
조세자문/세무조사
02.3404.7578

곽영국 세무사
조세자문/세무조사
02.3404.7595

김규석 전문위원
관세
02.3404.0579

주성준 변호사
조세쟁송/관세
02.3404.6517

조무연 변호사
조세자문/조세쟁송
02.3404.0459

장성두 변호사
조세자문/조세쟁송
02.3404.6585

박재영 변호사
조세자문/조세쟁송
02.3404.7548

방진영 변호사
조세자문/조세쟁송
02.3404.6408

박희윤 외국변호사
미국 Washington D.C.
국제조세/투자자문
02.3404.6987

채승완 공인회계사
국제조세/투자자문
02.3404.0577

유세열 공인회계사
회계자문/통상
02.3404.0576

양성현 공인회계사
조세자문/조세심판
02.3404.0586

조학래 공인회계사
조세자문/조세심판
02.3404.0580

이은홍 공인회계사
조세자문/조세심판
02.3404.0575

김혁주 세무사
조세자문/조세심판
02.3404.0578

김용수 세무사
조세자문/조세심판
02.3404.7573

황재훈 세무사
조세자문/조세심판
02.3404.7579

박영성 세무사
조세자문/조세심판
02.3404.0584

손창환 세무사
조세자문/조세심판
02.3404.0587

임대승 전문위원
관세
02.3404.7572

최광백 전문위원
조세자문/조세심판
02.3404.7567

---

bkl 법무법인(유한)태평양

Seoul | Beijing | Hong Kong | Shanghai | Hanoi
Ho Chi Minh City | Yangon | Dubai | Singapore | Jakarta

서울 사무소 서울 종로구 우정국로 26 센트로폴리스 B동   **T** 02.3404.0000   www.bkl.co.kr
서초 분사무소 서울 서초구 서초중앙로 156 | **판교 분사무소** 경기도 성남시 분당구 분당내곡로 131 판교테크원타워2

재무인의 가치를 높이는 변화

조세일보 정회원

온라인 재무인명부
수시 업데이트되는 국세청, 정·관계 인사의 프로필, 국세청, 지방국세청, 전국 세무서, 관세청, 공정위, 금감원 등 인력배치 현황

예규·판례
행정법원 판례를 포함한 20만 건 이상의 최신 예규, 판례 제공

구인정보
조세일보 일평균 10만 온라인 독자에게 채용 홍보

업무용 서식
세무·회계 및 업무용 필수서식 3,000여 개 제공

세무계산기
4대보험, 갑근세, 이용자 갑근세, 퇴직소득세, 취득/등록세 등 간편 세금계산까지!

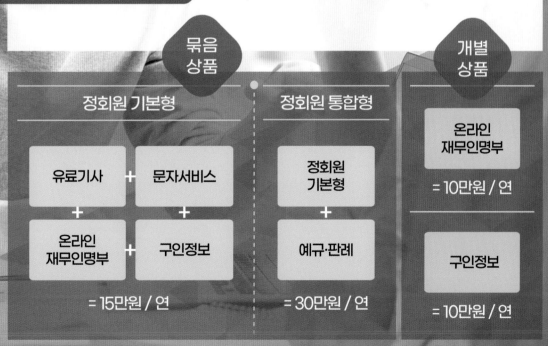

묶음 상품

개별 상품

정회원 기본형	정회원 통합형	온라인 재무인명부
유료기사 + 문자서비스 + 온라인 재무인명부 + 구인정보	정회원 기본형 + 예규·판례	= 10만원 / 연
= 15만원 / 연	= 30만원 / 연	구인정보 = 10만원 / 연

※ 자세한 조세일보 정회원 서비스 안내 http://www.joseilbo.com/members/info/

1등 조세회계 경제신문

조세일보

조세일보 정회원 통합형만이 누릴 수 있는

예규·판례 서비스

차별화된 조세 판례 서비스

매주 고등법원 및 행정법원 판례 30건 이상을 업데이트하고 있습니다. (1년 2천여 건 이상)

모바일 기기로 자유롭게 이용

PC환경과 동일하게 스마트폰, 태블릿 등 모바일기기에서도 검색하고 다운로드할 수 있습니다.

신규 업데이트 판례 문자 안내 서비스

매주 업데이트되는 최신 고등법원, 행정법원 등의 판례를 문자로 알림 서비스를 해드립니다.

판례 원문 PDF 파일 제공

판례를 원문 PDF로 제공해 다운로드하여 한 눈에 파악할 수 있습니다.

정회원 통합형 연간 30만원 (VAT 별도)

추가 이용서비스 : 온라인 재무인명부 + 프로필, 구인정보 유료기사 등

회원가입 : www.joseilbo.com

1등 조세회계 경제신문
조세일보

재무인명부

세무법인 | 회계법인 | 관세법인 | 로펌

국회기획재정위원회 | 감사원 | 기획재정부 | 금융위 | 금감원 | 상공회의소
중소기업중앙회 | 국세청 | 지방재정세제실 | 조세심판원 | 한국조세재정연구원

2022.1.17.현재

1등 조세회계 경제신문
J 조세일보

기관

국회기획재정위원회

주소	서울특별시 영등포구 의사당대로 1 (여의도동) (우) 07233
대표전화	02-6788-2114
사이트	finance.na.go.kr

위원장 　　　윤후덕

(D) 02-6788-6901

위원회 조직	전화
정연호 수석전문위원 (차관보급)	02-6788-5141
정명호 전문위원 (2급)	02-6788-5142
윤준승 입법조사관 (4급)	02-6788-5155
박미정 입법조사관 (4급)	02-6788-5148
정진욱 입법조사관 (4급)	02-6788-5143
김형섭 입법조사관 (4급)	02-6788-5149
최성찬 입법조사관 (4급)	02-6788-5150
어수진 입법조사관 (5급)	02-6788-5154
한지은 입법조사관 (5급)	02-6788-5151
김지수 입법조사관 (5급)	02-6788-5157
길기혁 입법조사관 (5급)	02-6788-5152
윤기영 입법조사관 (5급)	02-6788-5160
손진현 입법조사관 (5급)	02-6788-5147
신광수 입법조사관 (5급)	02-6788-5161
육건우 입법조사관 (5급)	02-6788-5158
양경화 입법조사관보 (6급)	02-6788-5153
최윤희 주무관 (6급)	02-6788-5144
이미선 주무관 (6급)	02-6788-5146
장웅진 행정관 (7급)	02-6788-5145
임현숙 주무관 (7급)	02-6788-5141
염혜윤 주무관 (7급)	02-6788-5142

국회기획재정위원회

DID: 02-6788-OOOO

위원장: **윤 후 덕**
DID: 02-6788-6901

주소	서울특별시 영등포구 의사당대로 1 (여의도동) (우) 07233
홈페이지	finance.na.go.kr

구성	간사		위원			
위원명	**김영진**	**류성걸**	**고용진**	**김두관**	**김수흥**	**김주영**
소속	더불어민주당	국민의힘	더불어민주당	더불어민주당	더불어민주당	더불어민주당
보좌관	김경목, 노창식	손정갑, 조호현	문선희, 정철영	심용혁, 임근재	성현민, 정완창	이경호, 이은영
전화	6256	6396	6061	6141	6221	6316

구성	위원					
위원명	**김태년**	**박홍근**	**양경숙**	**우원식**	**이인영**	**전해철**
소속	더불어민주당	더불어민주당	더불어민주당	더불어민주당	더불어민주당	더불어민주당
보좌관	이창욱, 정진경	김동영, 장석원	강지형, 김행석	박기영, 이지환	황훈	박정대, 백수현
전화	6336	6541	6721	6786	7041	7181

구성	위원					
위원명	**정성호**	**정일영**	**박형수**	**배준영**	**서병수**	**서일준**
소속	더불어민주당	더불어민주당	국민의힘	국민의힘	국민의힘	국민의힘
보좌관	서준섭, 정원철	강지은, 윤영표	김상현, 박민구	박종효, 유원종	김성수, 김홍식	김태명, 제방훈
전화	7201	7211	6536	6546	6586	6606

구성	위원					
위원명	**유경준**	**정운천**	**추경호**	**장혜영**	**용혜인**	**양향자**
소속	국민의힘	국민의힘	국민의힘	정의당	기본소득당	무소속
보좌관	김길영, 이한수	김보현, 정경복	한동엽, 한승수	김진욱, 조현수	장흥배, 최승현	송경민, 윤미혜
전화	6796	7206	7386	7156	6776	6746

국회법제사법위원회

주소	서울시 영등포구 의사당대로 1(여의도동) (우) 07233
대표전화	02-6788-2114
사이트	legislation.na.go.kr

위원장 박광온

(D) 02-6788-6436

위원회 조직	전화	위원회 조직	전화
박장호 수석전문위원 (차관보급)	02-6788-5041	현서린 입법조사관 (5급)	02-6788-5070
허병조 전문위원 (2급)	02-6788-5044	양성민 입법조사관 (5급)	02-6788-5060
박철호 전문위원 (2급)	02-6788-5043	김현수 입법조사관 (5급)	02-6788-5065
이재윤 입법조사관 (3급)	02-6788-5071	이영준 입법조사관 (5급)	02-6788-5053
황충연 입법조사관 (3급)	02-6788-5049	황현진 입법조사관 (5급)	02-6788-5073
박지현 입법조사관 (3급)	02-6788-5048	이정윤 입법조사관 (5급)	02-6788-5062
권아영 입법조사관 (3급)	02-6788-5054	김다혜 입법조사관보 (6급)	02-6788-5064
김성수 입법조사관 (4급)	02-6788-5055	유정분 주무관 (6급)	02-6788-5066
정지영 입법조사관 (4급)	02-6788-5056	박경덕 주무관 (6급)	02-6788-5067
김혜리 입법조사관 (4급)	02-6788-5057	김란미 주무관 (6급)	02-6788-5050
백상준 입법조사관 (4급)	02-6788-5052	권현라 주무관 (6급)	02-6788-5074
조진숙 입법조사관 (4급)	02-6788-5051	전진향 주무관 (7급)	02-6788-5069
이광전 입법조사관 (4급)	02-6788-5061	장승훈 입법조사관보 (7급)	02-6788-5068
황성필 입법조사관 (4급)	02-6788-5063	김진국 입법조사관보 (7급)	02-6788-5072
이지선 입법조사관 (5급)	02-6788-5059	장은선 공무직	02-6788-5041
설그린 입법조사관 (5급)	02-6788-5058		

국회법제사법위원회

DID: 02-6788-OOOO

국회법제사법위원회
6번출구
여의2교
국회의사당역
1번출구
순복음교회
한강시민공원
서강대교 →

위원장: **박 광 온**
DID: 02-6788-6436

주소	서울특별시 영등포구 의사당대로 1 (여의도동) (우) 07233
홈페이지	legislation.na.go.kr

구성	간사		위원			
위원명	**박주민**	**장제원**	**김남국**	**김영배**	**김용민**	**김종민**
소속	더불어민주당	국민의힘	더불어민주당	더불어민주당	더불어민주당	더불어민주당
보좌관	김인아, 안진모	김민수, 안은전	박지환, 양삼동	김준호, 이준기	박준수, 윤여길	박영호, 정운몽
전화	6521	7146	6131	6241	6271	6311

구성	위원					
위원명	**박성준**	**소병철**	**송기헌**	**이수진**	**최기상**	**권성동**
소속	더불어민주당	더불어민주당	더불어민주당	더불어민주당	더불어민주당	국민의힘
보좌관	고수석, 한현규	김진남, 이정원	김영호, 신수철	박용규, 시명준	김성준, 정우윤	권통일, 최영철
전화	6476	6626	6641	6981	7346	6081

구성	위원				
위원명	**유상범**	**윤한홍**	**전주혜**	**조수진**	**최강욱**
소속	국민의힘	국민의힘	국민의힘	국민의힘	열린민주당
보좌관	김원호, 최영수	남기석, 박태훈	박영미, 박종진	안준철	박철훈
전화	6811	6891	7176	7271	7341

국회정무위원회

주소	서울특별시 영등포구 의사당대로 1 (여의도동) (우) 07233
대표전화	02-6788-2114
사이트	policy.na.go.kr

위원장   윤재옥

(D) 02-6788-6871

위원회 조직	전화
이용준 수석전문위원 (차관보급)	02-6788-5101
김상수 전문위원 (2급)	02-6788-5103
정대영 전문위원 (2급)	02-6788-5102
박주연 입법조사관 (3급)	02-6788-5104
한길수 입법조사관 (3급)	02-6788-5110
김종규 입법조사관 (4급)	02-6788-5105
송민경 입법조사관 (4급)	02-6788-5109
정수현 입법조사관 (4급)	02-6788-5108
신승우 입법조사관 (4급)	02-6788-5111
문경미 입법조사관 (5급)	02-6788-5112
김영석 입법조사관 (5급)	02-6788-5106
정한슬 입법조사관 (5급)	02-6788-5114
한지환 입법조사관 (5급)	02-6788-5113
민승환 입법조사관 (5급)	02-6788-5107
조정일 입법조사관보 (6급)	02-6788-5115
이주혁 입법조사관보 (6급)	02-6788-5117
박경희 행정주사 (6급)	02-6788-5116
김민옥 행정주사보 (7급)	02-6788-5103
채정현 주무관 (7급)	02-6788-5101
이지영 공무직	02-6788-5102

국회정무위원회

DID: 02-6788-OOOO

위원장: **윤 재 옥**
DID: 02-6788-6871

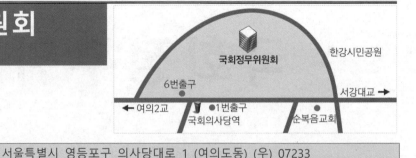

주소	서울특별시 영등포구 의사당대로 1 (여의도동) (우) 07233
홈페이지	policy.na.go.kr

구성	간사		위원			
위원명	**김병욱**	**김희곤**	**김한정**	**민병덕**	**민형배**	**박용진**
소속	더불어민주당	국민의힘	더불어민주당	더불어민주당	더불어민주당	더불어민주당
보좌관	왕홍곤, 최현	임병국, 진명구	도보은, 최문희	김대경, 이재호	김지성, 이정기	박상필, 이시성
전화	6171	6371	6351	6421	6426	6506

구성	위원					
위원명	**송재호**	**오기형**	**유동수**	**윤관석**	**이용우**	**이정문**
소속	더불어민주당	더불어민주당	더불어민주당	더불어민주당	더불어민주당	더불어민주당
보좌관	강신혁, 윤정배	김종석, 신동림	김기석, 최창열	허남동	김성영, 이승현	박종갑, 조기호
전화	6666	6761	6806	6831	7016	7056

구성	위원					
위원명	**전재수**	**진선미**	**홍성국**	**강민국**	**박수영**	**유의동**
소속	더불어민주당	더불어민주당	더불어민주당	국민의힘	국민의힘	국민의힘
보좌관	김동영, 선용규	이여진, 장동혁	임현종, 홍순식	강민승, 정경섭	김현태, 박기업	이윤재, 이은석
전화	7171	7326	7461	6016	6486	6816

구성	위원				
위원명	**윤두현**	**윤주경**	**윤창현**	**배진교**	**권은희**
소속	국민의힘	국민의힘	국민의힘	정의당	국민의힘
보좌관	박원진, 이희동	박장혁, 임지홍	김재학, 문주현	안창현, 최승원	곽복률, 장철원
전화	6836	6876	6886	6551	6091

감 사 원

주소	서울특별시 종로구 북촌로 112 (삼청동 25-23) (우) 03050
대표전화	02-2011-2114
사이트	www.bai.go.kr

원장   **최재해**

(D) 02-2011-2000 (FAX) 02-2011-2009

비서실장   김영관

감사위원실
강민아·감사위원
손창동 감사위원
유희상 감사위원
임찬우 감사위원
조은석 감사위원
김인회 감사위원

사무총장	**최성호**	-
제1사무차장		
제2사무차장	**김명운**	02-2011-2080
공직감찰본부장		
기획조정실장	**김경호**	02-2011-2171
감사교육원장	**정상우**	031-940-8802
감사연구원장	**유병호**	02-2011-3000

감사원

대표전화 : 02-2011-2114 / DID : 02-2011-OOOO

원장: **최 재 해**
DID: 02-2011-2000

주소	서울특별시 종로구 북촌로 112 (삼청동 25-23) (우) 03050
홈페이지	www.bai.go.kr

국	재정경제감사국				산업금융감사국				국토해양감사국			
국장	이상욱 02-2011-2111				이준재 02-2011-2211				조성은 02-2011-2311			
과	1	2	3	4	1	2	3	4	1	2	3	4
과장	임동혁 2111	박성만 2121	남수환 2131	강승원 2141	정의탁 2211	박기우 2221	박상순 2231	위응복 2241	박경수 2311	노희관 2321	전형철 2331	김병수 2341

국	공공기관감사국				전략감사단			시설안전감사단		사회복지감사국	
국장					이영하 02-2011-3060			김성진 02-2011-2601		현완교 02-2011-2411	
과	1	2	3	4	1	2	3	1	2	1	2
과장	김만석 2351	심수경 2361	박용준 2371	김재신 2381	남가영 3060	유동욱 3070	박득서 3080	조석훈 2601	신영일 2602	심재곤 2411	배준환 2421

국	사회복지감사국			행정안전감사국					지방행정감사1국			
국장	현완교 02-2011-2411			김영신 02-2011-2511					박완기 02-2011-2611			
과	3	4	5	1	2	3	4	5	1	2	3	4
과장	최현준 2431	김원철 2441	신현승 2451	정의종 2511	이진열 2521	김원형 2531	우동호 2541	김태석 2551	최인수 2611	이동규 2621	구경렬 2631	이상철 2641

국	지방행정감사2국				국방감사단		특별조사국				
국장	장난주 042-481-6731				김상문 02-2011-2501		최달영 02-2011-2701				
과	대전	부산 051-718	대구 053-260	광주 062-717	1	2	1	2	3	4	5
과장	김태성 6731	임봉근 2320	전우승 4300	안광승 5900	임상혁 2501	안광훈 2502	권오복 2701	김영규 2711	권기대 2721	안병준 2731	박성대 2741

1등 조세회계 경제신문 조세일보

국	감사청구조사국					공공감사운영단		민원조사단	
국장	이영웅 02-2011-2751					이성훈 02-2011-2101		김동석 02-2011-2191	
과	1	2	3	4	5	감사정책	감사운영심사	중앙	수원 031-259
과장	권태경 2751	이상혁 2752	이지연 2753	임보영 2754	최일동 2755	양병구 2101	김탁현 2201	이관수 2191	이삼만 6580

국	심사관리관		기획조정실					심의실		
국장			김경호 02-2011-2171							
과	1	2	기획	결산	혁신전략	국제협력	국제업무조사	법무	심의지원	감사품질지원
과장	이상준 2291	최창덕 2296	김태우 2171	남우점 2156	김민정 2420	조윤정 2186	유영 2646	임승주 2281	김규용 2285	윤희연,김홍철,김동진 2261

국	정보관리단		적극행정지원단		감찰관	대변인		
국장	이수연 02-2011-2401		강민호 02-2011-2736		김현철 02-2011-2676	유병호 02-2011-2491		
과	정보분석관리	시스템운영	적극행정지원	재심의	감찰담당	홍보담당	인사혁신	운영지원
과장	김태익 2401	여태승 2403	조성익 2736	배재일 2746	정영채 2676	안광용 2491	장주흠 2582	최익성 2576

실	비서실	원	감사교육원			감사연구원			
실장	김영관	원장	정상우 031-940-8802			유병호 02-2011-3000			
과		부장	김숙동 031-940-8902			조종래 02-2011-3050			
과장		과	교육지원	교육운영1	교육운영2	연구지원	연구1	연구2	연구3
		과장	권진웅 8810	박병호 8830	정진수 8821	전본희 3040	김찬수 3010	오윤섭 3020	신상훈 3030

기획재정부

기획재정부

주소	세종특별자치시 갈매로 477 정부세종청사 기획재정부 (우) 30109
대표전화	**044-215-2114**
팩스	**044-215-8033**
계좌번호	**011769**
e-mail	**forumnet@mosf.go.kr**

부총리 　　　홍남기

(D) 044-215-2114

비서실장	유병서 (D) 044-215-2114
비서관(과장)	김경국 (D) 044-215-2114
사무관	박승환 (D) 044-215-2114
사무관	전홍규 (D) 044-215-2114
주무관	박새롬 (D) 044-215-2114

차관	전화
이억원 제1차관	044-215-2001
안도걸 제2차관	044-215-2002

기획재정부

DID: 044-215-OOOO

부총리 겸 장관: **홍 남 기**
DID: 044-215-2114

주소	세종특별자치시 갈매로 477 정부세종청사 기획재정부 (어진동16-1) (우) 30109
홈페이지	www.mosf.go.kr

실	대변인				제1차관	
실장	김동일 2400				이억원 2001	
관	홍보담당관	장관정책보좌관	감사관	감사담당관	차관보	국제경제 관리관
관장	김문건 2410	김진명 2090 강성민 2041 여경훈 2040	황순관 2200	민철기 2210	한훈 2003	윤태식 2004
과						
과장						
팀장	김정훈 2560 김영임 2430			박찬호 2211		
서기관						
사무관	이석한 2411 김영진 2412 전광철 2419 서지연 2418 김태윤 2417 전재문 2413 강병구 2431 심우진 2022 석란 02-731-1531			김성욱 2213 이경숙 2212 이철영 2217 황신현 2216 정성관 2218 박윤우 2215 최현규 2219		
주무관	구동원 2561 김미라 2416 박진영 2415 박현우 2564 박재영 2435			남순옥 2208	양혜선 2003	심경희 2004 박준호 2376
직원	김준범 2420 김수아 2568 최은영 7982 이성희 7981 정윤정(연구원) 2422 김수민(연구원) 2432 유리나(연구원) 2421 전성민(연구원) 2439 신동균(에디터) 02-731-1533	박예나 2041	채보경 2200	유다영 2207		
FAX	044-215-8033					

지도 약도: 연세초등학교, 기획재정부(NTS), 환경부, 국토교통부, 해양수산부, 정부세종청사, 공정거래위원회

5년간 쌓아온 재무인의 역사를 돌려드립니다 '온라인 재무인명부'

수시 업데이트 되는 국세청, 정·관계 인사의 프로필과 국세청, 지방청, 전국세무서, 관세청, 유관기관등의 인력배치 현황을 볼 수 있는 온라인 재무인명부

실	제1차관	제2차관		기획조정실		
실장	이억원 2001	안도걸 2002		이종욱 2009		
관		재정관리관		정책기획관		
관장		김윤상 2005		윤인대 2500		
과	인사과		운영지원과	기획재정담당관	혁신정책담당관	규제개혁법무담당관
과장	박문규 2230		허진 2310	박성훈 2510	박성권 2530	박정민 2570
팀장	손선영 2250 서진호 2290		마용재 2330 진강렬 2350		박은영 2550 정혜경 2990 황석채 02-739-5673	박상영 2650
서기관						
사무관	김승연 2270 정재현 2251 송성일 2292		김우태 2351	안영훈 2512 윤인형 2524 허영락 2522 손우성 2515 양성철 2516 이미자 2513 한민희 2529 김정진 2519 김형준 2524	구본균 2552 최현희 2531 김영욱 2541 신수용 2534 박칠군 2991 임상현 2994	박종훈 2571 장현중 2573 김영옥 2572 김윤희 2574 송민익 2657 최덕희 2655 김충현 7183
주무관	이예솔 2252 정휘영 2253 윤진 2255 전수정 2254 추여미 2257 이승연 2259 장윤정 2271 심유정 2258 이종성 2293 김항년 2297 오미영 2299 현소형 2296	이종호 8900	배경은 2371　김영대 8911 임유순 2335　이광훈 8909 권미라 2374　신현구 8905 이승준 2372　조병구 2399 신용순 2334　김양언 8906 유석찬 2353　김종승 8905 유미경 2369 윤숙희 2354 박민희 2356 차연호 2355 이정학 2358 김혜빈 2352	조자현 2518 엄승욱 2514 구본옥 2517 이건위 2524 최진경 2521 양고운 2520	권민정 2553 노성수 2543 장재용 2532 권혁찬 2992 유진목 2993	공숙영 2579 이소영 2575 안윤정 2576 강성준 2577 이우철 2656 노은실 2654
직원	유지혜 2239 천지연 2295	김주연 2005	서석제(연구관) 2333 김종욱 2373 이혜정 2357 김범순(사회복무) 2349	김대원 2523	김선정(연구원) 2542	서영수 2658
FAX	044-215-8033					

DID : 044-215-OOOO

실	기획조정실		예산실				
실장	윤인대 2500		최상대 2007				
관	정책기획관	비상안전 기획관	예산총괄심의관				
관장	윤인대 2500	성인용 2670	김완섭 7200				
과	정보화 담당관	비상안전 기획팀	예산총괄과	예산정책과	예산기준과	기금운용 계획과	예산관리과
과장	이용안 2610			김태곤 7130	계강훈 7150	고정삼 7170	강병중 7190
팀장		이명진 2680					정성원 7494
서기관			박상우 7111	최상구 7131			
사무관	하현기 2611 권성철 2615 허정태 2612 방춘식 2613	안창모 2681 강현정 2685	유동훈 7114 권혁순 7115 최연규 7117 김정수 7116 이성민 7112 신형진 7119	하치승 7132 장준희 7133 윤홍기 7134 안준영 7135	정민철 7151 이재철 7158 서혜경 7155	이은숙 7171 최창선 7172 강민기 7174 김정도 7177	이국희 7191 구본녕 7199 권기환 7492
주무관	장해영 2619 전준고 2633 정명수 2631	한인상 2684	김재영 7113 허장범 7118 이정연 7123 이영미 7122 천혜린 7120	문근기 7137 전광호 7136 이진승 7139		정민기 7175 조성현 7176	김경연 7192 홍현아 7195
직원	김희중 2618 김영자 2616	김성학(경력관) 2682 최희주 2689	고지연 7121			강은영 7178	이기영(파견) 진영범(파견) 7493 나한솔(에디터) 7196
FAX	044-215-8033						

실	예산실											
실장	최상대 2007											
관	사회예산심의관				경제예산심의관					복지안전예산심의관		
관장	강완구 7200				임기근 7300					김경희 7500		
과	고용 환경 예산과	교육 예산과	문화 예산과	총 사업비 관리과	국토 교통 예산과	산업 중소벤처 예산과	농림 해양 예산과	연구 개발 예산과	정보 통신 예산과	복지 예산과	연금 보건 예산과	안전 예산과
과장	장보영 7230	권중각 7250	남동오 7270	김장훈 7210	허승철 7330	김위정 7310	이성원 7350	정유리 7370	박정현 7390	장윤정 7510	박재형 7530	김유정 7430
서기관												
사무관	원선재 7231 이선호 7236 김지수 7232 안재영 7233 황현 7235	김형은 7251 송기선 7252 김이현 7255 송준식 7253	신경아 7271 정효상 7272 원봉희 7273 이동휘 7274	이승도 7211 홍현문 7213 이세환 7214 박용택 7212	김남희 7331 김재오 7336 김형욱 7342 박성준 7332	윤지원 7311 이상희 7312 이상협 7316 김정아 7313 신지호 7317	김민석 7351 신동호 7353 홍광표 7354 곽민욱 7363 안광선 7352	구정대 7371 임주현 7373 이상후 7374 유이슬 7372	김병철 7391 김기동 7397 이상헌 7392 이숙경 7393	류재현 7511 이동석 7512 이미숙 7513 김다현 7514	김낙현 7531 전유석 7534 조강훈 7533	정윤홍 7431 최대선 7433 김민정 7432
주무관	곽정환 7234 남기범 7238 임동옥 7239	한연지 7254 정사랑 7256 김명옥 7257	권동한 7275 박수현 7276	홍주연 7216 김혜진 7215	임상균 7338 주상희 7341 오미화 7337	김동훈 7315 진선홍 7314	최항 7356 유승우 7355	최경남 7375 연영민 7376 강윤정 7379	이성국 7398	김희태 7516 배미현 7517 문강기 7515	양경모 7536 오상식 7538 황운정 7537	김민주 7433
직원	유승관 (파견) 7239 임철우 (파견) 7239 정연우 (파견) 7239 임정미 (파견) 7291		이은화 7277			임정숙 7318	오도영 7357	이새롬 (파견) 7377				
FAX	044-215-8033											

DID : 044-215-OOOO

실	예산실					세제실				
실장	최상대 2007					김태주 2006				
관	행정국방예산심의관					조세총괄정책관				
관장	조창상 7400					고광효 4100				
과	법사 예산과	행정 예산과	지역 예산과	국방 예산과	방위사업 예산과	조세 정책과	조세 분석과	조세특례 제도과	조세법령 운용과	조세법령 개혁팀
과장	박호성 7470	한재용 7410	강준모 7550	장승대 7450	정동영 7460	변광욱 4110	최영전 4120	박상영 4130	황인웅 4150	최지훈 4190
팀장		서영환 7490								
서기관					정록환 7461	최시영 4111				
사무관	조병규 7471 김남효 7473 정주현 7474 최동호 7472 강민서 7476	성기웅 7411 박주선 7412 김진수 7413 고상덕 7416 박용환 7495 조승호 7491 문희영	성인영 7551 박성현 7552 문성호 7554 조기문 7553	이만구 7451 강보형 7455 최지애 7454 김진수 7457	박영식 7463 노영래 7466 김기호 7466	김만기 4112 김경철 4114 김진홍 4116	정지운 4121 정호진 4122 박병선 4123	권영민 4131 강효석 4132 남원우 4133 강재원 4142 김태경 4136 이혜진 4141	이석원 4151 최관수 4152	김서란 4193 조재일 4194
주무관	홍단기 7475 천민지 7478 장영 7477	박형민 7415 박선영 7418	윤동형 7557 강혜숙 7558	송유민 7459	이용호 7462	정하석 4117 이은영 4118	남한샘 4126		김지석 4154	
직원		용혜인 7417					전지영 4125			
FAX	044-215-8033									

78

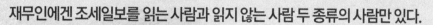

재무인과 함께 걸어가겠습니다 '조세일보'

재무인에겐 조세일보를 읽는 사람과 읽지 않는 사람 두 종류의 사람만 있다.

1등 조세회계 경제신문 조세일보

실	세제실									
실장	김태주 2006									
관	조세총괄정책관		소득법인세정책관					재산소비세정책관		
관장	고광효 4100		정정훈 4200					박금철 4300		
과	국제조세협력팀	예규총괄팀	소득세제과	법인세제과	금융세제과	국제조세제도과	신국제조세규범과	재산세제과	부가가치세제과	환경에너지세제과
과장	윤수현 4440	조문균 4160	장영규 4210	배정훈 4220	양순필 4230	이영주 4240	김태정 4250	이재면 4310	이주현 4320	조용래 4330
팀장										
서기관								백경원 4311	김영현 4321	
사무관	김명환 4442	서은혜 4161 박종현 4162	고대현 4212 현원석 4213 박승효 4211	배현중 4221 김민중 4222 우지완 4224	김준하 4231 김종완 4233	김현수 4241 박현애 4243	김지민 4251 이재원 4253 심수현 4252	전동표 4312 김경수 4314 김정 4313 강석훈 4316	서주원 4322 전효선 4323 박재석 4326	권순배 4331 이도회 4333
주무관			황혜정 4216 공동준 4217 노예순 4218	이주윤 4226 이희경 4228	김철현 4236	전해일 4246	민다연 4247	양서영 4318 김순옥 4317		변유호 4336
직원	서윤정 4448 박춘목 4447					최연선 4245				
FAX	044-215-8033									

79

DID : 044-215-OOOO

실	세제실							
실장	김태주 2006							
관	관세정책관					조세및고용보험소득정보연계추진단		
관장	김재신 4400					이용주 4350		
과	관세제도과	산업관세과	관세협력과	자유무역협정관세이행과	다자관세팀	제도총괄과	소득파악과	소득정보인프라과
과장	이호섭 4410	정형 4430	염경윤 4450	김영현 4470	정원 4460	이호근 4360	최진규 4370	최성영 4380
팀장								
서기관						조경선 4362		정하용 4381
사무관	오미영 4411 김종석 4413 이영주 4412 이광태 4416 최진욱 4414	김종락 4431 오다은 4432 김성채 4433	박지영 4451 이옥주 4452	장준영 4474 손아름 4471 이금석 4473	손민호 4462		김성웅 4373	
주무관	김세은 4418	김광일 4436 김세리 4434	김용익 4454 박정은 4456	황영길 4476 박지혜 4472 이유림 4477	김지원 4467	신진욱 4363		
직원			이진선 4457	김원경 4478	정유원 4466			박종우 4382
FAX	044-215-8033							

국	경제정책국						경제구조개혁국		
국장	김병환 2700						이대희 8500		
관	민생경제정책관								
관장	김태경 2701								
과	종합 정책과	경제 분석과	자금 시장과	물가 정책과	정책 기획과	거시 정책과	경제구조 개혁 총괄과	일자리 경제 정책과	일자리 경제 지원과
과장	김명규 2710	김영훈 2730	심규진 2750	김승태 2770	이차웅 2810	김귀범 2830	송진혁 8510	김영민 8530	조영욱 8550
팀장	이장로 2940 이희곤 2942	김경록 2850							하태원 8520
서기관	김태연 2711						김혜련 8511		
사무관	신동현 2713 성민혁 2712 윤현곤 2714 유근정 2715 김준성 2718 조문경 2944	이종민 2732 김태경 2734 남기인 2735 송지현 2733 류성열 2736 신태섭 2851 신채용 2852 박영우 2853	손정혁 2751 이태윤 2752 심승미 2755 주세훈 2753 이유진 2754	이상홍 2771 김애리 2772 박진숙 2774 신기태 2775 김선익 2777	김태순 2812 도종화 2813 이지혜 2818 최윤희 2814	조찬우 2831 김금비 2832 황철환 2836 하다애 2833 이재헌 2835	김미진 8512 이한결 8513 김주민 8514 김동욱 8516	김희준 8532 변재만 8533 주윤호 8531 송재열 8535	최성영 8551 김윤 8552 이보영 8554 권영현 8521
주무관	정의론 2722 유선희 2719 김동혁 2717 강재은 2942	유소영 2739	서신자 2759	박소현 2789 김동환 2781	정유정 2815		이영임 8517	한선화 8537	박승연 8557
직원	이수정 (파견) 2943 최민교 (에디터) 2724	석지원 (연구원) 2854		김상훈 (파견) 2934 이승호 (파견) 2776		유혜정 2839			
FAX	044-215-8033								

DID : 044-215-OOOO

국	경제구조개혁국			정책조정국					
국장	이대희 8500			우해영 4500					
관				정책조정기획관					
관장				김재환 4501					
과	인구경제과	복지경제과	청년정책과	정책조정총괄과	산업경제과	신성장정책과	서비스경제과	지역경제정책과	기업환경과
과장	나윤정 8570	김희재 8590	정여진 8580	나상곤 4510	이승한 4530	박재진 4550	이상규 4610	박지훈 4570	
팀장						윤정주 4580			
서기관				최진광 4511	김태웅 4531	성진규 4551			
사무관	김형구 8571 류소윤 8572 박기오 8573 김범석 8574 박대열 2763	이지은 8591 박꽃보라 8594 유다빈 8593 임영상 8595	김요균 8581 안건희 8581 원종혁 8583	서지현 4512 이현태 4513 주해인 4515 배민우 4514 신명록 4521	김한필 4532 류한솔 4533 심민준 4535	오성태 4553 이명선 4555 김선아 4552 정민종 4559	박정주 4611 박여경 4612 김문수 4613 권은영 4615	최연 4571 김상엽 4572 배준혜 4573 박가영 4579	박홍희 4631 류정금 4632 심정민 4633 장훈 4634
주무관	김지희 8576	이나연 8596		이진경 4529 최재영 4528	권미경 4539 이지은 4585	문명선 4554	강희진 4619	이해인 4576	
직원							서혜영 (연구원) 4617		
FAX	044-215-8033								

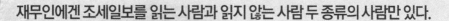
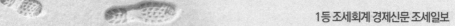
국	국고국						
국장	유형철 5100						
관	국유재산심의관						
관장	이승원 5101						
과	국고과	국유재산 정책과	계약정책과	국채과	국유재산 조정과	출자관리과	혁신조달 기획과
과장	강대현 5110	노중현 5250	조규산 5210	김이한 5130	류중재 2506	강준희 5170	오현경 5230
팀장							임병국 5640
서기관							
사무관	박찬효 5111 안영환 5112 박진영 5123 서병관 5113 김성훈 5116 윤정민 5114 안승현 5121	석상훈 5165 송재경 5162 백대길 5154 전찬익 5155	김종성 5211 이윤태 5212 김연수 5213 이영수 5214 황명희 5217	최시훈 5131 안경우 5132 김지수 5133	이상아 5254 강중호 5258 손주연 5262 이재우 5264	홍연희 5172 옥지연 5181 이민정 5171 박종운 5175	김동석 5643 이원재 5642 조중연 5231 박정상 5232 조선형 5233
주무관	류은선 5129 엄지원 5124	박지현 5161 박수영 5166	연혜정 5218 한연옥 5219	김도희 5134 최성민 5135 박선영 5139	조태희 5256 정혜진 5229	지혜조 5177 박양규 5176 심경자 5173	이우태 5235 조효숙 5234
직원		서정곤(파견) 5157 박성원(파견) 5164		김권일(파견) 5136 이혜정(에디터) 5137	김주일(파견) 5261 안석원(파견) 5260	양지윤(파견) 5179	
FAX	044-215-8033						

DID : 044-215-OOOO

국	재정관리국					
국장	한경호 5300					
관	재정성과심의관					
관장	배지철 5301					
과	재정관리총괄과	재정성과평가과	타당성심사과	민간투자정책과	회계결산과	재정집행관리과
과장	이명선 5310	김선길 5370	이지원 5410	김준철 5450	하승완 5430	김완수 5330
팀장	최우석 8781 이혜림 5470				강우진 5360	
서기관		민석기 5371				
사무관	유예림 5311 이성한 5317 신재원 5355 김재원 5354 이승민 5352 이동수 5312 김명실 5316 조현두 8783 박수진 8784 유정아 5473 권순영 5472	민혜수 5374 이동각 5375 박미경 5377 정철교 5376	이창희 5412 김형훈 5415 김재현 5417 이남희 5416 박철희 5414 김진수 5413	김선애 5451 나원주 5457 이성택 5455 김성용 5454 김유진 5453 김기홍 5458	서동진 5431 김연대 5433 정균영 5432 이재학 5361 전예지 5362	이해인 5331 한재수 5338 김경중 5334 이현주 5336 장유석 5339 이동훈 5333
주무관	임영주 5322 김도연 5318 정재성 5474	이영숙 5378 최인선 5379	유은경 5419	문영희 5459	최규철 5434 김옥동 5437 정명지 5438	김지수 5332 고광남 5335
직원	이지은(에디터) 5315				오예정(파견) 5435	고정희 5337
FAX	044-215-8033					

1등 조세회계 경제신문 조세일보

국	재정혁신국						공공정책국	
국장	나주범 5700						홍두선 5500	
관	재정기획심의관						공공혁신심의관	
관장	김현곤 5703						김성진 5501	
과	재정전략과	지출혁신과	재정제도과	재정건전성과	재정정보과 02-6908-0000	참여예산과	공공정책총괄과	공공제도기획과
과장	임영진 5720	권재관 7900	정남희 5490	박철건 5740	임헌정 8720	권기중 5480	고재신 5510	오기남 5530
팀장	김의영 5760							
서기관	김영은 5721						김민규 5511	
사무관	이주호 5722 이수지 5725 권유림 5723 백창현 5727 김민호 5726 이대권 5762 이종혁 5761	김민형 7901 박수진 7903 문성희 7902 김기문 7904	박재홍 5495 문혁완 5492 권준수 5493 조혜빈 5494	김영웅 5741 박준영 5744 강도영 5743 김선영 5742	윤석규 8726 유동석 8722	김소연 5481 염승화 5489	가순봉 5514 이수현 5515 고영록 5513 최재원 5517	이희한 5531 강준이 5532 김윤희 5534 박주현 5536
주무관	황성희 5730 최나영 5728	김보현 7905	김서현 5496	하은선 5749 신기환 5748 정은주 5745	이경희 8729 김지영 8724	강원식 5486	장효순 5529 황지선 5518	어우주 5533 유정미 5549
직원		김종임 7906			이영선 8728 김크리스틴 (에디터) 8730	이효진 5484 이혜인 (연구원) 5487		홍성식(파견) 5535
FAX	044-215-8033							

DID : 044-215-OOOO

국	공공정책국						국제금융국	
국장	홍두선 5500						김성욱 4700	
관	공공혁신심의관						국제금융심의관	
관장	김성진 5501						정병식 4701	
과	재무경영과	평가분석과	인재경영과	윤리경영과	공공혁신과	경영관리과	국제금융과	외화자금과
과장	이재완 5570	유형선 5550	이복원 5570	김수영 5620	오정윤 5610	김정애 5650	김동익 4710	오재우 4730
팀장			윤영수 5580			박성주 5670		
서기관							김성철 4711	김유이 4732
사무관	권오영 5631 주병욱 5632 전성헌 5633 이형경 5634	송윤주 5551 소병화 5552 유연정 5553 박춘규 5558	박지혜 5576 박준하 5573 이지혜 5581	이재석 5622 강동근 5623 이하준 5624	이채영 5612 고광민 5613 김숙 5616 임강빈 5611	이승민 5652 안형자 5651 손현석 5654 류남욱 5671	김민주 4714 이용준 4712 박창규 4713 권용준 4716 이원재 4717	고상현 4731 이상민 4733 박재은 4736
주무관	김태이 5635	염보규 5569	이현주 5574 이세미 5575	이경아 5625 변은진 5626	김민지 5615 김정란 5617	김선주 5656 이경아 5655	김재집 4718 이수택 4715 김경애 4719	민주영 4737 이경화 4739
직원			안재완(파견) 5578				박선경 (에디터) 4728	
FAX	044-215-8033							

국	국제금융국			개발금융국				
국장	김성욱 4700			이종화 8700				
관	국제금융심의관							
관장	정병식 4701							
과	외환제도과	금융협력과	다자금융과	개발금융총괄과	국제기구과	개발전략과	개발사업과	녹색기후기획과
과장	심현우 4750	조현진 4830	이준범 4810	지광철 8710	윤정인 8720	신준호 8770	김봉준 8740	최지영 8750
팀장			박민주 4840					
서기관				박상운 8711 임진홍 2394	박은결 8721			
사무관	최은경 4751 이정아 4752 장시열 4754 홍석찬 4753	박수민 4831 김용준 4833 유경화 4832 이은우 4834 이정훈 4835	홍승균 4811 송상목 4813 한정연 4812 서민아 4814 신정원 4842 이동훈 4841	이명진 8712 허성용 8713 이현지 8715 유은빈 8717	박중민 8724 김지영 8722 박준석 8723 이우리 8727	이샘나 8771 김영수 8772 박준수 8778 정동현 8774	최봉석 8741 윤영준 8742 안근옥 8743 장효은 8744	정다운 8751 김연태 8753 정길채 8754 이홍석 8759 이찬희 8755 강정훈 8752
주무관	김태호 4756 이기민 4758	지영미 4839	김은채 4815	봉진숙 8716	정성구 8725 신명숙 8726	김예슬 8775 강진명 8777		김윤수 8756
직원	박하나 4759	곽지혜 (에디터) 4838	주혜진 4817 지윤서 (연구원) 4843 윤영탁(파견) 4818 임민지 (에디터) 4816	홍에스더 (연구원) 8719 정진욱(파견) 8718 이승민(파견) 8718	장준혁 (연구원) 8728 김윤경(파견) 8734 김융희(파견) 8736 김소현(파견) 8734 송아란 (에디터) 8729	조창인(파견) 8776	유승희 8747	김예은 (연구원) 8757 김효정 (에디터) 8758
FAX	044-215-8033							

DID : 044-215-OOOO

국	대외경제국						장기전략국	
국장	박일영 7600						성창훈 4900	
관								
관장								
과	대외경제 총괄과	국제경제과	통상정책과	통상조정과	경제협력 기획과	남북경제과	미래전략과	사회적 경제과
과장	최지영 7610	이종훈 7630	정광조 7670		장의순 7740	홍석광 7750	최재혁 4910	김명선 5910
팀장		배성현 2511				강희민 7730	이미혜 4970	이준성 4960
서기관	정미현 7611						김지은 4911	
사무관	박재현 7612 전형용 7613 홍가람 7622 서정훈 7623	염철민 7631 이지우 7635 이현지 7638 정희진 7636 정완준 7632 윤태수 7712	홍가영 7671 김교중 7672 김나윤 7673 정찬구 7674	박상현 7651 김동욱 7652 이경달 7653 신승헌 7654 김현진 7655	김상형 7741 강성빈 7742 유경원 7743 오승상 7744	김요한 7731 남수경 7736 이현준 7751 김양희 7752	김민진 4920 어지환 4912 김유경 4913 이창형 4914 김재원 4971 우동연 4974 김도경 4972	강유신 5911 심지애 5912 황인환 5913 안영신 5914 황지현 4961
주무관	선우다스림 7621 안주환 7629	이재현 7633 채수정 7634	조선희 7675 안소현 7676	김현후 7657 신윤정 7656	김도훈 7745	김유정 7756	임은란 4916 박은심 4917 김지영 4973	최나은 5916
직원	신혜철(파견) 7625 이종원(파견) 7625	김화윤 (에디터) 7637		이태경 (에디터) 7658 문희원 (에디터) 7659	김민지 7748 김인영 (연구원) 7747		김규수(파견) 4975	최준호(파견) 5915 이광수 (행정사무관) 4963
FAX	044-215-8033							

1등 조세회계 경제신문 조세일보

국	장기전략국						
국장	성창훈 4900						
관	복권위원회사무처				국고보조금통합관리시스템 관리단 02-6312-OOOO		기후대응기금 추진단
관장	김서중 7800				송복철 044-215-5530		성창훈 4900
과	협동조합과	복권총괄과	발행관리과	기금사업과	기획정보팀	시스템관리팀	추진총괄과
과장	김홍섭 5930	고정민 5490	이종수 7830	권기정 7850			김현익 4940
팀장					나상률 8310	공영국 8313	
서기관		이병두 7811 김원대 7814				오상우 044-330-1513	최형석 4941
사무관	김성희 5931 이우석 이상윤 5934 황지은 5935	박종석 7812 최성진 7816 박지영 7813	김지선 7832 백윤정 7831 조용감 7839 김성희 7833 하승원 7837	오두현 7851 이범한 7853 박철호 7858 이지혜 7854 김미선 7855	최남오 8327	박미경 8344 박원석 8345 최성열 8325	고현태 4944 권근아 4942 손동석 4943
주무관	정은주 5937	김주원 7819 이혜인 7818	김유경 7838 김유빈 7835	강현순 7857 장수은 7856			김새날 4945
직원	김보민(파견) 5936				김은아 8316 박정숙(파견) 8326		
FAX	044-215-8033						

관	혁신성장추진기획단 02-6050-OOOO				차세대예산회계시스템구축추진단 044-330-OOOO		
관장	김범석				윤정식 1501		
과	혁신성장 기획팀	혁신투자팀	서비스산업 혁신팀	혁신카라반팀	총괄기획과	시스템구축과	재정정보 공개과
과장					이민호 7380		이철규 1530
팀장	김동곤	장인주	문경호 2506	김만수 2512			김동학 1310
서기관					김재중 5551	김성진 1521	오정림 1541
사무관	이정윤 2513 한유빈 2520	이성원 2507	이수호 2538 최혜연 2501	정욱재 2533	김태중 1514 권민상 1511 김창기 1516 오형석 1512	정채환 1523 장경승 1526	권상욱 1533 신인식 1531 문만수 1536 박종수 1532 전애라 1541 정소영 1544
주무관	김송희 2521 임선희 2522	권문연 2517					
직원	정원희 (전문임기제) 2536	박상원 (전문임기제) 2504 김성엽(파견) 2523	최영락 2540 문태욱(파견) 2537	김덕현 (전문임기제) 2514 강우진(파견) 2530	김민진 1515	윤태호(파견) 1524 지다슬 (행정사무관) 1525	이상민(파견) 민홍기(파견) 1543
FAX	044-215-8033						

국	조세및고용보험소득정보연계구축추진단			한국판뉴딜실무지원단 044-960-OOOO			
국장	이용주 4310			정덕영 6200			
과	제도총괄팀	소득파악팀	소득정보 인프라팀	기획총괄팀	디지털뉴딜팀	그린뉴딜팀	휴먼뉴딜팀
과장							
팀장	이호근 4360	최진규 4370		이보인 6160	김우철 6170	김상훈 6180	이원주 6190
서기관	조경선 4362		정하용 4381	신대원 6161 박효영 6197 서명선 6164			
사무관		김성웅 4373 현원석 4371		박재홍 6162 오성진 6163	박상우 6171 임고은 6175 임규진 6172 허지수 6174	양승진 6185 한혜림 6182 정동현 6184 한상윤 6181	이용우 6191 이보배 6192
주무관	신진욱 4363			정해주 6165 배희정 6198			
직원		박종우(파견) 4382		이세풍(파견) 6166			양태영(파견) 6195
FAX	044-215-8033						

금융위원회

주소	서울특별시 종로구 세종대로 209 금융위원회 (우) 03171
대표전화	02-2100-2500
사이트	www.fsc.go.kr

위원장　　　　　고승범

(D) 02-2100-2700　FAX : 02-2100-2715

비　서　관
사　무　관
주　무　관
주　무　관
사　무　원

부위원장	도규상	02-2100-2800
상임위원(금융위)	김용재	02-2100-2702
상임위원(금융위)	박정훈	02-2100-2701
비상임위원(금융위)	김용진	
상임위원(증선위)	이명순	02-2100-2703
비상임위원(증선위)	이준서	02-2100-2704
비상임위원(증선위)	박재환	02-2100-2704
비상임위원(증선위)	송창영	
사무처장	이세훈	02-2100-2900

금융위원회

대표전화: 02-2100-2500/ DID: 02-2100-OOOO

위원장: **고 승 범**

DID: 02-2100-2700

주소	서울특별시 종로구 세종대로 209 정부서울청사 (우) 03171
홈페이지	www.fsc.go.kr

국실	대변인					기획조정관		
국장	서정아 2550					유재훈 2770		
과	금융공공데이터담당관	행정인사과	자본시장조사단	금융그룹감독혁신단	금융안정지원단	혁신기획재정담당관	규제개혁법무담당관	감사담당관
과장	조충행 2674, 2675	선욱 2756, 2765, 2767	2542,2543	최용호 2823,2596	김홍식 1665~7	진선영 2788, 2789, 2772	오화세 2818, 2808	강석민 2794
FAX						2778	2777	2799

국실	금융정책국				금융소비자국				자본시장정책관		
국장	권대영 2820, 2822				박광 2980				이윤수 2640		
과	금융정책과	금융시장분석과	산업금융과	글로벌금융과	금융소비자정책과	서민금융과	가계금융과	청년정책과	자산운용과	자본시장과	공정시장과
과장	이동훈 2825	이수영 2856	김성조 2873	김수호 2885	이한진 2633	이석란 2617	권유이 2512	최치연 1688	고상범 2665	변제호 2656	김광일 2685
FAX	2849	2829	2879	2939	2999	2629	2639		2679	2648	2678
팀											
팀장											

국실	금융정보분석원 김정각 1701					
국장	기획행정실 전요섭 1733			심사분석실 임승철 1810		
과	제도운영기획관	제도운영과	가상자산검사과	심사분석1과	심사분석2과	심사분석3과
과장	최용호 2821	김성진 1750	이동욱 1740	박성무 1859	박진희 1881	박희동 1894
FAX	2549	1756	1756	1863	1882	1898
팀						
팀장						

국실	구조개선정책관	
국장	신진창 2901, 2902	
과	구조개선정책과	기업구조개선과
과장	손성은 2915, 2916, 2918	고영호 2924, 2926
FAX	2919	2929
팀		
팀장		

국실	금융산업국		
국장	이형주 2940, 2941		
관	은행과	보험과	중소금융과
관장	김연준 2955, 2956, 2957	이동엽 2965, 2966, 2968	이진수 2995, 2998, 2627
FAX	2948	2947	2933
팀			
팀장			

국실	금융혁신기획단		
국장	안창국 2580,2581		
과	금융혁신과	전자금융과	금융데이터 정책과
과장	박주영 2538, 2758	김종훈 2976, 2978	신장수 2620, 2621
FAX	2548	2946	2745
팀			
팀장			

금융감독원

주소	서울특별시 영등포구 여의대로 38 (우)07321
대표전화	02-3145-5114
사이트	www.fss.or.kr

원장 　　　정은보

(D) 02-3145-5307 (FAX) 785-3475

감사	감사	김기영	
기획·보험	수석부원장	이찬우	
은행·중소서민금융	부원장	김종민	
자본시장·회계	부원장	김동회	
금융소비자보호처	처장(부원장)	김은경	
기획·경영	부원장보	김미영	
전략감독	부원장보	이진석	
보험	부원장보	조영익	
은행	부원장보	이준수	
중소서민금융	부원장보	이희준	
금융투자	부원장보	이경식	
공시조사	부원장보	함용일	
회계	전문심의위원	장석일	
소비자피해예방	부원장보	박상욱	
소비자권익보호	부원장보	김영주	

금융감독원

대표전화: 02-3145-5114/ DID: 02-3145-OOOO

원장: **정 은 보**

DID : 02-3145-5311

주소	서울특별시 영등포구 여의대로 38 금융감독원 (여의도동 27) (우) 07321
홈페이지	http://www.fss.or.kr

본부	기획·보험									
부원장	이찬우									

본부	기획·경영									
부원장	김미영									
국실	기획조정국			총무국				공보실		
국장	김정태 5900, 5901			김범수 5250, 5251				이현석 5780, 5781		
팀	전략기획	조직예산	조직문화혁신	대외협력	급여복지	재무회계	재산관리	업무지원	공보기획	공보운영	홍보
팀장	5941	5898	5890	5930	5300	5270	5280	5290	5784	5785	5803

국실	안전관리실	비서실	정보화전략국						법무실			
국장	권혁철 5350	박상원 5090	류명하 5370, 5371						서재완 5910			
팀	안전계획	비서	정보화기획	정보화운영	감독정보시스템1	감독정보시스템2	경영정보시스템	정보보안	은행	금융투자	보험	중소서민
팀장	5352	5310	5396	5380	5410	5430	5420	5431	5912	5920	5915	5918

국실	인적자원개발실					글로벌금융국(금융중심지지원센터)				
국장	차수환 5470, 5471					박지선 7890, 7891				
팀	인사기획	인사운영	연수기획	연수운영	직무전문화연수지원	국제화총괄	금융중심지지원	지속가능금융	국제업무지원	신남방진출지원
팀장	5472	5480	6360	6380	6311	7892	7901	7166	7177	7178

1등 조세회계 경제신문 조세일보

본부	전략·감독										
부원장	이진석										
국실	감독총괄국						제재심의국					
국장	김병칠 8300, 8301						최인호 7800, 7801					
팀	감독총괄	검사총괄	감독조정팀	금융상황관리	금융상황분석	검사지원단	제제심의총괄	은행	중소서민금융	보험	금융투자	조사감리
팀장	8001	8010	8290	8310	7005	8640	7821	7802	7804	7811	7810	7820

국실	감독조정국					자금세탁방지실			
국장	이창운 8170, 8171					이훈 7500			
팀	거시감독총괄	거시건전성감독	미래금융연구	금융시장	금융데이터·ST	자금세탁방지기획	자금세탁방지검사1	자금세탁방지검사2	자금세탁방지운영
팀장	8172	8190	8177	8180	8185	7502	7490	7495	

국실	IT 검사국							금융그룹감독실		
국장	장성옥 7420, 7421							김재호 8200		
팀	검사기획	은행검사	중소서민검사	보험검사	금융투자검사	금융데이터 검사	전자금융검사	지주금융그룹감독	비지주금융그룹감독	금융복합그룹검사
팀장	7426	7330	7340	7350	7430	7416		8210	8204	

국실	금융데이터실				디지털금융혁신국						
국장	정우현 7420, 7421				김용태 7120, 7121						
팀	빅데이터총괄	마이데이터	신용정보감독	금융데이터검사	디지털금융총괄	전자금융	핀테크혁신지원	규제샌드박스	금융데이터감독	금융데이터보호	핀테크현장자문
팀장					7125	7135	7140	7130	7147	7154	7367

DID : 02-3145-OOOO

본부	보험				
부원장	조영익				
국실	보험감독국				
국장	양해환 7460, 7461				
팀	보험총괄	건전경영	보험제도	특수보험1	특수보험2
팀장	7450	7455	7474	7471	7466

국실	생명보험검사국						손해보험검사국					
국장	김범준 7790						서정보 7680, 7681					
팀	검사기획	상시감시	검사1	검사2	검사3	검사4	검사기획	상시감시	검사1	검사2	검사3	검사4
팀장	7772	7780	7795	7785	7950	7955	7510	7660	7671	7527	7689	7675

국실	보험영업검사실			보험리스크제도실			
국장	김금태 7270			이상아 7240, 7241			
팀	검사기획	검사1	검사2	보험리스크총괄	신지급여력제도	보험국제회계기준	보험계리
팀장	7261	7265	7275	7242	7244	7243	7245

본부	은행·중소서민금융												
부원장	김종민												
본부	은행												
부원장	이준수												
국실	은행감독국				일반은행검사국								
국장	강선남 8020, 8021				양진호 7050								
팀	은행총괄	건전경영	은행제도	가계신용분석	검사기획	상시감시	검사1	검사2	검사3	검사4	검사5	검사6	인터넷전문은행검사
팀장	8022	8050	8030	8040	7060	7065	7070	7075	7080	7090	7085	7100	

국실	특수은행검사국						외환감독국				
국장	김학문 7200, 7201						엄일용 7920				
팀	검사기획	상시감시	검사1	검사2	검사3	검사4	외환총괄	외환업무	외환분석	외환검사1	외환검사2
팀장	7203	7210	7215	7191	7225	7220	7922	7928	7933	7938	7945

국실	신용감독국				은행리스크업무실		
국장	박충현 8370, 8371				임종건 8350		
팀	신용감독총괄	신용감독1	신용감독2	신용감독3	은행리스크총괄	은행리스크검사	은행리스크분석
팀장	8380	8390	8382	8372	8362	8345	8356

본부	중소서민금융									
부원장	이희준									
국실	저축은행감독국				저축은행검사국					
국장	정용걸 6770, 6771				이길성 7410, 7411					
팀	저축은행 총괄	건전경영	저축은행 영업감독	P2P 감독팀	검사기획	상시감시	검사1	검사2	검사3	P2P검사
팀장	6772	6773	6775	6774	7370	7380	7385	7392	7400	7405

국실	여신금융감독국			여신금융검사국							
국장	김준환 7550, 7551			최길성 8810, 8811							
팀	여신금융 총괄	건전경영	여신금융 영업감독	검사기획	상시감시	여전업 검사1	여전업 검사2	여전업 검사3	대부업 총괄	대부업 검사1	대부업 검사2
팀장	7447	7552	7440	8805	8800	8816	8830	8822	8260	8267	8272

국실	상호금융국			
국장	권화종 8070, 8071, 8162			
팀	상시감시	검사1	검사2	검사3
팀장	8760	8770	8780	8790

10년간 쌓아온 재무인의 역사를 돌려드립니다 '온라인 재무인명부'

수시 업데이트 되는 국세청, 정·관계 인사의 프로필과 국세청, 지방청, 전국세무서, 관세청,
유관기관 등의 인력배치 현황을 볼 수 있는 온라인 재무인명부

1등 조세회계 경제신문 조세일보

본부	자본시장·회계											
부원장	김동회											
본부	금융투자											
부원장	이경식											
국실	자본시장감독국							자산운용감독국					
국장	이주현 7580, 7581							박재흥 6700, 6701					
팀	자본시장총괄	건전경영	증권시장	자본시장제도	파생상품시장	시장지원	금융거래지표감독	자산운용총괄	자산운용인허가	자산운용제도	펀드심사1	펀드심사2	자문·신탁감독
팀장	7571	7617	7611	7616	7600	7590	7612	6706	6715	6710	6725	6711	6730

국실	금융투자검사국							자산운용검사국				
국장	조철 7010, 7011							김명철 7690, 7691				
팀	검사기획	상시감시	검사1	검사2	검사3	검사4	검사5	검사기획	상시감시	검사1	검사2	검사3	검사4
팀장	7012	7020	7025	7030	7035	7040	7110	7620	7645	7631	7641	7621	7651

본부	감사					
본부장	김기영					
국실	감사실		감찰실		자본시장특별사법경찰	
국장	김성우 6060		이승우 5500, 5501		김충우 5600, 5601	
팀	감사1	감사2	직무점검	청렴점검	수사지원	수사
팀장	6070	6062	5502	5503	5602	5605

DID : 02-3145-OOOO

본부	공시·조사					
부원장	함용일					
국실	기업공시국					
국장	박종길 8100, 8101					
팀	기업공시총괄	증권발행제도	전자공시	지분공시1	지분공시2	구조화증권
팀장	8478	8482	8610	8486	8479	8090

국실	공시심사실						조사기획국				
국장	황선오 8420, 8421						김봉한 5550				
팀	공시심사기획	특별심사	공시심사1	공시심사2	공시심사3	공시조사	조사총괄	조사제도	시장정보분석	기획조사	시장정보조사
팀장	8422	8431	8450	8456	8463	8470	5558	5540	5560	5563	5565

국실	자본시장조사국				특별조사국			
국장	안승근 5650, 5651				고영집 5100			
팀	조사기획	조사1	조사2	파생상품조사	조사기획	테마조사	복합조사	국제조사
팀장	5663	5635	5637	5636	5102	5105	5106	5107

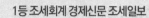
본부	회계					
위원장	장석일					
국실	회계심사국					
국장	박형준 7750					
팀	회계심사총괄	테마심사	회계심사1	회계심사2	회계심사3	회계심사4
팀장	7706	7725	7720	7730	7731	7710

국실	회계조사국					
국장	최광식 7290					
팀	회계조사총괄	기획감리	회계조사1	회계조사2	회계조사3	회계조사4
팀장	7292	7306	7320	7308	7313	7301

국실	회계관리국				감사인감리실			
국장	김철호 7750, 7751				황인협 7860, 7861			
팀	회계관리총괄	금융회계	국제회계기준	공인회계사시험관리	감사인감리총괄	감사인감리1	감사인감리2	감사인감리3
팀장	7752	7970	7980	7753	7862	7863	7864	7878

본부	금융소비자보호처								
부원장	**김은경**								
본부	소비자권익보호								
부원장	김영주								
국실	금융민원총괄국			분쟁조정1국			분쟁조정2국		
국장	박종수 5530, 5531			유창민 5210, 5211			이무열 5750, 5751		
팀	금융민원총괄	원스톱서비스	민원조사	분쟁조정기획	생명보험	손해보험	분쟁조정기획	제3보험1	제3보험2
팀장	5510	8520	5532	5212	5200	5221	5239	5240	5745

국실	분쟁조정3국					신속민원처리센터			
국장	윤덕진 5720, 5721					홍장희 5760			
팀	분쟁조정기획	은행	중소서민금융	금융투자	사모펀드	은행·금투민원	중소서민민원	생명보험민원	손해보험민원
팀장	5712	5722	5736	5741	5729	5762	5768	5772	5775

국실	불법금융대응단			보험사기대응단		
국장	박중수 8150, 8151			박동원 8730, 8731		
팀	불법금융대응총괄	불법사금융대응	금융사기대응	조사기획	보험조사	특별조사
팀장	8130	8129	8521	8726	8888	8880

본부	소비자피해예방							
부원장	박상욱							
국실	금융소비자보호총괄국				금융상품심사국			
국장	조성민 5700, 5701				윤영준 8220, 8221			
팀	소비자보호 총괄	소비자보호 제도	금융상품판 매감독1	금융상품판 매감독2	금융상품 심사총괄	예금·대출 상품심사	투자상품 심사	보장상품 심사
팀장	5680	5697	5687	5692	8230	8225	8236	8240

국실	금융상품분석국					연금감독실		
국장	이영로 8320					박종각 5180		
팀	금융상품분 석총괄	예금·대출 상품분석	투자상품 분석	보장상품 분석	소비자보호 점검	퇴직연금 감독	연금저축 감독	연금검사
팀장	8315	8319	8323	8331	8322	5190	5199	

국실	금융교육국				포용금융실	
국장	구본경 5970, 5971				김시일 8410	
팀	금융교육기획	일반금융교육	학교금융교육	금융교육지원	서민·고령자포용	중소기업· 자영업자포용
팀장	5961	5956	5964	6740	8412	8409

지원	부산울산지원			대구경북지원			광주전남지원			대전충남지원			인천지원	
지원장	박봉호 051-606-1710			박광우 053-760-4001, 4085			김태성 062-606-1610			김재경 042-479-5101			구원호 032-715-4801	
주소	부산광역시 연제구 중앙대로 1000 국민연금부산회관 12층			대구광역시 수성구 달구벌대로 2424 삼성증권빌딩 7F, 8F			광주광역시 동구 제봉로 225 (광주은행 본점 10층)			대전광역시 서구 한밭대로 797 (캐피탈타워 15층)			인천광역시 남동구 인주대로 585 한국씨티은행빌딩 19층	
전화 FAX	TEL :(051)606-1700~1 FAX :(051)606-1755			TEL :(053)760-4000 FAX :(053)764-8367			TEL :(062)606-1600 FAX :(062)606-1630, 1632			TEL :(042)479-5151~4 FAX :(042)479-5130-1			TEL :(032)715-4890 FAX :(032)715-4810	
팀	기획	검사	소비자 보호	기획	검사	소비자 보호	기획	검사	소비자 보호	기획	검사	소비자 보호	기획	소비자 보호
팀장	1720	1730	1740	4030	4003	4004	1613	1611	1612	5151 (103)	5151 (104)	5151 (105)	4802	4805

지원	경남지원	제주지원	전북지원	강원지원	충북지원	강릉지원
지원장	민동휘 055-716-2324	박진해 064-746-4205	조정석 063-250-5001, 5002	김태호 033-250-2801	장동민 043-857-9101	김경영 033-642-1901
주소	경상남도 창원시 성산구 중앙대로 110 케이비증권빌딩 4층	제주특별자치도 제주시 은남길 8 (삼성화재빌딩 10층)	전라북도 전주시 완산구 서원로 77 (전북지방중소벤처 기업청 4층)	강원도 춘천시 금강로 81 (신한은행 강원본부 5층)	충청북도 충주시 번영대로 242, 충북원예농협 경제사업장 2층	강원도 강릉시 율곡로 2806 한화생명 5층
전화 FAX	TEL :(055)716-2330 FAX :(055)287-2340	TEL :(064)746-4200 FAX :(064)749-4700	TEL :(063)250-5000 FAX :(063)250-5050	TEL :(033)250-2800 FAX: (033)257-7722	TEL :(043)857-9104 FAX :(043)857-9177	TEL :(033)642-1902 FAX :(033)642-1332
팀	소비자보호	소비자보호	소비자보호	소비자보호	소비자보호	소비자보호
팀장	2325	4204	5003	2805	9102	1902

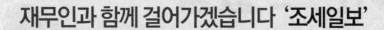

재무인과 함께 걸어가겠습니다 '조세일보'

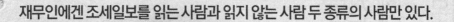

재무인에겐 조세일보를 읽는 사람과 읽지 않는 사람 두 종류의 사람만 있다.

1등 조세회계 경제신문 조세일보

해외사무소

뉴욕	Address : 780 Third Avenue(14th floor) NewYork, N. Y. 10017 U.S.A. Tel : 1-212-350-9388 Fax : 1-212-350-9392
워싱턴	Address : 1701 K Street, NW., suite 1050, Washington, DC 20006 Tel : 1-202-689-1210 Fax : 1-202-689-1211
런던	Address : 4th Floor, Aldermary House, 10-15 Queen Street, London EC4N 1TX, U.K. Tel : 44-20-7397-3990~3 Fax : 44-20-7248-0880
프랑크푸르트	Address : Feuerbachstr.31,60325 Frankfurt am Main, Germany Tel : 49-69-2724-5893/5898 Fax : 49-69-7953-9920
동경	Address : Yurakucho Denki Bldg. South Kan 1051,7-1, Yurakucho 1- Chome, Chiyoda-Ku, Tokyo, Japan Tel : 81-3-5224-3737 Fax : 81-3-5224-3739
하노이	Address : #13B04. 13th Floor Lotte Business Center. 54 Lieu Giai Street. Ba Dinh District, Hanoi, Vietnam Tel : 84-24-3244-4494 Fax : 84-24-3771-4751
북경	Address : Rm. C700D, Office Bidg, Kempinski Hotel Beijing Lufthansa Center, No.50, Liangmaqiao Rd, Chaoyang District, Beijing, 100125 P.R.China Tel : 86-10-6465-4524 Fax : 86-10-6465-4504

다이아몬드 클럽

세무·회계 전문
홈페이지 무료제작

다이아몬드 클럽은
세무사, 회계사, 관세사 등을 대상으로 한
조세일보의 온라인 홍보클럽으로
세무·회계에 특화된 홈페이지와
온라인 홍보 서비스를 받으실 수 있습니다.

DIAMONDCLUB

01 경제적 효과
기본형 홈페이지 구축비용 일체무료 / 도메인·호스팅 무료
홈페이지 운영비 절감 / 전문적인 웹서비스

02 홍보 효과
월평균 방문자 150만명에 달하는
조세일보 메인화면 배너홍보

03 기능적 효과
실시간 뉴스·정보 제공 / 세무·회계 전문 솔루션 탑재
공지사항, 커뮤니티등 게시판 제공

dia
mo
nd
club

가입문의 02-3146-8256

상공회의소

대표전화: 02-6050-3114/ DID: 02-6050-OOOO

회장: **최 태 원**

DID: 02-6050-3520

주소	서울특별시 중구 세종대로 39 상공회의소 회관 (우) 04513
홈페이지	www.korcham.net

부회장실	감사실	홍보실	국실	SGI			제도혁신지원실		
	김태연 3107	조영준 3601	국장	임진 3131			이종명 3491		
			팀	일자리복지 연구실	신성장 연구실	연구지원실	스타트업 지원	샌드박스 지원팀	샌드박스 관리팀
			팀장				이종명 3491	박채웅 3181	강민재 3721

국실	규제개선추진단				경영기획본부					
부장	윤영은 3351				박종갑 3401					
팀	총괄기획	규제개선 전략	투자환경 개선	중기소상 공인지원	기획	대외협력	총무	인사	회계	IT지원
팀장	이종민 3291	윤진영 3392	엄성용 3361	박미화 3371	김의구 3102	김기수 3101	최은락 3201	강명수 3402	박병일 3411	정범식 3641

국실	회원본부				
부장	박동민 3420				
팀	회원CEO	지역경제	회원소통	회원협력	원산지증명센터
팀장	이강민 3421	임충현 3451	이상준 3841	진경천 3871	오주원 3333

국실	경제조사본부				산업조사본부			
부장	이경상 3441				박재근 3480			
팀	경제정책	기업정책	조세정책	규제혁신	산업정책	고용노동 정책	ESG경영	지속가능경영 센터
팀장	김현수 3442	최규종 3461	송승혁 3631	이상헌 3981	전인식 3381	유일호 3481	윤철민 3471	김녹영 3804

국실	국제통상본부						
단장	강석구 3540						
팀	아주통상	미주통상	구주통상	글로벌 경협전략	북경사무소	베트남사무소	서울용산국제 학교TF
팀장	이성우 3558	김형모 3551	추정화 3541	정일 3681	진덕용 86-10-8453-9756	윤옥현 84-24-3771-3681	추정화 3541

1등 조세회계 경제신문 조세일보

국실	공공사업본부						유통물류진흥원		
단장	노금기 3737						서덕호 1414		
팀	산업기술혁신	스마트제조혁신	농식품산업협력TF	사업재편지원TF	지역인적자원개발	산업인적자원개발	유통물류정책	표준협력	데이터정보
팀장	정영석 3276	박준 3850	구재본 3369	김진곡 3161	박영도 3738	박영도 3738	이은철 1510	이헌배 1500	김성열 1480

국실	인력개발사업단						
부장	김왕 3505						
팀	기획혁신	운영관리	직업능력개발	능력개발사업	신사업개발	교육사업	글로벌사업
팀장	윤상돈 3573	권혁대 3575	길명규 3590	김명규 3590	이동혁 3591	김연선 3580	이창형 3586

국실	상공회운영사업단	중소기업복지센터	자격평가사업단	
단장	박동민 3420	진경천 3871	노금기 3737	
팀	상공회운영총괄		자격평가기획	자격평가운영
팀장	권오윤 3465		임철 3735	김종태 3770

중소기업중앙회

대표전화: 02-2124-3114 / DID: 02-2124-OOOO

회장: **김 기 문**

DID: 02-2124-3001

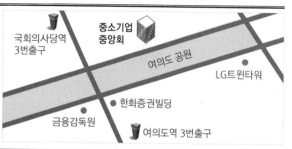

주소	서울특별시 영등포구 은행로 30 (여의도동) 중소기업중앙회 (우) 07242
홈페이지	www.kbiz.or.kr

임원실	감사실	비서실	홍보실	편집국	KBIZ중소기업연구소	본부	스마트일자리본부			
정윤모 (상근부회장) 3006	장경순 3009	김재진 3003	성기동 3060	김희중 3110	윤위상 4060	본부장	이태희 3015			
						부	인력정책실	교육지원부	청년희망일자리부	외국인력지원부
						부장	양옥석 3270	정인과 3300	정경은 3180	손성원 3280

본부	경영기획본부					협동조합본부			
본부장	이재원 3011					조진형 3012			
부	기획조정실	인사부	총무회계부	정보시스템부	사회공헌부	조합정책실	조합지원부	판로정책부	공공구매지원부
부장	안준연 3030	서재윤 3040	신상홍 3050	김준영 3070	조준호 3090	임춘호 3210	조동석 3180	유진호 3240	김용우 3250

본부	경제정책본부					혁신성장본부			
본부장	추문갑 3013					양찬회 4060			
부	정책총괄실	소상공인정책부	국제통상부	무역촉진부	조사통계부	제조혁신실	스마트산업부	상생협력부	기업성장부	단체표준부
부장	임영주 3110	고종섭 3170	임경민 3163	전혜숙 3114	성기창 3150	강형덕 3120	김영길 4310	박승찬 6610	박화선 3145	박영훈 3260

본부	공제사업본부					자산운용본부			
본부장	박용만 3016					이도윤 3017			
부	공제기획실	공제운영부	공제마케팅부	공제서비스부	PL손해공제부	투자전략실	금융투자부	실물투자부	기업투자부
부장	황재목 4320	이기중 3350	김병수 4080	문철홍 3310	이창희 4350	심상욱 3340	이응석 3320	김태완 3322	김동근 4041

국세청
소속기관

국세청

주소	세종특별자치시 국세청로 8-14 국세청 (정부세종2청사 국세청동) (우) 30128
대표전화	044-204-2200
팩스	02-732-0908, 732-6864
계좌번호	011769
e-mail	service@nts.go.kr

청장　김대지

(직) 720-2811 (D) 044-204-2201 (행) 222-0730

정책보좌관	전승한	(D) 044-204-2202
국세조사관	황민호	(D) 044-204-2203
국세조사관	송종민	(D) 044-204-2204
국세조사관	김선아	(D) 044-204-4616
국세조사관	홍여진	(D) 044-204-2205

차장　임광현

(직) 720-2813 (D) 044-204-2211 (행) 222-0731

| 국세조사관 | 김석우 | (D) 044-204-2212 |
| 국세조사관 | 임수정 | (D) 044-204-2213 |

국세청

대표전화: 044-204-2200 / DID: 044-204-OOOO

청장: **김 대 지**
DID: 044-204-2201

주소		세종특별자치시 국세청로 8-14 국세청 (정부세종2청사 국세청동) (우) 30128									
코드번호		100		계좌번호		011769		이메일		service@nts.go.kr	

국										기획조정관		
국장										정재수 2300		
과		운영지원과						대변인			혁신정책담당관	
과장		양철호 2241						장신기 2221			김대일 2301	
계	인사1	인사2	행정	복지운영	청사관리	노무안전TF팀	공보1	공보2	공보3	총괄	혁신	조직
계장	송진호 2242	이동현 2252	이화명 2262	김주식 2272	최재균 2282	민훈기 4972	송평근 2222	전종희 2232	채진우 2237	연제민 2302	김현승 2307	김광대 2312
국세조사관	김판준 손재락 김동빈 이혜은 이준영 강민아 김수진	홍정연 송규호 이준석 성현주 서동민 고은별 오화섭 홍혜인	윤은지 오재경 정진혁 김정원 하성균 김정민 배석 김용남 이현옥 박현승 김성기 이찬석 권민경 정연호 김은진 이승은 한초롱 기영서 최성일 유만수 김승태 김정환	황제헌 성유진 김은아 배명우 이아름 유명훈	김병홍 조성훈 김영한 최성호 이지희 김정학 이충구 이정주	이규현	윤상섭 정이준 차수빈 김태운	김용진 안민지	김종윤 이은실	김성영 류정모 박상기	김혜정 하현균 이기돈	심준보 백은혜 최진영
FAX	216-6048	216-6049	216-6050	216-6051	216-6052		216-6043			216-6053		

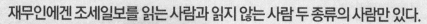

재무인과 함께 걸어가겠습니다 '조세일보'

재무인에겐 조세일보를 읽는 사람과 읽지 않는 사람 두 종류의 사람만 있다.

국	기획조정관										
국장	정재수 2300										
과	혁신정책담당관		기획재정담당관				국세통계담당관				비상 안전 담당관
과장	김대일 2301		김정주 2331				최지은 2361				박향기 2391
계	평가	소통	기획1	기획2	예산1	예산2	통계1	통계2	통계3	센터1	센터2	비상
계장	조가람 2317	이우진 2322	박찬주 2332	송찬규 2337	최재명 2342	박찬웅 2347	임상헌 2362	이병주 2367	이준학 2372	유혜경 2377	김기태 2382	노동렬 2392
국세 조사관	김남훈 김슬기	도우형 서정규 남혜윤	신창훈 박진혁 손기만 문혜림	이태훈 이형배	강원경 김성한	김동훈 김성민	김경민 안태명	권오평 조진용 남봉근	유은주	이진희	김경록 강정화	김철웅 심주영
FAX	216-6053										

DID : 044-204-OOOO

국	전산정보관리관											
국장	윤영석 2400											
과	정보화기획담당관				정보화운영담당관					홈택스1담당관		
과장	오상휴 2401				최영호 2451					김기영 2501		
계	정보화 기획	정보화 표준	정보화 지원	정보화 행정	엔티스 관리	엔티스 포털	엔티스 개발	징세 정보화1	징세 정보화2	홈택스 운영	부가 정보화	전자 세원 정보화
계장	우연희 2402	김경선 2422	김장년 2412	이정화 2432	윤소영 2452	정현철 4552	김희재 2472	장원식 2482	김용철 2492	박현주 2502	양동훈 2442	장창렬 2522
국세 조사관	지승환 정지양 이성욱 권진혁 송성호 이지선 정선균 김경해 김정희	김경아 권용훈 임화춘 최근호 김계희 전일권 차예슬	정기환 조대연 이현도 성주경 김정선	이현진 김희정 조광진 최수영 김경만	김선희 송윤호 김요한 장광석 남상현 정태영	최오미 김주영 이시화 라원선 김태완 임여경 고대훈	강봉선 김은기 주현아 임국훈 이승환 유예림	김진영 최윤호 장이삭 박정남 곽민혜 홍지연 박용병	최은숙 송유진 전유림 임수현 최상만 성화진 임종호 정지영 박성은	배인순 강태욱 김은진 황치운 최영우 이유진 윤성민	이상수 라유성 박성은 최진용 서미연 이해진 이민상	김은진 백근허 이한임 박성미 안승우 김재욱 이원일 이현우 우지혜
FAX												

10년간 쌓아온 재무인의 역사를 돌려드립니다 '온라인 재무인명부'

수시 업데이트 되는 국세청, 정·관계 인사의 프로필과 국세청, 지방청, 전국세무서, 관세청,
유관기관 등의 인력배치 현황을 볼 수 있는 온라인 재무인명부

1등 조세회계 경제신문 조세일보

국	전산정보관리관													
국장	윤영석 2400													
과	홈택스1담당관			홈택스2담당관					정보보호팀			빅데이터센터		
과장	김기영 2501			고영일 2551					김태수 4921			남우창 4501		
계	재산정보화1	재산정보화2	재산정보화3	소득정보화	법인정보화1	법인정보화2	원천정보화	소득지원정보화	정보보호정책	정보보호운영	정보보호감사	빅데이터총괄	개인분석	법인분석
계장	박재근 2532	정기숙 2542	김미경 4956	전영호 2552	성승용 2562	김광래 2582	정학식 2572	임기향 2522	김범철 4922	임동욱 4932	박창오 4942	김선수 4502	이기각 4512	오흥수 4522
국세조사관	정명숙 조지영 이강현 김용극 조은지 장은석 박민해	임채준 김남용 이무훈 안상원 이정묵 이소원 김혜진	임미정 문숙자 안도형 조성욱	장석오 서지영 최학규 김민경 송향희 김유나 윤창인 김육곤 박우정	한미영 나승운 김재현 최은애 이수연 전동길 손효현	임근재 최은성 박숙정 박미경 박신영 이창욱 이성호	김세라 신효경 이수미 박문영 이세나 이창인 강소연 서성현 구세윤	이홍조 김병식 안혜은 윤기찬 이원준 김민영 김시백 이지헌 안일근	염준호 정주희 전원석 한세영	이서구 최진숙 강대식 하창경 송원호	손성규 남현희 박상희 하상욱	이영미 전상규 정병호 전소연 윤민지 김정남	박미숙 하세일 박종현 박주환 이영신 유수정	김현하 정은정 안수림 오청은 오문탁 김태훈
FAX														

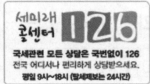

국세관련 모든 상담은 국번없이 126
전국 어디서나 편리하게 상담받으세요.
평일 9시~18시 (탈세제보는 24시간)

DID : 044-204-0000

국	전산정보관리관					국제조세관리관실							
국장	윤영석 2400					오호선 2800							
과	빅데이터센터					국제협력담당관					국제조세담당관		
과장	남우창 4501					지성 2861					최인순 2861		
계	자산분석	조사국조분석	심층분석	공통세정분석	기술지원	1	2	3	4	5	국제조세1	국제조세2	국제조세3
계장	임지아 4532	정상진 4542	김재석 4562	양다희 4552	김효진 4572	구자은 2862	최정현 2872	조민경 2877	김덕원 2882	방종호 2887	김주연 2802	김민 2812	류승중 2817
국세 조사관	손석임 박진우 공주희 김동직 김건우 김태원	김소영 서영삼 김용태 김승국 정현주 이규화	김영주 임상민 김경민 박미진 김푸른솔 윤태현	정의진 염주선 조미옥 김인천 이현호 조한솔	김태형 안래본 장경호 이현준	박용진 안수연 장원일	서미네 한상원	이재범 김진석	박시후	김범전	송태준 최영진 고예지	신종훈 문지혜 윤동규	신중현 고선하
FAX						216-6066							

118

국	국제조세관리관실									감사관			
국장	오호선 2800									박진원 2600			
과	국제조세담당관			상호합의담당관						감사담당관			
과장	최인순 2861			장우정 2961						박병환 2601			
계	국제조세4	국제조세5	디지털세대응TF	1	2	3	4	5	6	감사1	감사2	감사3	감사4
계장	권경환 2822	심은진 2827	조명완 2832	성혜진 2962	최수빈 2972	강민성 2977	박상기 2982	김성민 2977	박진우 2992	육규한 2602	김시형 2612	임종훈 2622	이동일 2632
국세조사관	이정민 류명지 고태혁	김상엽 김지윤	백연하 엄정임	김민주 박승혜 진평일 장서라	장성하 안상진	박철수 신미라	성아영 김상훈	김민영 윤지영	전수진	서민성 이지상 조성수 유진호	이풍훈 김종일 김봉조 김재현 김임년	고윤하 박창열 한준영 이연호 김수열	김민웅 이기주 김신우 김동수
FAX										216-6060			

국세관련 모든 상담은 국번없이 126
전국 어디서나 편리하게 상담받으세요.
평일 9시~18시 (탈세제보는 24시간)

DID : 044-204-0000

국	감사관					납세자보호관						
국장	박진원 2600					변혜정 2700						
과	감찰담당관					납세자보호담당관				심사1담당관		
과장	윤창복 2651					한경선 2701				류충선 2741		
계	감찰1	감찰2	감찰3	감찰4	윤리	납보1	납보2	납보3	민원	심사1	심사2	심사3
계장	조상훈 2652	이정민 2662	최승일 2672	장성우 2682	최병구 2692	김종수 2702	조병주 2712	홍성훈 2717	이재성 2727	박광룡 2742	변영희 2752	임식용 2762
국세조사관	조상현 이준현 강유나 김진열 남창환	김종학 권대영 이형원 김진홍 김대현	김광용 유성문 신지영 이태욱	이용광 김수현 안지영 김민정	정훈 이영정 정재훈 박소영	채상철 박태훈 홍소영	이종영 송옥연 김민지 김봉재 정효숙	최봉수 나명균 조혜진 송영진	구문주 이상준 김창권	권혁성 김종만 한규진	정영순	
FAX	216-6061					216-6063				216-6064		

1등 조세회계 경제신문 조세일보

국	납세자보호관										
국장	변혜정 2700										
과	심사1담당관				심사2담당관						
과장	류충선 2741				김학선 2771						
계	심사4	심사5	심사6	심사7	심사1	심사2	심사3	심사4	심사5	심사6	심사7
계장	김제석 2763	조미희 2764	이현종 2765	윤소희 2766	전강식 2772	허준영 2782	박준배 2783	이관노 2784	장성기 2785	손창호 2786	임서현 2787
국세 조사관					이명훈 김숙기 임선영						
FAX	216-6064										

DID : 044-204-OOOO

국	소득자료관리준비단									징세법무국		
국장	박해영 4000									송바우 3000		
과	소득자료기획반			소득자료신고팀			소득자료분석팀			징세과		
과장	이상걸 4001			김휘영 4031			김성기 4061			이은규 3001		
계	기획1	기획2	기획3	신고1	신고2	신고3	분석1	분석2	분석3	징세1	징세2	징세3
계장	최명일 4002	문태형 4012	고명수 4017	허남승 4032	선봉관 4042	최윤미 4047	김상인 4062	최장원 4072		윤상봉 3002	조창우 3012	장은수 3017
국세 조사관	이주연 한겨레	김홍용 윤미경	권기주 서기원	백지훈 최보령	임정미 홍세민	김성일 정기원 정정민 김영호	김연수 고영철	김연화 최정헌	권현옥 김미연 강명수 박대희 서준석	김유학 이승훈 석진영	송지원 김영환	최용세 황대림 박대경 신민채 한아름
FAX	216-6065											

122

국	징세법무국								
국장	송바우 3000								
과	징세과		법규과						
과장	이은규 3001		윤성호 3101						
계	징세4	징세5	총괄조정	국조기본	부가	소득	법인	재산1	재산2
계장	이병탁 3027	유창성 3037	최은경 3102	방선아 3112	전준희 3117	이광의 3122	강삼원 3127	최영훈 3137	문병갑 3142
국세 조사관	우제선 임정현 문소웅 황병광 이승윤	정년숙 안태훈 박보경	조창현 정진학 이동욱	김현석	배영섭 최태훈	박선희 고성희	권재효 김경희 김성호	한정수 김남구 박재호 이채린	이호필 정영선 남궁민
FAX									

DID : 044-204-OOOO

국	징세법무국							
국장	송바우 3000							
과	세정홍보과			법무과				
과장	오규용 3161			박찬욱 3071				
계	홍보기획	디지털소통	박물관운영	법무1	법무2	법무3	법무4	법무5
계장	안병진 3162	오민철 3172	박광석 3182	김도균 3072	안혜정 3077	주원숙 3082	원윤아 3087	권오현 3092
국세 조사관	최현선 구영진 한승범	김태훈 김제민 장준미 황두돈 현상필	박진수 김성진 윤혜민	신정훈 김지민 손한준 최진남	편무창 강수민	김성준 김민수	김영빈 조병민	정수경
FAX								

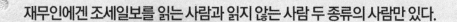

재무인과 함께 걸어가겠습니다 '조세일보'

재무인에겐 조세일보를 읽는 사람과 읽지 않는 사람 두 종류의 사람만 있다.

1등 조세회계 경제신문 조세일보

국	개인납세국										
국장	최재봉 3200										
과	부가가치세과				소득세과				전자세원과		
과장	강상식 3201				한지웅 3241				최원봉 3271		
계	부가1팀	부가2팀	부가3팀	부가4팀	소득1팀	소득2팀	소득3팀	소득4팀	전자1팀	전자2팀	전자3팀
계장	강신웅 3202	박형민 3212	김성민 3217	박현수 3222	박옥임 3242	안경민 3252	차지훈 3257	조민성 3262	문영한 3272	이해인 3282	안주훈 3287
국세 조사관	이지영 유주연 김미영	변유솔 박범진 홍성민	김종의 주미영	오재현 이정아	이상수 김창희 조윤아	임민철 이옥녕 류승우	김명제 김영란 신동연	양미선 홍준영 최수민	홍소영 동소연	최근수 김수한	정승오 윤정호 정현주 안소연
FAX											

DID : 044-204-OOOO

국	법인납세국							
국장	김진현 3300							
과	법인세과				원천세과			
과장	고근수 3301				전지현 3341			
계	법인1팀	법인2팀	법인3팀	법인4팀	원천1	원천2	원천3	원천4
계장	정승태 3302	임경수 3312	유민희 3317	김영주 3322	감재산 3342	표삼미 3347	전정영 3352	김동근 3357
국세 조사관	최용철 김도원 강수원	김영건 김지연 박금세	김상배 도영수 박양규	정지선 이만호 남유진	전익선 김보혜	이정아 류인용	채웅길 심정규	이지연
FAX	216-6078				216-6079			

1등 조세회계 경제신문 조세일보

국	법인납세국							자산과세국				
국장	김진현 3300							박재형 3400				
과	소비세과			공인중소법인지원팀				부동산납세과				
과장	김범구 3371			박인호 3901				김길용 3401				
계	주세1팀	주세2팀	소비세팀	지원1팀	지원2팀	지원3팀	지원4팀	1팀	2팀	3팀	4팀	5팀
계장	서승희 3372	김우성 3382	이완희 3392	김지연 3902	박운영 3912	문한별 3917	이희범 3922	위찬필 3402	박재신 3412	박현수 3417	김준호 3422	정준기 3427
국세 조사관	이문원 김수지 정우도	김기열 김태형	이은규 김경애 권혜정	성이택 정진원 정동혁	김성진 이경숙	류진 백원철 김유정	박병진 강관호 이진숙 남민기 박경록 전현혜 박장미	김상동 박종인 김동희	이영휘 이은주 김지민	홍문선 심윤성 이수민	조성래 조요한	최우성 곽지은 이창훈 손성탁 신현중
FAX	216-6080			216-6135				216-6081				

DID : 044-204-OOOO

국	자산과세국								소득지원국	
국장	박재형 3400								장일현 3800	
과	상속증여세과				자본거래관리과				장려세제운영과	
과장	임상진 3441				강동훈 3471				이준희 3801	
계	1팀	2팀	3팀	4팀	1팀	2팀	3팀	4팀	운영1	운영2
계장	조윤석 3442	손미숙 3452	이정순 3457	정지인 3462	정지석 3472	김희대 3482	김내리 3492	이원주 3492	천주석 3802	고병재 3812
국세 조사관	김창희 강호현 김다은	김선하 임길묵 장수환 곽주권	김한석 나동일 심재훈 김민수	김은정 박종찬	김민제 이두원 고유경	윤영우 오승철 이정아 정주연 양광식	서유빈 박승재	윤동수 현정아 고호석	김환규 엄상혁 김현지	정은주 정미란
FAX	216-6082				216-6083					

128

	세무법인 T&P	세무그룹 토은
	대표세무사 : 김영기 서울시 서초구 법원로 10, 정곡빌딩남관 102호(서초동) 전화 : 02-3734-9925 팩스 : 02-3474-9926	**대표세무사 : 김시재** 서울 서초구 서초대로74길 23(서초동 1327) 서초타운트라팰리스 901호 전화: 02-6013-0300 팩스: 02-6013-0333 이메일 : toeun@toeun.co.kr

국	소득지원국							조사국		
국장	장일현 3800							김동일 3500		
과	장려세제운영과		장려세제신청과			학자금상환과		조사기획과		
과장	이준희 3801		강승윤 3841			이봉근 3871		박근재 3501		
계	운영3	운영4	신청1	신청2	신청3	상환1	상환2	1팀	2팀	3팀
계장	노원철 3817	박영건 3822	윤지환 3842	이승철 3852	최현민 3857	진우형 3872	강석구 3882	이태연 3502	임병훈 3512	손종욱 3517
국세 조사관	정종철 김지은	오영석	채양숙 손준혁	강지성 박용	구순옥 전다영	김향일 임성준	최기영 이보라 김수현	김종각 장준재 윤현식 박대은 강민종 김봉재 이지은	김현두 이치원 강성화	문형진 강경영
FAX										

국	조사국									
국장	김동일 3500									
과	조사기획과		조사1과				조사2과			
과장	박근재 3501		반재훈 3551				김승민 3601			
계	4팀	5팀	1팀	2팀	3팀	4팀	1팀	2팀	3팀	4팀
계장	정민기 3522	이민창 3527	김대중 3552	서원식 3562	양영진 3572	이용후 3582	정해동 3602	안수아 3612	안형민 3617	노태순 3622
국세 조사관	전충선 정유성	조민영 윤승미	양용환 전동근 장창하 이다영 김희겸	남무정 문지만 문석준 정규식	박상민 서영준 이기덕	안진수 박준선 김진희	박수영 이수미 김영호	김대옥 유상호 최슬기	차광섭 차상훈	엄기황 서보림
FAX										

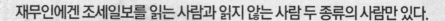

재무인과 함께 걸어가겠습니다 '조세일보'

재무인에겐 조세일보를 읽는 사람과 읽지 않는 사람 두 종류의 사람만 있다.

1등 조세회계 경제신문 조세일보

국	조사국											
국장	김동일 3500											
과	조사분석과			국제조사과				세원정보과				
과장	김준우 3751			전애진 3651				이태훈 3701				
계	1팀	2팀	3팀	1팀	2팀	3팀	4팀	1팀	2팀	3팀	4팀	5팀
계장	김성범 3752	조현선 3762	최지안 3767	전일수 3652	이규진 3662	김일도 3672	이예진 3682	김병철 3702	하신행 3712	정동재 372	서철호 3727	박용관 3737
국세 조사 관	문관덕 하태규 이미숙	엄태선 윤용훈	박성우 강성헌	김말숙 주민석 허인범 최강현 고은비	하창수 임옥규 진종호 정다겸 문병국	김치호 남상균 박정미 임명규 김극돈	지상준 강보경 김동욱 천근영	조성우 홍영숙 정진걸 정재훈 김현웅 구승민	류영상 이규환 문태정 정상미	송지원	김석훈 이상재 유경근 김태성	이상민 우창완 윤주호 이명건
FAX												

국세청주류면허지원센터

대표전화: 064-730-6200 / DID: 064-7306-OOO

센터장: **박 상 배**
DID: 064-7397-601, 064-7306-201

주소	제주특별자치도 서귀포시 서호북로 36 (서호동 1514) (우) 63568				
팩스	064-730-6211				
과	분석감정과 (739-7602)		기술지원과 (739-7603)		세원관리지원과 (739-7604)	
과장	조호철 240		김용준 260		정병록 280	
계	업무지원	분석감정	기술지원1	기술지원2	세원관리1	세원관리2
계장	김종호 241	장영진 251	김시곤 261	이충일 271	설관수 281	진수영 291
국세 조사관	채수필 이호승 서연진 홍순준 최태규	김나현 강경하 문준웅 강길란	박찬순	박장기	오수연	박길우
FAX	730-6212	730-6213	730-6214		730-6215	

예규·판례 서비스

조세일보 정회원 통합형만이 누릴 수 있는

차별화된 조세 판례 서비스

매주 고등법원 및 행정법원 판례 30건 이상을 업데이트하고 있습니다. (1년 2천여 건 이상)

모바일 기기로 자유롭게 이용

PC환경과 동일하게 스마트폰, 태블릿 등 모바일기기에서도 검색하고 다운로드할 수 있습니다.

신규 업데이트 판례 문자 안내 서비스

매주 업데이트되는 최신 고등법원, 행정법원 등의 판례를 문자로 알림 서비스를 해드립니다.

판례 원문 PDF 파일 제공

판례를 원문 PDF로 제공해 다운로드하여 한 눈에 파악할 수 있습니다.

정회원 통합형 연간 30만원 (VAT 별도)

추가 이용서비스 : 온라인 재무인명부 + 프로필, 구인정보 유료기사 등

회원가입 : www.joseilbo.com

1등 조세회계 경제신문
j 조세일보

국세상담센터

대표전화: 064-780-6000 / DID: 064-7806-OOO

센터장: **유 성 현**
DID: 064-7306-001

주소	제주특별자치도 서귀포시 서호북로 36 (서호동 1514번지) (우) 63568
이메일	callcenter@nts.go.kr

팀	업무지원	전화상담1		전화상담2		전화상담3	
팀장	홍기석 002	현상권 020		김석찬 060		김수용 080	
구분	지원/혁신	종합소득세	원천세	부가세	기타세	양도세	상속증여세
국세 조사관	이효철 김종일 우남구 이현정 윤만성 유인숙 이도헌 권석진 신은우 유재웅 변경옥 김은경 이상진	강도현 정승복 박양희 강진성 정종욱 강기덕 유종현 노기숙 심란주 김태호 김주현 양동희 김유리 이소진	강화동 하진호 현미정 이영옥 허혜정 김선인 김유선 마준호 최수미 유호영 서돈영 이동규 경진	강상길 서계영 정덕주 김현희 전후영 이승주 최윤선 심은정 정해연 최은미 정동환 조윤미 박정란 전세정 노은지 이은수	장광웅 박경태 안현준	박성희 김은영 이정미 한창림 김정실 심혜경 김혜정 황혜윤 고근희 강복희 김세일 김선정 지장근 김민정 이오형 장영태 이선주 김정엽 이지수	천명일 서민철 임정훈 황재원 문주경 이선미 강진아 박상용
FAX							

팀	전화상담4		인터넷방문상담1		인터넷방문상담 2	인터넷방문상담 3
팀장	윤석태 110		김정남 140		노정민 160	김용재 180
구분	법인세	국제조세	종소/원천	국조/기타	부가/법인	양도/종부/상증
국세 조사관	함상봉 이명례 한민수 최영준 최태현 이형구 차나리	이래하 천진해 김남준 김건중	천세훈 조병철 양용석 박희선 송대근 차호현 박혜선 김성민 오수진 손효정	옥석봉 우정희	양희재 권창호 채은정 김선정 이철용 김보균 김수호 유동완 김지언	오승연 박정인 황성원 채경수 김연실 정재임 한성민 박원준 이원경 오경훈 오주영 나용선 김지호 최정은 송준오
FAX						

국세공무원교육원

대표전화: 064-7313-200 / DID: 064-7313-OOO

원장: **정 철 우**
DID: 064-7313-201

주소	제주교육장: 제주특별자치도 서귀포시 서호중로 19 (서호동 1513) (우) 63568 수원교육장: 경기도 수원시 장안구 경수대로 1110-17 (파장동 216-1) (우) 16206
이메일	taxstudy@nts.go.kr

과	교육지원과		교육기획과		
과장	이인우 210		우창용 240		
계	지원1	지원2	신규자교육팀	재직자교육팀	온라인교육팀
계장	손상현 211	홍정은 331	고동환	추순호	박숙희
국세 조사관	이상무 김세민 박준서 이효정 박연주 신현국 송권호 김정훈 박홍립 김반석 한은표	김호근 최인영 정영운 김영주	변관우 탁서연 정인태 김선면 양진혁 김은자 박준범	이권호 이규수 서정희 권민철 우나경 박중근 김희선 조재완 손윤섭	전기희 염시웅 장원창 고양숙 오유석
FAX	731-3311	031-250-2340	731-3314		731-3315

과	교수과					
과장	최병익 270					
계	총괄팀	부가	소득	법인	양도	상증
계장	양영경 271	임형걸 281	공원택 285	손병양 291	이종준 298	강정호 295
국세조사관	이정자 김동호 박수경 최영현 최유원	김성근 이두원 박정우	이윤희 송호근 박민규	김효경 김나연 정홍도 정성훈	임재주 백규현	윤윤식 임석현
FAX						

서울지방국세청
관할세무서

서울지방국세청

주소	서울특별시 종로구 종로5길 86 (수송동) (우) 03151
대표전화	02-2114-2200
팩스	02-722-0528
계좌번호	011895
e-mail	seoulrto@nts.go.kr

청장   임성빈

(직) 720-2200 (D) 02-2114-2201 (행) 222-0780

국세조사관 한정희   (D) 02-2114-2202, 2203

송무국장	이경열	(D) 02-2114-3100, 3200
성실납세지원국장	박종희	(D) 02-2114-2800, 3000
조사1국장	신희철	(D) 02-2114-3300, 3400
조사2국장	이동운	(D) 02-2114-3600, 3700
조사3국장	김진호	(D) 02-2114-4000, 4200
조사4국장	안덕수	(D) 02-2114-4500, 4700
국제거래조사국장	양동훈	(D) 02-2114-5000, 5100

서울지방국세청

대표전화: 02-2114-2200 / DID: 02-2114-OOOO

청장: **임 성 빈**
DID: 02-2114-2201

주소	서울특별시 종로구 종로5길 86 서울지방국세청 (수송동) (우) 03151						
코드번호	100	계좌번호	011895	이메일	seoulrto@nts.go.kr		

과	운영지원과				감사관			
과장	이법진 2240, 2241				박광종 2400, 2401			
계	행정	인사	경리	현장소통	감사1	감사2	감찰1	감찰2
계장	박재성 2222	박권조 2242	정소영 2262	임행완 2282	김동근 2402	윤명덕 2422	김덕은 2442	전왕기 2462
국세 조사관	정준모 김하늘 이동진 정희섭 김춘수 정용오 유동균 조미영 정형준 박현선 오은주 배수일 정찬상 여민호 최성규 김준영 김정훈 김도연 박지훈 김정호 박만길 김경두 김유식 박상인 유한웅 최정원 유태준 박종서 마성민 이희범 김규완 박천우 박천우	김윤 이섭 유성엽 류지현 정영식 강호종 김현철 이준배 이혜연 정해진 황유성 강이은	노현정 주선영 황주연 임유정 서예림 정세윤 임보라 유민정 정영달	장대완 정종국 이은정 박진솔 신동호 황규형 정철우 고아영	이준호 문지혁 김란 황호현 홍지성 김지영 김인겸 김재욱	이지영 이애란 심재도 임정근 오지철 김형정 심재희	김병성 박동찬 오태진 임종수 오대성 장재림 송기화 임재현 이영주 김영빈 명거동 배종섭	이일생 유한진 김병옥 곽동대 문성진 송광선 신은경 최윤호
FAX	722-0528				736-5945			

140

1등 조세회계 경제신문 조세일보

과	납세자보호담당관				징세관						
과장	유병철 2600, 2601				윤종건 2500, 2501						
계	납세자 보호1	납세자 보호2	심사1	심사2	징세	체납관리	체납추적 관리	체납추적 1	체납추적 2	체납추적 3	체납추적 4
계장	윤철규 2602	서귀환 2612	김효진 2622	이광호 2632	김현호 2502	김명규 2512	최오동 2532	이철 2542	박종무 2562	서영미 2572	안광원 2582
국세 조사관	임진옥 이윤희 이지형 오배석 이진영 김재호	정영희 유진희 양선욱 윤현숙 임거성 박서연	김영민 김정숙 문병남 권혁순 조혜연 최성일 송다은 박철민	전동호 민현순 목완수 이민경 이현 유종일 이상호 오선지	이정현 차미선 이은경 임기양 나진희 박광덕	이재근 염성희 이정숙 도창현 진병훈 이승준 김지혜 윤민아	조동혁 백은경 김희중 황찬근 송인춘 정동환 김은숙 박희달 강지은 안성호 이수민 이류기	이세풍 임창섭 김현선 한세희 김화숙 김동훈 송지미 구현지 김청일 심지섭 최선균	엄일선 이일성 조정화 김원형 송종호 한유경 이효진 김제성 홍성준 남현승 박신해	권기현 장미숙 김은주 이재욱 김영기 강성환 강미나 진수환 황순하 조윤정	유준영 김소영 한수현 최선희 장수안 김양근 최진미 권경해 박민서 한충열
FAX	720-2202	761-1742			736-5946, 2285-2910						

DID : 02-2114-OOOO

국실	송무국												
국장	이경열 3100, 3200												
과	송무1과								송무2과			
과장	박진하 3101								김진우 3151			
계	총괄	심판1	심판2	법인1-1	법인1-2	법인3	개인1-1	상증1-1	상증1-2	법인2-1	법인2-2	법인2-3	개인2-1
계장	박성기 3102	홍영국 3111	권영림 3116	임일훈 3120	황하나 3124	이경태 3127	김근화 3130	정학순 3133	전영의 3136	이권형 3152	박진석 3156	서형렬 3159	이향규 3165
국세 조사관	최필웅 손옥주 김현주 윤범일 박주현 황선화 백승혜 서익준	이영주 이우석	김영종 홍성훈	홍정의 김성희	유은주 박요나	남지연 정진범	배순출	박희정 이수형	최은하 황인아	구순옥 김인숙 권현서	강상우 우덕규	심정은 이인숙	전민정
FAX	730-9583								780-4165			

국실	송무국												
국장	이경열 3100, 3200												
과	송무2과						송무3과						
과장	김진우 3151						한제희 3201						
계	개인 2-2	개인 2-3	상증 2-1	상증 2-2	상증 2-3	민사 2-1	법인 3-1	법인 3-2	법인 3-3	개인 3-1	개인 3-2	개인 3-3	상증 3-1
계장	김은경 3168	김보윤 3162	이정로 3171		김영재 3177	박준성 3181	김상원 3202	서영일 3206	김주강 3209	강연성 3212	문경호 3215	권혁준 3218	송지연 3221
국세 조사관	김성래 이연지	추성영 김민주	정의재 이선의	공진배 계준범 김현지	이미경 정민수	이은 전현우 장병국	차진선 유정미	김동엽 김은아	곽정은 정보근	이지영 김정한	박현영 박영식	정주영 한아름	박동수 윤석
FAX	780-4165						780-4162						

DID : 02-2114-OOOO

국실	송무국			성실납세지원국									
국장	이경열 3100, 3200			박종희 2800, 3000									
과	송무3과			부가가치세과				소득재산세과					
과장	한제희 3201			권석현 2801				김수현 2861					
계	상증3-2	상증3-3	민사3-1	부가1	부가2	부가3	소비세	금융투자소득 TF	소득1	소득2	재산	소득지원	소득자료관리 TF
계장	홍명자 3224	정봉균 3227	이대건 3230	노충환 2802	김태석 2812	류오진 2832	채종일 2842		김진범 2862	윤경희 2872	김재균 2882	황영남 2892	정성영 3072
국세조사관	양아열 이유진	김호영 최길숙	김영종 임효선 이해인	한성호 추세웅 정중호 이지선 서지영 장혜영 정준호	정인선 주세정 최현정 임지형 김은미 안진아 장윤희	김인수 변성욱 박종태 전주현 김지민 윤슬기	김보경 김종현 양태식 오도열 임영신 문형민 박아연 이근우 김정우 허준원	이진영 오승준	오윤화 백순복 진한일 김은정 이인자 신성근	이동백 곽미나 차순조 오재헌 김규완	나민수 최미리 정성민 최성호 김도현 손정욱 이우진 김은진	허비은 조은희 정희라 정진영 남영철	정성훈 최미리
FAX	780-4162			736-1503				736-1501					

국실	성실납세지원국									
국장	박종희 2800, 3000									
과	법인세과					전산관리				
과장	이상원 2901					윤현구 2971				
계	법인1	법인2	법인3	법인4	국제조세	전산관리1	전산관리2	정보화센터1	정보화센터2	정보화센터3
계장	김항로 2902	김경필 2922	김서영 2942	김인아 3032	곽종욱 2952	전태영 2972	김형태 3002	강옥희 5302	황윤자 5352	김영수 5392
국세조사관	권혁란 강정모 부명현 박영래 김세환 강은실 신봉식 정준호 황보주경 윤준식	김혜경 박선아 장창환 최상연 이남경 이은상 김영화 민상원 김서은 홍성혜	윤기철 위주안 최성균 정진환 김지현 장지혜 최서나 조영탁 조민성	우지수 이강연 구옥선 최준 안혜영 문숙현 김순영	홍미라 임미라 송종범 오현정 이정연 이정은 권민수 조유흠 박현경 송인형 이지민	박찬경 김문성 김수진 최연하 권혜연 주정희 권정순 김민숙 민정대	윤영순 박현숙 임영신 정혜영 이경희 김보운 김수영 임정호	김경덕 황보현 유상윤 여경숙 천금미 조일숙 이현순 박재희 유병임 주성옥 김옥분 이미경 김영미 박애슬 김미영 이복자 노정애 안유희	박애경 김기숙 이연미 서승숙 성혜정 강형미 한나영 김명환 이은영 배문경 이은주 엄영옥 김지연 김연숙 이경분 이선정 배성연	홍성한 박미정 이윤희 김윤경 황미경 정현주 김현정 김영숙 장인숙 정선재 육영란 구자율 권묘향 엄명주 지점숙 최종미 주명화 이순화
FAX	736-1502									

⌒가현택스

대표세무사 : 임채수 (前잠실세무서장/경영학박사)

서울시 송파구 신천동 11-9 한신코아오피스텔 1016호

전화: 02-3431-1900   팩스: 02-3431-5900

핸드폰: 010-2242-8341   이메일: lcsms57@hanmail.net

국실	조사1국									
국장	신희철 3300, 3400									
과	조사1과									
과장	강영진 3301									
계	제1조사	제2조사	제3조사	제4조사	제5조사	제6조사	제7조사	제8조사	제9조사	제10조사
계장	민강 3302	최진혁 3322	김정수 3332	구성진 3342	현창훈 3352	신민섭 3362	이배인 3372	유지민 3382	김성기 3392	오명준 3402
국세 조사관	강세희 강희경 김민주 최가람 손정아 서지원 양미덕 이권승 김희애	최보문 강민주 백종섭 나진순 김대우 신동규 이재호 원대로 최인규	김정륜 윤형석 손경진 이성준 오유빈 유경원	정광륜 이충오 송환용 김은정 전병진 박민지	임인정 심재광 임지영 최민경 곽지은	정진욱 김민정 최해원 최재규 정용수 민경희	오세정 정수진 서민수 백유영 김규희	박경인 이혜영 황재민 양송이 박순애 박광춘	박준홍 김재욱 김주원 김푸름 김재성 황창연	김영환 이찬 김유혜 최재덕 김해인
FAX	736-1505									

국실	조사1국									
국장	신희철 3300, 3400									
과	조사2과									
과장	공병규 3421									
계	제1조사	제2조사	제3조사	제4조사	제5조사	제6조사	제7조사	제8조사	제9조사	제10조사
계장	장민근 3422	심정식 3432	김성한 3442	이병주 3452	강찬호 3462	노정택 3472	김상원 3482	이슬 3492	김진희 3502	김이준 3512
국세 조사관	유상욱 김치헌 박상현 신상은 최은숙 박준용 양기현	유형대 박병영 이광연 김지영 홍선아	김택범 홍영민 홍민기 김정희 박서연	민병웅 변영시 심정보 고영상 이민지 김민우	박금옥 김영규 최상 이유진 조성용 이향주	김갑수 이현주 강성은 황성연 송현호 김복희	강동진 최솔 육동선 박성희 염보희	강준원 이혜진 홍승범 남승규 박규미	강창호 김현재 이수연 임창범 전아라	박정순 강석관 김혜리 박찬욱 조민석
FAX	736-1504									

국세관련 모든 상담은 국번없이 126
전국 어디서나 편리하게 상담받으세요.
평일 9시~18시 (탈세제보는 24시간)

DID : 02-2114-OOOO

국실	조사1국								
국장	신희철 3300, 3400								
과	조사3과								
과장	김동욱 3521								
계	제1조사	제2조사	제3조사	제4조사	제5조사	제6조사	제7조사	제8조사	제9조사
계장	이범석 3522	홍성미 3532	서범석 3542	홍용석 3552	양석재 3562	정성한 3572	정헌미 3582	김재백 3592	최승민 3082
국세 조사 관	원종일 이기주 심민경 안중호 김대우 나경아 백경훈 조성익	이동출 한명민 김성대 김재하 장한별	정진혁 김정화 정미영 박서정 송승철	이지현 강재형 이현정 김한결 김명열 신근모	안형진 김철민 노지형 김동욱 변지현	임종진 박상봉 구선영 김진호 곽혜원	이승훈 윤동석 이은혜 배주환 강혜지	김두연 김형진 여인훈 이재성 임영운	김미정 안주영 조혜원 김광현 노영배
FAX	720-1292								

국실	조사2국									
국장	이동운 3600, 3700									
과	조사관리과									
과장	김정윤 3601									
계	제1조사 관리	제2조사 관리	제3조사 관리	제4조사 관리	제5조사 관리	제6조사 관리	제7조사 관리	제8조사 관리	제9조사 관리	제10조사 관리
계장	신현석 3602	박현주 3622	강은호 3632	이인선 3642	이주석 3652	임종수 3662	신용범 3672	남궁서정 3682	신세용 3692	이성필 3702
국세 조사관	류현수 이찬희 조재범 고경미 박우현 한진혁 이미라 윤미자 서문지영 차동희	윤경희 류연호 이정미 신지우	이영석 남기훈 주범준 정도희 조남건 이은선 김소연	박가을 김성문 김은희 이상훈 고혁준	하태상 강종식 김순옥 박지영 장지은 이현우	김묘성 이선하 이경아 엄준희 김난희	권정희 조은덕 송화영 김기천 장현진	유재연 최인영 이성민 안영채	하태희 신연주 고석춘 배은아 김현진 김정윤 정하늘 조현진	최현진 이윤주 권경범 제갈희진 여정주 이지헌
FAX	737-8138									

세미래콜센터 126
국세관련 모든 상담은 국번없이 126
전국 어디서나 편리하게 상담받으세요.
평일 9시~18시 (탈세제보는 24시간)

DID : 02-2114-0000

국실	조사2국								
국장	이동운 3600, 3700								
과	조사1과								
과장	권순재 3721								
계	제1조사	제2조사	제3조사	제4조사	제5조사	제6조사	제7조사	제8조사	제9조사
계장	최행용 3722	고광덕 3732	김은숙 3742	이양우 3752	이석봉 3762	오정근 3772	박승규 3782	김태욱 3792	최영호 3802
국세 조사관	장희철 정주영 노수정 백승학 양미선 이솔 박범석	박윤주 강승구 유인혜 전기승 김수현 정민국	김기완 이경선 채규홍 이호연 정진주 한광희	이순엽 문바롬 오정민 이인권 홍민기	이권식 김대중 임신희 허남규 김진주	김선일 강은영 유영욱 홍진국 왕윤미	김근수 이진수 정미란 안은정 안병현	류옥희 빈수진 박진영 장주현 임경준	김재진 김문경 민근혜 김영석 김진영
FAX	720-9031								

150

1등 조세회계 경제신문 조세일보

국실	조사2국								
국장	이동운 3600, 3700								
과	조사2과								
과장	박성학 3811								
계	제1조사	제2조사	제3조사	제4조사	제5조사	제6조사	제7조사	제8조사	제9조사
계장	박순주 3812	임형태 3822	소섭 3832	명승철 3842	문정오 3852	박재성 3862	김종주 3872	안병태 3882	정흥식 3892
국세 조사관	김상욱 김상곤 이윤주 추현종 김별진 이명희 김수형	이국근 이성환 김유미 김주홍 권재선 조경민	박주열 서명진 박향미 최홍서 이호은 이슬린	고덕환 강석종 황지혜 전용수 이재영	윤영길 이동희 오창기 이유경 박민원	윤태준 임근재 정예린 조인정 신영준	유지은 박두순 류진규 정아람 김윤	유희준 문승민 이주한 구태경 강지선	김진미 안미영 구명옥 김민석 김재현
FAX	3674-7823								

국실	조사3국					
국장	김진호 4000, 4200					
과	조사관리과					
과장	이요원 4001					
계	제1조사관리	제2조사관리	제3조사관리	제4조사관리	제5조사관리	제6조사관리
계장	김해영 4002	박재영 4022	안병일 4032	임경미 4052	김대철 4072	최미숙 4092
국세 조사관	김성진 박대현 박용진 박윤정 서정우 최인옥 송영태 이윤재 노경수	양현숙 서민자 정찬진 강정구	양인영 이지호 박희자 최운환 이미영 소연 박서현 한선배	박균득 이성재 최영봉 박정례 장수현 김다민 김성욱 최선학 명현욱 박소영	임혜령 김인석 진수미 전지민 김선주 김영찬 이세진 임현석 이승하 김민아	이병현 구민성 김종협 김인중
FAX	738-3666					

10년간 쌓아온 재무인의 역사를 돌려드립니다 '온라인 재무인명부'

수시 업데이트 되는 국세청, 정·관계 인사의 프로필과 국세청, 지방청, 전국세무서, 관세청,
유관기관 등의 인력배치 현황을 볼 수 있는 온라인 재무인명부

국실	조사3국					
국장	김진호 4000, 4200					
과	조사1과					
과장	김종복 4121					
계	제1조사	제2조사	제3조사	제4조사	제5조사	제6조사
계장	박대중 4122	염귀남 4132	안동숙 4142	조대현 4152	최동일 4162	박철완 4172
국세조사관	김용선 박미연 고대홍 여호철 조승호 전선화 홍정희 박정화	박종렬 이난희 김혜리 이승호 임정석 박정임	최선우 강상현 이상덕 김세희 이은미 이계호	김인수 이태경 권현희 권유미 변혜정	윤솔 이봉열 박보경 김기홍 시종원	김상이 이현숙 한은주 장동환 원지혜
FAX	733-2504					

DID : 02-2114-OOOO

국실	조사3국					
국장	김진호 4000, 4200					
과	조사2과					
과장	황정길 4211					
계	제1조사	제2조사	제3조사	제4조사	제5조사	제6조사
계장	이성일 4212	신혜숙 4222	임경환 4232	심재걸 4242	김성환 4252	이상언 4262
국세 조사관	서문교 권경란 진혜정 김재완 김우정 김예슬 김희경	전현정 이창준 최정열 임진호 박윤수 허재연	김보연 황창훈 정상민 정순임 정용승 권혁	서원식 김형석 안신영 김은영 이지영	김기덕 정유미 하신호 전승현 이훈	최병석 최영학 김성향 고성헌 이정윤
FAX	929-2180					

국실	조사3국					
국장	김진호 4000, 4200					
과	조사3과					
과장	윤순상 4291					
계	제1조사	제2조사	제3조사	제4조사	제5조사	제6조사
계장	박재원 4292	남호성 4302	이주원 4312	이신영 4322	가완순 4332	김하중 4342
국세 조사관	안정민 조주희 민혜아 이범준 이진호 공선영 김경식	이창석 송지은 윤종현 박수지 나명호 이원영	김태언 옥정훈 류지혜 최도석 김준우 장형구	구본기 이래경 신정숙 홍성천 김미례	강인태 김혜미 김미애 정대혁 김병현	김종곤 이승일 김대준 이보라 정보령
FAX	922-5205					

현석 세무회계

대표세무사 : 현 석(前 역삼세무서장)

서울시 강남구 테헤란로10길 8, 녹명빌딩 4층

전화 : 02-2052-1800   팩스 : 02-2052-1801
핸드폰 : 010-3533-1597   이메일 : bsf7070@hanmail.net

국실	조사4국									
국장	안덕수 4500, 4700									
과	조사관리과									
과장	이임동 4501									
계	제1조사 관리	제2조사 관리	제3조사 관리	제4조사 관리	제5조사 관리	제6조사 관리	제7조사 관리	제8조사 관리	제9조사 관리	제10조 사관리
계장	박수현 4502	옥창의 4512	박영준 4522	이용문 4532	장재수 4542	조주환 4552	이건도 4562	임정일 4582	박찬만 4602	박주담 4612
국세 조사관	민희망 오현정 이응석 박경희 이현수 유희정 정건제 황정미	서유미 황보영미 김은선 조희성 장소영 문종빈	유영희 정수인 석지영 김병휘 강민수 성경진 정석훈	이영옥 조재영 장해성 공현주 김윤정 조용석 이지수	권순찬 김현정 정윤미 정애진 이영우 송창녕 박정언 문지영	임태일 김윤선 이동희 정혜진 이숙 박서빈	강양구 조위영 황영규 노계연 차혜진 안승화 김도은 김주혜	이수정 윤선영 유정희 서은원 문교현 신복희 손승진 김용현 이정일 고정진 장아름미 김성호 김가이 채민화	이근웅 김화준 조인혁 김형욱	염세환 김봉찬 김대호 김민기
FAX	722-7119									

156

가현택스

대표세무사 : 임채수 (前잠실세무서장/경영학박사)

서울시 송파구 신천동 11-9 한신코아오피스텔 1016호

전화: 02-3431-1900   팩스: 02-3431-5900

핸드폰: 010-2242-8341   이메일: lcsms57@hanmail.net

국실	조사4국				
국장	안덕수 4500, 4700				
과	조사1과				
과장	이주연 4621				
계	제1조사	제2조사	제3조사	제4조사	제5조사
계장	김유신 4622	고승욱 4632	윤성중 4642	오창주 4652	최일암 4672
국세 조사관	손진욱 박경근 박준용 김충만 김정근 이지혜 송청자 라지영 위민국 최호윤	박진원 이우석 최동혁 송준승 최희정 이상헌 김평섭 정수진	문상철 신철원 유기선 김대영 김태인 이유리	심수한 이전봉 고현호 봉준혁 이지숙 최지현	안수민 김선미 홍성일 최승영 남윤수 김기진
FAX	765-1370				

국세관련 모든 상담은 국번없이 126
전국 어디서나 편리하게 상담받으세요.
평일 9시~18시 (탈세제보는 24시간)

DID : 02-2114-OOOO

국실	조사4국							
국장	안덕수 4500, 4700							
과	조사2과				조사3과			
과장	이인섭 4721				장권철 4791			
계	1	2	3	4	1	2	3	4
계장	이방원 4722	김봉규 4732	하명균 4742	고만수 4752	이상길 4792	김주석 4802	이철재 4812	김은진 4822
국세 조사관	김대현 이영진 최성일 이선진 장원식 최미선 강민호 황현서	강우진 이정은 진수정 김동환 김현우 정유리 김희준	박상훈 최민희 이재복 양동규 박초아 여효정 박준영	배경직 황윤섭 김형수 김재현 이인하 안성희	홍순영 임영아 임샘터 여태환 민우빈 조희원 임수연 이지민 노종영	이옥선 강성모 이대식 김희진 박미선 박혜진	강대선 강인혜 한승만 안지혜 오상훈 하남우 김세하	백영일 최동혁 허진 윤여진 김명진 정장군
FAX	762-6751				763-7857			

1등 조세회계 경제신문 조세일보

과	첨단탈세방지담당관					
과장	윤승출 2700, 2701					
계	1	2	3	4	5	6
계장	고주석 2702	이세환 2712	김태형 2722	김명원 3052	도예린 2752	송재천 2782
국세 조사관	박상돈 박세일 이숙영 황재연 진희성 이동한 안유현 정미경 오연호 정창우 천해인 서빛나	김광영 백경미 최윤영 이강일 유연진 김수지 김문기	신영웅 김광수 임창규 정보경 도미영 오다혜 박정건 김난미 김성필 김수용 손민정 공덕환 장희원 조미진 조용석 송인용 박정호 김진식 박대영 김구름 이희령 이주현	최남철 최익성 박은희 김상일 정현숙 원병덕 배미경 김현숙 김세훈 김상연 윤상욱 판현미 박원준 박지현 정민화 서은철 전인경 김주현 정태경 정연웅 안소진 임호진 윤소월 안태일	권영희 박안제라 이상묵 이세민 박정권 안진영 오형진 임다혜 황아름	윤현숙 문승진 엄정상 김지연 김종석 김시태
FAX	549-3413					

DID : 02-2114-0000

대원 세무법인

대표세무사: 강영중

서울시 강남구 논현2동 209-9 한국관세사회관 2층
전화:02-3016-3810　　팩스:02-552-4301
핸드폰:010-5493-4211　　이메일:yjkang@taxdaewon.co.kr

국실	국제거래조사국										
국장	양동훈 5000, 5100										
과	국제조사관리과								국제조사1과		
과장	신재봉 5001								황동수 5101		
계	제1국제조사관리	제2국제조사관리	제3국제조사관리	제4국제조사관리	제5국제조사관리	제6국제조사관리	제7국제조사관리	제8국제조사관리	제1국제조사	제2국제조사	제3국제조사
계장	김정미 5002	송은주 5012	김종두 5022	정규명 5032	정승환 5042	정영혜 5052	배일규 5062	장기웅 5072	문형민 5102	계구봉 5112	김형태 5122
국세조사관	오희준 이재연 박진습 조희진 차선영 김신애 명인범	정진영 최숙현 심창현 최수빈 송은별	설미현 황은미 이수연 김기현 이수정	이윤정 임강욱 양연화 김경미 정주희	주현아 지성수 문홍규 오세찬 석혜조	조용수 김병기 모두열 이혜린 전혜영 오세혁	이세연 김호준 송진미 홍지흔 김형섭 하은혜	권범준 이임순 김명희 조진숙 현재민 황희상	김수원 이한상 도상옥 김준기 홍수현 박은선 김리영 김성실	강새롬 권혁준 금현정 이창준 최명준 김소희	이종우 송주현 서승원 이명희 장건수
FAX	739-9832								3674-5520		

국실	국제거래조사국								
국장	양동훈 5000, 5100								
과	국제조사1과				국제조사2과				
과장	황동수 5101				장병채 5201				
계	제4국제조사	제5국제조사	제6국제조사	제7국제조사	제1국제조사	제2국제조사	제3국제조사	제4국제조사	제5국제조사	제6국제조사
계장	류호균 5132	박애자 5142	유하수 5152	이재영 5162	진선조 5202	오성철 5212	손혜림 5222	김종국 5232	송지현 5242	최영환 5252
국세조사관	이안나 이미애 신희웅 한수현 장혜미 이기숙	권영승 장인영 윤명준 황희진 안진환 허문정	김진규 송은정 김영환 곽영경 차유라	박찬웅 이재성 박신애 김하림 박성애	조홍기 김국진 최미란 이이네 박진희 신향식 박지숙 이영선	형성우 이덕화 한정희 위경환 이현아 여진임	권진록 남동훈 정치중 송진희 심상미 이은비	이도경 최종태 손영란 송병호 홍진표 김소나	백송희 전선영 설재형 이혜인 유용근	윤설진 최은혜 기재희 박형배 양국현
FAX	3674-5520				3674-7932				

강남세무서

대표전화: 02-5194-200 / DID: 02-5194-OOO

서장: **이 응 봉**
DID: 02-5194-201~2

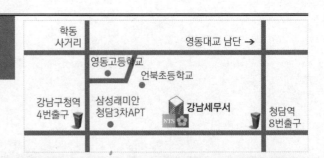

주소	서울특별시 강남구 학동로 425(청담동 45번지) (우) 06068				
코드번호	211	계좌번호	180616	사업자번호	120-83-00025
관할구역	서울특별시 강남구 중 신사동, 논현동, 압구정동, 청담동			이메일	gangnam@nts.go.kr

과	체납징세과				부가가치세과		소득세과		재산세1과	
과장	이우재 240				백승원 280		전경원 360		어기선 480	
계	운영지원	체납추적1	체납추적2	징세	부가1	부가2	소득1	소득2	재산1	재산2
계장	오주영	윤미성 601	이지연 621	유은숙 261	김문환 281	이동남 301	양동원 361	김도경 381	공효정 481	염지훈 501
국세조사관	이지현 김차남 전형민 이선영 송은우 은하얀 홍은기	박성근 신승애 정정희 김유진 이지혜 권예원 홍경원 이강산 김주예 성수연 이병주	정상덕 김제은 정도영 박현정 김대관 이동현 최수현 황서하 전수연 윤소윤	황은옥 양순영 이서영	김지혜 김영주 박준호 신지혜 장선희 김소영 노미선 최병석 최정희 조한경 김혜빈 조성규	정승갑 이은영 강택훈 표선임 나한결 구영민 김형우 김지혜 김수현	박승문 도정미 신윤경 이창언 정서영 이예진 정혜정	김선율 서영순 김은영 조서혜 신구호 배지윤	노명희 윤지영 김해림 윤기덕 권명자 안미라 강수정 금승훈	신이길 양철원 이창호 백정훈 김지수 한혜성
FAX	512-3917				546-0501, 0502	546-0501	546-3175		546-3178	

대원 세무법인

대표세무사: 강영중

서울시 강남구 논현2동 209-9 한국관세사회관 2층
전화:02-3016-3810   팩스:02-552-4301
핸드폰:010-5493-4211   이메일:yjkang@taxdaewon.co.kr

과	재산세2과		법인세1과		법인세2과		조사과			납세자보호담당관	
과장	김정흠 540		민경하 400		김봉범 440		장찬용 640			김미경 210	
계	재산1	재산2	법인1	법인2	법인1	법인2	조사관리	조사	세원정보	납세자보호실	민원봉사실
계장	황찬욱 541	안태진 561	이재강 401	박시용 421	강덕우 441	노영인 461	최창수 641	이준혁	박정미 691	지혜수 211	임양건 221
국세조사관	김한성 김현 오현주 윤선화 최명현 송지예	최원모 표지선 송영석 오현석 한장미 박소정	전민휘 김보미 박정민 김종수 서혜란 유호경 박건웅 이예지	김윤정 백두열 오잔디 유신혜 김성미 차원영 김현주 김영일	박민재 변상미 홍성민 박규빈 박진현 진선호 김광환 최인혜	최정원 정화선 이해운 서민우 김서안 이지우 박철우 모희산	김난형 윤소영 이준표	<1팀> 정주영 정지예 <2팀> 권종욱 배진근 선지혜 <3팀> 전태병 이재성 박소미 <4팀> 홍지연 황아름 최웅 <5팀> 김소연 최강인 지서연 <6팀> 진민정 정은선 이호경 류현준 <7팀> 김성욱 안소라 정재영	김태준 김대원 한주연	김희숙 이진아 임옥경 정소영 손재하 방현정	최선이 최현 정세영 차지인 강다영 박경란 이은지 이태현 길혜선
FAX	546 -3179		546-0505		546-0506		546-0507			546-3181	

강동세무서

대표전화: 02-22240-200 / DID: 02-22240-OOO

서장: **김 학 관**
DID: 02-22240-201, 202

길동역 ● 1번출구
강동역 (2번출구)
한림대학교 강동성심병원
강동세무서 NTS
상일IC·하남 →
천호사거리 ←
둔촌역 ↓

주소	서울특별시 강동구 천호대로 1139(길동, 강동그린타워) (우) 05355				
코드번호	212	계좌번호	180629	사업자번호	212-83-01681
관할구역	서울특별시 강동구			이메일	gangdong@nts.go.kr

과	체납징세과			부가세과		소득세과		법인세과	
과장	이호길 240			홍덕표 280		김형준 360		정광준 400	
계	운영지원팀	체납추적팀	징세팀	부가1	부가2	소득1	소득2	법인1	법인2
계장	강하규 241	김영면 601	고영수 261	김혜랑 281	이영미 301	맹기성 361	유근조 621	이봉희 401	김춘례 421
국세 조사관	조범래 인정덕 이진 박재영 허윤재 강지수	최서윤 송찬미 김병수 이희라 이홍욱 정순삼 이서현 고은지 원정윤 양현우 최현지 박세인	김선경 이윤미 황웅재	박규송 문미라 홍주현 이은경 박숙희 김애라 최원영 하주원 남장우 정은선 이예지	김희주 김연자 장혜경 이은희 진정호 조주희 문호승 최초로 이태원	이석재 이상숙 문정희 신준철 이경수 남수진 나은경 이슬기 이희숙 김서현 박재형 김주현 이경서	이종순 이소민 최근창 이상훈 민샘 김현진 한지혜 김영천 박지연 강민주	류동균 이보배 양은영 김진희 김형주 노정환	손민선 박종화 박정희 김영균 이희환
FAX	2224-0267			489-3253		489-3255~56		489-4129	

1등 조세회계 경제신문 조세일보

과	재산세과			조사과			납세자보호담당관	
과장	조성준 480			조성호 640			최용복 210	
계	재산1	재산2	재산3	조사관리	조사	세원정보	납세자 보호실	민원봉사실
계장	이철수 481	김호복 501	강미순 521	김은정 641	노성모 651	장서영 691	김소희 211	최창주 221
국세 조사관	장진희 장희숙 조영순 정종현 조홍준 이호준 김미정 신동희	김인홍 오동문 백승범 김혜원 이여진 박안나 민지영	김진수 조성주 정명훈 이은희 배미일 김지윤 정교민	변행열 김지혜 임여울	<1팀> 박명희 정수미 <2팀> 이지숙 김덕영 김동현 <3팀> 최현옥 오현식 이찬 <4팀> 강현연 김민선 전샛별 <5팀> 박준식 윤지혜 염예나	박소현 전병준	위종 오정환 윤미	안정섭 김나나 이상현 이성옥 김희정 류순영 강현주 박정은
FAX	489-4166			489-4167			489-4463	470-9577

강서세무서

대표전화: 02-26304-200 / DID: 02-26304-OOO

서장: **이 정 희**
DID: 02-26304-201

신방화역
마곡힐스테이트 아파트
마곡나루역
공항초등학교
공항중학교
강서세무서
송정역
마곡역

주소	서울특별시 강서구 마곡서1로 60(마곡동 745-1) (우) 07799			
코드번호	109	계좌번호	012027	사업자번호	109-83-02536
관할구역	서울특별시 강서구 전체		이메일	gangseo@nts.go.kr

과	체납징세과				부가가치세과		소득세과	
과장	권오현 240				김남균 280		양경영 360	
계	운영지원	체납추적1	체납추적2	징세	부가1	부가2	소득1	소득2
계장	이주한 241	전성수 601	정운형 621	이종현 261	이승준 281	김승일 301	남기형 361	차순백 381
국세 조사관	정소영 권정운 박명훈 정주영 남전우 김태식 이선아 신동호 김규성	김경호 허세욱 천명선 강미진 주성재 김유진 정경숙 이혜민 권순호	박희정 최우일 조원준 전민재 이익훈 최은영 김지혜 이선아 김명선	김윤영 오혜실 최효진	이성경 유향란 윤진희 박원영 윤난영 윤성준 윤정미 안정훈 조우숙 안지혜 문용원 유학승 조인영 변병돈 박수연 김진솔 유동준	백원일 박상희 김영일 정경진 박소연 편상원 박종일 이유빈 김지현 최보영 최문경 김다영 이솔아 김미림	황병권 이수련 최해철 이영호 이진주 김수현 바유미 이세형 양창혁 표정범 최혜련 김아리수 조경태 강한나 이승현	안성진 안연찬 김원규 임효정 송예체 이현욱 김거호 임진주 박소미 문아연 최민정
FAX	2679-8777				2671-5162	2068-0448	2679-9655	2068-0447

과	재산세과			법인세과		조사과			납세자보호담당관	
과장	윤동환 480			신래철 400		모상용 640			최병태 210	
계	재산1	재산2	재산3	법인1	법인2	조사관리	조사	세원정보	납세자 보호실	민원 봉사실
계장	박평식 481	조현일 501	이재상 521	김한태 401	김혜영 421	김영수 641	이명욱	권혁노 691	조성리 211	유순복 221
국세 조사관	송병섭 유소정 김은령 김예린 박미주 임승명 나환웅 김수진	서미영 김우수 이유정 김형석 김은영 김문균 문성윤	최형석 김정민 유강훈 최미숙 김나연 이지혜 박아름	박소연 김기남 이주연 박근식 박성준 박지혜 조성광 여주연 이정림 박남규	김용배 이상헌 김정미 김재현 남윤정 조미성 조재범 유예림	박승규 김정은 서승혜	<1팀> 이선민 이슬기 <2팀> 박광용 김민경 박지희 <3팀> 김경환 임수진 방원석 <4팀> 김형일 조현철 손경선 <5팀> 박지혜 허송이 백현기 <6팀> 박치원 류신우 이윤주	최용우	김병만 이승훈 김경진 김병진	윤미경 허태욱 최기환 김경희 김혜정 최윤미 강정규 박경화 김용정 차유미
FAX	2634- 0757	2634- 0758	2634- 0757	2678-3818		2678-6965			2678- 4163	2635- 0795

관악세무서

대표전화: 02-21734-200 / DID: 02-21734-OOO

서장: **배 상 록**
DID: 02-21734-201, 202

주소	서울특별시 관악구 문성로 187(신림1동 438-2) (우) 08773				
코드번호	145	계좌번호	024675	사업자번호	114-83-01179
관할구역	서울특별시 관악구 전체			이메일	

과	체납징세과			부가가치세과		소득세과	
과장	손상영 240			김동우 270		김기석 340	
계	운영지원	체납추적	징세	부가1	부가2	소득1	소득2
계장	곽세운 241	이세주 601	이희경 261	김현태 271	이금란 291	권보성 341	김상길 361
국세 조사관	문용식 박순희 최인석 홍다임 최상혁 김진구	배현우 부성진 김미연 강정수 조숙연 문미경 김소영 이윤선 권태준 정혜림 한지윤 조민경 김민혜	손민자 오선희	안성진 김정란 김경숙 김명주 이영희 이연호 박지환 강민수 정민석 김한오 나성빈 조슬기	구영대 김영미 허진화 주경섭 송호필 이화영 김세빈 김혁희 김규리 서예진 박성한 김동현	이춘근 김선아 노연섭 노지현 이희영 오덕희 김소영 오철민 정미경 박윤환 장이지 도수정 박지화	함석광 김익환 손현숙 권민지 정민주 박민주 박종필 김영재 박한승 정동욱 김현선 최지우
FAX	2173-4269			2173-4339		2173-4409	

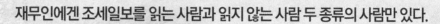

재무인과 함께 걸어가겠습니다 '조세일보'

재무인에겐 조세일보를 읽는 사람과 읽지 않는 사람 두 종류의 사람만 있다.

과	재산법인세과			조사과			납세자보호담당관	
과장	양희욱 460			박노헌 640			박성민 210	
계	재산1	재산2	법인	조사관리	조사팀	세원정보	납세자 보호실	민원봉사실
계장	강체윤 461	문금식 481	신만호 531	최미경 641	박정민	유환문 681	정미원 211	임정숙 221
국세 조사관	김미숙 이유진 양미선 유은주 이규혁 임진화 김주엽 조아라 배석준	이광재 양종선 강선영 서경희 박신영 안주영	윤명희 김형진 김보경 김병윤 현우정 김채원 송해영 김윤미	강금여 이경민 최고은	<1팀> 김상선 조영혁 <2팀> 이미라 이지현 양윤모 <3팀> 노재호 한승수 김희지 장덕윤	신동혁 공기영	전은상 전태원 유소진 장혜미	김임경 박선규 류기수 김새미 이민영 권혜지
FAX	2173-4550			2173-4690			2173- 4220	2173- 4239

구로세무서

대표전화: 02-26307-200 / DID: 02-26307-OOO

서장: **문 준 검**
DID: 02-26307-201

영등포시장
문래역
타임스퀘어 ● 영등포역
롯데백화점
도림동 ↓ 구로세무서

주소	서울특별시 영등포구 경인로 778(문래동 1가) (우) 07363				
코드번호	113	계좌번호	011756	사업자번호	113-83-00013
관할구역	서울특별시 구로구			이메일	guro@nts.go.kr

과	체납징세과				부가가치세과			소득세과	
과장	조구영 240				정관성 280			박상식 360	
계	운영지원	체납추적1	체납추적2	징세	부가1	부가2	부가3	소득1	소득2
계장	최연희 241	김현정 601	허훈 621	이병두 261	문극필 281	조민숙 301	이영진 321	박정임 361	김유미 381
국세 조사관	이서현 김민우 이지응 이다훈 신동진 심희열 도기원 고병찬 임희정	심선미 김환석 윤주영 조미진 정난영 김동하 박소은 박정민	허훈 홍세진 정혜영 김정미 김도영 정형진 유진아	김기은 임정희 오수연	김보미 홍종복 정희원 정교필 이연실 한장희 고현일 박정순	최인귀 한예숙 이유진 조영미 우미라 이혜수 신지연 고현주	배진희 장은정 김광현 정회훈 최정영 김별나 김제성 이슬비 연성준 강인혜	정근우 배수진 노하진 홍현승 박현혜 임희정 이원익 서효정 권덕환	장재원 김영옥 박선민 구선영 이주희 최정아 이병만 유선애 윤서울 정호영 김민지
FAX	2631-8958				2637-7639	2636-4913		2634-1874	2636-4912

170

과	재산세과		법인세과		조사과			납세자보호담당관	
과장	황연실 480		김재철 400		오시원 640			박만욱 210	
계	재산1	재산2	법인1	법인2	조사관리	조사	세원정보	납세자 보호실	민원 봉사실
계장	장동은 481	김희락 501	장영환 401	신옥미 421	안상현 641	주경탁	성시우 691	조원형 211	정영진 221
국세 조사관	이영호 국승원 심수민 김현정 이기영 한민지 이지수 이재연 위다현	박성민 이수정 전우찬 최재영 최하나 서정은	이기현 이경숙 홍여주 권태인 최순희 정유진 감동윤 김보경 박지은 장원주	원종호 김수영 조소연 이은정 송혜원 윤혜숙 최영아 강민규 박인규 여경규	임소영 이선주 윤현경	<1팀> 김효정 송창식 <2팀> 한경화 박문수 김지영 <3팀> 김지범 최은경 장서현 <4팀> 강동휘 박미연 김은호 김주연 <5팀> 장현성 안인엽 이승현	최병우 장은영 윤현주	김동현 고영숙 김경태 권현신	김은숙 정은아 김경희 이명희 편혜란 김보영 민지혜 박혜진 김양수 강방숙
FAX	2636-7158		2676- 7455	2679- 6394	2632-1498			2632 -7219	2631 -8957

금천세무서

대표전화: 02-8504-200 / DID: 02-8504-OOO

서장: **주 효 종**
DID: 02-8504-201

주소	서울특별시 금천구 시흥대로152길 11-21(독산동) (우) 08536 조사과 : 서울특별시 관악구 남부순환로 1369 (신림동) 관악농협 하나로마트 5층 (우) 08537		
코드번호	119	계좌번호	014371	사업자번호	119-83-00011
관할구역	서울특별시 금천구		이메일	geumcheon@nts.go.kr

과	체납징세과			부가가치세과		소득세과	
과장	이병만 240			박재광 280		김영효 320	
계	운영지원	체납추적	징세	부가1	부가2	소득1	소득2
계장	이병준 241	황용섭 601	김철 261	김미원 281	이수락 301	양재영 361	김규인 341
국세 조사관	김병준 전훈희 김주현 변유경 이재훈 김은석 박경렬 임규성	배옥현 김정숙 홍지혜 이완배 배재홍 손준성 임태윤 고민지 이윤정 정방현 한지원 김명희 문대우	한혜영 윤현미 김은혜	김영웅 김미경 황상인 장재호 장철성 박혜미 여호종 이명수 이솔아 김민주	조준 손수정 김성표 강은실 박유리 최나연 성경옥 김준 김단아 오영주 이아름	김원호 김영숙 정우선 김윤미 이주선 이경희	이수정 유명옥 최하연 이창민 차지해 조서현
FAX	861-1475			865-5504		850-4359	

세림세무법인

대표세무사 : 김창진

서울시 금천구 시흥대로 488, 701호(독산동, 혜전빌딩)

1본부(701호) T. 02)854-2100 F. 02)854-2120
2본부(601호) T. 02)501-2155 F. 02)854-2516
홈페이지: www.taxoffice.co.kr 이메일: taxmgt@taxemail.co.kr

과	재산법인세과			조사과			납세자보호담당관	
과장	김재형 400			김병로 640			박문수 210	
계	재산	법인1	법인2	조사관리	조사	세원정보	납세자보호실	민원봉사실
계장	조광석 481	전용찬 401	김강훈 421	변동석 641	이진우	김미순 691	곽윤희 211	김선도 221
국세 조사관	이우성 변성미 이강윤 박형우 유형래 유혜란 문예슬 박동규	이태순 박용우 박주철 김용수 박영숙 최은지 이윤경 지원민 장일영 박혜인 심윤미 김세린 송경아	주기환 김미경 권정기 심진용 김효정 이수원 민정은 조영진 권채윤 김보영 김민형 유다정	김수진 이윤주 김은희	\<1팀\> 윤정화 강정목 \<2팀\> 이남형 정은하 고우성 \<3팀\> 정진성 이충섭 \<4팀\> 강기헌 곽동윤 김은정 \<5팀\> 이성수 홍정표	이연우	이수란 조한영 김연주	배주현 김태연 한정아 임의순 장서윤 김재원 전영우 조경진
FAX	865-5565			855-4671			865-5532	865-5537

남대문세무서

대표전화: 02-22600-200 / DID: 02-22600-OOO

서장: **박 달 영**
DID: 02-22600-201

시청 ← 을지로3가역
동대문 운동장 →

남대문 세무서 백병원
명동성당 ● 남산 1호터널 중부경찰서

주소	서울특별시 중구 삼일대로 340(저동1가) 나라키움저동빌딩 (우)04551				
코드번호	104	계좌번호	011785	사업자번호	104-83-00455
관할구역	서울특별시 중구 중 남대문로 1·3·4·5가, 을지로 1·2·3·4·5가, 주교동, 삼각동, 수하동, 장교동, 수표동, 저동 1·2가, 입정동, 산림동, 무교동, 다동, 북창동, 남창동, 봉래동 1·2가, 회현동 1·2·3가, 소공동, 태평로 1·2가, 서소문동, 정동, 순화동, 의주로 1·2가, 중림동, 만리동 1·2가, 충정로 1가			이메일	namdaemun@nts.go.kr

과	체납징세과			부가소득세과			재산법인세과	
과장	김성일 240			황종대 280			김태섭 400	
계	운영지원	체납추적	징세	부가1	부가2	소득	재산	법인1
계장		나찬영 601	배철숙 261	김선항 281	이선재 301	양미영 321	김민주 481	엄형태 401
국세조사관	윤희관 문여리 황순이 이광순 한소라 조길현 한정덕 양현아	허정윤 권대식 김미옥 정소연 한덕윤 심현정 김준형 어수임	임미영 서수현	송정현 한장우 김고은 최명식 홍혜진 김지윤 윤단비	지상수 김현아 김은영 김효정 성주호 김효진 김현정	박소희 김현우 김소라 진성민	이경표 김충상 이민정 구자연 장영진	유동원 신미선 한윤숙 이성진 주희정 차중협 조정훈 곽민정 이정은 강나루
FAX	755-7114	755-0132		755-7145			755-7730	755-7714

10년간 쌓아온 재무인의 역사를 돌려드립니다 '온라인 재무인명부'

수시 업데이트 되는 국세청, 정·관계 인사의 프로필과 국세청, 지방청, 전국세무서, 관세청, 유관기관 등의 인력배치 현황을 볼 수 있는 온라인 재무인명부

1등 조세회계 경제신문 조세일보

과	재산법인세과		조사과			납세자보호담당관	
과장	김태섭 400		임석규 640			하정권 210	
계	법인2	법인3	조사관리	조사	세원정보	납세자보호실	민원봉사실
계장	심희선 421	이규석 441	김찬 641	김영기 651	이창현 691	원한규 211	송정희 261
국세조사관	류선주 노일호 박마래 유지영 최서진 봉수현 박주연 김경복 이선우	박복영 최진 박금숙 정수용 류대훈 김화도 김유정 이은준 김유권	두준철 김경숙 심지숙	\<1팀\> 김미진 한종환 \<2팀\> 김진석 백승희 윤혁 \<3팀\> 김순중 김푸름 정지원 \<4팀\> 김명희 박세희 \<5팀\> 정은수 정유정 강정희 박성현	이지선 홍승희	김신우 임상진 김창미	김은영 정민순 주아람 김슬기 김은정
FAX	755-7714		755-7922			755-7903	755-7944

노원세무서

대표전화: 02-34990-200 / DID: 02-34990-OOO

서장: **박 민 후**
DID: 02-34990-201

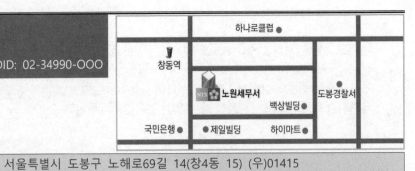

주소	서울특별시 도봉구 노해로69길 14(창4동 15) (우)01415				
코드번호	217	계좌번호	001562	사업자번호	217-83-00014
관할구역	서울특별시 노원구 전지역, 도봉구 중 창동			이메일	nowon@nts.go.kr

과	체납징세과				부가가치세과		소득세과	
과장	김시영 240				김윤석 280		박희도 360	
계	운영지원	체납추적1	체납추적2	징세	부가1	부가2	소득1	소득2
계장	장민우 241	성기동 601	조남욱 621	이미녀 261	임병일 281	황태건 301	이승철 361	정상술 381
국세 조사관	심현희 박세진 유승종 채문석 김정현 원상호 조예린 노재윤	권교범 이수인 유환성 오홍희 박하니 권예지 한승완	조명기 박선희 최은애 김나은 편나래 이승민 김태호	김영옥 유지영 류기현	이길채 한진옥 이지현 배현정 박은정 김민수 제갈융 전성훈 이애신 문정혁 박슬기 강다애 박진희	박송복 동남일 김은화 함연의 강석순 김민지 박애란 강미수 변금수 박주희 이정웅 정해원 김소연	최영인 이미영 이현순 정경택 김미영 전은지 장서영 권해영 백설희 이창흠 박노준 이윤정 이윤희 박세환 백만리 김종연 이동훈	박현숙 김현숙 차은정 김선미 엄기관 이영민 김지미 배민정 이승주 조은기 배동혁 윤성민 정희재 지소정
FAX	992-1485				992-0112		992-0574	

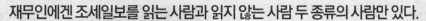

재무인과 함께 걸어가겠습니다 '조세일보'

재무인에겐 조세일보를 읽는 사람과 읽지 않는 사람 두 종류의 사람만 있다.

1등 조세회계 경제신문 조세일보

과	재산법인세과				조사과			납세자보호담당실	
과장	김권 400				권오준 640			윤종상 210	
계	재산1	재산2	재산3	법인	조사관리	조사	세원정보	납세자 보호실	민원봉사실
계장	최동수 481	신경식 501	강민완 521	한정식 401	진병환 641	황병규 651	홍상기 691	전진수 211	이성희 221
국세 조사관	고성순 맹지윤 박은미 이범규 오영은 양미숙 이동규 정의범	조규창 신영진 김만숙 강현주 이윤경 김형래 양웅 김은경	전정훈 임채두 민정기 양신 박현수 강송현	김영숙 송지선 오현준 강지현 윤수빈 안해송 김기쁨	박옥진 오동석 남용희 서주아	<1팀> 왕지은 이동건 <2팀> 김성열 허은석 류희정 <3팀> 김흥곤 정현진 김미경 <4팀> 전종상 정원영 최인아	윤은숙 김준연	홍혜진 홍지화 박성찬 안모세	박은화 김지윤 정지혜 박영란 조아라 김안나 육송희 최선희 정지문 유정현 강민균 임희건
FAX	992-0188		992-2693		992-2747			900-2911	992-6753

도봉세무서

대표전화: 02-9440-200 / DID: 02-9440-OOO

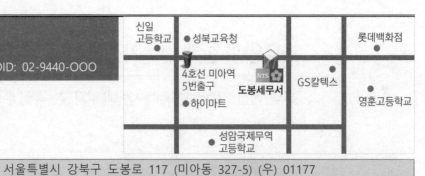

서장: **곽 상 민**
DID: 02-9440-201

주소	서울특별시 강북구 도봉로 117 (미아동 327-5) (우) 01177				
코드번호	210	**계좌번호**	011811	**사업자번호**	210-83-00013
관할구역	서울특별시 강북구, 도봉구 (창동 제외)			**이메일**	dobong@nts.go.kr

과	체납징세과			부가가치세과		소득세과	
과장	이승현 240			이원만 280		김효남 360	
계	운영지원	체납추적	징세	부가1	부가2	소득1	소득2
계장	최환규 241	박준서 601	김병래 261	이상조 281	최경희 301	이봉숙 361	권나현 381
국세 조사관	정주현 조현은 임은주 황계숙 권용상 안성빈 전상현 장진영	박문철 안병옥 신정환 송설희 복은주 홍원필 김은화 정수빈 유소정 박준우 이장훈 홍문기 김진주 박지혜	김영신 김보라 최원희	송형승 서윤주 김경선 정경순 김의중 서병신 윤은미 유현아 김대길 허정희 황미향 이금미	한상민 김미애 박성일 이계승 유아람 최운식 정하영 박은정 정의주 김효상 배경환 이선민	정한진 김영남 윤영숙 김성진 강현정 충지석 최효선 이정하 우현구 김보송 최민규 박진미 신수빈	유극종 주동철 채민호 정흥자 문석빈 김슬기 김민정 이재영 주성희 양인환 엄하은
FAX	944-0247	944-0249		945-8312		987-7915	

1등 조세회계 경제신문 조세일보

과	재산법인세과			조사과			납세자보호담당관	
과장	윤영호 400			권영진 640			박양운 210	
계	재산1	재산2	법인	조사관리	조사	세원정보	납세자 보호실	민원봉사실
계장	고정수 481	노기항 501	박정곤 401	임창빈 641	서경철 651	이창건 691		민진기 221
국세 조사관	강명준 김은정 이성혜 윤민호 안지은 진경화 황정미 윤예지 박지영	김용민 권우택 박준명 양희승 이미소 함영은 김수민 김규리	임경섭 김수현 서인숙 김미연 한창우 이보배	김우정 유수경	<1팀> 최수연 심경연 조동진 <2팀> 박원균 정석규 최효진 김민영 <3팀> 남기훈 이장영 김수연	이수연 이존열	이재원 홍강훈 오대철	배민우 이채아 이성애 이윤행 박소연 정현숙 황지영
FAX	945-8313			984-8057			984-6097	945-6942

동대문세무서

대표전화: 02-9580-200 / DID: 02-9580-OOO

서장: **권 태 윤**
DID: 02-9580-201

주소	서울특별시 동대문구 약령시로 159 (청량리동 235-5) (우)02489				
코드번호	204	계좌번호	011824	사업자번호	209-83-00819
관할구역	서울특별시 동대문구			이메일	dongdaemun@nts.go.kr

과	체납징세과			부가가치세과		소득세과	
과장	신우교 240			김정동 280		임용걸 360	
계	운영지원	체납추적	징세	부가1	부가2	소득1	소득2
계장	정현철 241	김용철 601	박인국 261	윤선기 281	송희성 301	이문수 361	조동표 381
국세 조사관	이종경 박연선 최창순 강장욱 이경애 안혜정 오지은 임지민 김성진	구자옥 백승현 정화영 조은정 김정미 김현정 김미진 이원희 이원나 이지연 박준희 육근영	신주현 한금순	이여울 김재희 황미영 최문석 박근애 이정은 송보화 김영지 임석민 한재영 이현아 이상미 한승아	조한용 윤순녀 홍정민 신주령 고현웅 강다희 박성수 김선진 조민수 최현준 홍차령	송윤식 김희정 김선영 권오석 이희영 김일하 권영주 노수연 권혁찬 임수진	김혜숙 김정미 최은미 정일범 박진희 김은설 남정태
FAX	958-0159	927-9461		927-9462		927-9464	

과	재산세과		법인세과		조사과			납세자보호담당관	
과장	한관수 480		이용만 400		장성우 640			이춘식 210	
계	재산1	재산2	법인1	법인2	조사관리	조사	세원정보	납세자 보호실	민원 봉사실
계장	장은정 481	전용원 521	손광섭 401	정승렬 421	이희열 641	예정욱 651	장인수 691	박찬정 211	박선영 221
국세 조사관	전혜정 박은혜 최수진 박미숙 이소현 곽수연 이융건 정석훈	심연택 이승철 김승욱 최현영 박찬규	정민호 홍미숙 곽진후 강현주 김기선	신현철 임경남 김선미 이진우 문영은	임미영 이소정	<1팀> 한지숙 김민성 <2팀> 장진범 조연상 김민경 <3팀> 조은희 김은실 박용석 <4팀> 고영훈 이중승 <5팀> 김태영 서경진 최범식	장혜경 차지현	진성욱 박혜옥 김찬웅	이세정 신철승 정현진 김계영 송재영 백지혜 이은상
FAX	927-9466		927-9465		927-4200			927- 9463	927- 9469

181

동작세무서

대표전화: 02-8409-200 / DID: 02-8409-OOO

서장: **표 진 숙**
DID: 02-8409-201~2

(지도)
영진시장 / 신길동 우체국 / GS미림주유소 / 신한은행 / 동작세무서 NTS / 보라매역(7호선)3번출구 / 보라매 성모요양병원 / SK경덕주유소

주소	서울특별시 영등포구 대방천로 259 (영등포구 신길동 476) (우) 07432				
코드번호	108	계좌번호	000181	사업자번호	108-83-00025
관할구역	서울특별시 동작구, 영등포구 중 신길동, 대림동, 도림동		이메일		dongjak@nts.go.kr

과	체납징세과				부가가치세과			소득세과		
과장	김효상 240				조남철 280			김평호 360		
계	운영지원	체납추적1	체납추적2	징세	부가1	부가2	부가3	소득1	소득2	소득3
계장	권지은 241	김성도 601	조병성 621	김미연 261	박재숙 281	김성두 301	정한신 321	류인철 341		최남원 381
국세조사관	노아영 이부창 임태호 홍건택 황미숙 전보현 윤영규 정혜지	이정로 나영주 류수현 이성혜 한성일 김솔 임지혜 신상민	이상민 유근만 김지선 박범규 신아영 송현수 장수현	권민선 민경은 김미숙	이민정 심민정 최유건 서보미 유미선 최효영 김영석 한정현 민지현 김선화	조선희 정기선 김영하 이송향 황정숙 김민지 김도형	최영호 변지야 김다원 방선우 김수정 탁성찬 김다연	양옥서 권오광 황윤숙 이정훈 김병선 박예림 이미현 안미진 신은수	최미순 이지은 유성희 김선임 나종현 김수현 윤선용 조서연 김채현 박효준	김수진 신동배 신수민 장희정 오도훈 김시아 박미정 이윤노
FAX	831 -4137	831-4136			833-8775			833-8774		

182

1등 조세회계 경제신문 조세일보

과	재산세과			법인세과		조사과			납세자보호담당관	
과장	유용환 480			김형기 400		김성용 640			이선미 210	
계	재산1	재산2	재산3	법인1	법인2	조사관리	조사	세원정보	납세자보호실	민원봉사실
계장	조인옥 481	고돈흠 501	황상욱 521	김영민 401	김병석 421	지연우	<1팀>	김주현 691	서남이 211	이미경 221
국세조사관	노경민 김예린 박찬호 백자영 박지성 김은지 박혜진 최호림 김병우	이재하 최효임 김수경 안미진 이은제 장지영 신용석 권은호	최재현 강규철 정애정 강남영 이영우 신지연 정다영	연덕현 박현정 김도연 최세희 김정민	김명신 김기선 신원섭 강미현	이홍숙 금진희 장희정 이수지	고형관 손가희 조대훈 김민수 <2팀> 박정한 최민석 윤지수 <3팀> 이경미 이현성 김미소 <4팀> 임병수 이선아 이규태 <5팀> 김한규 김진환 김효진	강화수 박승희	한윤숙 현지희 이선영 이상훈 강형석	오경애 안종호 김예지 김선주 박수연 김용 김유미 두채린
FAX	836-1445			836-1658		825-4398			836-1643	836-1626

마포세무서

대표전화: 02-7057-200 / DID: 02-7057-OOO

서장: **이 광 섭**
DID: 02-7057-201

주소	서울특별시 마포구 독막로 234 (신수동 43) (우) 04090				
코드번호	105	**계좌번호**	011840	**사업자번호**	105-83-00012
관할구역	서울특별시 마포구			**이메일**	mapo@nts.go.kr

과	체납징세과				부가가치세과			소득세과	
과장	황장순 240				한명숙 280			임형수 360	
계	운영지원	체납추적1	체납추적2	징세	부가1	부가2	부가3	소득1	소득2
계장	김진수 241	신명숙 601	김명자 621	박옥주 261	나정주 281	한석진 301	심현 321	김성덕 361	정정자 381
국세 조사관	이윤하 조민지 배을주 이규형 양지상 정민우 정준호	백동욱 임은화 이원도 김지연 김영운 박재춘 문현희 윤태훈 김준철 서한슬	이정화 이경옥 지현배 김호서 김지은 공윤선 심연수 조성현 우가람	박영임 이미정 신채영	노우정 황진하 홍근화 박유미 윤장원 유미성 박상원 주혜영 오서영 김민정 김수진 유정은	박민정 황태연 김유나 김신자 진혜경 박은희 황정선 이다예 김태민 김동현	김완범 이수화 윤정선 김혜정 신영순 여혜진 반승희 김남주 김성진	오해정 이규철 홍수옥 홍윤석 이지영 송의미 박선영 한가희 장서희 정제준	김종진 임미선 정미화 윤용 김지혜 최미경 이법주 박지원 문상혁 임찬혁
FAX	717-7255			702-2100	718-0656			718-0897	

과	재산세과			법인세과			조사과			납세자보호담당관	
과장	이성규 480			오성현 400			유원재 640			권석주 210	
계	재산1	재산2	재산3	법인1	법인2	법인3	조사관리	조사	세원정보	납세자보호실	민원봉사실
계장	전학심 481	이재원 501	노충모 521	강경수 401	위승희 421	이호 441	최병국 641	조성용 651	김종국	신경수 211	홍창호 221
국세조사관	송민수 김민경 이수경 도혜순 이언종 최성미	정원영 이은영 박지양 손승모 안승현 조세진 김지완	강흥수 손성국 김경미 최선규 김경모 민윤식 조성문 오은지	한재희 김대훈 김성미 김창근 임보람 박소민 고병석 채민정 장원미 전유나 김건식	이경헌 이유영 백유림 홍광식 황선진 전지원 이선영 김은혜 김나현	손세희 서기열 유승규 고상현 최슬기 유정화 김경록 최준기 남명균 박정은	배지영 황혜란 임수연	<1팀> 박미정 성기영 김혜정 <2팀> 김주생 권우건 배형은 한미현 <3팀> 권영칠 강다영 김동진 이채연 <4팀> 김광연 남송이 구동욱 김선영 <5팀> 곽영미 김범준 김지혜 <6팀> 전윤석 김정선 차수빈	김혜영 함두화 강민정	김은아 황혜정 유주민 양은정	홍태영 박옥희 신미덕 조현아 최근영 이금옥 이재석 송필섭 임종희
FAX	718-0264			3272-1824			718-0856		705-7544	718-0126	701-5791

반포세무서

대표전화: 02-5904-200 / DID: 02-5904-OOO

서장: **강 대 일**
DID: 02-5904-201~2

주소	서울특별시 서초구 방배로163 (방배동 874-4) (우) 06573				
코드번호	114	계좌번호	180645	사업자번호	114-83-00428
관할구역	서울특별시 서초구 중 잠원동, 반포동, 방배동		이메일	banpo@nts.go.kr	

과	체납징세과				부가가치세과		소득세과		법인세과	
과장	이호열 240				황효숙 280		박성수 360		박일규 400	
계	운영지원	체납추적1	체납추적2	징세	부가1	부가2	소득1	소득2	법인1	법인2
계장	강민석 241	장민 601	이은미 621	깅영남 261	이찬주 281	김태연 301	안동섭 361	이기영 381	정중원 401	홍창규 421
국세조사관	김현정 정인선 정지열 구재효 임담윤 김나은 김현근	길익찬 김정숙 권혜미 서진호 이수철 백보민	유은희 정기선 이영빈 박창현 정해천 안희석 박정연	권은숙 이현지 김하연	조소희 방혜경 정봉훈 박연주 유태우 이경수 나인애 곽정은	민경훈 강미성 권미경 홍승표 김주원 김예진 최형윤 장혜지	이미선 한승욱 신숙희 채수향 이가영 심효진 김소리 김용관 유경은 이근아 김미정	정은이 최승택 김경향 김수진 김경업 김미림 박진성 최길섭 양상민	이수진 송주민 김윤정 이세인 김희정 주윤정 조하나 이영주	김은정 이자연 변선정 유준호 민호정 신유경 임종훈 김선정 김유림
FAX	536-4083				590-4517		590-4518		590-4426	

과	재산세1과		재산세2과		조사과			납세자보호담당관	
과장	김태윤 480		배세영 540		김홍렬 640			이명기 210	
계	재산1	재산2	재산1	재산2	조사관리	조사	세원정보	납세자 보호실	민원 봉사실
계장	주현식 481	오성택 501	김종헌 541	오창열 561	양희국 641	전영균 651	정창근 691		주윤숙 221
국세 조사관	김종문 방지연 김진희 주아름 곽지훈 오혜성 최혜진 노종옥 남호진 노혜련 황민정 박계희	조현준 이상하 허진혁 이경 김세빈 이보라	남승호 유지선 류광현 탁기욱 권오남 이지혜 이대근 공자빈 이진하 최재득 서지은	김미주 온상준 이재혁 고완구 김상은 이정표 유은지	김수진 한미경 김선주 정금미	<1팀> 김현정 권순엽 <2팀> 박웅 임혜진 이명원 <3팀> 손영대 김은주 심수빈 <4팀> 박선주 정호철 김민지 <5팀> 김명진 정보람 박현주	최일 손원우	박정민 김미나 안중훈 이선미 박혜진	권윤희 이현주 임정희 이병수 박종호 박현정 황순호 김희경
FAX	591-2662		590-4513		523-4339			590 -4220	590 -4685

삼성세무서

대표전화: 02-30117-200 / DID: 02-30117-OOO

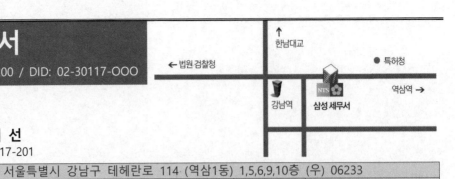

서장: **최 회 선**
DID: 02-30117-201

주소	서울특별시 강남구 테헤란로 114 (역삼1동) 1,5,6,9,10층 (우) 06233				
코드번호	120	계좌번호	181149	사업자번호	120-83-00011
관할구역	서울특별시 강남구(신사동, 논현동, 압구정동, 청담동, 역삼동, 도곡동 제외)			이메일	samseong@nts.go.kr

과	체납징세과				부가가치세과		소득세과		법인세1과	
과장	오규철 240				장영란 280		김성주 360		오승준 400	
계	운영지원	체납추적1	체납추적2	징세	부가1	부가2	소득1	소득2	법인1	법인2
계장	서광원 241	권오성 601	박범진 621	안연숙 261	최영지 281	장영림 301	김현숙 361	노석봉 381	채혜정 401	김종삼 421
국세 조사관	김주영 윤홍분 이재경 최영현 변혜림 송대섭 박래인 최치권	안순호 손혜정 양순희 윤미희 최인섭 홍성희 최정민 김시훈 김은정 이은선	이탁수 김미숙 백현자 강아름 김준하 조수정 유승희 정다혜 김동현	한현숙 이금조 염상미 박선영	서정석 한혜린 서승현 이경자 안진성 신지혜 나예영 박희경 김재성 김문경 김수헌	김경국 안혜숙 한누리 최우신 김동욱 김현경 황선화 최예은 박혜성 김유림	김준 이정은 박유정 김승환 이영수 박정안 안소연 이호성 이현주 김미경	김지연 김민아 김은선 황선우 윤영훈 김문길 전미례 김서광 성진수 전민지	유수권 류호민 김주옥 유재석 이수연 이정희 박호일 임지현 신명관 김다영	김지운 이재향 구인선 양영희 한지예 이현미 이석준 황인화 이예지 김인빈
FAX	564 -1129	501-5464			552-5130		552-4095		552-4148	

ⓈⒹ 삼도 세무회계

대표세무사 : 황도곤(前삼성세무서장)
서울시 강남구 강남대로 84길 23, 한라클래식 718호

전화 : 02-730-8001　　팩스 : 02-730-6923
핸드폰 : 010-6757-4625　　이메일 : hdgbang@naver.com

과	법인세2과		재산세1과		재산세2과		조사과			납세자보호 담당관	
과장	이종록 440		이용범 480		고명효 540		정정제 640			최창근 210	
계	법인1	법인2	재산1	재산2	재산1	재산2	조사관리	조사	세원정보	납세자 보호실	민원 봉사실
계장	장연근 441	이춘하 461	안복수 481	하행수 501	권용준 541	신범하 561	김상철 641	이해석	유한순 691		이승훈 221
국세 조사관	전제간 정원호 신미경 강현우 소민 송명림 최재형 조영현 문민희 구현정	정현숙 박용태 정상화 강동석 김희연 정효주 이세미 임광훈 송정환 이미숙	강승현 유수정 박연주 원대연 최지원 한상훈 이한배울 곽경미 박새미 박경림 안수정	최태진 박은희 당만기 한재일 이초록 유현식	김경훈 이지은 이준규 박지현 김성덕 최은영 김태현 배원만 원현수 문다영 김나영 김찬희	이정민 이광수 오강재 김다현 한은정 이민옥	이광성 이애경 박은정 김진희	<1팀> 고아라 최송아 <2팀> 박경오 안대엽 박혜민 <3팀> 이재철 김성율 이묘진 <4팀> 최정규 한주진 권정훈 <5팀> 이명재 유미나 <6팀> 이희태 류한상 임성영 <7팀> 이창오 박정섭 고경미 <8팀> 이승호 손성임 이민희	전유리 주용호	박구영 고영지 유정림 한경석 김태훈 노미현 방형석	김순정 박정아 최혜옥 조정원 최은정 정혜원 이지은 김영숙 강희윤
FAX	564-0588		552 -6880	552 -4277	564-1127		564-4876		552- 4093	569-0287	

서대문세무서

대표전화: 02-22874-200 / DID: 02-22874-OOO

서장: **나 교 석**
DID: 02-22874-201~2

주소	서울특별시 서대문구 세무서길 11 (홍제동 251) (우)03629				
코드번호	110	계좌번호	011879	사업자번호	110-83-00256
관할구역	서울특별시 서대문구			이메일	seodaemun@nts.go.kr

과	체납징세과			부가가치세과		소득세과	
과장	백성기 240			이은용 280		허선 360	
계	운영지원	체납추적	징세	부가1	부가2	소득1	소득2
계장	정승원 241	박혜정 601	박정우 261	양정화 281	윤용구 301	이병곤 361	정희숙 381
국세 조사관	강인소 진미선 어정아 박종현 권진혁 손은태	이혜리 정민철 김민영 김윤호 김형태 한수현 김승희 정희연 김지현 박현철	박은영 박정현	김미성 조영주 백은경 안성은 박세현 김경아 류선아	이정숙 박세하 김보연 도영림 김미란 안정수 장규복 구본하	윤상건 양윤선 성우진 김인호 김지연 김상걸 전다솜	황주현 이응찬 박지숙 임영현 이상욱 정인아
FAX	379-0552	395-0543		395-0544		395-0546	

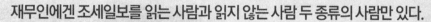

재무인과 함께 걸어가겠습니다 '조세일보'

재무인에겐 조세일보를 읽는 사람과 읽지 않는 사람 두 종류의 사람만 있다.

1등 조세회계 경제신문 조세일보

과	재산법인세과			조사과			납세자보호담당관	
과장	김연재 400			이상필 640				
계	재산1	재산2	법인	조사관리	조사	세원정보	납세자보호실	민원봉사실
계장	윤미영 481	김성진 501	서정현 401	고미숙	윤선희	김태훈 691	김일동 211	이창한 221
국세조사관	황준성 김미경 백아영 여주희 권나예 이신혜 김미경 박슬기 박소희 최민정	심준 오임순 정재윤 김은해 이대근 김선아 김유리 백가연	나경영 이현영 신서연 장경주 채수민 최은유 이현석 정현철 최보현 한지영	배이화 정혜윤	<1팀> 김오중 양심영 <2팀> 박재홍 고승모 강미경 <3팀> 구우형 송정화	정보기 강미영	김영선 황한수 김희진	이상열 문승현 차연주 방유미 김혜영 김서영 손기봉
FAX	379-5507			391-3582			395-0541	395-0542

서초세무서

대표전화: 02-30116-200 / DID: 02-30116-OOO

서장: **이 은 장**
DID: 02-3011-6201

주소	서울특별시 강남구 테헤란로 114 역삼빌딩 3~4층, 9층 조사과, 10층 납세자보호담당관 (우) 06233					
코드번호	214	**계좌번호**	180658	**사업자번호**	214-83-00015
관할구역	서울특별시 서초구(방배동, 반포동, 잠원동 제외)			**이메일**	seocho@nts.go.kr

과	체납징세과				부가가치세과		소득세과		법인세1과	
과장	김성호 240				김헌국 280		박성신 360		시현기 400	
계	운영지원	체납추적1	체납추적2	징세	부가1	부가2	소득1	소득2	법인1	법인2
계장	김승룡 241	이진균 601	오남임 621	권은영 261	최영은 281	조한식 301	이순영 361	황호민 381	박주원 401	김용원 421
국세 조사관	손영이 김수진 이상진 윤우찬 주재관 추교석 강현성 권은영	최은정 염미정 김영준 이정학 정유진 주용태 김민래 한혜빈 김소라 곽현승	이미정 박지희 김보성 탁정미 이진구 임상록 박서희 김수빈 박지원	강혜은 박주영 채용문 김남희	이순영 임형철 박재현 김화은 어장규 김나리 박영 김영 황경주 이용훈 신나현	송도관 신종웅 이명선 손봉현 정명교 김희선 장동인 김소연 이지율 서미선	정승호 이민순 정연경 전정화 김태영 박용업 황소은	동철호 정거성 박민정 임승하 장성우 류정란 천혜빈 정보경	정태환 김은호 박현준 박수현 강은경 조아라 김태훈 이혜지 이환희 박수지 유희민	이강구 최금해 채정환 김윤정 김소담 이건일 이예지 이제안
FAX	563 -8030	0503-111		561 -2365	561 -2610	561 -2682	561 -3202	561 -2948	561 -3230	561 -1647

예일세무법인

대표세무사 : 류득현 (前서초세무서장)

서울특별시 강남구 테헤란로 313 3층 (역삼동, 성지하이츠1차)

전화 : 02-2188-8100 　　팩스 : 02-568-0030
이메일 : r7294dh@naver.com

과	법인세2과		재산세1과		재산세2과		조사과			납세자보호담당관	
과장	김동윤 440		김민광 480		박종형 540		박기환 640			김삼용 210	
계	법인1	법인2	재산1	재산2	재산1	재산2	조사관리	조사	세원정보	납세자보호실	민원봉사실
계장	정국일 441	황규홍 461	황대근 481	강희웅 501	양나연 541	이용희 561	황기오 641	한순규	안동섭 691	권성대 211	김봉조 221
국세조사관	김준용 이인숙 전광준 최상채 이주경 김유진 강수빈 황신원 석승운 이종보	정철 전인향 이종성 정혜윤 김은희 이주선 권오현 김미선 김현곤 이미진	박수한 변성구 정재희 진승은 김옥재 이고훈 정미래 김종만 이인아	이영주 김현옥 이창남 이은희 노지혜 송지훈	김경희 임홍철 김남교 정혜정 김성현 정형범 마민화	윤민오 임성찬 정의철 박금지 박상현 박세인 이륜경	박상준 임현진 송민영 최은주 유지숙	<1팀> 박상언 이가연 <2팀> 김동원 황은영 윤지현 오서주 <3팀> 조문현 권민정 윤은지 <4팀> 홍인표 신홍영 이선아 <5팀> 도경민 임지영 김득중 <6팀> 최규식 현소정 최선호 <7팀> 김철민 권민수 김은경 <8팀> 이석규 하경아 권은지 <9팀> 김태현 문미진 임종헌	박상준 이주현	권주희 김지만 정주영 황혜조 김덕진 장정은	박상미 윤선익 박태구 황연희 최하나 설정란 이현영 한영수 최용민 조가을 이소영 황혜주
FAX	561-3291	561-1683	561-3378		561-3750		561-3801	561-3801, 3974	561-4351	561-4521	3011-6600

성동세무서

대표전화: 02-4604-200 / DID: 02-4604-OOO

신한은행　우리은행　외환은행 화양지점　세종대학교　어린이 대공원　어린이 대공원역　올림픽대로→

서장: **한 창 목**
DID: 02-4604-201~2

주소	서울특별시 성동구 광나루로 297 (송정동 67-6) (우) 04802									
코드번호	206		계좌번호	011905			사업자번호	206-83-00561		
관할구역	서울특별시 성동구, 광진구						이메일	seongdong@nts.go.kr		

과	체납징세과				부가가치세1과		부가가치세2과		소득세과		
과장	양기정 240				한상교 280		이종민 320		남칠현 360		
계	운영지원	체납추적1	체납추적2	징세	부가1	부가2	부가1	부가2	소득1	소득2	소득3
계장	예찬순 241	전경호 601	김진호 621	김종만 261	양동준 281	임문숙 301	서정연 321	안진술 341	백오영 361	황병석 374	박영애 387
국세조사관	김윤정 안태수 김오미 박정화 전연주 백남훈 윤차용 최세미 송병희	최차영 김재규 정미영 임현정 남수주 이진동 이찬무 손선미 김소연 최경철 안희성 최지민 정준영 정희연	박승호 강현철 유미경 임홍숙 박찬희 고보해 백혜진 박미진 박현규 최여은 김민정 정태상 김용재	백은경 송도영 이화진 송지윤	김숙자 박태호 김진희 송경원 황순희 신예민 김광호 김가희 정준채 엄상우 정혜경	조재평 이대정 한수은 송고운 박명진 유소열 채희주 김상천 우현승 김현정	서미 황현주 이용진 김은정 차현근 최원화 김지은 김민주	김은중 이수진 김미정 박재현 최정임 성연일 송지아 김용호 이혜진 문예서	홍규선 이승학 천영환 최형화 이연경 김은하 손정희 선희 복권일 조한송이 이지원 김용철 이혜선	박미영 김경자 서봉우 김지영 전화영 정희선 인윤희 김유리 한준혁 김경현 김지은	정명주 곽병길 정월옥 이경민 이성현 이규은 임지남 박은지 유동석 정다영 정현호
FAX	468-0016	468-8455			497-6719		466-2100		498-2437		

194

과	재산세1과		재산세2과		법인세과		조사과			납세자보호 담당관	
과장	남근 480		위용 540		이병길 400		김기선 640			전순호 210	
계	재산1	재산2	재산1	재산2	법인1	법인2	조사 관리	조사	세원 정보	납세자 보호실	민원 봉사실
계장	문권주 481	강탁수 501	김율희 541	임희운 561	경기영 401	구현철 421	이정옥 641	이진경	강소라 691	김경원 211	박종주 221
국세 조사관	유탁 김호 김수용 김혜정 유현정 윤지혜 김한근 김태은 이용권 김재관 서현지	박정기 박종민 이윤희 김경아 유은진 김상혁	전종근 차양호 원희경 박명열 김혜성 김낙용 정현정 정진택 최지영 주성용 함다정 김아현	왕훈희 송선태 김기중 조원영 김효섭 박소연	김강현 임세창 정선화 오광선 류관선 김명희 김경옥 이미경 김경하 최소라 김지연 우정화 권혁진 박하송 박혜진	이상기 황은주 김성선 박미영 오승연 양아라 양혜선 김훈구 이소정 김효정 우성광 최은희 조경아	조운학 유정훈 손기혜 김소희	<1팀> 황태문 안승진 <2팀> 김태우 박민우 이한송 <3팀> 오민숙 김성욱 임혜연 <4팀> 손해원 정지은 박지훈 <5팀> 정민호 강복길 백수경 <6팀> 김요수 서재운 김혜영 <7팀> 김성은 김우주 신승연 <8팀> 최태주 이진실 <9팀> 이동수 강민정	김래하 최미영 김수연 정자단	박미정 이주영 김지영 김현민 이경호 백유진 최민지	한수연 홍욱기 김현수 이규형 엄영진 박초롱 안가혜 김우호 김혜현 이준희 김형묵 전진아
FAX	468-1663		499-7102		468-3768		469-2120			2205-0919	2205-0911

성북세무서

대표전화: 02-7608-200 / DID: 02-7608-OOO

서장: **최 기 영**
DID: 02-7608-201

주소	서울특별시 성북구 삼선교로 16길 13(삼선동 3가 3-2) (우) 02863					
코드번호	209	계좌번호	011918	사업자번호	209-83-00046	
관할구역	서울특별시 성북구			이메일	seongbuk@nts.go.kr	

과	체납징세과			부가가치세과		소득세과	
과장	양희상 240			김보석 280		전우식 360	
계	운영지원	체납추적	징세	부가1	부가2	소득1	소득2
계장	박한상 241	최진식 601	정성현 261	채종철 281	김주애 301	김수영 361	문민숙 381
국세 조사관	유선화 윤점희 박시춘 채연기 김영주 김영환	이승필 김동범 박혜경 구진영 오우진 김영민 고유영 이현정 정현진 용승환 조재훈 손유진 인순영	정연선 조정미 신지숙	최기웅 서정이 김행복 윤지미 서혁진 이용우 허지연 조성찬 황지현 남혜진	이수안 임경태 임경미 박은정 이연정 권혜량 김용준 김민경	이원정 김주희 최진원 김향숙 김혜영 염진옥 민으뜸 정인희 정재호 박동수 이재진 이현우	홍미영 엄세진 최준웅 김성수 금잔디 박수현 김혜영 최원희 최영보
FAX	744-6160		760-8269	760-8672	760-8677	760-8673	760-8678

10년간 쌓아온 재무인의 역사를 돌려드립니다 '온라인 재무인명부'

수시 업데이트 되는 국세청, 정·관계 인사의 프로필과 국세청, 지방청, 전국세무서, 관세청, 유관기관 등의 인력배치 현황을 볼 수 있는 온라인 재무인명부

1등 조세회계 경제신문 조세일보

과	재산법인세과			조사과			납세자보호담당관	
과장	박준석 400			강현주 640			최학묵 210	
계	재산1	재산2	법인	조사관리	조사	세원정보	납세자보호실	민원봉사실
계장	한상민 481	지은섭 501	윤영식 401	금봉호 641	김진성 651 이정민	이필 691	박상율 211	채현경 221
국세조사관	임지숙 홍광원 김찬일 이태경 조예림 김희선 김유정 윤미숙 안경화 박지영 김해운 김재연	이재숙 백영선 김두성 이건호 권용익 이주희 윤서영 김수빈 안재현	정혜원 김미정 이세진 김미덕 이효정 김영호 방문용	신명도 김문숙 주재임	<1팀> 황혜정 이현지 <2팀> 이승호 임원주 양원석 <3팀> 이민욱 박인규 박민우	최향성 김연신 윤수향	김성덕 성혜전 손국	정운숙 김선화 최정림 김태은 조혜리 윤동현
FAX	760-8675	760-8679	760-8419	760-8671, 8674			760-8676	742-8112

송파세무서

대표전화: 02-22249-200 / DID: 02-22249-OOO

서장: **최 진 복**
DID: 02-22249-201~2

주소	서울특별시 송파구 강동대로 62 (풍납동 388-6) (우) 05506				
코드번호	215	계좌번호	180661	사업자번호	215-83-00018
관할구역	서울특별시 송파구 중 송파동, 장지동, 거여동, 마천동, 가락동, 문정동, 석촌동			이메일	songpa@nts.go.kr

과	체납징세과				부가가치세과		소득세과		재산세과	
과장	풍관섭 240				배인수 280		이귀병 360		이응기 540	
계	운영지원	체납추적1	체납추적2	징세	부가1	부가2	소득1	소득2	재산1	재산2
계장	지상용 241	조광래 601	최태규 621	성준희 261	정완수 281	윤은미 301	김상희 361	이우철 381	곽봉섭 541	김영수 561
국세 조사관	김창명 조아름 이은정 송진호 유장혁 송승준 장건식	박유광 김은희 이솔 김현경 이서희 이신화 유로아 조선진	성혜경 정시온 박주혜 양동혁 경지은 박미희 최윤희 채지유	김명숙 김난경 박선은 이은실	곽주희 박자음 홍정민 최상임 김춘경 윤선민 정혜미 정부교 조영현 박상길	윤희정 양명숙 이은희 박효숙 서동우 정지훈 전유라 김소희 이성민 윤지원 박홍균	김창범 안재희 오아름 박준원 김도영 민성림 김찬주 권민지 박푸른	김선화 신현영 김도윤 권현식 윤세정 김은진 배현주 조성원 최정우 이서영	김옥환 김양수 윤영순 이난영 민기원 김연희 김혜빈 이지영	박명하 정성은 하상철 김선아 이슬기 신동훈 이고운 김태랑
FAX	409-8329	483-1925			477-0135		483-1927		472-3742	

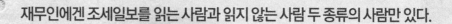
과	재산세과	법인세과		조사과			납세자보호담당관	
과장	이응기 540	한예환 400		고임형 640			정은지 210	
계	재산3	법인1	법인2	조사관리	조사	세원정보	납세자보호실	민원봉사실
계장	신갑수 581	김승석 401	권부환 421	안규상 641	임성애 651	박은주 691	최미옥 211	
국세조사관	송승미 신상욱 전종선 류승남 천문희 김지연 안진모 주영석	김혜정 김갑심 홍영선 범정원 김가연 백승호 임영수 이나래 이후림 최기웅 한지운	김희윤 이종권 문정민 여종엽 석지윤 하윤경 김태형 남은영 신유진 허지현	김성호 박형선 이진화 이미영	<1팀> 김성주 이충원 <2팀> 이동주 박성혜 양일환 <3팀> 조성오 손선화 김호진 <4팀> 김선한 변수민 이지호 <5팀> 이병철 김성향 장지우	이성욱	이강경 정미경 유정화	오주원 김정연 황서진 이평호 이해미 김도화 손지선 안한솔 전진효
FAX	472-3742	482-5495		482-5494			487-3842	409-6939

양천세무서

대표전화: 02-26509-200 / DID: 02-26509-OOO

서장: **김 용 재**
DID: 02-26509-201

주소	서울특별시 양천구 목동동로 165 (우) 08013 별관(조사과) : 서울특별시 양천구 신목로2길 66(목동 404-16) 씨티프라자 3층 301호 (우)08007				
코드번호	117	계좌번호	012878	사업자번호	117-83-00505
관할구역	서울특별시 양천구			이메일	yangcheon@nts.go.kr

과	체납징세과				부가가치세과			소득세과		
과장	박문규 240				양해준 280			맹충호 360		
계	운영지원	체납추척1	체납추적2	징세	부가1	부가2	부가3	소득1	소득2	소득3
계장	이용식 241	김종식 601	설미숙 621	김인숙 261	조형석 281	김헌규 301	전경란 321	현근수 361	최영환 381	박기범 461
국세 조사관	김미진 이현아 손주희 전현우 김덕기 오세종	김은실 김재현 문성원 백수희 조영호 김미란 김연규	김효진 장경란 정대영 이병도 박수진 오푸른 이유경	노미란 김유진 정효준	이서형 박윤진 정인월 김민영 오현섭 정헌우 김해진 임은형 채종희	김동원 천경필 윤수열 박민희 임수진 이해성	안영준 김보연 이경주 구미선 김재한 서운용 김혜진	김재련 송성철 김정희 권오정 김순근 서미리 류승현 강윤영 김은혜 이지영	배성호 박은주 백연주 신동호 최은영 김광석	송선용 변애정 오경자 주현경 유소현 조현수 최가은
FAX	2652-0058				2654- 2291	2654-2292		2654-2294		

1등 조세회계 경제신문 조세일보

과	재산세과			법인세과		조사과			납세자보호담당관	
과장	이석동 480			최치환 400		최순용 640			이호용 210	
계	재산1	재산2	재산3	법인1	법인2	조사관리	조사	세원정보	납세자보호실	민원봉사실
계장	정순욱 481	김용삼 501	최영실 521	최용규 401	유성영 421	심종숙 641	이평년	임희원 691	김민양 211	한숙향 221
국세조사관	김창수 김동은 김희연 남정화 강지훈 박재홍 김나래 서여진 정문희	윤경옥 강지현 김자현 이묘환 김선아 정지영 김지현	신성봉 박희상 김일두 강현웅 남성윤 김영주 김수현 김지은	이진아 이선유 빈효준	오민석 지성은 황지아 김서이 임수기 김도균	강선희 김민희 주희진 이재욱 김윤영	<1팀> 황경희 김성희 <2팀> 김재곤 김경호 이다영 <3팀> 조병만 안성민 정수연 <4팀> 부혜숙 송종훈 이재열	마정윤 이선	신상철 조현승 박혜숙	김태윤 박상훈 박선례 고은주 이창남 남경자 양승혜 이주현
FAX	2654-2295			2654-2296		2650-9601			2654-2297	2649-9415

역삼세무서

대표전화: 02-30118-200 / DID: 02-30118-OOO

서장: **김 정 수**
DID: 02-30118-201

주소	서울특별시 강남구 테헤란로 114(역삼동 824) 역삼빌딩 7, 8층 및 9층 일부 (우) 06233				
코드번호	220	계좌번호	181822	사업자번호	220-83-00010
관할구역	서울특별시 강남구 역삼동, 도곡동			이메일	yeoksam@nts.go.kr

과	체납징세과				부가가치세과		소득세과		법인세1과	
과장	서재기 240				류장곤 280		권오봉 360		정재영 400	
계	운영지원	체납추적1	체납추적2	징세	부가1	부가2	소득1	소득2	법인1	법인2
계장	김태균 241	이은정 601	621	임정미 261	천영현 281	이병철 301	이규원 361	김현보 371	이용진 401	박성국 421
국세 조사관	윤서진 성지연 이성준 박정현 박승호 이창훈 정인수	이동현 부윤신 설종훈 김미희 강민형 한수정 백태훈 이윤진 조예훈	이승구 이성진 김정담 이정현 양현준 이혜민 이석영 윤희원 박혜정 강준구	유기무 김서연 이건구	김상목 최유진 박배근 이지윤 우신애 김민진 조민재 김온유 최준영	최민수 김성환 박숙영 김효정 홍성옥 정재희 차승기 조은지 이석봉	김윤희 박준규 고재민 유혜지 제은아 곽종훈	유선종 신지연 김지선 이승희 유영준 백지원	문주란 음홍식 김혜수 제현종 안준수 심윤정 정소윤 이수현 김태경 강민주 이범연	이명희 이지현 은진용 김동욱 곽민정 홍유종 황민철 이주형 김미란 김현선
FAX	561- 6684				501- 6741		564-0311	565-0314	552-0759	

현석 세무회계

대표세무사 : 현 석(前 역삼세무서장)
서울시 강남구 테헤란로10길 8, 녹명빌딩 4층

전화 : 02-2052-1800　　　　팩스 : 02-2052-1801
핸드폰 : 010-3533-1597　　　이메일 : bsf7070@hanmail.net

과	법인세2과		재산세과			조사과			납세자보호담당관	
과장	조중현 440		김정섭 480			정의극 640			김동욱 210	
계	법인1	법인2	재산1	재산2	재산3	조사관리	조사	세원정보	납세자보호실	민원봉사실
계장	백상엽 441	박찬욱 461	김지성 481	엄경학 501	주은화 521	주성태	김진아 651	이창우 691	홍효숙 211	전준일 221
국세조사관	정수인 박지영 김재형 정민섭 윤보영 김재관 박승현 최광신 박선영 김태희	임종민 김선덕 김진곤 이은지 문은진 김수정 김서연 윤기숙 박진영	염훈선 도유정 박희근 박성준 황명희 강범준 주윤아	김지영 서강현 이지연 주영상 고윤정	기정림 황성훈 정주인 이경현 윤상용 이경은 김용우	변정 김혜인 권종기 이상미	<1팀> 이태환 이혜진 <2팀> 장창복 윤성열 진윤지 <3팀> 정호형 배영진 홍나경 <4팀> 권오상 이송화 손상익 <5팀> 조은희 이해섭 김상원 <6팀> 박귀화 강동효 김수연 <7팀> 심아미 최아현 박민수	김혜미 양상원 박성하	이승연 박성탄 류훈민 임수진 김광미	최미자 강혜경 조수현 이승민 김화숙 김윤성 황찬연
FAX	561- 0371		539-0852	561-4464	3011-8535	501- 6743			552-2100	3011-6600

영등포세무서

대표전화: 02-26309-200 / DID: 02-26309-OOO

서장: **양 정 필**
DID: 02-26309-201, 202

양화대교　영등포세무서　당산역
영등포구청●
NTS　구청별관●
양평역　고용노동부　2호선/5호선
영등포구청역

주소	서울특별시 영등포구 선유동1로 38(당산동3가 552-1) (우)07261								
코드번호	107		계좌번호	011934		사업자번호	107-83-00599		
관할구역	서울특별시 영등포구 (신길동, 도림동, 대림동 제외)					이메일	yeongdeungpo@nts.go.kr		

과	체납징세과				부가가치세1과		부가가치세2과		소득세과	
과장	이정훈 240				안영선 280		김동영 320		김오곤 360	
계	운영지원	체납추적1	체납추적2	징세	부가1	부가2	부가1	부가2	소득1	소득2
계장	양미경 241	이해장 601	김유군 621	최영현 261	양찬영 281	김규성 301	홍창호 321	강정화 341	임한균 361	정연수 381
국세조사관	신영심 이옥희 김동완 김유미 정화승 김대권 윤정은 윤수훈	김혜란 소영석 임은미 류지은 남기연 이경하 김석규 이주희 김충현 이영욱	유제근 변정기 최원준 김지연 이정민 김상호 박범우 강재신 문혜원	김우진 이현희 이희진 이현지	박현자 박현아 정여명 이선영 이나영 구훈모 강수지 성가현	정상원 강문자 기은진 권순미 이채원 김동완 김한슬	김민주 임효선 고유나 심윤보 김성희 김은진	이순희 이지훈 권범진 박샛별 박지연 송혜인 신유동	장명숙 박정순 이윤희 김소연 이동열 박지수	조명상 용수화 송유정 임길수 김지현 차정미
FAX	2678-4909				2679-4971		2679-4977		2679-2627	

5년간 쌓아온 재무인의 역사를 돌려드립니다 '온라인 재무인명부'

수시 업데이트 되는국세청, 정·관계 인사의 프로필과 국세청, 지방청, 전국세무서, 관세청,
유관기관등의 인력배치 현황을 볼 수 있는 온라인 재무인명부

1등 조세회계 경제신문 조세일보

과	재산세과		법인세1과		법인세2과		조사과			납세자보호 담당관	
과장	김영동 480		송종철 400		이남기 440		한만준 640			노동승 210	
계	재산1	재산2	법인1	법인2	법인1	법인2	조사관리	조사	세원정보	납세자보호실	민원봉사실
계장	신영섭 481	박봉기 501	고태일 401	현혜은 421	권오승 441	안상순 461	이명문 641	박옥련	한승훈 691	김명도 211	이수경 221
국세조사관	황정화 남호철 김소연 이인재 이시은 이하나 박선우 박형호 이다경 서미래 고현주	문소진 채현석 이채곤 사혜원 임동영 남윤종 최수인	오대창 권혜정 여정재 장지윤 김유나 박지희 이정은 정영화 강동우 신민지	박영애 이혜전 박성찬 박소영 김경혜 박진우 최설향 이승훈 정영호 박영주	조성목 윤석준 김경희 강남진 노수경 허미영 주나라 안진경 한예슬 박나리	이영수 김태석 김영신 서용준 정안석 박세림 손태욱 김혁 장수원 권윤회 권정우	안미선 이지은 박희진	\<1팀\> 권성훈 김소연 김보미 \<2팀\> 장동훈 김현준 이혜승 \<3팀\> 이진주 송노용 조소현 \<4팀\> 이오나 우형래 임유진 \<5팀\> 이지원 함광주 유두현 \<6팀\> 이용수 현승철 정승희 \<7팀\> 정선영 박다슬 어재경	박찬민 한윤정 엄영희	김수정 김창호 서재필 유병창 형유경 정영균	박우성 손미량 이미선 정미희 김예주 김보연 장준원 김치우 전주희
FAX	2679-4361		2633-9220		2679-0732		2679-0953, 0185			2631-9220	2637-9295

용산세무서

대표전화: 02-7488-200 / DID: 02-7488-OOO

서장: **서 동 욱**
DID: 02-7488-201~2

주소	서울특별시 용산구 서빙고로24길 15 (한강로3가) (우)04388				
코드번호	106	계좌번호	011947	사업자번호	106-83-02667
관할구역	서울특별시 용산구			이메일	youngsan@nts.go.kr

과	체납징세과				부가가치세과		소득세과		재산세과		
과장	정지용 240				이철 280		구정서 360		강효숙 480		
계	운영지원	체납추적1	체납추적2	징세	부가1	부가2	소득1	소득2	재산1	재산2	재산3
계장	류진 241	이정노 601	김동찬 621	김민선 261	전승훈 281	서윤식 301	손병석 361	정승태 381	서승원 481	정해경 501	진정록 521
국세조사관	이금숙 전호영 최현석 한지민 배상철 최원길 김동민 조창규	최형식 이주영 이혜인 송미나 황하늬 표규열 김태훈	김용만 곽용은 홍경옥 박희진 조영주 박선영 조성진	노인선 박경애 윤정민	조상현 진현서 임석봉 배진호 최세라 이미진 송현화 유세종 나희영 이지은	정미선 이진재 노승옥 김준우 이예지 이수진 노혜리 홍단비 송인범	박란수 송진영 주수미 김수연 강영묵 이지희 노지은 노정연 김수현	송현주 문광섭 이경애 김도희 구세진 이윤선	박정민 전대웅 김기미 유지희 이은정 최지수 한도현	정건 이진 김상희 이광은 김기철 최세진	김영준 류병호 천영수 김승구 유주희 백은실 유휘곤 구진아
FAX	748-8269	792-2619			748-8296		748-8160	748-8169	748-8512	748-8515	

1등 조세회계 경제신문 조세일보

과	법인세과		조사과			납세자보호 담당관	
과장	배정현 400		이명진 640			윤일호 210	
계	법인1	법인2	조사관리	조사	세원정보	납세자보호실	민원봉사실
계장	정대수 401	최창경 421	이현화 641	범수만 651	최선호 691	노아영 211	강상모 221
국세 조사관	임봉숙 김민경 유병수 신동주 박복순 서은파 심지은 이지영 김혜민 김주만	이성구 이다혜 김성숙 윤소윤 이주협 김유진 박대광 이서연	이지원 강병순 오혜선	<1팀> 김지현 김수일 심정연 <2팀> 장인섭 이영훈 박자영 김나연 <3팀> 문태흥 김종성 유인성 <4팀> 문근나 이성애 이성규 <5팀> 김태오 차유해 허지희 <6팀> 안효진 김원종 조선희	윤청연 유민희	김재우 천새봄 방예진	박세희 임지현 김세령 김한일 김민석
FAX	748-8604	748-8190	748-8605	748-8696		748-8217	796-0187

은평세무서

대표전화: 02-21329-200 / DID: 02-21329-OOO

서장: **신 석 균**
DID: 02-21329-201~2

주소	서울특별시 은평구 서오릉로7 (응암동 84-5) (우)03460				
코드번호	147	계좌번호	026165	사업자번호	268-83-00026
관할구역	서울특별시 은평구			이메일	

과	체납징세과			부가가치세과		소득세과	
과장	이승훈 240			전병두 280		홍혁기 360	
계	운영지원	체납추적	징세	부가1	부가2	소득1	소득2
계장	강장환 241	문재창 601	황윤숙 261	사명환 281	김웅 301	김성묵 361	옥혁규 381
국세조사관	최웅 윤순옥 김원화 김진몽 윤혜수 강성률 최종인	김지연 전철 장재훈 임금자 유진옥 정민기 정미영 이화선 정주희 심수연 이민경 한소백	양준권 안소영 김미소	남미라 이계승 박원희 윤주영 나영미 방솔비 윤국한	안무혁 양영동 오현주 노현숙 이세진 최익영 양명지 강한덕 조현희 최명훈	김병찬 권기홍 서용현 박정민 강성훈 성민규 김민상 하민영 이나경 권관수 이윤정	손길진 이용호 이재일 정경란 윤지윤 정세나 김현희 심경섭 김예리 이효진 김은령
FAX	2132-9571	2132-9505		2132-9572		2132-9573	

과	재산법인세과			조사과			납세자보호담당관	
과장	김장근 400			권기창 640			이동원 210	
계	재산1	재산2	법인	조사관리	조사	세원정보	납세자 보호실	민원봉사실
계장	김지원 481	김령도 501	김삼중 401	손명수 641	이문환 651	김동현	김필종 211	심영일 221
국세 조사관	전태훈 이동일 김광미 최영숙 심정석 진형석 김여진 남화영 이정주 문선영 김하연	강태호 김영미 이건술 차무중 김대용 맹선애	배장완 성대경 김철현 이지원 조은희 김혜연	한지원 윤민정 이정순	<1팀> 서은주 이명구 <2팀> 신영희 양홍석 김형후 <3팀> 김동환 박치현 박희수	전확 고기훈	문재희 김선희 배지민	양옥진 박으뜸 강명은 차용희 이제일 김동욱 도나리
FAX	2132-9574			2132-9505			2132 -9576	

잠실세무서

대표전화: 02-20559-200 / DID: 02-20559-OOO

서장: **우 원 훈**
DID: 02-20559-201

주소	서울특별시 송파구 강동대로 62 (풍납2동 388-6) (우)05506				
코드번호	230	계좌번호	019868	사업자번호	230-83-00017
관할구역	송파구 중 잠실동, 신천동, 삼전동, 방이동, 오금동, 풍납동			이메일	

과	체납징세과			부가가치세과		소득세과		법인세과	
과장	양한철 240			금승수 280		한재영 360		최용근 400	
계	운영지원	체납추적	징세	부가1	부가2	소득1	소득2	법인1	법인2
계장	어명진 241	안정미 601	김세종 261	이용제 281	이유상 301	정미경 361	민승기 381	정승식 401	김영미 421
국세 조사관	허장 박수연 김미영 민혜선 김준상 류경탁 이재혁	이지선 윤철민 마선희 김진동 김민진 하정민 박재성 이지윤 오하경 김진달래 박찬송 윤기섭 추다솔	이효주 강귀희 이지은	손선아 유미라 이선영 반미경 이중재 김경민 김행순 남만우 이난영 이윤미	김희정 은지현 이미숙 이경임 김홍래 노혜선 용연훈	강용석 윤정재 최은정 최종수 이도경 김명순 김안나 고민석 임예지 송채원 박상기	양소영 김정배 정석훈 함지영 강정미 한승우 이주영 이승연	최소영 홍경헌 노강원 이진규 한영규 이현주 이민철 임하경	배주섭 최윤서 최성화 천일 윤현미 정효영 유이슬
FAX	475-0881	476-4757		483-1926		475-7511		486-2494	

과	재산세과			조사과			납세자보호담당관	
과장	이상익 480			김형래 640			서영상 210	
계	재산1	재산2	재산3	조사관리	조사	세원정보	납세자보호실	민원봉사실
계장	신지성 481	류명옥 501	이선민 521	이승희 641	신진균	신남숙 691	이수인 211	김명호 221
국세조사관	김동진 안수정 윤지현 김정희 김옥단 김인화 한광일 윤정민 박해원 류지호	이상목 신현삼 마경진 김우석 이지은 조은솔	정한욱 안성준 곽승현 최창호 변우환 양근성 김민주 이은아 윤동희 백진주	김희정 오수진 정수지	<1팀> 우주원 민경상 <2팀> 백성태 정혜영 이원기 <3팀> 윤재헌 김선호 김고은 <4팀> 최경호 홍범식 심예진 <5팀> 윤재길 이혜선 황현섭	송수희 전한식	박경수 전희경 김민정 안창남	박정숙 김지현 송지선 김현진 이미령 김주영 김성진 구용모
FAX	476-4587			475-6933			485-3703	470-0241

종로세무서

대표전화: 02-7609-200 / DID: 02-7609-OOO

서장: **최 경 묵**
DID: 02-7609-201

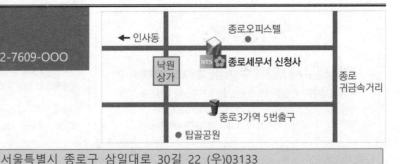

주소	서울특별시 종로구 삼일대로 30길 22 (우)03133				
코드번호	101	계좌번호	011976	사업자번호	101-83-00193
관할구역	서울특별시 종로구			이메일	jongno@nts.go.kr

과	체납징세과				부가가치세과			소득세과	
과장	신미순 240(4층), 250(3층)				오봉신 280			이명섭 360	
계	운영지원	체납추적1	체납추적2	징세	부가1	부가2	부가3	소득1	소득2
계장	남궁재욱 241	채용찬 601	이은길 621	김은숙 261	김시욱 281	이귀영 301	장진욱 321	심규연 361	신현근 381
국세 조사관	황다검 유순희 엄익춘 조천령 이은정 김지원 박배열 이휘현	유후양 최용진 김봉희 김선량 조다현 장철현 김유진 이가원	이기헌 김혜원 김진수 이동경 송은지 윤세진 임인재	권미영 임영선 조수빈	김은자 변현영 최진영 강은숙 고경진 김지현 김현우 신현경 김정범	오은경 윤공자 한혜은 김철권 김혜빈 최지현 유혜미	정용효 강주은 이은정 이창민 김민지 박소연 김수진 손홍필	정수영 남경일 임소연 이상화 김민주 이다경	문형빈 천승범 안다경 김예지
FAX	744-4939			760-9601	760-9600			747-4253	

1등 조세회계 경제신문 조세일보

과	재산세과		법인세과			조사과			납세자보호담당관	
과장	정일선 480		전명진 400			이운형 640			김춘경 210	
계	재산1	재산2	법인1	법인2	법인3	조사관리	조사	세원정보	납세자보호실	민원봉사실
계장	김고환 481	최성순 501	김기만 401	박인홍 421	김준연 441	이승호 641	최재철 651	김성우 691	유진 211	조판규 221
국세조사관	도형우 유재원 한장혁 황선익 지신영 고아라 김효림 노은호	최원석 이영석 정은정 홍은결 이미정 한아름 고현준 신다해	공태운 윤민수 박가은 김주찬 고희선 전유민 김규리 박도은 김초아	정은하 이효정 김지연 류치선 박근영 윤창용 이선주 정현수	강경미 유경숙 이성복 김승혜 김동환 고민지 박한빛 배혜원	이영채 김기연 강보아 문창환 김보라	<1팀> 김윤미 노승환 <2팀> 허진 김지선 조한아 <3팀> 김기환 박선영 오지훈 <4팀> 김민지 윤미나 김영무 <5팀> 한이수 박은지 강가윤 <6팀> 최영진 황태연 정연주	이동우 권은경 박효진	강승희 최연정 박세민 백수진	이기순 이정희 정지현 강민영 도명준 김상현 장희정
FAX	747-9154		760-9454			747-9156			747-9157	

213

중랑세무서

대표전화: 02-21700-200 / DID: 02-21700-OOO

서장: **최 종 열**
DID: 02-21700-200

주소	서울특별시 중랑구 망우로 176 (상봉동 137-1) (우) 02118				
코드번호	146	계좌번호	025454	사업자번호	454-83-00025
관할구역	서울특별시 중랑구			이메일	jungnang@nts.go.kr

과	체납징세과			부가가치세과		소득세과	
과장	박종석 240			김문훈 270		류동현 340	
계	운영지원	체납추적	징세	부가1	부가2	소득1	소득2
계장	배은주 241	윤진고 601	이은배 261	정오현 271	조세영 291	진홍탁 341	박기정 361
국세 조사관	김윤이 정강미 임윤택 최주연 김학영 유동철	김준수 김영선 김민섭 곽용석 오경민 이지희 정일영 조민현 허수진 장두영 문윤정	서금석 김정인	류기수 이상민 박정희 윤영민 황숙현 김채윤 임현경 안정은 문정식 최시온	유경민 강대규 신정현 진덕화 이후건 홍영실 정상열 정재연 주진영 윤성훈 김다현	유성두 원정일 신선 김수경 양영철 박성훈 강건희 박소현 장민경	김노섭 신명수 김나연 송연주 이성근 제우성 유선영 김희선 양민정
FAX	493-7315			493-7313		493-7312	

과	재산법인세과			조사과			납세자보호담당관	
과장	윤기성 460			이병주 640			오인섭 210	
계	재산1	재산2	법인	조사관리	조사	세원정보	납세자 보호실	민원봉사실
계장	서인기 461	김영석 481	김영필 531	김재훈	서민정	김건웅 691	박성호 211	김동만 221
국세 조사관	김광록 이정희 한영섭 최미경 이미화 황성필 이진문	임현영 강주영 홍기선 김지현	이동곤 나정학 김지현 최윤진 윤영랑 장조희	손승희 최승혁 조일수	<1팀> 이찬형 우승철 <2팀> 양재중 이은영 고종우 `<3팀> 김원필 조해영 김채원	박인환 신민경	임아름 이서원 안소영	서성일 김소연 박인희 강지은 지상근 이유진
FAX	493-7316			493-7317			493-7311	493-7310

중부세무서

대표전화: 02-22609-200 / DID: 02-22609-OOO

서장: **권 승 욱**
DID: 02-22609-201~2

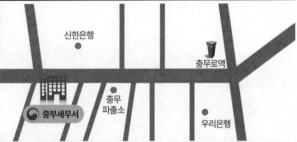

주소	서울특별시 중구 퇴계로 170 (남학동 12-3) (우) 04627				
코드번호	201	계좌번호	011989	사업자번호	202-83-30044
관할구역	중구 중 광희동 1,2가, 남대문로 2가, 남산동 1,2,3가, 남학동, 명동 1,2가, 무학동, 묵정동, 방산동, 신당동, 쌍림동, 예관동, 예장동, 오장동, 을지로 6,7가, 인현동 1,2가, 장충동 1,2가, 주자동, 초동, 충무로 1,2,3,4,5가, 필동 1,2,3가, 황학동, 흥인동			이메일	jungbu@nts.go.kr

과	체납징세과			부가가치세과		소득세과	
과장	백승한 240			최선숙 280		조성식 360	
계	운영지원	체납추적	징세	부가1	부가2	소득1	소득2
계장	최현석 241	류중성 601	이유선 261	진인수 281	이일영 301	나우영 361	김상근 381
국세조사관	김문영 김정미 하륜광 정희진 김동철 김보라 이주경	박애자 엄태자 김경익 최수연 김혜경 이한나 이유정 최선주 유성안 권용학 장재영 곽인혜 배혜진 김경아	김선순 윤희영	김소정 임보현 손병수 조은비 신미영 배은호 허진수 서혁준 이제헌 진예슬 채연주 정혜원	김현지 이수란 이상직 이진호 정세연 서경원 이소진 박현진 원시열 이찬 송지혜 김가림	고상석 박하란 강민주 노경아 이주영	이은영 김교선 김은이 정직한
FAX	2268-0582		2260-9583	2260-9582		2260-9583	

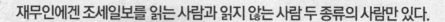

과	재산법인세과			조사과			납세자보호담당관	
과장	임숙자 400			이선구 640			임준빈 210	
계	재산	법인1	법인2	조사관리	조사	세원정보	납세자 보호실	민원봉사실
계장	하기성 481	권기수 401	김재현 421	이희현 641	이민규 693	한상범 691	오상욱 211	서명남 221
국세 조사관	소종태 이성은 진관수 김숙영 정현지 김지혜 진재경	민경화 이성훈 정여원 오근선 김인경 조광호 조은희 김지은 김미연	고정란 차유경 유원형 김우성 김효진 김가연 김세현	최은영 황순영	<1팀> 강문석 이희창 이상미 <2팀> 신동훈 백기량 윤혜미 <3팀> 전광현 이유정 박민중 <4팀> 강혜림 박종익 배은경 <5팀> 김두환 허소미 김현민	이영진 이종룡	황성룡 이수정 송진수	송주영 주혜령 정유진 조지영 김영성 양종열
FAX	2260-9584			2260-9586			2260- 9581	2260- 9585

중부지방국세청
관할세무서

중부지방국세청

주소	경기도 수원시 장안구 경수대로 1110-17 (파장동 216-1) (우) 16206
대표전화 & 팩스	031-888-4200 / 031-888-7612
코드번호	200
계좌번호	000165
사업자등록번호	124-83-04120
e-mail	jungburto@nts.go.kr

청장 　　　 김재철

(D) 031-888-4201

국세조사관　김태진 　　　　　　　(D) 031-888-4202

성실납세지원국장	김국현	(D) 031-888-4420
징세송무국장	심욱기	(D) 031-888-4340
조사1국장	민주원	(D) 031-888-4660
조사2국장	백승훈	(D) 031-888-4480
조사3국장	김지훈	(D) 031-888-4080

중부지방국세청

대표전화: 031-888-4200 / DID: 031-888-OOOO

청장: **김 재 철**
DID: 031-888-4201

영동고속도로

경기도 인재개발원 ● NTS 중부지방국세청 ● 파장동 주민센터

● 중부세우관 ● 파장초등학교

주소	경기도 수원시 장안구 경수대로 1110-17 (파장동 216-1) (우) 16206				
코드번호	200	계좌번호	000165	사업자번호	124-83-04120
관할구역	경기도 일부, 강원도(철원군 제외) [중부지방국세청 관내 22개 세무서 : 안양, 동안양, 안산, 수원, 동수원, 화성, 평택, 성남, 분당, 이천, 남양주, 구리, 시흥, 용인, 춘천, 홍천, 원주, 영월, 삼척(태백지서), 강릉, 속초, 경기광주(하남지서), 기흥]			이메일	jungburto@nts.go.kr

과	운영지원과				감사관			
과장	홍성표 4240				양동구 4300			
계	인사	행정	경리	현장소통	감사1	감사2	감찰1	감찰2
계장	허양원 4242	권순락 4252	김희숙 4262	황지원 4272	성병모 4302	천병선 4312	이연선 4322	김용환 4290
국세조사관	김도영 정진원 김원경 김홍균 김지원 최현정 김은호 유승우 김유경 오광현 김가인	전동철 민현석 하재봉 전형원 배원준 이은실 최상운 김기식 최삼영 박종일 강복남 한혜선 윤도란 김지암 장연택 신정무 김용선 황영훈 정현	한미자 김혜령 박준영 오은경 박정민 최연욱 장연숙 김영훈	안지은 전진우 고영필 이유진 이승수 김다람	이남진 노광수 손세종 이정민 이철민 정재상 유미영 임원아	이현무 천만진 이영호 박영웅 박진규 양성봉	김완종 공석환 김혜원 양종렬 장경일 윤동호 김여경 김수현 진수민 김수상	이준성 김종훈 길요한 김태용 김다운
FAX	888–7613	888–7612	888–7614	888–7615	888–7616		888–7618	888–7617

1등 조세회계 경제신문 조세일보

국						징세송무국			
국장						심욱기 4340			
과	납세자보호담당관			징세과		송무과			
과장	박수복 4600			안민규 4341		정순범 4011			
계	납세자보호 1	납세자보호 2	심사	징세	체납관리	총괄	심판	법인	국제거래
계장	장승희 4601	윤광섭 4621	정성우 4631	이승규 4342	김근수 4352	김주원 4012	홍필성 4016	허영섭 4022	김은수 4032
국세 조사관	황인하 김향미 최연주 장석만	김성호 박현우 김난영 조영준	강지윤 김진덕 박종화 임희경 임하연 김태훈 이헌석 조희정	신효경 오수연 황인범 김은진 최연희 정현준	표석진 나송현 윤혜진 이상민 문혜경 설수미 서형민 정현수	박효서 김미나 문지선	박현수 김운중	윤경림 송현동 하유정 임민경	최진석 배정원 윤대호 김소정
FAX	888-7619			888-7621		888-7624			

세미래 콜센터 126

국세관련 모든 상담은 국번없이 126
전국 어디서나 편리하게 상담받으세요.
평일 9시~18시 (탈세제보는 24시간)

DID : 031-888-OOOO, 031-8012-OOOO (징세송무국 체납추적과)

국실	징세송무국						성실납세지원국		
국장	심욱기 4340						김국현 4420		
과	송무과			체납추적과			부가가치세과		
과장	정순범 4011			채중석 8012-7901			김상범 4451		
계	개인1	개인2	상증	체납추적관리	추적1	추적2	부가1	부가2	소비
계장	윤진일 4042	박요철 4052	용환희 4062	전정호 7902	강성필 7922	김분희 7932	김성미 4422	박선열 4452	허상엽 4872
국세 조사관	이하나 한청용 이정은 정영욱 선민준	이경숙 김희선 남기현 조창국	고병덕 김성훈 류수연 김진우	강인욱 김명숙 박미숙 김중삼 박희경 박승욱 황정태 김정림 김예솔	윤호연 김주란 한효숙 진재화 권기정 장익성 박미경 조은빈 임혜영 김선근	이응찬 최옥구 김민선 박영실 손희정 김광준 김광혜 박희영 유창인 홍근배	황상진 김태우 김수현 최상재 김순영 김여진	장석준 이준용 박주리 김선영 석장수 한승일 이하나	황신영 고은선 최진규 이연석 신요한 김재민 노정윤
FAX	888-7624			888-7622			888- 7633		

222

재무인과 함께 걸어가겠습니다 '조세일보'

재무인에겐 조세일보를 읽는 사람과 읽지 않는 사람 두 종류의 사람만 있다.

국실	성실납세지원국									
국장	김국현 4420									
과	소득재산세과					전산관리팀				
과장	이세협 4381					임상훈 4401				
계	소득	재산	소득지원	소득자료TF	금융투자소득TF	전산관리1	전산관리2	정보화센터1	정보화센터2	정보화센터3
계장	함명자 4430	고재국 4460	유제연 4382	송찬주 4884	이승미 4472	조영록 4402	송영춘 4412	이문원 290-3002	이은정 290-3052	오진숙 290-3102
국세조사관	박성배 방미숙 전은영 이기혁 남명기 박현정 김다영 이상국	이영주 곽혜정 한종훈 유정희 문세련 라영채 윤경현	이재혁 곽병철 한윤희 김햇님	한주희 윤준호	송우람	최인범 박은숙 박병훈 박성준 이철원	권오진 박만기 정윤희 최재성 조수연 안순주 이민선 유주희	이해진 김홍남 고은희 장용자 서미숙 김숙영 윤석숙 이윤정 박명숙 정희정 박세라 최하나 김선화 김현주 이용재	고현주 맹송섭 김유경 박회숙 최미경 노은복 정복순 장문경 이성훈 강미애 김새봄 이경수 정미진 신수령 최홍열	이복희 이정애 이현이 김옥연 박주현 추정현 고희경 윤인경 조정희 정지나
FAX	888-7631					888-7627				

DID : 031-888-OOOO,
031-8012-OOOO(국제거래조사과 조사4~6팀)

국실	성실납세지원국					조사1국					
국장	김국현 4420					민주원 4660					
과	법인세과					조사1과					
과장	김시현 4831					오미순 4661					
계	법인1	법인2	법인3	법인4	국제조세	제1조사	제2조사	제3조사	제4조사	제5조사	제6조사
계장	이수형 4832	조일훈 4840	안미경 4851	이태균 4962	김호현 4952	이용안 4662	김동조 4672	전봉준 4682	우병철 4692	김민석 4702	심희준 4712
국세조사관	조규상 이인숙 김지현 김수진 김주란 김훈기	정선현 김성길 장수정 이경열 이효경 김남영 오유나	박형주 김진우 박종호 김학송 김다이	이민수 이주연 김희화 임승수 유홍재 박은아 민천일	임승섭 최미정 최영주 손지아 양이지	이현규 신정훈 박건우 박다빈 임향자 김지민 현은영	강주연 박진성 채혜인 박미현	최찬규 최돈희 최동기 김강주 신민아	김정관 백수빈 심민정 마정훈 정지환	박선영 이혜림 조해일 이준무 구자호	김현호 오기일 송인우 엄지희 오아람
FAX	888–7635					888–7636					

국실	조사1국									
국장	민주원 4660									
과	조사2과					국제거래조사과				
과장	유영 4741					박성무 4801				
계	제1조사	제2조사	제3조사	제4조사	제5조사	제1조사	제2조사	제3조사	제4조사	제5조사
계장	유상화 4742	권우태 4752	장태성 4762	엄인찬 4772	한광인 4782	최태형 4802	남용우 4812	이창수 4822	임수현 1812	조성인 1822
국세 조사관	유재복 김성문 유경훈 이예림 장재영 김준영	조원희 임철우 염정식 김인겸 나희선	구홍림 이윤주 김태진 국경호 전소희	김현미 한순근 남상준 송홍철 류재희	김지현 박용훈 김국성 안현자 천혜미	양금영 송영석 김효일 이성재 박하늬	정윤석 이범주 강성구 김은주 김수아	임승빈 허정무 백일홍 김병주 강성우	김주연 장민재 김나영 정희경 김도연	이연화 김경일 김영석 이현택 김재욱 김동준
FAX	888-7640					888-7643				

DID : 031-888-OOOO (조사2국 조사1과 1~3팀),
031-8012-OOOO (조사2국 조사1과 4~5팀, 조사2국 조사2과)

국실	조사2국							
국장	백승훈 4480							
과	조사관리과							
과장	류지용 4481							
계	제1조사관리	제2조사관리	제3조사관리	제4조사관리	제5조사관리	제6조사관리	제7조사관리	제8조사관리
계장	김진숙 4482	한보미 4492	장석진 4502	박지원 4512	최준성 4522	최찬민 4532	김종민 4542	오승찬 4552
국세 조사관	김기은 김동현 양종훈 이은주 전범철 이유리 양성욱	정애라 김호정 이순복 김송이	하광열 강수미 서현준 김지혜 박보영	최선미 윤재연 이정윤 장성환 조영래	이창열 임현주 이은정 유형진	정경화 최명진 김승미 정재윤 최혜진 윤장원 강미정 안대엽	김신덕 서경원 문승덕 오수경 최인영 김다희 박형기	이민희 신현일 김별아
FAX	888-7654							

1등 조세회계 경제신문 조세일보

국실	조사2국								
국장	백승훈 4480								
과	조사1과					조사2과			
과장	윤영일 4571					이창남 1861			
계	제1조사	제2조사	제3조사	제4조사	제5조사	제1조사	제2조사	제3조사	제4조사
계장	왕춘근 4572	문도형 4582	김승욱 4592	정준 1842	박순준 1852	양구철 1862	맹환준 1872	박병남 1882	정윤길 1892
국세 조사관	이선옥 김교성 김미라 박건준 정혜영 정대환	인찬웅 김혜령 임정은 임우현 김현주 전하돈 이호수	곽재승 박희경 오민선 이동훈 정성호 최재진	엄선호 이수연 박현준 이은형 장재민 이예지	전기석 최락진 이현주	양용선 임희정 한유정 조명신 남유승 황용택	이주희 정현덕 임혜란 박경수 김민정 강진영	김재형 박재홍 이학승 윤영광 김한선 한진아	강영구 강지원 최성도 정종원 윤종율 박미선
FAX	888-7644								

국세관련 모든 상담은 국번없이 126
전국 어디서나 편리하게 상담받으세요.
평일 9시~18시 (탈세제보는 24시간)

DID : 031-250-OOOO (조사3국 조사2과)

국실	조사3국									
국장	김지훈 4080									
과	조사관리과					조사1과				
과장	강백근 4081					정경철 4151				
계	제1조사관리	제2조사관리	제3조사관리	제4조사관리	제5조사관리	제1조사	제2조사	제3조사	제4조사	제5조사
계장	김영기 4082	이수빈 4092	김영진 4102	김성근 4112	이민철 4122	김정현 4152	유병선 4162	장현주 4172	정국교 4182	이재현 4192
국세조사관	이소영 편대수 이상영 박기우 정은솔 임장섭 최기영	장해순 김은혜 박주효 박찬승	지선영 윤영상 박제효 이준 신유미 신미리 이슬비 안지훈	이순철 박세민 박제웅 정윤선 송은호 최우석 유현정 김대원 최지은 박은비 정상오	고은미 강여정 이남곤 황순진 팽동준 이유라 구아현 임애리	임재승 최청림 도주희 임재미 이경심 최진화	조숙연 양시범 김경랑 이원구 차선주	김은숙 홍지우 정웅교 김명호 현병연	김용민 윤용호 조선미 고재윤	채칠용 조용진 김민호 이주미 권소현
FAX	888–7673					888–7678				

국실	조사3국				
국장	김지훈 4080				
과	조사2과				
과장	김상철 5601				
계	제1조사	제2조사	제3조사	제4조사	제5조사
계장	장영일 5602	문홍승 5612	노중권 5622	이봉숙 5632	구본수 5642
국세 조사관	원진희 이영태 최성희 이충환 여진혁	함은정 김경진 이동호 강경식 송민숙	강문자 고영욱 김서정 유승천 김민표	박선범 이시연 정휘섭 이연지	유승현 정치권 우해나 김경훈
FAX	888-7683				

구리세무서

대표전화: 031-3267-200/DID: 031-3267·OOO

서장: **김 태 성**
DID: 031-3267-201

주소	경기도 구리시 안골로 36 (교문동736-2) (우) 11934				
코드번호	149	계좌번호	027290	사업자번호	149-83-00050
관할구역	경기도 구리시, 남양주시(별내면, 별내동, 퇴계원읍, 다산1,2동, 양정동, 와부읍, 조안면)		이메일		

과	체납징세과				부가가치세과		재산법인세과		
과장	이서행 240				김미정 280		이윤석 480		
계	운영지원	체납추적1	체납추적2	징세	부가1	부가2	재산1	재산2	법인
계장	진영한 241	최연구 441	김효상 461	최미옥 261	이관열 281	차윤중 301	김경훈 481	김석모 491	이용배 401
국세 조사관	김민철 이정훈 오은희 김동현 신승현 김차돌	유진희 임훈 홍세미 이승범 나한영 김수영	정희정 김민성 서승경 신지연 장민철 김호영	김미선 전다인 조현주	강계현 김동희 박찬익 김하니 이우현 김재윤 김지수 김선웅 송지은 윤경효	문전안 최인규 김봉수 최동휘 신주현 임지혜 김두수 강소영 정필윤	김영석 서래훈 이진규 장정수 이우정 정연주 유예림 최누리	김구호 김인숙 이미림 서정우 조지현 최혜림	태종배 임부선 정다은 강순택 황윤정 유솔리 황지영
FAX	326-7249		326-7269		326-7359		326-7439		

과	소득세과		조사과			납세자보호담당관	
과장	김진삼 360		양동구 640				
계	소득1	소득2	조사관리	조사	세원정보	납세자보호실	민원봉사실
계장	서동옥 361	김수진 381	황민 641		허승 691		최상림 221
국세조사관	홍선영 김태우 허진혁 유경진 김지혜 정호식 진소현 남예진	박양숙 이기섭 조재훈 김도형 이주연 박경민 심지현	윤혜정 전윤아	<1팀> 이은수(팀장) 박정현 박미리 <2팀> 김민태(팀장) 주미진 유윤희 <3팀> 류호정(팀장) 표다은 <4팀> 권순일(팀장) 안현수	정예원	이지연 조영미 석호정	장혜진 김대연 최나영 조효신 강선희 안광인 김나영 이승혜 정현희 김혜영
FAX	326-7399		326-7699			326-7219	326-7239

기흥세무서

대표전화: 031-80071-200/DID: 031-80071-○○○

서장: **전 병 오**
DID: 031-80071-201

주소	경기도 용인시 기흥구 흥덕2로117번길 15(영덕동974-3) (우) 16953			
코드번호	236	계좌번호	026178	사업자번호
관할구역	경기도 용인시 기흥구		이메일	giheung@nts.go.kr

과	체납징세과			부가소득세과		재산법인세과		
과장	양종명 240			오성필 280		김현철 400		
계	운영지원	체납추적	징세	부가	소득	재산1	재산2	법인
계장	김영환 241	문영건 441	장소영 261	이성진 281	서병식 301	김강훈 481	남선애 501	손민석 401
국세 조사관	김혜경 김태영 김유리 이수빈 유진선 이도현	이지원 최재광 권선화 최은수 한민수 채성희 신유미 송휘종 김성훈 우지수 이다은	곽은선 김송이	김경숙 박상주 김국현 이준희 김준희 심완수 김용선 이지우 윤나래 홍문희 박선영 이나래	송현종 전병천 황보람 유정선 김현일 양승민 김가혜 이성민 윤주희 이원자 김수진 이현준 김수정	정현준 이강석 김대훈 황세웅 박진희 김민정 이해나 박지혜 김수인 권이혁	정지홍 반흥찬 오진선 윤주영	김윤정 채상조 이정언 김정규 이준영 김미나 원희정 고도경 김진영 최영진 조해정
FAX	895-4902	895-4903	895-4902	895-4904		895-4905		

과	조사과					납세자보호담당관	
과장	박진영 640					이강석 210	
계	조사관리	조사1	조사2	조사3	세원정보	납세자보호실	민원봉사실
계장	박정용 641	이승호	구응서	이호창	오항우 691	정하덕 211	김동수 221
국세 조사관	이하나 황유진	유훈희 김보미	노현주	고빛나	홍주희	조은용 김봄 남현정	이교환 구명희 이경이 박수옥 류예림
FAX	895-4907					895-4907	8007-4909

남양주세무서

대표전화: 031-5503-200 / DID: 031-5503-OOO

천마산역 강의원 스카이타워 아파트 남양주세무서

← 평내방향   천마산입구 교차로   춘천방향 →

서장: **박 강 수**
DID: 031-5503-201

주소	경기도 남양주시 화도읍 경춘로 1807(묵현리) 쉼터빌딩 (우) 12167 가평출장소: 경기도 가평군 청평면 은고개로 19 (청평리) 금곡 민원실: 경기도 남양주시 금곡로 1037(금곡동) 남양주시 제1청사 세무민원실내				
코드번호	132	계좌번호	012302	사업자번호	132-83-00014
관할구역	경기도 남양주시(별내면, 별내동, 퇴계원읍, 다산1,2동, 양정동, 와부읍, 조안면 제외), 가평군			이메일	namyangju@nts.go.kr

과	체납징세과				부가가치세과		소득세과	
과장	박경은 240				김미나 280		황용연 360	
계	운영지원	체납추적1	체납추적2	징세	부가1	부가2	소득1	소득2
계장	이복식 241	박상선 441	윤희만 461	김은영 261	이동기 281	김영호 301	최세영 361	박윤석 381
국세 조사관	서지민 이재준 강혜수 박종현 심재호	임병석 조형구 이대웅 주태웅 김민희 우지영 이진희 서지연	조건희 김호국 박수춘 이동현 조연우 이세란	김주형 이은진 손원영	김진희 임현구 김동근 양진석 임소연 한봉수 배정현 장정윤 박선영	엄주원 박준범 신준규 김연정 민백기 김태진 박경아 심단비 심재현 장선미 유지원	김은순 박민규 엄영석 권현회 채정석 진주원 이정임 최윤미	조성문 서효영 심별 강정민 김지현 이상진
FAX	550-3249	550-3268			550-3329		550-3399	

과	재산법인세과			조사과					납세자보호담당관	
과장	유상화 480			이정원 640					김종현 210	
계	재산1	재산2	법인	조사 관리	조사1	조사2	조사3	세원정보	납세자보호실	민원봉사실
계장	이환운 481	박진흥 501	김한수 401	신영철 641	김재광	김상우	황지환	이승현 391	임시형 211	박병연 221
국세조사관	백두산 이상민 강선미 안정호 방민식 최지원 김주애 조나래 송정은	이동구 김영식 양영진 황한나	조윤영 임광열 김미선 배수지 이정형 조영수 강선이	김규호 장수진	김건우 이유민	김한상 박혜인	주향미 박보경	김성우	권은정 박지현 김경민	안용수 이우경 김은희 오현수 이승환 황시윤 안지영 박성원
FAX	550-3519			550-3669					550-3219	550-3229

동수원세무서

대표전화: 031-6954-200 / DID: 031-6954-OOO

서장: **박 영 건**
DID: 031-6954-201

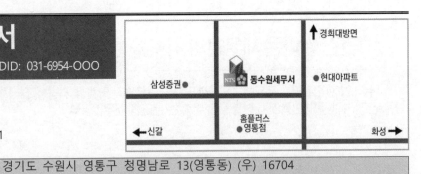

주소	경기도 수원시 영통구 청명남로 13(영통동) (우) 16704 오산민원실: 오산시 성호대로 141 오산시청 1층 민원실 내			
코드번호	135	계좌번호	131157	사업자번호
관할구역	경기도 수원시 영통구, 오산시, 화성시 일부		이메일	dongsuwon@nts.go.kr

과	체납징세과			부가소득세과			재산법인세과		
과장	이주일 240			이호관 360			김천수 400		
계	운영지원	체납추적	징세	부가1	부가2	소득	재산1	재산2	법인
계장	이종남 241	박정민 441	성수미 261	강문성 281	신동익 301	이양래 361	오경택 481	김훈 501	최윤회 401
국세 조사관	이영은 윤정희 박현명 최준환	황진숙 김남중 김병환 권영빈 양미란 이요셉 신수경	김순아 김태은	이영태 조희숙 허진이 김태형 송지우 한종문 임성연 박소연	최영미 변성용 서미경 이미현 신지연 강민재 오재열	윤장현 정혜정 이고운 김상옥 윤미영 김영미 박은미 이수지 이도헌 윤일한 김세기 김보나 이한설	조행순 김정희 권익성 박유정 정윤기 조덕상 이은정	전경선 권택경 김민경 박태윤	백민웅 정기호 정동기 김소연 남미정 조혜원 박소현 민재영
FAX	273-2416	273-2437	273-2370	273-2427		273-2388	273-2412		204- 9842

1등 조세회계 경제신문 조세일보

과	조사과					납세자보호담당관	
과장	김규주 640					정명순 210	
계	조사관리	조사1	조사2	조사3	세원정보	납세자보호실	민원봉사실
계장	이정걸 641	김광수	엄태영	윤석배	김정건	김영곤 211	김대성 221
국세 조사관	주자연 김효진	신유라 오지현	김수종	정희	김종만	박수현 정신영 문가은	김은숙 이효나 김유미 인애선 박선영 안의진 장유정 김건우
FAX	273-2454					273-2461	273-2470

동안양세무서

대표전화: 031-3898-200 / DID: 031-3898-OOO

서장: **장 태 복**
DID: 031-3898-201

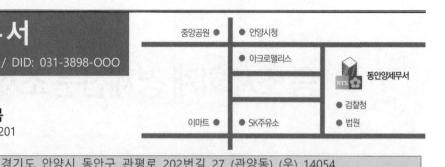

주소	경기도 안양시 동안구 관평로 202번길 27 (관양동) (우) 14054				
코드번호	138	계좌번호	001591	사업자번호	138-83-02489
관할구역	경기도 안양시 동안구, 과천시, 의왕시			이메일	donganyang@nts.go.kr

과	체납징세과				부가가치세과		소득세과		재산세과		
과장	조용진 240				황선택 280		허천회 360		정휴진 480		
계	운영지원	체납추적1	체납추적2	징세	부가1	부가2	소득1	소득2	재산1	재산2	재산3
계장	최승복 241	강성현 551	이봉림 571	정을영 261	김대혁 281	윤영택 301	김남호 361	김현민 381	한민규 481	송지은 501	문창수
국세조사관	양재흥 정진형 이나훔 이남길 권민경 유승연	김덕진 김범재 배진 구성민 한혜경 안소현 강현 유현경 오정현	서윤희 윤지영 홍서연 김현정 김찬우 곽성준 박지은 박유린	정순남 정수현 박혜경 김용숙	김경태 정진희 박재훈 배자강 황수빈 강기수 이영은 김진슬 김예원 김다영 임지은	김수정 인경훈 김지현 이미진 신민규 구진선 최지우 도주현 이주연 은성도 장명훈	이상훈 김현진 나동욱 김효영 김상록 김미정 박지애 정은지	김수정 권영호 조성주 하한울 김세식 이지현 윤준희 임온순	전강희 조수영 백은혜 지민규 최명화 김정효 이지연 최해영	조아라 이주영 이혜규 이창수 강수빈	윤종근 임종순 황주성 강상준 박소연 백하나 채상윤 이수영
FAX	476-9787				476-9784	383-0428	383-0429	383-048	383-0435	383-0436	383-0437

과	법인세과		조사과							납세자보호담당관	
과장	전용훈 400		이삼기 640							양동석 210	
계	법인1	법인2	조사관리	조사1	조사2	조사3	조사4	조사5	세원정보	납세자 보호실	민원 봉사실
계장	박동현 401	김창오 421	최현주 641	박기택	문은하	이병희	박홍자	이정수	이상욱 691	최인환 211	박중기 221
국세 조사관	김환 박병선 정가희 김해서 송민철 박은희 한지희 소재준	정현주 이삼섭 강민주 원호선 한수철 이미연 최두이 권구성 강혜진	송창훈 권예솔 김인혜	채호정 신무성	박은정 하승민	손영대 김선화	김보성 김희은	김나영 이관희	강태경	나덕희 하민지 장인영	이영순 유신아 임미송 오슬기 양소영 신나영 최영 조가연 김성범
FAX	476-9785		476-9786						383- 1795	476- 9782	389- 8629

분당세무서

대표전화: 031-2199-200 DID: 031-2199-OOO

서장 : **김 민 기**
DID : 031-2199-201

주소	경기도 성남시 분당구 분당로 23 (서현동 277) (우) 13590				
코드번호	144	**계좌번호**	018364	**사업자번호**	
관할구역	경기도 성남시 분당구		**이메일**	bundang@nts.go.kr	

과	체납징세과				부가가치세과		소득세과		재산세과		
과장	정병진 240				김상문 280		안장열 360		강찬종 480		
계	운영지원	체납추적1	체납추적2	징세	부가1	부가2	소득1	소득2	재산1	재산2	재산3
계장	전채환 241	최은창 441	한종우 461	김성은 261	김훈태 281	노태천 301	이규완 361	송신호 381	김종호 481	정창근 501	강병구 521
국세조사관	이진영 이다솜 김금자 임정경 김다미 박병철 서원준	김승국 이환수 이희정 신수정 김주희 김예연 강수림 류민하	양현열 김미옥 박영종 남태숙 최영환 박병헌 이빛나 윤준웅	조은수 장지은 조아라	김수희 배유진 이향은 김수정 전승필 정태식 이지연 최진규 박성은 황혜진	이은교 황혜선 강한수 주성진 강여울 원계연 함다운 황지영	오주해 어윤제 박동일 권민선 박민선 김다솜 장보수 홍새로미 조윤영	강덕수 강희주 오연우 박상우 강동인 박유진 강진선 조서영	박기봉 조희정 강용수 박성순 송민섭 김도희 박혜진 이재원 강서윤 전세영	정직한 조민희 오현숙 김병섭 이은진 윤효준 이미정	김애숙 이정균 김창우 박재윤 두영균 이영석 이창민 신혜민 정현빈 김현지 손은하 이주현
FAX	219-9580	718-6852			718-8961		718-8962		718-6849		

과	법인세과		조사과			납세자보호담당관	
과장	정영훈 400		허곤 640			신진규 210	
계	법인1	법인2	조사관리	조사	세원정보	납세자보호실	민원봉사실
계장	배병석 401	선형렬 421	경재찬 641		조종하 691	황범석 211	조일제 221
국세 조사관	김재중 유소정 이현준 이조은 이현진 이혜민 진향미 송오은 이창진	노원준 이건석 권규종 최혜정 윤태경 현진희 김현서 김정은	정은아 우근영 윤보람	<1팀> 이성호(팀장) 한승철 강화리 <2팀> 유철(팀장) 백인희 조성수 <3팀> 정종원(팀장) 이우현 박은비 <4팀> 김해옥(팀장) 이경식 정슬아 <5팀> 강신국(팀장) 이동은 유선아	허성훈	심선화 전영준 박용현 강유미	최보영 정택주 최소영 전화영 최주현 박상희 최수정 신수진 이정표 송유란 김초롱
FAX	718-4721		718-4722			718-4723	718-4724

성남세무서

대표전화: 031-7306-200 / DID: 031-7306-OOO

서장: **조 성 철**
DID: 031-7306-201

주소	경기도 성남시 수정구 희망로 480 (단대동) (우) 13148				
코드번호	129	계좌번호	130349	사업자번호	129-83-00018
관할구역	경기도 성남시 수정구, 중원구			이메일	seongnam@nts.go.kr

과	체납징세과			부가가치세과		소득세과	
과장	이정윤 240			유인선 280		정용수 360	
계	운영지원	체납추적	징세	부가1	부가2	소득1	소득2
계장	천선경 241	양동규 441	강정일 261	이재식 281	양동길 301	권흥일 361	류두형 381
국세 조사관	이경란 박영은 이정구 허영렬 임지광	김수정 신상훈 이석화 김명선 김경린 박금찬 김효미 양수미 김진환 조윤희 문시현	허인순 김단비 유다래	김정범 진윤영 강근영 심새별 김숙영 유어진 이수빈 강슬기 박보경 나은비	최윤기 윤연주 김경희 방경섭 최민애 강승호 조호령 김순옥 황효경 하정민 윤병현 박정민	김동진 김아영 남다미 유지환 강다현 박소현 윤민경 이지수	이주영 염가연 김수민 이준우 박현정 유재상 이명욱
FAX	736-1904			734-4365		743-8718	

택스홈앤아웃

대표이사: 신웅식

서울시 강남구 언주로 148길 19 청호빌딩 2층
전화번호 : 02 – 6910 – 3000　　　팩스 : 02-3443-5170
이메일 : taxhomeout@naver.com

과	재산법인세과			조사과					납세자보호담당관	
과장	이교진 400			장혁배 640					양덕열 210	
계	재산1	재산2	법인	조사관리	조사1	조사2	조사3	세원정보	납세자보호실	민원봉사실
계장	노수진 481		문창전 401	정홍석 641	유병욱	박은정	박진수	이헌식 691	백지수 211	권승민 221
국세조사관	김병일 박성은 강윤지 배상원 주소연 이수진	배정숙 강태길 손인준 윤희경 이소연 양지현	염선경 전운 김준호 김현철 한수현 공선미 김은성 이지수 신소희	이현주 윤미정	김중현 이승희	최영조 명경자	조아라 정현위	선기영 안문철	최효진 홍순호 이명용	이승훈 서은애 박소영 정예지 송보섭 장인영
FAX	8023-5836	8023-5834		736-1905				721-8611	745-9472	732-8424

243

수원세무서

대표전화: 031-2504-200 / DID: 031-2504-OOO

서장: **홍 철 수**
DID: 031-2504-201

주소	경기도 수원시 팔달구 매산로61(매산로3가 28) (우) 16456				
코드번호	124	계좌번호	130352	사업자번호	124-83-00124
관할구역	경기도 수원시 장안구, 팔달구, 권선구			이메일	suwon@nts.go.kr

과	체납징세과				부가가치세과			소득세과	
과장	김국현 240				김무수 280			정태경 360	
계	운영지원	체납추적1	체납추적2	징세	부가1	부가2	부가3	소득1	소득2
계장	정봉석 241	최종호 441	김진수 461	이숙정 261	이경한 281	정규남 301	김영철 321	진수진 361	김석제 381
국세 조사관	서영춘 김미애 이상규 박득란 김고희 백진원 조현민	김영환 천혜진 김현진 이수민 신보경 유소연 윤혜원 황동형 신유희 김경모	남기선 김영애 김지윤 홍세정 박은주 박지혜 노현서 임한섭 강장원	최근영 양월숙 이현지	김한진 권현정 장혜주 김주연 소미현 윤아름 김민균 김가민 고경아 이주미 김찬기	김미향 정유진 이미나 황성희 안지영 이대훈 박원경 김민경 김상혁 송현정	박현종 한동훈 안지현 김재희 이혜민 김성현 허지은 조하나 이솔지 최용호	이은창 김대환 김수연 박경민 박주미 이유림 이루안 신나영 홍장원 김연희	최경초 이방훈 홍윤선 김성미 한범희 함태희 김소영 노태경 이경민 박서연
FAX	258-9411	258-0454			258-9413			258-9415	

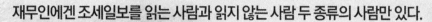

재무인과 함께 걸어가겠습니다 '조세일보'

재무인에겐 조세일보를 읽는 사람과 읽지 않는 사람 두 종류의 사람만 있다.

1등 조세회계 경제신문 조세일보

과	재산법인세과			조사과			납세자보호담당관	
과장	장대식 400			박경옥 640			연규천 210	
계	재산1	재산2	법인	조사관리	조사	세원정보	납세자 보호실	민원봉사실
계장	김영민 481	김상민 501	김태균 401	변인영 641	<1팀> 유성주(팀장) 하경종 민덕기 한소연	이재준 691	신연준 211	김영세 221
국세 조사관	김민희 김신애 김혜란 주재명 박영진 이나연 정현주 김보미 한상범 홍다원 김소영 백해정	이철환 정맹헌 홍현기 오동석 문희원 박성용 채준형	이창수 오선경 김혜진 김규혁 이은경 유시은 윤한미 신영호 이명하 임석준 이은수	정은미 성지은 진솔	<2팀> 이원섭 이용문 정하나 <3팀> 최기춘(팀장) 박영환 송미연 <4팀> 이재관(팀장) 장순임 오진욱 <5팀> 김지은(팀장) 오상택 오현주	김동민	박근용 김태연 김정은 정인경	소수정 허석룡 박은정 정영희 함용식 손해리 홍진기 권나경 박수진 최우현
FAX	258-9475			258-0453~4			248-1596	258-1011

시흥세무서

대표전화: 031-3107-200 / DID: 031-3107-OOO

서장: **장 철 호**
DID: 031-3107-201

한국산업←기술대　시흥중앙도서관　정왕역 →

이마트 ●　NTS 시흥세무서

주소	경기도 시흥시 마유로 368 (정왕동) (우) 15055 대야동 민원실: 시흥시 비둘기공원7길 51(대야동,대명프라자) 대명프라자 3층 (우) 14912				
코드번호	140	**계좌번호**	001588	**사업자번호**	140-83-00015
관할구역	경기도 시흥시			**이메일**	siheung@nts.go.kr

과	체납징세과				부가가치세과			소득세과	
과장	정흥진 240				김기훈 280			박경용 360	
계	운영지원	체납추적1	체납추적2	징세	부가1	부가2	부가3	소득1	소득2
계장	신영수 241	이현혜 441	권중훈 461	진승호 261	하용홍 281	서원상 301	이영환 321	하광무 361	권옥기 381
국세 조사관	조병섭 김은경 박유신 김선희 유명한 윤창식 홍성훈	박명수 정민재 박미라 장명섭 박정혜 신미식 소규철 이민희 김선종	윤한수 서정훈 한상범 정병창 김수지 유혜영 최세은 김상아 윤영운	남경희 이은경 김춘화	전원실 임신욱 김주옥 황현희 박기현 최효원 채민재 김종호 이수연 신승훈	석용훈 김선중 한진선 이현정 박수진 정지수 박승철 민정은 이지현	강근효 김효숙 채거환 이재남 강유진 이명길 이주현 김소현 김영중 신여경	박송이 최용준 노재희 서태웅 이윤선 박광태 김지원	임주현 서동경 배정민 서두환 박형규 신지혜 곽수정
FAX	310-7551			310-7551	314-2174	313-6900		314-3979	

246

1등 조세회계 경제신문 조세일보

과	재산법인세과				조사과			납세자보호담당관	
과장	박영인 400				허오영 640			김형준 210	
계	재산1	재산2	법인1	법인2	조사관리	조사	세원정보	납세자 보호실	민원 봉사실
계장	엄남식 481	김성호 501	문선우 401	박수홍 421	김란주 641		성창화 691	김현경 211	류천호 221
국세 조사관	박경휘 김철호 송재봉 권영인 이초롱 김유현 최완규	권창위 길미정 장슬기 김서미	송승한 강민구 최승훈 이윤경 김미희 박지혜	공정민 이미선 이령조 서기영 정유진 한민우	김아람 김준태	<1팀> 박종석(팀장) 김서은 김진옥 <2팀> 김승훈(팀장) 정윤정 <3팀> 고경진(팀장) 이민규 <4팀> 우희정(팀장) 양시준	최병국 표성진	신정환 안중현 최다예	신은정 한세훈 김재곤 윤소현 정강영 이푸르미 이세연
FAX	314-2178		314-3975		314-3977			314- 3971	314- 3972

경기광주세무서

대표전화: 031-8809-200 / DID: 031-8809-OOO

서장: **권 영 명**
DID: 031-8809-201

주소	경기도 광주시 문화로 127 (경안동) (우) 12752 하남지서: 경기도 하남시 하남대로 776번길 91 (경기도 하남시 신장동 521-4) (우) 12947				
코드번호	233	계좌번호	023744	사업자번호	
관할구역	경기도 광주시, 하남시			이메일	singwangju@nts.go.kr

과	체납징세과				부가소득세과		재산법인세과	
과장	최종호 240				강표 280		이순주 480	
계	운영지원	체납추적1	체납추적2	징세	부가	소득	재산	법인
계장	박길대 241	이승재 441	이봉형 461	이현준 261	황영진 281	김만식 361	이오혁	최민석 401
국세 조사관	김도훈 이현주 이재룡 김상덕 박완식 김승철	윤영진 손정희 김혜진 최안나 정은재 이상윤 김진주 강보라	이명수 나영수 김지윤 박상훈 정현정 황지연 남지윤	이진명 이현정 양주희	유영근 정선이 이훈기 이유진 김진아 홍우환 이창희 박은지 김양희 송민석 강미영 노주호 이상영 김예지 김하나	이영미 한승기 최혜승 김현석 안재현 김윤희 최충의 김인애 박다인 김정섭 백지연	이창한 강주현 박주열 이대훈 구본균 안지은 양숭우 이은미 고민경 권진솔 정윤희 이민우 허진주	한창훈 이미희 강은영 권미애 이평재 김창윤 하윤희 반승민 주소희
FAX	769-0417				769-0746		769-0773	

과	조사과			납세자 보호담당관		하남지서 (031-790-3OOO)					
과장	윤종현 640			김시정 210		이상용 400					
계	조사 관리	조사	세원정보	납세자 보호실	민원 봉사실	체납추적	납세자 보호실	부가	소득	법인	재산
계장	정태윤		오경선 691	박종환 211	고현숙 221	조대회 461	이준표 410	이상희 421	최용 431	하희완	김규한
국세 조사관	곽은희 손영미 최한솔	<1팀> 노신남(팀장) 임치성 김미정 <2팀> 박동균(팀장) 최새록 박정준 <3팀> 황현철(팀장) 유희태 박진호 <4팀> 김경열(팀장) 김재일 원효정 <5팀> 이원주(팀장) 김중근 유혜정	김강	장우인 강석원 송현철	정영석 장금희 양다희 이강희 이가원	윤주영 강승조 이기현 주진선 유소희 임재혁 이지윤	우정은 강기훈 김신애 심선희 이길호 전가람 김용준	권경훈 김윤희 장민기 이향섭 육현수 이현진 최효임 김혜정 오윤경 최정인 윤미경 이인심 노현아 성유빈	남궁준 김형규 박지영 최우영 정영현 김장섭 박소윤 오동현 조현하	윤정환 김종우 주은미 조선영 박지예	김헌우 이용욱 인한용 이재만 김동련 권정석 윤혜원 오병걸 유태호
FAX	769-0685		769- 0450	769- 0842	769- 0768	790- 2097	793- 2098	795-8112		795-5193	

안산세무서

대표전화: 031-4123-200 / DID: 031-4123-OOO

서장: **이 길 용**
DID: 031-4123-201

주소	경기도 안산시 단원구 화랑로 350(고잔동 517) (우) 15354				
코드번호	134	**계좌번호**	131076	**사업자번호**	134-83-00010
관할구역	경기도 안산시			**이메일**	ansan@nts.go.kr

과	체납징세과				부가가치세과			소득세과	
과장	장현기 240				백정훈 280			윤기철 360	
계	운영지원	체납추적1	체납추적2	징세	부가1	부가2	부가3	소득1	소득2
계장	주경관 241	김성열 441	최성례 461	이길녀 261	주진아 281	전익표 301	오영철 321	하영태 361	홍성권 381
국세 조사관	전상훈 김학진 윤윤숙 윤송희 최광석 김진호 예성민 박도훈 이경환	김종태 백승화 서유식 서경자 김정태 김수현 문현경 이노을 김지연 조정환 정지헌 박선양 현덕진	차유나 강아람 황다영 여진동 조혜민 이두호 곽길영	금도미 박훈미 구혜란 박조은 우보람	나형욱 김하강 류미순 김용연 이순아 고윤석 김상훈 김은서 황석현 김지연	박준희 송우락 이범주 곽준옥 이현주 이다운 박수지 송상민 이승아	인길식 양준석 이소영 최미영 이재영 임유진 박미성 김충모 주하나 최은선 김윤혁 고호경	박훈수 김현미 조창일 김종훈 이미연 이계숙 현미선 박선화 유제언 송재은	김용덕 이상범 정경인 최지현 손태영 김지언 김민성 정지수 박수진 김경아 지유미 김태현
FAX	412-3268				412-3531			412-3550, 3380	

과	재산세과			법인납세과		조사과			납세자보호담당관	
과장	박수용 480			송경덕 400		최욱진 640			박금철 210	
계	재산1	재산2	재산3	법인1	법인2	조사관리	조사팀	세원정보	납세자보호실	민원봉사실
계장	권미희 481	신종무 501	김수진 521	김영선 401	박민규 421	김예숙 641	<1팀> 이낙영(팀장) 채성호 이한솔	안성호 691	최고은 211	나유빈 221
국세조사관	김현준 윤지은 이수빈 이재욱 장소연	양서용 김정준 김진석 박현옥 한수현	송주희 김기배 박관준 황종욱 김진아 김주영	최명상 한상수 박재우 차연수 변광호 신철주 최현영 김성수 김수진 김기환 홍지민 김현지 이소연	김재일 김정은 이희석 문지선 박해란 하나임	이종복 김나현 고다혜 이동수 최명 곽미송	<2팀> 윤성식(팀장) 전은정 김은혜 <3팀> 김준호(팀장) 이아름 고은혜 <4팀> 장희진(팀장) 최명호 <5팀> 한경태(팀장) 차은영 한아름 <6팀> 이은주(팀장) 김송이 어영준 <7팀> 김정훈(팀장) 서연지	김세훈 전진무 윤준호	강경근 임선희 김반디 이여성 손택영 김유진 김진형	문태범 송준호 성은정 최준완 조소현 한다은 노주아 백유진 신유하 최유영 조승철
FAX	412-3495			412-3350		412-3580		412-3540	412-3340	487-1127

안양세무서

대표전화: 031-4671-200 / DID: 031-4671-OOO

서장: **강 영 구**
DID: 031-4671-201

주소	경기도 안양시 만안구 냉천로 83 (안양동) (우) 14090				
코드번호	123	계좌번호	130365	사업자번호	123-83-00010
관할구역	경기도 안양시 만안구, 군포시			이메일	anyang@nts.go.kr

과	체납징세과				부가가치세과		소득세과	
과장	박충열 240				노병현 280		배향순 360	
계	운영지원	체납추적1	체납추적2	징세	부가1	부가2	소득1	소득2
계장	양정주 241	조성훈 441		지정인 261	신지훈 281	김남주 301	전국휘 361	유은주 381
국세 조사관	김현정 박종호 소유섭 김서경 김용국 정지용	박인철 김강미 이현진 김은주 박원규 박상우	최윤정 장현준 한만훈 김성식 조소윤 정현민	이영아 손선영	최미란 김민 양승규 장경애 진영상 김지혜 김민정 김지영 박순웅 이지연 봉희진	홍경일 박수열 김아영 안영순 이은종 김하영 최석원 우동희 김찬수 배윤진 김태남	최성민 김경란 임소영 이재혁 류승윤 한미영 홍경희 복경아 김동윤	유정은 김형선 이병옥 정은순 이재상 김묘정 윤샛별 성민수
FAX	467-1600	467-1300			467-1350		467-1340	

과	재산법인세과			조사과					납세자보호담당관	
과장	김송주 400			이성호 640					조영수 210	
계	재산1	재산2	법인	조사관리	조사1	조사2	조사3	세원정보	납세자 보호실	민원 봉사실
계장	정은숙 481	김정훈 501	위현후 401	이준영 641	김옥진	이오섭	방치권	강선희 691	이주형 211	최동근 221
국세 조사관	김성길 조윤호 양주원 박찬민 송은희 나경태 권설진 채희원 이서하	남숙경 서승화 안성선 정유진 노시인	서용훈 김문환 한희윤 이윤경 김문희 유성은 나윤수 연송이 김은진	홍솔아 최설희 오수영	류문환 임우영	이희정 정다솔	배수영 김용희	허필주	강미애 신영두 문혜미	김지영 변철용 송정아 박현수 윤가연 이상은 이지수
FAX	467-1419		467- 1510	469-9831				467- 1696	469- 4155	467- 1229

용인세무서

대표전화: 031-329-2200 / DID: 031-329-2000

서장: **장 길 엽**
DID: 031-329-2201

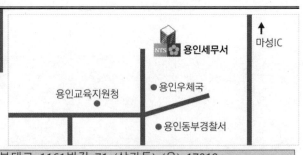

마성IC

용인세무서

용인교육지원청 ● 용인우체국

● 용인동부경찰서

주소	경기도 용인시 처인구 중부대로 1161번길 71 (삼가동) (우) 17019 수지민원실 : 용인 수지구 문인로54번길2 수지하우비상가 214호 (동천동 887)						
코드번호	142	**계좌번호**	002846		**사업자번호**	142-83-00011
관할구역	경기도 용인시 처인구, 수지구				**이메일**	yongin@nts.go.kr

과	체납징세과				부가가치세과		소득세과	
과장	박정훈 240				정석현 280		진상철 360	
계	운영지원	체납추적1	체납추적2	징세	부가1	부가2	소득1	소득2
계장	최종훈 241	정진방 441	권대명461	심용훈 261	정지영 281	김석원 301	박준현 361	임세실 381
국세 조사관	안정민 김환진 신현일 김정화 권영진 이택민	이기언 이진희 이문희 정현정 이보라 서진 김석주 서지민	김유진 성은경 정지현 홍지은 전신희 조성원 강주영	차순화 황연주 김경민	박진영 안유진 김연아 안태준 이은애 나선 이재민 조혜진 김도현 선우영진	조미영 한수현 이현진 박동민 이해남 서덕성 김현정 송성희 박상흠 이은범 민규원	양서진 김진환 이진희 송승재 선수아 정연득 정상아 김수진 김봄 김채아	이동관 한대희 최숙희 김지영 박선영 강병극 강준 여원선
FAX	321-1625						321-1628	

1등 조세회계 경제신문 조세일보

과	재산법인세과				조사과			납세자보호담당관	
과장	조환연 400				마동운 640			서동선 210	
계	재산1	재산2	재산3	법인	조사관리	조사	세원정보	납세자보호실	민원봉사실
계장	허두영 481	조흥기 501	석영일 521	김윤용 401			이점수 691	김성호 211	황용연 221
국세조사관	차성수 곽정수 유혜리 박라영 이장환 송보경 전재형 남유현	김선아 정수일 민경석 공영은 한준희 박미선	송원기 박준규 차송근 최유연 임정혁 조민영	이병진 원은미 지용권 신정아 김승범 이현정 이문희 한수정 김나래 오지현 전혜영 김수진 윤지예	최동주 이지연 박지혜	<1팀> 한은우(팀장) 강정선 김도연 <2팀> 구한석(팀장) 김진광 전영지 <3팀> 이신화(팀장) 하종수 허미림	이상현 조희진	김은주 김선이 백경모	박민정 남도영 이대희 김해경 문하나 이진호 이혜리 이다운 양예람 임아사
FAX	321-1641		321-1642	321-1626	321-1643			321-1645	336-2390

이천세무서

대표전화: 031-6440-200 / DID: 031-6440-OOO

서장: **윤 재 갑**
DID: 031-6440-201

주소	경기도 이천시 부악로 47 이천세무서 (중리동) (우) 17380 여주민원실: 경기도 여주시 세종로10 여주시청 별관5층 (우) 12619 양평민원실: 경기도 양평군 양평읍 군청앞길2(양평군청1층) (우) 12554			
코드번호	126	계좌번호	130378	사업자번호
관할구역	경기도 이천시, 여주시, 양평군		이메일	icheon@nts.go.kr

과	체납징세과				부가가치세과		소득세과	
과장	박금배 240				김재호 280		김봉기 520	
계	운영지원	체납추적1	체납추적2	징세	부가1	부가2	소득1	소득2
계장	이광희 241	이성훈 441	박일환 461	권희숙 261	고한일 281	백문순 301	김현승 521	박병민 541
국세 조사관	윤희상 김은경 이철원 박준원 김기덕 김영삼	이현균 노수창 서수아 김태범 김형준 유더미 진주연	박상민 오정환 김윤한 김두리 김지영 허민주 이형진	김안순 고현재	변한준 김아름 이우성 김도윤 선승민 류대현 이상덕 전인지 강윤형 손지원	이중한 연근영 김기홍 조은상 조상희 방민주 권은희 문현경 권다혜 남훈현 송혜연	이현주 문민호 조경화 박희창 장혜지 강민정	박수태 최혁진 남현두 한명수 성재경 남효정 박지우
FAX	634-2103				637-3920, 638-0148		637-4037	

과	재산법인세과				조사과			납세자보호담당관	
과장	원정재 400				이금동 640			박철규 210	
계	재산1	재산2	법인1	법인2	조사 관리	조사1	세원정보	납세자 보호실	민원 봉사실
계장	남윤현 481	윤명로 501	심미현 401	이수은 421	김경숙 641		조영규	김지윤 211	김준오 221
국세 조사관	유인식 김용철 조광제 김태효 김유창 최경락 이송이 김충배 정주리 장미진	정회창 김민규 조희정 오소라	배인희 손석호 황계순 고운지 이준서	김정희 이상윤 최영임 최강원 김누리	서홍석	<1팀> 신호균(팀장) 신영민 유가현 <2팀> 최재천(팀장) 권오교 정은해 <3팀> 김경현(팀장) 손선수 윤정임	박원규	강다은 김민정 지창익	이은경 김경란 심우택 박연숙 김용일 이석임 전수연 김재홍 임경수 채연식
FAX	638-8801	634-7377, 2115			637-4594			632-8343	638-3878 633-2100

평택세무서

대표전화: 031-6500-200 / DID: 031-6500-OOO

서장: **김 왕 성**
DID: 031-6500-201

비전중학교 가내초등학교
자란초등학교 비전고등학교
평택세무서
배다리저수지

주소	경기도 평택시 죽백6로 6 (죽백동 796) (우) 17862 안성민원실: 안성시 보개원삼로1(봉산동) (우) 17586					
코드번호	125	계좌번호	130381	사업자번호	125-83-00016	
관할구역	경기도 평택시, 안성시			이메일	pyeongtaek@nts.go.kr	

과	체납징세과				부가가치세과			재산세과		
과장	김창미 240				임재규 280			이원남 500		
계	운영지원	체납추적1	체납추적2	징세	부가1	부가2	부가3	재산1	재산2	재산3
계장	정효중 241	최송엽 441	한상윤 461	박래용 261	윤희경 281	황규석 301	구규완	김진오 481	유달근 501	임병일 521
국세 조사관	최용화 박혜영 여지수 정승기 남덕희 김주환	박은정 고진숙 정지숙 장지환 유홍근 임유리 이규선 신동주 진나현 박찬호 김문형	홍경 김수미 정용선 최용태 김동구 이지혜 이정은 김현경 한상화 박경일	이경희 우세진 김소리	신지선 최근형 정경화 김승원 강상희 서혜수 정훈 김경연 배은지 김정하 허준	윤찬균 유홍선 강희호 한경란 김초희 서준 배지원 김지연 손혜은 김태은	이충인 이유미 김석준 김근한 우원준 손혜진 김준범 장혜림	황지유 최복기 김기영 조용재 유다연 정준영 김은정 신혜정 송지인	이호광 유환동 강이슬 이재영 임승용 손형미	이우섭 변종희 김선애 정세미 정승용 전형정
FAX	658- 1116	658-1107		650- 0271	652-8226			655-4786, 7103		

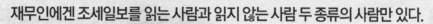

재무인과 함께 걸어가겠습니다 '조세일보'

재무인에겐 조세일보를 읽는 사람과 읽지 않는 사람 두 종류의 사람만 있다.

과	소득세과		법인세과		조사과			납세자보호담당관	
과장	홍강표 360		최교학 400		남영우 640			송지은 210	
계	소득1	소득2	법인1	법인2	조사관리	조사	세원정보	납세자 보호실	민원봉사실
계장	임승원 361	성기원 381	민성원 401	김병기 421	류종수 641	<1팀> 서용석(팀장) 정인교 김지현 <2팀> 이종철(팀장) 김숙희 박관중 <3팀> 조병욱(팀장) 정효민 조강우 <4팀> 기노선(팀장) 김선장 고진효 <5팀> 박병관(팀장) 김주원 정다은 <6팀> 허병덕(팀장) 박영규 양현모	노명환 691	우만기 211	이지숙 221
국세 조사관	정택준 백남현 강혜영 김동욱 김연광 오병관 권미경 김태은 전혜영 김혜경	연명희 최상미 김경민 김하림 박병주 정예은 최민서 안수민 손경미 조병욱	송기원 송주한 김정우 조희근 강병수 진동욱 김단비 김민경 고윤형	김민정 황우오 김보영 위장훈 위성호 엄인영 문창환 강수지 이슬이	김광현 최현정 성유미		도종호 오경미	김영주 이지원 우한솔 최소영	김영욱 김수진 윤창 고지현 안병용 한근자 박유천 김소연 조학준 유미선 박혜경
FAX	618-6234		656-7113		655-7112			655- 0196	656- 7111

동화성세무서

대표전화: 031-9346-200 DID: 031-9346-OOO

서장 : **김 진 갑**
DID: 031-9346-201

주소	경기도 화성시 동탄오산로 86-3(오산동) (우) 18478 오산 지역민원실: 경기도 오산시 성호대로 141 (031-374-4231)				
코드번호	151	계좌번호	027684	사업자번호	
관할구역	경기도 오산시, 화성시 중 정남면·진안동·능동·기산동·반정동·병점동·반월동·배양동·기안동·황계 동·송산동·안녕동·반송동·석우동·청계동·영천동·중동·오산동·방교동· 금곡동·송동·산척동·목동·신동·장지동			이메일	

과	체납징세과				부가소득세과		소득세과	
과장	박춘성 240				최은주 280		서인창 360	
계	운영지원	체납추적1	체납추적2	징세	부가1	부가2	소득1	소득2
계장	권익근 241	고은정 441	이만식 461	강윤숙 261	김동열 281	연제열 301	박창용 361	안창희 381
국세 조사관	한은정 장경희 천진호 권지용 곽세욱 노성태	김진희 김상용 김나경 김해진 이도영 윤현경 편수진 곽한울	유지연 조주현 이지현 조민성 고영상 김미란 천소현 장지혜	오현정 김소영	이정미 나기석 하효연 최현숙 백정화 신미애 최정연 최윤성 이란희 김예슬 류승혜 이현익 이재빈 김규원	박제상 김광식 서현영 김도경 한경화 송기순 박수용 장세리 장은심 안수현 박정욱 조혜숙 김린	박하홍 추경호 차영석 박홍규 민애희 지민경 이수연 김다솔	송은영 이해자 박혜진 원종민 원설희 박영훈 노수지
FAX	934-6249	934-6269			934-6299		934-6379	

과	재산법인세과			조사과			납세자보호담당관	
과장	권춘식 400			최동락 640			이강무 210	
계	재산1	재산2	법인	조사 관리	조사	세원정보	납세자 보호실	민원봉사실
계장	윤희철 481	소기형 491	조영빈 401	김동원 641		정호성 691		홍준만 221
국세 조사관	주기영 김미영 심수경 이재곤 신문정 이철우 김의동 정두레 김수지 김윤희 김대연	김기훈 정성은 김유정 임인혁 김소연	임교진 최민혜 우성식 김정기 곽진희 김수연 김준이 김보경 이현정 송혜인 신아름 송상율	남경희 김인숙	<1팀> 이재철(팀장) 이치웅 김지혜 <2팀> 김수현(팀장) 임수정 최영준 <3팀> 조창권(팀장) 허용 오나현 <4팀> 유기성(팀장) 구태환	이범수	이종우 정미애 이동엽	고경아 박연미 김선 강지은 송현정 이미지 윤은미 박일주 이승배 장호욱 백소희
FAX	934-6479	934-6419	934-6649		934-6699	934-6219	934-6239	

화성세무서

대표전화: 031-80191-200 DID: 031-80191-OOO

서장 : **오 철 환**
DID: 031-80191-201

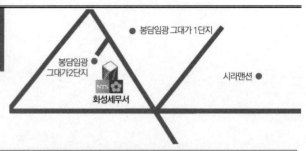

주소	경기도 화성시 봉담읍 참샘길 27(와우리 31-16) (우) 18321 남양민원실(031-369-6527) 화성시 남양읍 시청로 159 (화성시청 1층 세정과 내)					
코드번호	143	**계좌번호**	018351	**사업자번호**	
관할구역	경기도 화성시 (기배동, 화산동, 진안동, 반월동, 병점1,2동, 동탄1~8동 제외)			**이메일**	hwaseong@nts.go.kr

과	체납징세과				부가소득세과			재산세과	
과장	황영희 240				박주범 280			박종완 480	
계	운영지원	체납추적1	체납추적2	징세	부가1	부가2	소득	재산1	재산2
계장	김근민 241	김영민 441	김강산 461	박순철 261	주충용 281	이수용 291	장현수 301	서성철 481	임영교 501
국세 조사관	김은령 민옥정 김은애 문희제 황정미 정광현 안정원	김원택 송우경 임대근 최정심 문혁 공신혜 박지선 김준호 소연경 임혜연	박남숙 이재인 홍보희 한영임 윤주휘 이재훈 심규민 이혜인 최인경 한선희 김형민	윤기순 조한정 이재희 안민영	문선희 최우성 김건호 김근경 박수범 이남경 민경진 한비룡 김보연 조은비	정성곤 김찬 장종현 한성미 전선희 문지은 김다은 이상일 최석종 하상돈	김지향 김소영 좌현미 이은정 김보미 박미혜 한용석 정혜정 김선영 조한우 이정은	김영근 이원락 윤일주 강유나 정한나 이종영 박세진 주평하	이재현 김현미 안유미
FAX	8019-8211				8019-8257		8019-8202	8019-8229	

과	법인세과		조사과						납세자보호담당관	
과장	김종운 400		남수진 640						이민병 210	
계	법인1	법인2	조사 관리	조사1	조사2	조사3	조사4	세원정보	납세자 보호실	민원 봉사실
계장	권영진 401	김광복 421	김강록 641	정현표	박진혁	백승우	이창훈	윤환 681	조금식 211	한기석 221
국세 조사관	이광철 최영윤 김인철 김상현 김보미 성광민 김옥경 박정현 김정혜 염관진	우주연 김성진 박창선 유지호 김태현 정경민 김우경 박경진 진용미 최지은	조현성 김주옥 한그루	김상민 정다운	윤영우 김수지	김수연 고운이	지영환 노현민	박성현 정재훈	선화영 유현상 윤상목	김연호 박윤배 임건아 방은미 오혜미 오인택 강휘
FAX	8019- 8227	8019- 8270	8019-8251						8019-8231	

263

강릉세무서

대표전화: 033-6109-200 / DID: 033-6109-OOO

서장: **고 성 호**
DID: 033-6109-201

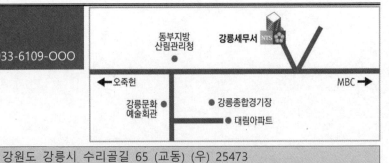

주소	강원도 강릉시 수리골길 65 (교동) (우) 25473				
코드번호	226	**계좌번호**	150154	**사업자번호**	
관할구역	강원도 강릉시, 평창군 중 대관령면, 진부면, 용평면, 정선군 중 임계면			**이메일**	gangneung@nts.go.kr

과	체납징세과		부가소득세과		
과장	배종복 240		손병중 280		
계	운영지원	체납추적	부가1	부가2	소득
계장	안상영 241	김억주 441	홍학봉 281	김진희 301	안용 361
국세조사관	조윤방 최정원 홍영준 강태규 김혜인	서의성 김옥선 서지상 김연지 안승현 정나영 신원식 박원준	박상태 박상언 김현정 이진영 김다영 권오광 김우주 강하라 김진화	함영록 최승철 김시윤 정하나 양가은 류승화	탄정기 양태용 박혜진 서동원 홍요셉 조현희 안윤혜
FAX	641-4186	646-8915	646-8914		

1등 조세회계 경제신문 조세일보

과	재산법인세과		조사과				납세자보호담당관	
과장	신민호 400		권혁용 650					
계	재산	법인	조사1	조사2	조사3	세원정보	납세자보호실	민원봉사실
계장	강병성 481	최덕선 401		김광식			박을기 211	정창수 221
국세 조사관	홍승영 이정식 김형수 신진섭 이신정 김희재	주선규 정홍선 이현숙 유미선 최슬기	지영환 김원명 윤민경	유가량 한성호	함인한 김혜진	조영경 정봉수	박용범	김효정 박승훈 이현선 이유진
FAX	648-2181	641-4185	646-8915				641-2100	648-2080

삼척세무서

대표전화: 033-5700-200 / DID: 033-5700-OOO

서장: **한 상 현**
DID: 033-5700-201

주소	강원도 삼척시 교동로 148 (우) 25924 태백지서: 태백시 황지로 64 (우) 26021 동해민원봉사실: 강원 동해시 천곡로 100-1 (천곡동) (우) 25769				
코드번호	222	계좌번호	150167	사업자번호	142-83-00011
관할구역	강원도 삼척시, 동해시, 태백시			이메일	samcheok@nts.go.kr

과	체납징세과			세원관리과		
과장	이성종 240			신규승 280		
계	운영지원	체납추적	조사	부가	소득	재산법인
계장	우창수 241	김용철 441	홍석의 651	조해원 281	양준모 361	신영승 401
국세 조사관	전대진 전수만 임진묵 안태길 신예슬	이성희 조상미 김민선 차지훈 김도헌 우수희	김정희 김광식 김연화 박남규 최우석 백진현	정경진 박미정 노용승 이남호 최성현 이예지	신명진 조현숙 장호윤 김소윤 남연경	김범채 김영숙 김현성 윤하정 김태민 이덕종 류재성
FAX	574-5788	570-0668	570-0640	570-0630		570-0408

과	납세자보호담당관		태백지서 033-5505-200		
과장	황보영곤 210		안응석 550-5201		
계	납세자보호실	민원봉사실	납세자보호	부가소득	재산법인
계장		정성주 221			임무일
국세 조사관	육강일	김산 금동화 오규원 이지은 염수진	김태경 김범수 김유영 이지영	유봉석 김동석 최정인 김승주	형비오 최훈 안해준
FAX	574-6583		3112-6982		

속초세무서

대표전화: 033-6399-200 / DID: 033-6399-OOO

서장: **김 승 현**
DID: 033-6399-201

청초 대우APT
● 노학동 주민센터
속초세관 ●
속초세무서
● 동일자동차 공업사
속초병원
● GS주유소

주소	강원도 속초시 수복로 28 (교동) (우) 24855				
코드번호	227	계좌번호	150170	사업자번호	
관할구역	강원도 속초시, 고성군, 양양군			이메일	sokcho@nts.go.kr

과	체납징세과		
과장	신승수 240		
계	운영지원	체납추적	조사
계장	최돈섭 241	공영원 441	김재형 651
국세 조사관	김한기 김민정 김성수 이소라 신종수	최현 김경록 이현승 고대연 김태연	오원정 박원기 조은희 진영석
FAX	633-9510		631-7920

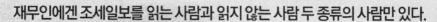

재무인과 함께 걸어가겠습니다 '조세일보'

재무인에겐 조세일보를 읽는 사람과 읽지 않는 사람 두 종류의 사람만 있다.

1등 조세회계 경제신문 조세일보

과	세원관리과			납세자보호담당관	
과장	황태훈 280			장경화 210	
계	부가	소득	재산법인	납세자보호실	민원봉사실
계장	조해윤 281	박래용 361	김진관 401		
국세 조사관	박동균 허덕재 박동완 김훈민 장세원 김주찬 한수현 정문승	정의성 이금연 박일찬 김소연 김예린	함귀옥 박정수 이경현 김성경 김동윤 권택만 김성민	김진만	황재만 임미숙 조민경 박찬웅
FAX	632-9523		631-9243	632-9519	

영월세무서

대표전화: 033-3700-200 / DID: 033-3700-OOO

서장: **유 진 우**
DID: 033-3700-201

주소	강원도 영월군 영월읍 하송안길 49 (하송3리) (우) 26235			
코드번호	225	계좌번호	150183	사업자번호
관할구역	강원도 영월군, 정선군(임계면 제외), 평창군(평창읍, 미탄면)		이메일	yeongwol@nts.go.kr

과	체납징세과		
과장	윤경 240		
계	운영지원	체납추적	조사
계장	김해년 241	김재영	
국세 조사관	이종훈 엄은주 지경덕 정의남 이자영	심수현 이순정 김두영 남기홍	박태진 박혜정 이예지 신승훈
FAX	373-1315		374-4943

과	세원관리과		납세자보호담당관	
과장	신상희 280		강기영 210	
계	부가소득	재산법인	납세자보호실	민원봉사실
계장		김무영 401		
국세 조사관	김정식 장광식 김재용 김종필 서은영 김호찬 박나혜 구정래 이은지	엄봉준 태석충 조인태 우진원 이민주 최규선 김예은	박애리	김화완 박순천 이영미 강유정
FAX	373-1316	373-1316(재산), 373-2100(법인)	374-2100	373-3105

원주세무서

대표전화: 033-7409-200 / DID: 033-7409-OOO

서장: **오 대 규**
DID: 033-7409-201

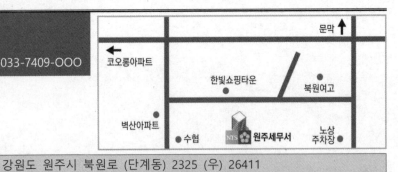

주소	강원도 원주시 북원로 (단계동) 2325 (우) 26411				
코드번호	224	계좌번호	100269	사업자번호	
관할구역	강원도 원주시, 횡성군, 평창군 중 봉평면, 대화면, 방림면			이메일	wonju@nts.go.kr

과	체납징세과			부가소득세과		
과장	유승환 240			김선재 280		
계	운영지원	체납추적	징세	부가1	부가2	소득
계장	이경자 241	문병대 441	박덕수 261	임성혁 281	한종훈 361	하창균 621
국세 조사관	윤상락 박현주 김병구 김세호 홍성대 추근우	권혁찬 전소현 심우홍 정의숙 최호영 손재원 이걸 최형권 백승훈 배지연 이은경	백애숙 이연주	서효우 백윤용 이건일 천승현 기은지 김유현 윤정현 서예원 김준혁	최중진 최정미 김성훈 진보람 신우용 조정연 허정미 김햇살 공채원 안광혁	박춘석 함주석 이수빈 임창현 안진경 이원희 어이슬 이현문 김형준 강민지 정회정 백미연
FAX	746-4791	740-9605	746-4791	745-8336		

과	재산법인세과		조사과		납세자보호담당관	
과장	김재준 480		김지태 650		최경화 210	
계	재산	법인	조사	세원정보	납세자보호실	민원봉사실
계장	이택호 481	이정범 401		김경돈 691	윤영순 211	주태영 221
국세 조사관	김석일 조준기 원진희 이지혜 최혁 윤정도 정윤주 장유진 정상헌 장재희 인소영	노경민 곽호현 이형근 이진영 최연우 장해성 우문연 조채연	<1팀> 김태범(팀장) 최진경 <2팀> 홍기남(팀장) 임채문 박인희 <3팀> 민규홍(팀장) 최자연 신원정 <4팀> 주승철(팀장) 안인기 김소현	백상규	김경숙 송희정 조현우	황보승 김은희 한혜영 김정민 백준호 이정희 박미옥 정재근 김민주
FAX	740-9420	740-9204	743-2630		740-9659	740-9425

춘천세무서

대표전화: 033-2500-200 / DID: 033-2500-OOO

서장: **백 승 권**
DID: 033-2500-201

주소	강원도 춘천시 중앙로 115 (중앙로3가) (우)24358 화천민원실: 강원도 화천군 화천읍 중앙로 5길 5 (우) 24124 양구민원실: 강원도 양구군 양구읍 관공서로 14 (우) 24523				
코드번호	221	계좌번호	100272	사업자번호	142-83-00011
관할구역	강원도 춘천시, 화천군, 양구군			이메일	chuncheon@nts.go.kr

과	체납징세과			부가소득세과		
과장	박종경 240			이춘호 280		
계	운영지원	체납추적	징세	부가1	부가2	소득
계장	유광선 241	심영창 441	유호정 261	홍후진 281	안종은 301	박승주 361
국세 조사관	강영화 김미경 민영규 강정민 권재서 정병호	이영 조성구 정석환 김기완 김신희 이문형 이성수 곽보경 이진주	이송희 임빛나	남정림 남호규 전영훈 정슬기 홍기범 부나리 윤선수 권창현	강동훈 김두수 이창호 박경미 권영은 조계호 김하은	김진수 강양우 노정민 유현정 이형석 임정환 이후돈 정수길 이현정 양기태
FAX	252-3589	250-0299		257-4886		

과	재산법인세과		조사과					납세자보호담당관	
과장	엄종덕 400		이철형 640					이상현 210	
계	재산	법인	조사1	조사2	조사3	조사4	세원정보	납세자 보호실	민원봉사실
계장	신재화 481	박형철 401	김형욱	최형지	방용익	진종범	유동열 691	지성근 211	이순옥 221
국세 조사관	김진영 박기태 장현진 이종민 배설희 조소영 김주상	정영훈 변대원 최완규 곽락원 송현주 박재현	신정미	박제린	최수현	이찬송	이은규	김달님 윤한철	정호근 박형주 박찬영 이병규 정선애 김보람 최영우
FAX	244-7947		254-2487					252-3793	252-2103

홍천세무서

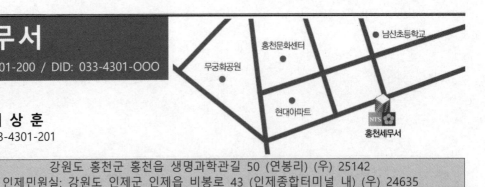

대표전화: 033-4301-200 / DID: 033-4301-OOO

서장: **이 상 훈**
DID: 033-4301-201

주소	강원도 홍천군 홍천읍 생명과학관길 50 (연봉리) (우) 25142 인제민원실: 강원도 인제군 인제읍 비봉로 43 (인제종합터미널 내) (우) 24635			
코드번호	223	계좌번호	100285	사업자번호
관할구역	강원도 홍천군, 인제군		이메일	hongcheon@nts.go.kr

과	체납징세과		
과장	이승종 240		
계	운영지원	체납추적	조사
계장	유인호 241	황일섭 441	김진성 651
국세 조사관	홍재옥 임재영 이종호 강수현	유원숙 이종석	강명호 남경민
FAX	433-1889		

10년간 쌓아온 재무인의 역사를 돌려드립니다 '온라인 재무인명부'

수시 업데이트 되는 국세청, 정·관계 인사의 프로필과 국세청, 지방청, 전국세무서, 관세청,
유관기관 등의 인력배치 현황을 볼 수 있는 온라인 재무인명부

과	세원관리과		납세자보호담당관	
과장	윤동규 280		류재경 210	
계	부가소득	재산법인	납세자보호실	민원봉사실
계장	김남주 281	심종기 401	이종완	박은희
국세 조사관	이성삼 김태경 장민수 정재용 이유안 정재윤 육지원 한재민	정재영 이우영 정민수 최원익 김수환 이예연		최병용 노강래 안양순
FAX	434-7622		435-0223	

인천지방국세청 관할세무서

인천지방국세청

주소	인천광역시 남동구 남동대로 763 (구월동) (우) 21556
대표전화 & 팩스	032-718-6200 / 032-718-6021
코드번호	800
계좌번호	027054
사업자등록번호	1318305001
e-mail	incheonrto@nts.go.kr

청장　　　이현규

(D) 032-718-6201

성실납세지원국장	유재준	(D) 032-718-6400
징세송무국장	박국진	(D) 032-718-6500
조사1국장	박광수	(D) 032-718-6600
조사2국장	양경렬	(D) 032-718-6800

인천지방국세청

대표전화: 032-7186-200 / DID: 032-7186-OOO

청장: **이 현 규**
DID: 032-7186-201

주소	인천광역시 남동구 남동대로 763 (구월동) (우) 21556				
코드번호	800	계좌번호	027054	사업자번호	1318305001
관할구역	인천권(인천, 김포, 부천, 광명), 경기 북부권(의정부, 양주, 포천, 동두천, 연천, 철원, 고양, 파주) 관내 세무서 : 인천, 북인천, 서인천, 남인천, 김포, 부천 의정부, 포천, 고양, 동고양, 파주, 광명			이메일	incheonrto@nts.go.kr

과	운영지원과				감사관		납세자보호담당관		
과장	양순석 240				윤재원 310		이율배 350		
계	인사	행정	경리	현장소통	감사	감찰	납세자 보호	심사	인천공항 납세지원
계장	최진선 242	박성호 252	배성심 262	이승환 272	박인수 312	322	고선혜 352	최미영 362	
국세 조사관	이동훈 황규봉 최미영 최수지 이승우 김혜진 이근호 천현창	공원재 김미선 한재영 백동훈 진승철 최윤주 홍성준 이영도 구대현 이창희 양승훈 강태헌 김선화	신희명 조혜진 이준형 임욱 이미애 김지엽	방성자 임석호 김민상 성상현 차지연	조성덕 김민수 최병재 임태호 오경택 박진아 이영선	문삼식 김한진 이수진 강신준 남기인 나혁균 심주용 배효정 정선영 박성태	이진아 이상수 이연수 서창덕 전예은	임재석 고배영 윤애림 최미희 이영숙 송재성	정선재 강소라
FAX	718-6022	718-6021	718-6023	718-6024	718-6025	718-6026	718-6027	718-6028	740-6043

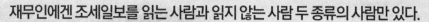

재무인과 함께 걸어가겠습니다 '조세일보'

재무인에겐 조세일보를 읽는 사람과 읽지 않는 사람 두 종류의 사람만 있다.

1등 조세회계 경제신문 조세일보

국	징세송무국								
국장	박국진 500								
과	징세과		송무과					체납추적과	
과장	손호익 501		주승연 541					박임선 571	
계	징세	체납관리	총괄	법인	개인1	개인2	상증	체납추적관리	체납추적
계장	이기련 502	김관홍 512	542	공희현 546	성종만 550	정선아 555	이기수 560	조현관 572	김광천 582
국세조사관	방윤희 김혜은 김향주 김동우	유현수 현보람 김복래 김영진 하태완	이주영 김명준 김인희	이창현 최요환 김동열	이정희 박영진 양홍철 박태완	고재민 박상우 황진영 김재윤	한송희 이창윤 홍성걸	이병노 허재영 박창환 김순석 김현경 노세영 정민혜	이아미 하두영 고명훈 채미옥 이상민 가성원 양현식 노상우 이혜선
FAX	718-6033		718-6034					718-6035	

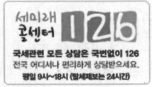

세미래 콜센터 126
국세관련 모든 상담은 국번없이 126
전국 어디서나 편리하게 상담받으세요.
평일 9시~18시 (탈세제보는 24시간)

DID : 032-7186-OOO

국	성실납세지원국										
국장	유재준 400										
과	부가가치세과			소득재산세과				법인납세과			
과장	서기열 401			김월웅 431				이규열 471			
계	부가1	부가2	소비세	소득	재산	소득지원	소득자료관리TF	법인1	법인2	법인3	법인4
계장	유경원 402	김화정 412	김은정 422	송인규 432	임덕수 452	안성경 462		김영노 472	이기병 482	문현 488	김영수 493
국세조사관	강소라 이영옥 박예람 정지훈	선봉래 백찬주 박지선 이규종 김성재	나찬주 조준영 한상재 강혜진	김종훈 정성은 변성경 배경은 배윤정	오수미 주승윤 조지현 이현민	조진동 이현준 남은영	양숙진 김희진 이주은	김정이 전유영 홍준경 강지수 장수영 이다영	이은섭 송동규 김혜윤 현민웅	류수현 한지연 박준식	박지암 남도경 송보라 백장미
FAX	718-6029			718-6030				718-6031			

국실	성실납세지원국				조사1국				
국장	유재준 400				박광수 600				
과	전산관리팀				조사관리과				
과장	101				전주석 601				
계	관리1	관리2	정보화1	정보화2	제1 조사관리	제2 조사관리	제3 조사관리	제4 조사관리	제5 조사관리
계장	김용우 102	안형수 112	박용태 122		강세정 602	김하성 612	박병곤 622	조민영 632	김정대 642
국세 조사관	신해규 김선영 최광민 이택수	신의현 신채영	김경민 이지숙 서지희 이미경 정미경 한연주 김복임 김진희 김영숙 전혜정 김은향	김은주 김지수 조정자 최명순 김정희 권정숙 김은영 이송이 정미영 김관우 안민희	배동희 조영진 박좌준 박정은 박미소	김진우 신기주 천재도 양지윤	서현희 박종석 김민희 김혜연 송신애 이창학	임준일 김수정 이승찬 이슬비 손종대 노아령 이진우	황창혁 김병규 정홍주 이광환 정구휘
FAX	718-6032				718-6036				

DID : 032-7186-OOO

국실	조사1국									
국장	박광수 600									
과	조사1과				조사2과			조사3과		
과장	이현범 651				우철윤 701			최일환 741		
계	조사1	조사2	조사3	조사4	조사1	조사2	조사3	조사1	조사2	조사3
계장	이용재 652	배성수 662	이지선 672	이영진 682 유대현	강석윤 702	서명국 712	류송 722	정현대 742	김생분 752	김재호 762
국세 조사관	박범수 고정주 이미진 김건영 강현주	박진석 이경석 김명경 이윤애	김대범 고영주 우은혜 장정엽 홍세희	박지원 전준호 주선정	전미애 임세혁 김승희 김가람 정기선	오명진 민종권 조원석 조윤주 김유경	이은송 김치호 김보나 구표수	신기룡 노남규 김봉완 배성혜 김유진	김인숙 김재석 이태한 윤다영 김근우	조윤경 이규의 임은식 정승기
FAX	718-6037				718-6038			718-6039		

국실	조사2국													
국장	양경렬 800													
과	조사관리과				조사1과					조사2과				
과장	민종인 801				김민 851					윤성태 901				
계	제1조사관리	제2조사관리	제3조사관리	제4조사관리	조사1	조사2	조사3	조사4	조사5	조사1	조사2	조사3	조사4	조사5
계장	양성철 802	박형민 812	배인수 822	공용성 832	윤경주 852	김민완 862	허준용 872	정해인 882	김상윤 892	박정준 902	설환우 912	정은정 922	이윤우 932	최영일 942
국세 조사관	박근엽 김경진 최파란 여현정 진혜진	김태원 유성훈 박일수 김민경 박상아	김재철 권기완 남일현 조재희	김경숙 박인제 장선정 강성민 노일도 김효정 김이섭	이진선 이재우 김제헌 이다혜	정동욱 하현정 제병민	곽재형 김우리 이신숙	박상영 전세림 안은정	성재영 엄일해 박영호	장원석 김재중 박지현 홍영호	백선애 김상진 이은진	권성미 전영출 한완상	이미영 이선행 최민경	김영미 신창영 김다은
FAX	718-6040				718-6041					718-6042				

285

남인천세무서

대표전화: 032-4605-200 / DID: 032-4605-OOO

서장: **정 연 주**
DID: 032-4605-201

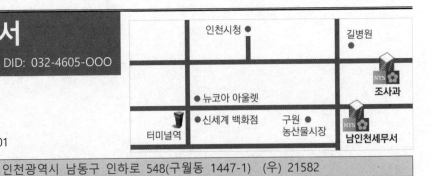

주소	인천광역시 남동구 인하로 548(구월동 1447-1) (우) 21582				
코드번호	131	**계좌번호**	110424	**사업자번호**	131-83-00011
관할구역	인천광역시 남동구			**이메일**	namincheon@nts.go.kr

과	체납징세과				부가가치세과		소득세과	
과장	윤재웅 240				민철기 280		이철우 360	
계	운영지원	체납추적1	체납추적2	징세	부가1	부가2	소득1	소득2
계장	임용주 241	양재우 441	김창호 461	한원찬 261	강정원 281	곽한능 301	고민수 361	김백규 381
국세 조사관	박광욱 홍예령 이현선 이준호 김준수	정다은 장예원 엄연희 김기송 김혜성 이은정 서석현	서유진 신유나 임순길 유선영 신현진 조윤경 김소연	김효진 이지연 강예은	박우영 이준희 손현지 이온유 황정하 김봉호 고설민 김다형 정도연 전예진 남예원	임해숙 조인호 남관덕 안슬비 박서우 정보길 조현종 김태희 안수민 전지현 김지현 김혜영	이영권 신연주 최윤정 박효은 조경화 권효정 선유정 강현창 박모우	김정동 서주현 김주아 김진희 최윤석 이연서 김건형 양송이
FAX	463-5778				461-0658		461-0657, 461-3743	461-3291, 461-3267

1등 조세회계 경제신문 조세일보

과	재산법인세과				조사과						납세자 보호담당관	
과장	강기석 480				임석원 640						이미진 210	
계	재산1	재산2	법인1	법인2	조사 관리	조사1	조사2	조사3	조사4	세원 정보	납세자 보호실	민원 봉사실
계장	최성용 481		정종천 401	노영훈 411	염유섭 641	이지훈	반정원	최창현	김대영	조경호 691	예상국 211	구본섭 221
국세 조사관	엄청분 김동현 노재훈 진영근 안태균 이민정 김보라	조용식 도영만 남윤현 박혜선	김윤주 기두현 박채원 김보람 방미경 이동석 김혜린	송충호 김동호 권은경 고유경 김태용 김민정 이소정	이아연 주소미	이동락 조은빛	전승현	이주환 김인정	박민희	배재호	김광태 조종수 김혜빈	김윤희 이승호 이지안 김주희 이현애 황선화 황경서 김원욱
FAX	464-3944, 461-6877		463-7159, 471-2100		462-4232, 471-2101						464- 6183	463- 7177

북인천세무서

대표전화: 032-5406-200 / DID: 032-5406-OOO

서장: **김 성 철**
DID: 032-5406-201

작전역
현대백화점
북인천세무서
작전공원
작전동 우체국
신라아파트

주소	인천광역시 계양구 효서로 244 (작전동 422-1) (우) 21120				
코드번호	122	계좌번호	110233	사업자번호	122-83-01942
관할구역	인천광역시 계양구, 부평구			이메일	bukincheon@nts.go.kr

과	체납징세과				부가가치세과				소득세과			
과장	김을령 240				이광 280				이응수 360			
계	운영지원	체납추적1	체납추적2	징세	부가1	부가2	부가3	부가4	소득1	소득2	소득3	소득4
계장	박은희 241	고석철 441	박성구 461	이용희 261		강경덕 301	유재식 321	강옥향 331			탁경석 621	박대협 383
국세조사관	이병용 오은희 양지선 신연순 송지훈 김종주 김혜정 정기열 서현석	장윤호 문성희 신고현 이정상 안종근 황태희	이미경 박소혜 이상곤 김태웅	윤난희 박순득 최형준 권혜련 허정인	강흥수 문종구 최주광 정효성 김지숙 김상균 박상규 장연화 박정원 나태운 이유상 윤미로	송준현 정지운 길은영 박경완 홍다영 조강희 정혜인 김영훈 하성우 이은자 백지현	박미경 김재준 김진아 김영은 박지해 이유경	김정한 안지선 연정현 최지웅 신예원 김대욱	박은미 김정원 최예숙 이소영 김은송 채희문 김수민 최현숙	송승용 김재권 이수정 박소연 백다정 한승민 유시현	임유화 한승구 황민희 최이진 정신애	남은빈 김민정 고민경 이은지
FAX	545-0411, 548-4329				543-2100				721-8103, 542-5012			

288

과	재산세과			법인세과		조사과			납세자 보호담당관	
과장	조민호 480			김용우 400		이유원 530			고종관 210	
계	재산1	재산2	재산3	법인1	법인2	조사	세원 정보	조사 관리	납세자 보호실	민원 봉사실
계장		서흥원 501	여종구 521		이병인 421	<1팀> 고현(팀장) 이주용 김한나	천현식 591	송영우 531	김순영 211	서위숙 221
국세 조사관	김명수 신영선 이선미 이아름 김은정 윤지현 김수아 김소담	김혜진 이상왕 이영례 이도형 최보미 이유영 박병태	김병찬 현선영 이현석 박상선 김보미 최성열 최승규	안병철 구수정 정경돈 전영무 최경준 최연주 김향숙 황성묵 진경	김중재 신나리 김경태 신지수 김한솔	최장영 김봉식 신혜란 <2팀> 김재석(팀장) 정다운 정현지 <3팀> 엄의성(팀장) 최석운 김예슬 <4팀> 김은태(팀장) 나민지 오준영 <5팀> 김태완(팀장) 박미진 김유철	최장영 김봉식 신혜란	민경삼 공민지 홍형주 백정하 김한나	이영휘 이수진 김민정 김성록 장형원	최현 최종욱 김동휘 채혜란 박미나 박보경 김지은 이민지 김한솔
FAX	542-6175 546-0719			542-6173 542-6176		551-0666			545- 0268	549- 6766

서인천세무서

대표전화: 032-5605-200 / DID: 032-5605-OOO

서장: **김 동 수**
DID: 032-5605-201

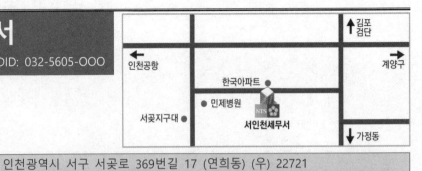

주소	인천광역시 서구 서곶로 369번길 17 (연희동) (우) 22721					
코드번호	137	계좌번호	111025	사업자번호	137-83-00019	
관할구역	인천광역시 서구			이메일	seoincheon@nts.go.kr	

과	체납징세과				부가가치세과		소득세과	
과장	오태진 240				박봉철 280		장필효 620	
계	운영지원	체납추적1	체납추적2	징세	부가1	부가2	소득1	소득2
계장	김창호 241	이순모 441	박용호 461	조미현 261	김혜령 281	장기승 301	심형섭 361	전우식 621
국세 조사관	김민형 최은경 신연희 정종우 양정인 김영재 한복수 이성엽	이현희 조아라 황지환 박지혜 유화정 김민주 김세은 권도현	이수덕 이혜영 송주형 김상철 정은아 박명아 전소윤	최은옥 김효은	채송화 한인정 유남렬 정은아 박호빈 권서영 임종우 현유진 정지윤 권태민 정현규 신승우 김하나 이정훈	서원식 윤미경 권현택 조초희 조다인 김도협 윤지현 최진욱 황종하 손석호 강희천 유현희 박준영 배지은	정영무 박종주 김대일 임인혜 윤미라 이하림 차나리 유희봉 신은주	김호 김수민 권혜화 유민설 김시온 정수진 조중훈
FAX	561-5995				561-4144		562-8213, 562-8210	

과	재산법인세과				조사과						납세자 보호담당관	
과장	박경은 5400				구정환 640						양희석 210	
계	재산1	재산2	법인1	법인2	조사 관리	조사1	조사2	조사3	조사4	세원 정보	납세자 보호실	민원 봉사실
계장	유의상 441	이종기 501	김기식 401	김준호 421	정연섭	김동진	최준재	고덕상	이준년	691	김육노 211	221
국세 조사관	이승환 전현민 추은정 이창우 안혜진 문찬웅 정기주 서은지	용진숙 범지호 박준영 김지혜	박두원 성현진 김지혜 김보경 곽동훈 박진실	신경아 김진영 봉현준 조정은 박현우 김웅	이선아 김선아 송채영	서경석 김미영 최규한	조현지 김지동	이종현 김소윤	윤재현 이연경	강선영 김지영	장선영 전유광 오인화	강혜진 이춘주 김미연 유순희 이영재 김보미 김형식 정영인
FAX	562-5533 561-4423		561-3395		562-5673						561-0666	561-5777

인천세무서

대표전화: 032-7700-200 / DID: 032-7700-OOO

서장: **홍 성 훈**
DID: 032-7700-201

주소	인천광역시 동구 우각로 75 (창영동) (우) 22564 별관 : 인천 미추홀구 인중로 22, 2층 조사과(숭의동, 용운빌딩) (우) 22171 영종도민원실 : 인천시 중구 신도시남로 142번길 17, 301호 (운서동) (우) 22371				
코드번호	121	**계좌번호**	110259	**사업자번호**	121-83-00014
관할구역	인천광역시 중구, 동구, 미추홀구, 옹진군		**이메일**	incheon@nts.go.kr	

과	체납징세과				부가가치세과			소득세과	
과장	박미란 240				복용근 280			김은오 340	
계	운영지원	체납추적1	체납추적2	징세	부가1	부가2	부가3	소득1	소득2
계장	황경숙 241	권영균 441	이민철 461	한덕우 221	281	301	321	341	김상만 361
국세 조사관	임경순 한지원 이휘승 가준섭 김자림 이일환 김휘태	배은상 이선아 김상경 박형준 김송정 박종성 조윤영 서민지 이혁재 이윤경	김인성 신미경 유정아 임선옥 권병묵 엄장원 현종원 이관재 김미미 유희근	박신우 박지민 오수진	박기룡 이상희 이재우 김수원 박정윤 차일현 김아름 최영환 조유영 김득화 유동재 최은진 최상연 이혜화	안형선 이영숙 김지은 윤지희 김태훈 정근욱 김지현 한혜진 서문영 김선우 김영규 홍은아 이주환	이영숙 김미옥 이하경 김희창 김지은 임자혁 정소연 이종훈 홍유민 민예지 조중현 이종욱 서문경	홍성기 김창현 박명순 남현철 강경호 이진영 유승현 소서희 노종대 임광빈 장슬빈	박미선 양정미 박일호 박소희 차연아 박영수 김민애 최창열 김가영 박미래
FAX	763-9007	765-1603			765-1604			777-8105	

292

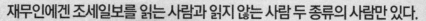

재무인과 함께 걸어가겠습니다 '조세일보'

재무인에겐 조세일보를 읽는 사람과 읽지 않는 사람 두 종류의 사람만 있다.

1등 조세회계 경제신문 조세일보

과	재산세과		법인세과		조사과			납세자 보호담당관	
과장	정철 480		이찬희 400		김기석 640			정용석 210	
계	재산1	재산2	법인1	법인2	조사 관리	조사	세원 정보	납세자 보호실	민원 봉사실
계장	최미숙 481		이영민 401	김은기 421	염철웅 641	<1팀> 김종율(팀장) 이충원 이우남	원범석	211	임권택 221
국세 조사관	김효진 임은영 최용선 조성연 김현진 박현정 원가영 정호영 이채현	김광표 임진혁 국봉균 박혜인	전창선 차세원 오미정 이명훈 박수미 김민주	박장수 김재선 전지연 구아림 김민정 윤정욱	오유미 오경선 이예슬	<1팀> 김종율(팀장) 이충원 이우남 <2팀> 김상천(팀장) 민소윤 김태희 <3팀> 황태영(팀장) 손현진 이경혜 <4팀> 최명석 남기은 기영준 <5팀> 전현정(팀장) 장은용 변효정	김수연 천수진	이아영 한인표 고명현 윤주영	김성연 강소여 박미영 유금숙 김정기 이경록 김한범 채진병 서지형 윤혜미 김민중
FAX	721-8407	777-8109	777-8108	777-8109	885-8334			765-6044	765-6042

293

고양세무서

대표전화: 031-9009-200 / DID: 031-9009-○○○

서장: **지 임 구**
DID: 031-9009-201

경기도 고양교육청   고양 일산아람누리   정발산역
● 일산소방서   롯데백화점 ●
고양세무서   미관광장
롯데시네마 ●   홈플러스 ●

주소	경기도 고양시 일산동구 중앙로1275번길 14-43 (장항동774) (우) 10401					
코드번호	128	계좌번호	012014	사업자번호	128-83-00015
관할구역	경기도 고양시 일산동구, 일산서구		이메일	goyang@nts.go.kr		

과	체납징세과				부가가치세과		소득세과	
과장	김미나 240				황재선 280		박현서 360	
계	운영지원	체납추적1	체납추적2	징세	부가1	부가2	소득1	소득2
계장	장주열 241	오승필 441	이강일 461	이정균 261	281	배욱환 301	박영용 361	허은성 381
국세 조사관	임형우 이경빈 정연철 조해동 김상균 유창수	박윤경 이미란 김명규 심한보 이승형 김보원 황유솔 양윤숙 김수영	전미영 김정혁 최한뫼 박지원 김미경 김수빈 차수빈 박형준 이서호	주경희 기아람 조가영	신혜주 남영우 유정식 김민욱 여지현 임경석 정미라 정지명 오신형 우수정 박예은 이종관 이슬 임진옥	신선주 공진하 김은정 유길웅 김희진 강희정 남기홍 진민정 박정호 송일훈 장일웅 최수경 이선아 이혜련	김진기 조정은 안국찬 한승협 안윤미 허세미 신동준 백소이 유환일 조지윤	최회윤 김가영 권혁준 송경령 송명진 김민조 이권희 채유진 박미진 선현우
FAX					907-0677		907-1812	

294

과	재산세과			법인세과		조사과			납세자 보호담당	
과장	박선수 480			김동연 400		조혜정 640			김동식 210	
계	재산1	재산2	재산3	법인1	법인2	조사관리	조사	세원정보	납세자보호실	민원봉사실
계장	황영삼 481	남형주 491	박상정 501	김종완 401	이선우 421	김연수 641				조영순 221
국세조사관	박윤지 현양미 안동민 방혜선 윤성귀 김준철 이수현	박노승 이해옥 김범석 윤현정 최서윤	김세영 이정현 이광희 김유미 이여경 신명섭	김무남 이영욱 김완석 봉선영 이혜미 이정욱	이성원 윤정현 박선희 원규호 김지영 오지연 최다혜	강인행 정지연 정류빈	<1팀> 이유미(팀장) 김덕교 김대연 <2팀> 최헌순(팀장) 김영재 김가연 <3팀> 박정완(팀장) 이재용 최현성 <4팀> 김도윤(팀장) 김경환 이승리 <5팀> 김정식(팀장) 고경만 이은기	노은영 이근희 김하얀	김광수 조한덕 이루리 남보영	유수재 한은숙 송지혜 김우현 이정원 구지은 최연경 이혜옥 이민아 한무현 권지원 이진수
FAX				907-0973						907-9177

광명세무서

대표전화: 02-26108-200 / DID: 02-26108-OOO

서장: **정 부 용**
DID: 02-26108-201

주소	경기도 광명시 철산로 3-12(철산동 251) (우) 14235 별관: 경기도 광명시 철산로 5 (철산동 250) (우) 14235				
코드번호	235	**계좌번호**	025195	**사업자번호**	702-83-00017
관할구역	경기도 광명시			**이메일**	

과	체납징세과			부가소득세과	
과장	윤성양 240			강부덕 300	
계	운영지원	체납추적	징세	부가	소득
계장	이종민 241	박창길 441	윤권욱 261	장재영 301	곽민성 351
국세 조사관	송정숙 박영민 김용희 강인한 이다민	강석훈 장선희 최성환 이민희 김지현 김소연 안성국	이형원 박미영	문경 이태용 이현주 이수진 김경해 최주희 정수진 김태훈 조민석 천인호 심지영	조채영 김영숙 맹선영 신수창 이슬비 신민철 김기환 조민경 김태영 송호연
FAX	3666-0611			2617-1486	

1등 조세회계 경제신문 조세일보

과	재산법인세과		조사과					납세자보호담당	
과장	정종오 500		이상길 640					김유신 210	
계	재산	법인	조사관리	조사1	조사2	조사3	세원정보	납세자 보호실	민원봉사실
계장	송영인 401	김정열 501	이대일	이경선	임흥식	이재훈	박병민 682	소본영 211	박상별 221
국세 조사관	이소정 이준홍 한상희 김봉재 최민규 김하원 김유나 이우재 장승연	김경희 고봉균 김동선 김찬주 박규빈 이서은	한유진	김선애	정해시	정연선	오경환	유미연 김재원	윤희수 이용주 박진아 이명주 김정인
FAX	2617- 1487	2060- 0027	2685-1992					2617- 1485	2615- 3213

김포세무서

대표전화: 031-9803-200 / DID: 031-9803-OOO

서장: **한 성 옥**
DID: 031-9803-201

주소	경기도 김포시 김포한강1로 22 장기동 (우) 10087 강화민원봉사실 : 인천광역시 강화군 강화읍 강화대로 394 (우) 23031						
코드번호	234	계좌번호	023760	사업자번호			
관할구역	경기도 김포시, 인천광역시 강화군			이메일		gimpo@nts.go.kr	

과	체납징세과				부가가치세과		소득세과	
과장	권충구 240				한철희 280		김민수 340	
계	운영지원	체납추적1	체납추적2	징세	부가1	부가2	소득1	소득2
계장	정태민 241	손동칠 441	이광용 461	이혜경 261	정선례 281	임지혁 301	김영국 341	박찬택 361
국세 조사관	김태형 주성숙 신용섭 황선길 김수영 윤형식	윤혜영 정재욱 태영연 김동엽 윤하영 한진규 손수아 장훈희	안지은 남석주 이윤수 강효정 문진희 권도진 박정현 오윤라	김현정 박하연 이현민	최지현 이태상 조수영 정형석 나유림 최재혁 이보라 김한올 박근호 장정현 이지현 고연우 송영욱	김진도 김윤경 석산호 민경원 이연주 하수정 최유성 전건모 이윤호 강지수 김현민 성다진 이진우	이병노 설병환 최혜진 진주희 최동진 김동우 심수진 허성경 김의연	김만덕 이용우 이호정 박주연 이주한 김다영 박소영 김민선
FAX	987-9932	987-9862			983-8028		998-6973	

과	재산법인세과				조사과			납세자 보호담당관	
과장	하종면 400				이성복 600			조춘옥 210	
계	재산1	재산2	법인1	법인2	조사 관리	조사1	세원정보	납세자 보호실	민원 봉사실
계장	조은희 401	한세영 421	왕태선 501	이호준 521	이상락 601		이정민 641	신현준 211	송주규 221
국세 조사관	윤영섭 오기철 정다이 배상용 이민규 박미연 윤태인 김지수 최우녕 김진국 황수인	김익왕 박성혁 윤유라 박아름별	최정완 장미향 송선주 이정문 조정훈 류영리 장진아 선경식 김인욱	안준 김주홍 김민정 서지우 태대환 김윤희 반재욱 심자민	채연학 이동훈	<1팀> 성정은(팀장) 김대관 김동수 <2팀> 박민규(팀장) 박용운 정지윤 <3팀> 조종식(팀장) 김현일 지수 <4팀> 최원석(팀장) 이인이 윤지원 <5팀> 안선미(팀장) 김승희 피연지	유은선 이금희	김근영 선종국 유준상	박영기 김성기 배인애 이정화 정진숙 이희정 홍지안 신중훈 이현화 최우정
FAX	998-6971		986-2801				986-2805	986-2806	982-8125

동고양세무서

대표전화: 031-9006-200 / DID: 031-9006-OOO

서장: **조 영 탁**
DID: 031-9006-201

주소	경기도 고양시 덕양구 화중로104번길 16 (화정동) 화정아카데미타워 3층(민원실), 4층, 5층, 9층 (우) 10497				
코드번호	232	계좌번호	023757	사업자번호	
관할구역	경기도 고양시 덕양구			이메일	

과	체납징세과			부가소득세과		
과장	윤만식 240			강창식 280		
계	운영지원	체납추적	징세	부가1	부가2	소득
계장	오병태 241	우인식 441	정용석 261	정현중 281	임순하 301	유은주 321
국세 조사관	박일수 김지인 김현철 김복현 고지환 강성민	김영주 이철형 양이곤 전혜윤 최은영 김이화 류매란 이동찬 황다빈 박경란 신승진	유영숙 채예지	박재홍 한창규 인윤경 신지은 이슬기 이승재 김지현 이지영 정소정 김희영	윤현경 박수진 임진연 노규현 신선미 김진원 전승헌 윤새롬 신정수	강경인 한주성 장설희 이희영 이수경 김정섭 오은숙 문서윤 남지은 박수지 노재원 박찬용 윤여준 장유진
FAX	963-2979	900-6558		963-2372		

10년간 쌓아온 재무인의 역사를 돌려드립니다 '온라인 재무인명부'

수시 업데이트 되는 국세청, 정·관계 인사의 프로필과 국세청, 지방청, 전국세무서, 관세청,
유관기관 등의 인력배치 현황을 볼 수 있는 온라인 재무인명부

1등 조세회계 경제신문 조세일보

과	재산법인세과			조사과					납세자보호담당관	
과장	양태호 400			김재민 640					고미경 210	
계	재산1	재산2	법인	조사관리	조사1	조사2	조사3	세원정보	납세자 보호실	민원 봉사실
계장	김춘동 481	서광렬 501	정윤철 401	고택수 641	최영수	김희정	백성종	김태환 691	김욱진 211	이경권 221
국세 조사관	박진수 어원경 장희숙 정세경 박종률 섭지수 류홍근 김혜숙 이혜지	조영호 박민준 이현주 이민정	민수진 윤희선 이현규 김빛누리 홍서준 김유리	안선 안혜진	최유나 이도희	손승희 김현준	이준영	권보현	이혜영 이현철	김혜숙 김태두 문주희 김의영 황지혜 신호빈
FAX	963-2983			963-2972					963- 2271	900- 6572

남부천세무서

대표전화: 032-4597-200 / DID: 032-4597-OOO

서장: **이 슬**
DID: 032-4597-201

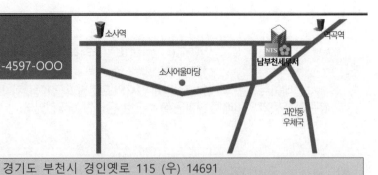

주소	경기도 부천시 경인옛로 115 (우) 14691				
코드번호	152	계좌번호	027685	사업자번호	
관할구역	경기도 부천시			이메일	

과	체납징세과			부가가치세과		소득세과	
과장	김태선 240			고완병 320		김성곤 360	
계	운영지원	체납추적	징세	부가1	부가2	소득1	소득2
계장	고은희 241	서동욱 441	하미숙 261	유영복 281	김형봉 301	정삼근 361	강혜련 381
국세 조사관	이종섭 김가영 서은미 김준영 이현채 신지은 조효원	추원욱 민경준 신동진 김원중 허원석 성해리 장소영	주민희 박슬기	송석철 진호범 김재경 황정록 박유라 박연진 차준형 박시현	김명선 정성익 배희경 송찬빈 최은진 유광근 이영롱 전하준	황선태 신경섭 이소영 이상용 계현희 장은경 배준영	이준우 유진영 정혜아 강오라 이성훈 남기은 방서주
FAX	459-7249			459-7299		459-7379	

과	재산법인세과			조사과				납세자보호담당관	
과장	고정선 480			송영기 640				조재량 210	
계	재산1	재산2	법인	조사관리	조사1	조사2	세원정보	납세자 보호실	민원봉사실
계장	장현수 481	박한중 501	박영길 401	양영규 641	정철화	이광식	김용석 691	이신규 211	조양선 221
국세 조사관	김희환 홍석후 박세라 김규호 강민정 곽유진	곽진섭 이영수 김희경 박해리	손민 손창수 이규호 임기문 문영미 전원진	이은수 최아라	박미래 채명훈	정승훈 한수지	황인태	신현원 정혜수 박주호	홍종훈 최은정 오진택 전유완 김소현 박지은 심현주
FAX	459-7499			349-8971				459-7219, 459-7231	

부천세무서

대표전화: 032-3205-200 / DID: 032-3205-OOO

서장: **이 승 래**
DID: 032-3205-201

중흥 고등학교　　부천세무서 NTS　↑ 부천IC

은하마을　중흥마을　중흥 중학교 ●
　　　　　　　　홈플러스 ●

부천시청　　　롯데백화점 ●　● 부천원미
　　　　　　　　　　　　경찰서

주소	경기도 부천시 원미구 계남로 227 (중동) (우) 14535				
코드번호	130	계좌번호	110246	사업자번호	130-83-00022
관할구역	경기도 부천시 고강동, 내동, 대장동, 도당동, 삼정동, 상동, 약대동, 여월동, 오정동, 원종동, 작동, 중동			이메일	bucheon@nts.go.kr

과	체납징세과				부가가치세과		소득세과	
과장	반종복 240				조병준 280		전경옥 360	
계	운영지원	체납추적1	체납추적2	징세	부가1	부가2	소득1	소득2
계장	고진곤 241	진경철 441	이남주 451	유현석 261	조인찬 281	김선봉 301	장남식 361	박현구 371
국세 조사관	조재웅 조용호 최옥미 엄희진 김재호 권자인 서동천	조명희 나영 이종찬 김병희 박모린 여승구	김동현 이건빈 정현주 김경애 류가연 황순우 정호성	민성기 김혜연 이정훈	황성윤 이서연 송성심 임순종 문경은 권오방 오정은 정윤경 김은하 정희수 안경우 안지혜	황미영 이주희 신준호 이수아 박미진 곽진우 노익환 김시홍 박수지 나현수 유현주	김미나 송충종 우형기 박건규 신지환 조정해 김희수 류여경 주민희	양경애 남현주 배준용 기승호 박성민 정서빈 박한열 이주은
FAX	328-6931				328-6932		328-5476	

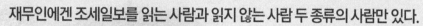

과	재산법인세과			조사과					납세자보호담당관	
과장	김홍식 480			이경수 640					김선일 210	
계	재산1	재산2	법인	조사관리	조사1	조사2	조사3	세원정보	납세자 보호실	민원 봉사실
계장	김유경 481	오광철 521	최용훈 401	신영주 641	이영길	김학규	남정식	홍석원 691		김동수 221
국세 조사관	이주성 홍준영 정승철 조가람 홍보경 임채경 박정배 황연성 이원진	함광수 김영조 방미경 오주학	김훈 임현정 강재원 송기원 오영 임명숙 백우현 김지애 김철홍 김회연	이승아 이민훈	김동준 박주영	조현국 권기연	최애련 박지은	박미연	최세운 송지원 김한별	유진하 이찬수 허인규 조연화 최혜원 박동진
FAX	328-6423			328-6935					328-5941 328-5942	

연수세무서

대표전화: 032-6709-200 / DID: 032-6709-OOO

서장: **함 민 규**
DID: 032-6709-201

주소	인천광역시 연수구 인천타워대로 323(송도동, 송도센트로드A동 1층~5층) (우) 22007				
코드번호	150	계좌번호	027300	사업자번호	
관할구역	인천광역시 연수구			이메일	

과	체납징세과			부가가치세과		소득세과	
과장	김항중 240			김영준 280		김종무 360	
계	운영지원	체납추적	징세	부가1	부가2	소득1	소득2
계장	241	이정 441	길수정 261	김미정 281	오정일 301	박성찬 361	이왕재 381
국세 조사관	최종묵 정현정 이혜경 이규석 박주열 박지훈	김보균 박진서 노연숙 박주희 김홍경 이민지 박세영 김성영 이원희	홍은지 변정연	우진하 양성철 강유진 김혜은 주보영 신성규 안애선 윤영섭	조영기 신나혜 하윤정 이재홍 정유정 강한얼 신희라	박정진 김제주 유지현 심기보 이소연 이상현	이진숙 도승호 이윤경 오로지 박시온 강다연
FAX	858-7351	858-7352		858-7353		858-7354	

과	재산법인세과			조사과					납세자보호담당관	
과장	윤광진 480			강용 640					이경모 210	
계	재산1	재산2	법인	조사관리	조사1	조사2	조사3	세원정보	납세자 보호실	민원 봉사실
계장	천미영 481	최호상 501	신민철 401	정성일 641	정병숙	곽만권	강선경	김주섭 691	211	손의철 221
국세 조사관	윤양호 이태곤 김은주 유정훈 여의주 장유정 서경덕 오수현	이재택 안세연 김영진 오재경	이창원 이선기 이동광 김경미 이재민 김혜정 박세윤 김태희	장재웅 김영아	최정명 정혜린	문은진	김준호	정치헌	문인섭 유선정 김명진	배정미 박주현 채혜미 나길제 김준환
FAX	858-7355			858-7356					858- 7357	858- 7358

의정부세무서

대표전화: 031-8704-200 DID: 031-8704-OOO

서장: **홍 순 택**
DID: 031-8704-201

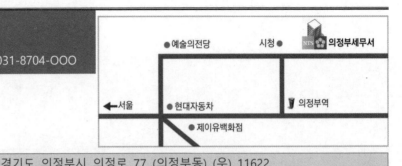

주소	경기도 의정부시 의정로 77 (의정부동) (우) 11622				
코드번호	127	계좌번호	900142	사업자번호	127-83-00012
관할구역	경기도 의정부시, 양주시			이메일	uijeongbu@nts.go.kr

과	체납징세과				부가가치세과			소득세과	
과장	성봉진 240				오관택 280			하수현 360	
계	운영지원	체납추적1	체납추적2	징세	부가1	부가2	부가3	소득1	소득2
계장	김찬섭 241	이문영 441	염경진 461	김윤주 261	하명림 281	강태완 301	이성 321	임상규 361	장정환 381
국세 조사관	김영문 강민지 김황경 곽성용 안진영 최성욱 홍수지 김홍영	박미숙 곽훈 장정욱 최은경 박정혜 강희정 배지영 김도균	정해란 나선회 장엄지 신치원 한정호 김도희 이설아 김아정	이정기 최유진 박미영	이상선 김철호 박애심 김도애 박상봉 임진영 유다영 김희주 조은애 박소현 홍혜연	이재균 오승배 송윤정 박윤미 최재림 장혜인 정은채 김도형 신미미	최은복 정미경 정민재 박창현 이지은 손성수 최지우 이도경 최선혜	허형철 전보원 박신영 김병현 길미정 이정민 이은지 이성인 이정한 노기훈 박미경 박수진	류자영 방정기 이정현 이용희 이현아 이송하 권오찬 장우석 손현경 임소영 김소정
FAX	875-2736				871-9015, 874-9012			871-9012, 9013	

1등 조세회계 경제신문 조세일보

과	재산법인세과			조사과						납세자보호담당관	
과장	윤광현 400			최한근 640						김소연 210	
계	재산1	재산2	법인	조사관리	조사1	조사2	조사3	조사4	세원정보	납세자 보호실	민원 봉사실
계장	윤지수 481	추근식 521	김영승 401	박흥배 641	유동민	나선일	송영채	송숭		황적경 211	이규석 221
국세 조사관	류경아 양희정 민용우 주애란 곽승훈 황인환 박인배 장시원 임재은	권혁빈 박선용 장건후 정소연 송재철 정지연	김제봉 김은경 김경호 김정효 정남숙 김주하 최보라 최경화 김혜수	김성동 김계정 서아름 오유리	류승진 오현경	김희선 송선영	문순철 나경훈	한희정 김지혁	김진섭 김희정 김경라	이효재 원종훈 오종민	김정호 김지혜 김남철 한길택 김나연 송승한 이정기 최혜원 김세건
FAX	871-9014		878- 9014	837-9010, 871-9017						871- 9018	877- 2104

파주세무서

대표전화: 031-9560-200 / DID: 031-9560-OOO

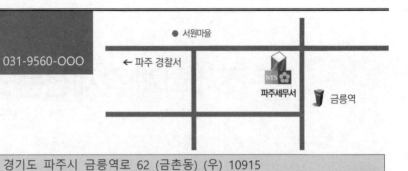

● 서원마을
← 파주 경찰서
파주세무서
금릉역

서장: **전 정 일**
DID: 031-9560-201

주소	경기도 파주시 금릉역로 62 (금촌동) (우) 10915				
코드번호	141	계좌번호	001575	사업자번호	
관할구역	경기도 파주시			이메일	paju@nts.go.kr

과	체납징세과				부가소득세과		
과장	김병규 240				안재홍 280		
계	운영지원	체납추적1	체납추적2	징세	부가1	부가2	소득
계장	선창규 241	김병수 441	전대섭 491 박용주 461	박수정 261	신동훈 281	임형수 301	송기선 361
국세 조사관	이한택 황창기 양강진 김예진 추연우 윤재원	박종진 안재학 이은옥 김찬우 김수지 안수지 김민아 신은지	이은영 김성희 최보윤 김중규 정슬기 김한울	심소영 조미애	이동근 이종현 여선 이재민 홍정수 안미영 김대범 이지원 김나미 이지영	김지훈 문진희 오현지 최희경 이난희 김일용 김경업 지영주 김미혜 장진혁 김감채	김종화 김혁 이헌종 신수범 윤병진 김규림 심재일 지대진 안혜원 이강혁 마재정 이득규 김은선 김성준
FAX	957-0315				957-0317		

과	재산법인세과				조사과					납세자보호담당관	
과장	정문현 400				이종윤 640					최길만 210	
계	재산1	재산2	법인1	법인2	조사관리	조사1	조사2	조사3	세원정보	납세자 보호실	민원 봉사실
계장	김대환 481	이의태 502	안태동 401	이기정 421	김태영 641	문민규	박종규	전상호	서석천 691	강승룡 211	신재평 221
국세 조사관	신거련 채원식 송인화 박상수 신동은 모충서 전홍근 민윤선 안수빈	이기철 김현서 김민석 남궁훈	고상용 안주희 정인선 윤선영 김민선 김인기 이민지	정환철 오상준 김지혜 문지현 배명선 최용진	문지영 김연지	임광섭 조병덕	변진형 손주영	유래연 오고은	박태훈 김민희	최완규 백진화 정다혜	김승태 김경아 박인순 이은영 신정원 전은선 김종서
FAX	957-3654				957-0319					957- 0313	943- 2100

포천세무서

대표전화: 031-5387-200 / DID: 031-5387-OOO

서장: **김 형 철**
DID: 031-5387-201

신봉초등학교　송우초등학교　송우리 시외
버스터미널

포천세무서　농협

송우고등학교　주공 4단지
APT

주소	경기도 포천시 소흘읍 송우로 75 (우) 11177 동두천지서: 경기도 동두천시 중앙로 136 (우) 11346 포천시청민원실: 경기도 포천시 중앙로 87 포천시청 본관 1층 세정과(우) 11147 별관(철원민원실) : 강원도 철원군 갈말읍 삼부연로 51 (우) 24039			
코드번호	231	**계좌번호**	019871	**사업자번호**
관할구역	경기도 포천시, 동두천시, 연천군, 철원군		**이메일**	pocheon@nts.go.kr

과	체납징세과			부가소득세과		재산법인납세과	
과장	박광진 240			김영근 280		강신태 400	
계	운영지원	체납추적	징세	부가	소득	재산	법인
계장	박회경 241	441	박양희 261	안홍갑 281	오동구 301	임관수 481	유탁균 401
국세 조사관	이명희 박찬희 임칠성 전주완 최병문 전병무	탁용성 김광묵 문성은 이명행 명경철 양지원 최혜정 송영지 정맑음 송나연 박보민	최명선 정희도	손동영 한영준 김상민 하태연 강지현 정은주 경지수 강현우 안지은 양문욱 김민정 이다혜	장연경 홍윤석 김선영 이다은 윤지현 박효선	안지윤 손명 유재은 김인찬 김다솔 정유빈 오소은 손다희 김지은	양재호 유진우 김희영 박민서 전지영 김영익
FAX	544-6090	538-7249		544-6091		544-6093	544-6094

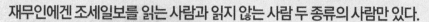

재무인과 함께 걸어가겠습니다 '조세일보'

재무인에겐 조세일보를 읽는 사람과 읽지 않는 사람 두 종류의 사람만 있다.

1등 조세회계 경제신문 조세일보

과	조사과					납세자보호담당관		동두천지서장			
과장	장미선 640					신성철 210		이정태 201			
계	조사관리	조사1	조사2	조사3	세원정보	납세자보호실	민원봉사실	체납추적	납세자보호	부가소득	재산법인
계장	신성환 641	한문식 651	장병찬	유진희	박형진 691	노광환 211		송정금 271		김병래 300	이근호 250
국세조사관	정영화 양향임	김두수 김정훈	박창우 강슬기	이효진 배성진	조다혜	김영환 권세혁 송현권 채정화	조태욱 허승호 김세명 박정린 고정근 김준형	현정용 이은지 이예림	한희수 유현진 지정훈 강연우 김경아 황다혜	함상현 조석균 김성진 고동현 곽지수 이주희 김미정 권기성 이수민	윤선희 오정식 황지영 김시은 이재환 최슬기
FAX	544-6095				544-6096	544-6097	544-6098	867-2115		860-6279	867-6259

313

대전지방국세청
관할세무서

대전지방국세청

주소	대전광역시 대덕구 계족로 677(법동) (우) (우) 3
대표전화 & 팩스	042-615-2200 / 042-621-4552
코드번호	300
계좌번호	080499
사업자등록번호	102-83-01647
관할구역	대전광역시 및 충청남·북도, 세종특별자치시

청장　　　강민수

(D) 042-6152-201~2

성실납세지원국장	오원균	(D) 042-6152-400
징세송무국장	황남욱	(D) 042-6152-500
조사1국장	정용대	(D) 042-6152-700
조사2국장	김기수	(D) 042-6152-900

대전지방국세청

대표전화: 042-6152-200 / DID: 042-6152-OOO

청장: **강 민 수**
DID: 042-6152-201~2

주소	대전광역시 대덕구 계족로 677(법동) (우) 34383				
코드번호	300	계좌번호	080499	사업자번호	102-83-01647
관할구역	대전광역시 및 충청남·북도, 세종특별자치시			이메일	

과	감사관		운영지원과				납세자보호담당관	
과장	오원화 300		김종일 240				이영준 330	
계	감사	감찰	행정	인사	경리	현장소통	납세자보호	심사
계장	변문건 302	임상빈 312	정필영 252	김순복 242	최해욱 262	지대현 272	조연숙 332	유인숙 342
국세 조사관	곽형신 김명진 김승주 김원덕 김현응 이동구	김운주 김재철 박기정 박한석 이정운 조민정 최진옥	김대진 김동현 김태훈 남명수 안상헌 유일찬 이경순 이성주 전호순 전희석 정무현 허정필 홍성각	양영진 유하선 장기원 정성진 지슬찬 최시은	김정훈 여인순 이가희 이영화 이주한	김태환 유가연 이동기 조항진	김영지 이형섭 한수이	김경미 박찬희 이성민 조강희
FAX	634-5098		621-4552				636-4727	

국실	성실납세지원국											
국장	오원균 400											
과	부가가치세과			소득재산세과				개발지원팀			전산관리팀	
과장	선의현 401			이완표 431				강기석 2021			박광전 131	
계	부가1	부가2	소비세	소득	재산	소득지원	소득자료관리TF	엔티스지원	개발1	개발2	전산관리1	전산관리2
계장	이광자 402	전옥선 412	이한성 422	김영선 432	정인숙 442	이미영 452		김상숙 022	장윤석 652	이기업 672	이영구 132	김재융 142
국세조사관	안선일 안지영 정선군	김현태 박세환 이현상 전병헌	선명우 원대한 이영 전지현	김태서 이준탁 전혜영 차건수	강한영 김홍근 윤문원 정윤정	김영기 배문수 강민석 윤석창	강민석 윤석창	강선홍 김은희 송미원 오수진 이가연 이상운 조명순	문찬우		박승현 양선미 염문환 장영석 주재철	김상진 문동배 박준형 서정은 윤은택 이채윤
FAX	625-9751			634-6129							625-8472	

세미래 콜센터 126

국세관련 모든 상담은 국번없이 126
전국 어디서나 편리하게 상담받으세요.
평일 9시~18시 (탈세제보는 24시간)

DID : 042-6152-OOO

국실	성실납세지원국						징세송무국			
국장	오원균 400						황남욱 500			
과	전산관리팀		법인세과				징세과		송무과	
과장	박광전 131		김완구 461				마삼호 501		이진혁 521	
계	정보화센터1	정보화센터2	법인1	법인2	법인3	법인4	징세	체납관리	송무1	송무2
계장	최영둘 152	이정미 172	송형희 462	윤홍덕 472	한숙란 482	윤태경 492	이정선 502	허충회 512	황경애 522	이덕주 532
국세 조사관	강영자 김태순 김홍란 박진숙 백수아 송인희 신상례 안은향 윤명희 이화자 조현구 천은영 최은혜	권인숙 김광순 김명순 김수영 김양미 김연숙 문영임 신선희 안지연 유수향 유혜민 최금년 한도순	강윤학 박병주 박정숙 이선영 최민 황남돈	강정숙 김민정 박상옥	이경욱 이선림 임현철	김태건 송재윤 연수민	송칠선 오희정 전명진	김수월 양희연 임수민 임한준	권준경 박태정 신방인 심재진 이가희 최선미	안재진 양동욱 양주희 윤순영 임지훈
FAX	625-8472		632-7723				632-1798		626-4512	

318

국실	징세송무국		조사1국								
국장	황남욱 500		정용대 700								
과	체납추적과		조사관리과					조사1과			
과장	정승태 541		양용산 701					오승호 751			
계	체납추적관리	체납추적	제1조사관리	제2조사관리	제3조사관리	제4조사관리	제5조사관리	제1조사	제2조사	제3조사	제4조사
계장	류성돈 542	여미라 552	서문석 702	유병민 712	이윤우 719	조선영 732	권민형 740	김삼수 752	김진술 762	배은경 772	주명진 882
국세조사관	고일명 김양수 노은아 박범수 석원영 이상봉	노용래 박홍기 최영권 황지은	김남훈 김정섭 박미진 유석모 임정혜 정진희	류다현 양종혁 태상미	강경묵 김다연 김장용 사현민 성은숙 이제현 이진수 임동섭	김승태 김지현 신명식 이재명	김희영 박성룡 신열석 엄채연 윤수환 이안수	김기준 김대용 주환욱 허지혜	박상욱 박웅 박준규	고혜진 김두섭 성지환	문병권 박주오 정진성
FAX	625-9758		634-6325								

319

DID : 042-6152-OOO

국실	조사1국						조사2국		
국장	정용대 700						김기수 900		
과	조사2과			조사3과			조사관리과		
과장	이창수 781			임영미 811			최수종 901		
계	제1조사	제2조사	제3조사	제1조사	제2조사	제3조사	제1 조사관리	제2 조사관리	제3 조사관리
계장	이주영 782	김수진 792	김영교 802	김용보 812	연경태 822	금영송 832	김상태 902	홍성자 912	조재규 922
국세 조사관	구승완 박진숙 이태희 이현상	김선미 김현종 정성모	송인용 윤재두 한기룡	손신혜 이종신 이한기 최동찬	강안나 신광철 장덕구	김근환 박종호 허성민	박혜진 이정임 추원규	오민경 오세윤 육정섭 장시찬 최미숙	민양기 윤희민 이종호 차보미 최성호 추원득
FAX	634-6325						626-4514		

국실	조사2국						
국장	김기수 900						
과	조사1과				조사2과		
과장	최병기 931				왕성국 961		
계	제1조사	제2조사	제3조사	제4조사	제1조사	제2조사	제3조사
계장	박영주 932	김경철 942	박종인 952	조은애	김관오 962	문상균 972	서용하 982
국세 조사관	권대근 신숙희 조정주	이정훈 장준용	이원근 한원주	김선기 이철우	오수진 조영혁 한경수	박범석 지상수 하정우	신상훈 이현진
FAX	626-4514						

대전세무서

대표전화: 042-2298-200 / DID: 042-2298-OOO

서장: **정 성 훈**
DID: 042-2298-201

주소	대전광역시 중구 보문로 331 (선화 188) (우) 34851				
	금산민원실 : 충청남도 금산군 금산읍 인삼약초로 42 (중도리 16-1) (우) 32739				

코드번호	305	계좌번호	080486	사업자번호	305-83-00077
관할구역	대전광역시 동구, 중구, 충청남도 금산군			이메일	daejeon@nts.go.kr

과	체납징세과			부가가치세과			소득세과	
과장	차은규 240			유관희 280			조종연 360	
계	운영지원	체납추적	징세	부가1	부가2	부가3	소득1	소득2
계장	김재구 241	박선영 551	문지영 261	신광재 281	이재일 301	전현정 321	고영춘 361	조준수 381
국세 조사관	고철호 김병훈 김세욱 박동규 송재호 안형식 최민정 황순금	김정근 김초혜 노혜원 문호영 박성원 박재홍 송인우 이기수 이석원 이은숙 황정민	김은혜 홍혜령 황소원	김석현 김선애 김유빈 박정수 신대수 양지현 오미영 이종혁 이호영	강재근 김년호 김다솜 김선주 김윤희 박소연 안영희 위태홍	박영선 유경희 이충근 전지현 정금희 최은희 최진이 허지언	김재완 박현정 백민열 송윤태 이숙희 최민지 최혜경 홍창표	김보미 김세호 김영철 문서림 문진영 오용락 이수연
FAX	253-4990	253-4205		257-9493, 3783			257-3717	

1등 조세회계 경제신문 조세일보

과	재산법인세과				조사과						납세자보호 담당관	
과장	신현서 400				김양래 640						김정범 210	
계	재산1	재산2	법인1	법인2	조사 관리	조사1	조사2	조사3	조사4	세원 정보	납세자 보호실	민원봉 사실
계장	김만래 481	이경자 501	정규민 401	김완주 421	두진국	오길춘	권순근	이한승	문찬식	김용호 691	김필수 211	조치상 221
국세 조사관	강병조 권혁희 송인광 이승택 조태희 황현순	이준혁 정영석 정창훈 조한민	김재환 서연주 이정환 장혜린 진소영	오하라 임지혜 조명상 한석희	김기숙 송석중 조유진	고병준 이홍순	김유진 이현재	황지연	황승현	이정길	안현정 윤상호 이봉현 정판균	김진희 박민호 성완유 원광호 윤영준 최준영 하미현
FAX	254-9831		252-4898		255-9671						253- 5344	253- 4100

북대전세무서

대표전화: 042-6038-200 / DID: 042-6038-OOO

서장: **김 종 성**
DID: 042-6038-201

주소	대전광역시 유성구 유성대로 935번길7 (죽동 731-4) (우) 34127				
코드번호	318	계좌번호	023773	사업자번호	
관할구역	대전광역시 유성구, 대덕구			이메일	Bukdaejeon@nts.go.kr

과	체납징세과				부가가치세과		소득세과	
과장	신동우 240				허일한 280		김동형 360	
계	운영지원	체납추적1	체납추적2	징세	부가1	부가2	소득1	소득2
계장	이형훈 241	전영 551	조대서 571	신지명 261	임국빈 281	박인국 301	맹창호 361	이상훈 381
국세조사관	공기성 금종희 김응남 송현희 정근선 주관종	김선영 김은주 엄태성 이준석 정주관 최서진	김동일 김용석 박미진 이재승 정지선 한정민	김현숙 문미희 박선민	고영임 곽지훈 권영선 김수진 김수현 김정수 박민주 박성재 신원영 여중구 오정선 전현아 황성희	김근하 김로환 김아름 김은경 박지수 서나윤 손경아 송연서 전인복 정보경 최윤선 한송이	국윤미 김민준 오수빈 윤옥진 이미희 이안희 임안나 최현정	박금숙 박상희 안은경 양병문 이명석 이성도 이지은 한수영 한승희
FAX	823-9662	828-9662	823-9663		823-9665		823-9646	

과	재산세과		법인세과		조사과						납세자 보호담당관	
과장	표순권 480		신현국 400		지영진 640						김종문 210	
계	재산1	재산2	법인1	법인2	조사 관리	조사1	조사2	조사3	조사4	세원 정보	납세자 보호실	민원 봉사실
계장	서동근 481	류세현 501	김병일 401	최원현 421	주형열 641	김성오	이경선	조석정	김창영	문강수 691	이우용 211	양응석 221
국세 조사관	김기미 송선경 이경숙 이돌신 이정희 이혜민 장성봉 한종태 황연주	곽문희 김준익 성창경 유장현	김지호 박명수 윤명한 이수민 이정선 정미영 정유리	남경 박미리 안수안 윤용화 차정환 최지영 한효경	김리아 유태웅 이종태 조한규	여윤수 임슬기	장준 정영웅	김주선 한정필	이화용	구명옥	김균태 김용기 박소연	김유림 김희태 문미란 박엘리 심현이 이경숙 이영재 이용철 채상희 한란
FAX	823-9648		823-9616		823-9617						823- 9619	823- 9610

서대전세무서

대표전화: 042-4808-200 / DID: 042-4808-OOO

서장: **이 준 목**
DID: 042-4808-201

주소	대전광역시 서구 둔산서로 70 (둔산동) (우) 35239				
코드번호	314	**계좌번호**	081197	**사업자번호**	314-83-01385
관할구역	대전광역시 서구 전체		**이메일**	seodaejeon@nts.go.kr	

과	체납징세과			부가가치세과		소득세과	
과장	박미란 240			김혜경 280		진정욱 360	
계	운영지원	체납추적	징세	부가1	부가2	소득1	소득2
계장	백오숙 241	이동환 551	신수남 261	육영찬 281	김은철 301	배효창 361	윤태요 381
국세 조사관	김수민 김학진 배형기 오종권 이순영	금기태 김영목 서동화 손현정 안은경 안재문 양해숙 이호제 정수연	백민정 이안희	김병철 김준하 박세진 백선주 백인억 엄소정 오연균 이미선 이유진 임선영 홍은화	김미솔 김보혜 박경환 양선숙 이대희 이원형 이주연 이주한 최민우	고석희 김지현 박준규 안은지 이미주 이희종 정수연 최승오	김이현 문형식 유주상 이영호 임선하 정상남 최경인
FAX	486-8067	480-8687	480-8681	472-1657	480-8682	480-8683	480-8680

과	재산법인세과			조사과					납세자보호담당관	
과장	김병식 400			최갑진 640					박성일 210	
계	재산1	재산2	법인	조사관리	조사1	조사2	조사3	세원정보	납세자 보호실	민원 봉사실
계장	박경균 481	주구종 501	김신흥 401		이호중	송인한	엄태진	신미영 691	김창환 211	권영조 221
국세 조사관	김현중 박희정 유승원 이원규 탁현희 황윤철 황후용	성창미 우창제 최유리	고정연 김정수 정예지 정정화 조영주 조혜민 황은지	김아경 김지훈 변다연 한현섭	박영일 박지윤 백송이	강현애 이동근	김재민 심용주	조미화	오정탁 이규완 이다원	강성대 김지윤 김진환 박서희 옥진경 이채민 이화진 정광호 최성미 황영숙
FAX	480-8685		480- 8684	480-8686					486- 8062	486- 2086

공주세무서

대표전화: 041-8503-200 / DID: 041-8503-OOO

서장: **김 문 희**
DID: 041-8503-201

구 공주세무서 ●

공주세무서

공주시 청소년
문화센터

주소	충청남도 공주시 봉황로 87 (반죽동) (우) 32550				
코드번호	307	계좌번호	080460	사업자번호	
관할구역	충청남도 공주시			이메일	gongju@nts.go.kr

과	체납징세과			부가소득세과
과장	한정미 240			박춘자 280
계	운영지원	체납추적	조사	부가소득
계장	이덕형 241	551	이호 671	김용련 281
국세 조사관	윤지희 이우람 이재강 황인혜	권경숙 금기준 송효주 허재혁	김세연 노준호 주정권	김대운 김주영 박재욱 양전옥 이신열 이영순 이학련 임소현 정명하 한송희
FAX	850-3692			850-3691

과	재산법인세과	납세자보호담당관	
과장	정진호 400	이진수 210	
계	재산법인	납세자보호실	민원봉사실
계장	박세국 421	박학일 211	노태송 221
국세 조사관	김수정 김혜미 서대성 이성준 이승찬 임해리 최동훈		정민영 표미경 한상훈
FAX	850-3693	850-3690	

논산세무서

대표전화: 041-7308-200 / DID: 041-7308-OOO

서장: **고 승 현**
DID: 041-7308-200

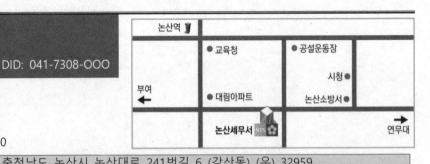

주소	충청남도 논산시 논산대로 241번길 6 (강산동) (우) 32959 부여민원실 : 충남 부여군 부여읍 사비로 41 (동남리) (우) 33153 계룡민원실 : 충남 계룡시 장안로 46 (금암동) (우) 32823				
코드번호	308	계좌번호	080473	사업자번호	
관할구역	충청남도 논산시, 계룡시, 부여군			이메일	nonsan@nts.go.kr

과	체납징세과			부가소득세과	
과장	김현종 240			남상웅 280	
계	운영지원	체납추적	조사	부가	소득
계장	심영찬 241	송채성 551	박주항 651	백운효 281	임경숙 361
국세 조사관	김미자 신상수 윤상준 홍동기	강민구 강민정 김은경 김자경 박태구	고민철 길웅섭 주진수 최상형	구은정 김나희 김민형 김승범 백인정 이수미 이은숙 임유란 홍관의	송승윤 이재희 정희남 최희경 홍덕길
FAX	730-8270	733-3137	733-3140	733-3139	

과	재산법인세과		납세자보호담당관	
과장	남은숙 400		서민덕 210	
계	재산	법인	납세자보호	민원봉사
계장	윤승갑 481	김미경 401	김선학 211	이정룡 221
국세 조사관	강희석 김수옥 안제은 양소라 이건흥	백귀순 오수연 유은혜 이재열 조정진 최지은		김선자 변상권 윤춘미 이근수 임세희 정계승
FAX	735-7640	730-8630	733-3136 042-551-6013(계룡) 832-7932(부여)	

보령세무서

대표전화: 041-9309-200 / DID: 041-9309-OOO

서장: **이 병 오**
DID: 041-9309-201

주소	충청남도 보령시 옥마로 56(명천동) (우) 33482 장항민원실 : 충남 서천군 장항읍 장항로 193 (창선2리) (우) 33674				
코드번호	313	계좌번호	930154	사업자번호	
관할구역	충청남도 보령시, 서천군			이메일	boryeong@nts.go.kr

과	체납징세과			세원관리과	
과장	김민규 240			이관수 205	
계	운영지원	체납추적	조사	부가	소득
계장	박소영 241	이은영 551	조복환 651	유현준 281	남광우 290
국세 조사관	노주연 문안전 박종필 박한수	김훈수 이기순 이미현 이선화 최연평	김유태 서옥배 이명해 최환석	김성은 송지영 오양금 이수연 임종화 임형빈	김효근 이선우 임찬휘 허남주
FAX	936-2289	936-7289		930-9299	

과	세원관리과	납세자보호담당관	
과장	이관수 205	이영호 210	
계	재산법인	납세자보호실	민원봉사실
계장	박현배 401		성호경 221
국세 조사관	김재현 김중규 이미정 이영락 이지윤 이진주 정상천	이미영	김미경 조연 지충환 한미현
FAX	930-5160, 934-9570	931-0564 956-5292(장항)	

서산세무서

대표전화: 041-6609-200 / DID: 041-6609-OOO

서장: **최 용 섭**
DID: 041-6609-201

오남동 ← ↑죽성동 서산중 ● 태안 ↑ 서중사거리 →
NTS 서산세무서
해미 ← ● 서산여고 시내 →

주소	충청남도 서산시 덕지천로 145-6 (우) 32003 태안민원실 : 충남 태안군 태안읍 후곡로 121 (우) 32144				
코드번호	316	계좌번호	000602	사업자번호	
관할구역	충청남도 서산시, 태안군			이메일	seosan@nts.go.kr

과	체납징세과			부가소득세과	
과장	김덕호 240			송익범 280	
계	운영지원	체납추적	조사	부가	소득
계장	박종영 241	이왕수 551	도해구 651	박순규 281	전치성 361
국세 조사관	김기성 윤숙영 이규림 이인기 최정현	권순영 김영균 류제현 백경령 유경모 유연우 이영주 천상미	김보영 이택근 임창수 조현희	김문수 김정숙 김진아 방재필 이남영 이상요 이석기 정구현 한재상	김유정 김택창 배준 송유나 송재하 장석현
FAX	660-9259	660-9569	660-9659	660-9299	

1등 조세회계 경제신문 조세일보

과	재산법인세과		납세자보호담당관	
과장	이인근 400		김영식 210	
계	재산	법인	납세자보호실	민원봉사실
계장	박광수 481	이성영 401	이정기 211	정승재 221
국세 조사관	강훈 길민석 김근아 김선돌 양대식 육재하	김영길 김영중 박정민 유미숙 윤희창 이승기	최기순	김성렬 김종빈 김진화 홍성희
FAX	660-9499		660-9219 675-1281(태안)	

세종세무서

대표전화: 044-8508-200 / DID: 044-8508-OOO

서장: **권 동 철**
DID: 044-8508-201

주소	세종특별자치시 시청대로 126 (보람동 724) (우) 30151 조치원민원실 : 세종특별자치시 조치원읍 충현로 193 (침산리 256-6) (우) 30021				
코드번호	320	계좌번호	025467	사업자번호	
관할구역	세종특별자치시			이메일	

과	체납징세과			부가가치세과	소득세과
과장	김미애 240			박재혁 270	국태선 340
계	운영지원	체납추적	징세	부가	소득
계장	김덕규 241	한광우 551	백선자 261	김진영 271	박연 341
국세 조사관	김성준 김유경 윤여룡 이정인 최서현	권혁수 마승진 박철한 이관순 이선영 진순자	정재남	강현정 고종철 김소연 김진서 박나정 배종호 서정원 이재성 이재진 이정원 임정연 장미영 전중원	강동훈 김경만 김은의 백은미 손영주 엄지은 차지원 한용
FAX	850-8431	850-8443	850-8432	850-8433	850-8434

10년간 쌓아온 재무인의 역사를 돌려드립니다 '온라인 재무인명부'

수시 업데이트 되는 국세청, 정·관계 인사의 프로필과 국세청, 지방청, 전국세무서, 관세청, 유관기관 등의 인력배치 현황을 볼 수 있는 온라인 재무인명부

과	재산법인세과			조사과				납세자보호담당관	
과장	김민수 460			이수영 640				김성엽 210	
계	재산1	재산2	법인	조사관리	조사1	조사2	세원정보	납세자보호실	민원봉사실 본서 221~225 조치원 228~229
계장	권오훈 461	양창호 491	하정영 531	박승원 641	권순일	김한민	소병권 691	백지은 211	김남중 221
국세조사관	권혜지 김인화 김태영 민옥자 박수아 양상원 임지은 장성우	김영간 박병화 유세곤	고영경 노혜정 박길원 박두용 박미경 송주은 최희권	김지선 정소라	김보성 조정대	한은영	김구호	백선아 이상용	강혜경 유장현 이은경 이혜경 정미현
FAX	850-8435	850-8441	850-8436	850-8437				850-8438	850-8439 (본서) 850-8440 (조치원)

아산세무서

대표전화: 041-5367-200 / DID: 041-5367-OOO

서장: **이 유 강**
DID: 041-5367-201

삼정그린코아 · **아산세무서** · 푸르지오 · 중앙하이츠 · 국민은행 · 배방읍 주민센터 · 롯데리아 · ←천안 · 배방역 · 온양→

주소	충청남도 아산시 배방읍 배방로 57-29(공수리 282-15) 토마토빌딩 (우) 31486				
코드번호	319	계좌번호	024688	사업자번호	
관할구역	충청남도 아산시			이메일	asan@nts.go.kr

과	체납징세과			부가소득세과		재산법인세과	
과장	정종룡 240			고당훈 280		박매라 400	
계	운영지원	체납추적	징세	부가	소득	재산	법인
계장	신혜선 241	김구봉 551	박수경 261	유범상 281	김대규 301	김관용 481	이무황 401
국세 조사관	강은실 김기동 김영남 노기우 한상철	권철균 김은주 김효정 노학종 박찬오 신혜인 이대연 이민경 이설이	이영순 이정아	김경오 김세령 김정수 김주언 김주현 신보경 안서진 윤상동 이상재 이예진 이진석 임지훈 진현정	박요안나 육경아 윤연심 이경노 전상배 최유정 한수관 한주성	김진웅 백영신 송지은 엄재희 오진성 최우영 함미란	김지수 손권호 오서진 이승환 임형은 장현하 정인영 최영숙 최충일 홍상우
FAX	533-7770	533-1352		533-1325	533-1326	533-1327	533-1328

과	조사과					납세자보호담당관	
과장	최창원 640					유은영 210	
계	조사관리	조사1	조사2	조사3	세원정보	납세자보호실	민원봉사실
계장	장석안 641	변종철	유경룡	유재남	이계홍 691	김동현 211	김희란 221
국세 조사관	유관호 유지희	오건우 이은숙	홍경표	한동희	임재철	가재윤 서명옥	구정인 류원석 박선미 박혜림 유성운 최지연
FAX		533-1353			533-1354	533-1385	533-1383~4

예산세무서

대표전화: 041-3305-200 / DID: 041-330-5000

서장: **이 미 진**
DID: 041-3305-201

지도 (약도): 당진↑, 천안→, 예산세무서 NTS, 한국전기안전공사, 오가초등학교 ●, ● 예산 소방서, ← 홍성, ● 운전면허시험장

주소	충청남도 예산군 오가면 윤봉길로 1883(좌방19-69) (우) 32425 당진지서 : 충남 당진시 원당로88 (원당동 790-4) (우) 31767				
코드번호	311	**계좌번호**	930167	**사업자번호**	
관할구역	충청남도 예산군, 당진시			**이메일**	yesan@nts.go.kr

과	체납징세과			세원관리과		납세자보호담당관	
과장	박종빈 240			김만복 280		정두영 210	
계	운영지원	체납추적	조사	부가소득	재산법인	납세자보호실	민원봉사실
계장	이철효 241	윤성규 551	송태정 651	박영민 281	이모성 481		이성호 221
국세 조사관	강태곤 양동현 전윤희 전호남 지은정	박규서 송미나 이의신	이민표 최혜지 현주호 홍은정	박성재 변민영 이영찬 이유정 이재욱 최인애	권호용 김상현 김수원 남택원 양세희 유미숙	박민아 백승민	김영아 엄진숙
FAX	330-5305	330-5302		334-0614	334-0615	334-0612	

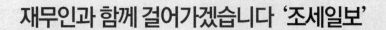

재무인과 함께 걸어가겠습니다 '조세일보'

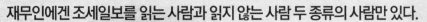

재무인에겐 조세일보를 읽는 사람과 읽지 않는 사람 두 종류의 사람만 있다.

1등 조세회계 경제신문 조세일보

과	당진지서 DID : 041-3509-OOO					
과장	노구영 201					
계	체납추적	부가	소득	재산	법인	납세자보호
계장	강인성 451	김찬규 281	이창홍 361	소병혁 481	정용협 401	권수중
국세 조사관	강정현 곽한민 노우성 박원진 손은채 임유리	김수빈 김수현 박시형 변상미 안호진 윤상탁 임재돈	김봉진 염태섭 이다연 정지영	권윤구 안태유 최슬기 황진구	김상린 김아영 이나미 전창우	이경아 이다빈 홍충
FAX	350-9424	350-9410		350-9369		350-9229

천안세무서

대표전화: 041-5598-200 / DID: 041-5598-OOO

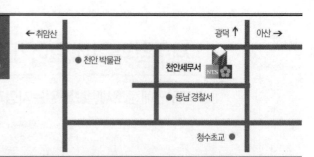

← 취암산 / 광덕 ↑ / 아산 →

● 천안 박물관

천안세무서 NTS

● 동남 경찰서

청수초교 ●

서장: **임 지 순**
DID: 041-5598-201~2

주소	충청남도 천안시 동남구 청수14로 80 (우) 31198				
코드번호	312	**계좌번호**	935188	**사업자번호**	312-83-00018
관할구역	충청남도 천안시		**이메일**		cheonan@nts.go.kr

과	체납징세과				부가가치세과		소득세과	
과장	남동균 240				김영걸 280		하상진 360	
계	운영지원	체납추적1	체납추적2	징세	부가1	부가2	소득1	소득2
계장	최영준 241	강선규 551	유재원 571	오승진 261	기회훈 281	박순정 301	박일병 361	정영순 381
국세 조사관	강현주 김기대 김성연 김영삼 박동일 이재성 조지훈	고정환 김가영 김은규 손민영 우재은 유경열 이선미 정보빈 홍창화	김민영 김지우 신계희 이공후 이양로 임송빈 조성빈 조현준 홍지혜	박혜경 손진이 이헌진 최서진	김현아 방수민 백현심 안승연 오승희 원순영 윤영재 이송미 이하경 정현정 한서희 홍은경	강소영 김성민 김예림 김은옥 김장수 도미선 라기정 박미경 박현석 송승호 신용식 신은주 이지민 장세연	계예슬 권진영 김보경 김영래 김영희 김진기 박승권 장민환 홍성준	강미영 김라희 김유라 이성호 임경수 정소라 정인형 지영은 최서영
FAX	559-8250			559-8699	551-2062		555-9556	

과	재산세과		법인세과		조사과			납세자보호담당관	
과장	윤영현 480		정한영 400		김재천 640			최은미 210	
계	재산1	재산2	법인1	법인2	조사관리	조사	세원정보	납세자보호실	민원봉사실
계장	박상욱 481	이정우 521	이현찬 401	김진문 421	김종진 641		최승식 691		최한진 221
국세조사관	권혜원 문성빈 배경희 배진령 석혜숙 어경윤 이광섭 이민규 이은혜 이한나 최상선	고용국 김용진 신경희 이미경 정재경	김경호 김민정 김태균 안진영 연제석 장은주 정태윤 최은선	강지연 김지영 남기범 박재곤 신진아 유나연 이순길 이지은 진승환 홍성수	이수진 조우진 황석규	<1팀> 장우영(팀장) 채희준 황규동 <2팀> 최길상(팀장) 강병수 김이수 <3팀> 박인수(팀장) 박성경 조세희 <4팀> 이응구(팀장) 우준식 주란	이경숙	박신정 박은정 우창영	김동혁 김미희 김인호 김태은 손화승 신우열 염미숙 왕수현 유수지 이윤숙
FAX	563-8723		553-7523		561-2677 551-4175			551-4176	553-4356

343

홍성세무서

대표전화: 041-6304-200 / DID: 041-6304-OOO

서장: **이 인 희**
DID: 041-6304-201

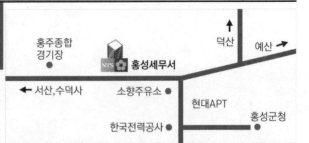

주소	충청남도 홍성군 홍성읍 홍덕서로 32 (우) 32216 청양민원실 : 충남 청양군 청양읍 중앙로 158 (우) 33327				
코드번호	310	계좌번호	930170	사업자번호	
관할구역	충청남도 홍성군, 청양군			이메일	hongseong@nts.go.kr

과	체납징세과			세원관리과
과장	양회수 240			이종길 280
계	운영지원	체납추적	조사	부가소득
계장	임인택 241	장찬순 551	종만 651	이선태 281
국세 조사관	김정일 김지연 성기오 이진희	김진식 이재명 이지숙 홍성도 황재승	노영실 박상곤	구은숙 박기민 신순영 윤철원 이민호 이병권 이상욱 이유나 이호 임진영
FAX	630-4249	630-4559	630-4659	630-4335 0503-113-9173

과	세원관리과	납세자보호담당관	
과장	이종길 280	정효근 210	
계	재산법인	납세자보호	민원봉사
계장	김상훈 481	박종호 211	
국세 조사관	강인근 김호겸 박미현 서창완 신성호 이연희 이화용 최다솜		민수호 박은영 박혜숙 우은주 이영주
FAX	630-4489 0503-113-9173	630-4229, 0503-113-9172 944-1060(청양)	

동청주세무서

대표전화: 043-2294-200 / DID: 043-2294-OOO

서장: **송 영 주**
DID: 043-2294-201

주소	충청북도 청주시 청원구 1순환로 44 (율량동 2242) (우) 28322 괴산민원실 : 충북 괴산군 괴산읍 임꺽정로 90(서부리 125)괴산군청 1층 민원과 내 위치 (우) 28026 증평민원실 : 충북 증평군 증평읍 광장로 88(창동리 100번지) 증평군청내 종합민원실 (우) 27927				
코드번호	317	계좌번호	002859	사업자번호	301-83-07063
관할구역	청주시 상당구, 청원구, 증평군, 괴산군			이메일	dongcheongju@nts.go.kr

과	체납징세과			부가가치세과		소득세과
과장	김영덕 240			이춘희 280		박추옥 360
계	운영지원	징세	체납추적	부가1	부가2	소득
계장	이용환 241	박미숙 261	김대식 551	박병수 281	김영복 301	성백경 361
국세 조사관	강기진 고의환 고재우 곽노일 이경호 임슬기	윤현숙 정은아	공유진 김도연 나정현 문미영 박종경 오광석 이재봉 전소희 전현주 조하영	강현영 박인선 박현정 신승우 이상금 이상석 이승찬 전성훈 진영희	김가원 김지원 문보경 문정기 박은실 양희윤 염나래 이수빈 이주형 최임규	김종현 남보라 서승의 안주희 유다형 유지현 이민지 이수빈 이현주 한인수 한정희
FAX	229-4601			229-4605		229-4602

1등 조세회계 경제신문 조세일보

과	재산법인세과			조사과					납세자보호담당관	
과장	장상우 400			김원호 640					김진배 210	
계	재산1	재산2	법인	조사관리	조사1	조사2	조사3	세원정보	납세자보호실	민원봉사실
계장	강덕성 481	오세덕 501	이양호 401	강남규 641	조남웅	고수영	백성옥	박병문 691	이상우 211	남혜경 221
국세조사관	김민정 마숙연 박미정 이인숙 임종혁 정상원	강지은 김두연 박노훈 이정훈	강지훈 권경미 김채린 박재우 이익중 장문수 정연경 조현경 최경하 황미화	윤보배 임보라	강소령 최우진	김희원 박소영	이원종 허승열	윤정민	박수진 오철규	김유나 배정화 서민경 송민우 송수인 신언순 이경순 이승균 조미겸
FAX	229-4609		229-4606	229-4607					229-4603	229-4604

영동세무서

대표전화: 043-7406-200 / DID: 043-7406-OOO

서장: **조 종 호**
DID: 043-7406-201

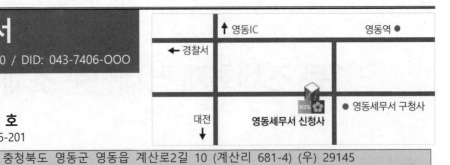

주소	충청북도 영동군 영동읍 계산로2길 10 (계산리 681-4) (우) 29145 옥천민원실 : 충북 옥천군 옥천읍 동부로 15 옥천읍사무소 청사 내 3층 (우) 29040 보은민원봉사실 : 충북 보은군 보은읍 삼산로 50 보은읍사무소 청사 내 2층 (우) 28947				
코드번호	302	계좌번호	090311	사업자번호	306-83-02175
관할구역	충북 영동군, 옥천군, 보은군			이메일	yeongdong@nts.go.kr

과	체납징세과		
과장	송창호 240		
계	운영지원	체납추적	조사
계장	김인태 241	임달순 551	
국세 조사관	이명한 이지호 정성관 최연옥	김성환 김유식 김혜원 이주성 조영자	오백진 임진규 전재령
FAX	740-6250		740-6260

과	세원관리과		납세자보호담당관	
과장	나정희 280		오문수 210	
계	부가소득	재산법인	납세자보호실	민원봉사실
계장	윤문수 281	강영기 481	배재철 661	김용전 222
국세 조사관	김규원 김수량 김창순 노영하 박채린 신승환 오현석 이보라 정미현 정상수	김미선 김소연 나혜진 안지민 이신정 이창권 최인옥	이석재	김준영 이성기 이재숙
FAX	740-6600		영동 743-1932 옥천 731-5805 보은 543-2640	

제천세무서

대표전화: 043-6492-200 / DID: 043-6492-OOO

서장: **이 승 신**
DID: 043-6432-107

주소	충청북도 제천시 복합타운1길 78 (우) 27157				
코드번호	304	계좌번호	090324	사업자번호	
관할구역	충청북도 제천시, 단양군		이메일	jecheon@nts.go.kr	

과	체납징세과			세원관리과	
과장	이영규 240			문성호 280	
계	운영지원	체납추적	조사	부가	소득
계장	신기철 241	연태석 551	김영일 651	임영수 281	김한종 361
국세 조사관	김보람 박익상 오상은 인길성	김보미 이문석 최성찬 허순영 허원갑	권석용 김승환 정미화 최용복	김용현 김유라 김정현 명혜란 양해만 전현숙 조은서	김윤겸 백진서 오진용 이미정
FAX	648-3586		653-2366	645-4171	

과	세원관리과	납세자보호담당관	
과장	문성호 280	조영우 210	
계	재산법인	납세자보호실	민원봉사실
계장	김영달 401	이세호 211	송연호 221
국세 조사관	김기태 김석채 나유숙 반병권 이주형 이철주 최경아 한성경		김동현 노정환 황은희
FAX	652-2495	652-2630	

청주세무서

대표전화: 043-2309-200 / DID: 043-2309-OOO

서장: **박 광 식**
DID: 043-2309-201

주소	충북 청주시 흥덕구 죽천로 151 (복대동 262-1) (우) 28583						
코드번호	301	계좌번호	090337	사업자번호	301-83-00395		
관할구역	청주시 흥덕구, 서원구			이메일	cheongju@nts.go.kr		

과	체납징세과				부가가치세과		소득세과	
과장	차용철 240				김선문 280		장훈 360	
계	운영지원	체납추적1	체납추적2	징세	부가1	부가2	소득1	소득2
계장	김관수 241	성보경 551	엄황용 571	최진숙 261	유영복 281	임윤섭 301	김영신 361	윤낙중 381
국세조사관	김두환 김민선 김승훈 나용호 오세민 이동준 이종희	김복선 김약수 박정연 박제영 송수빈 정유진	남현우 박지은 이정은 이휴련 장명화	김소민 박민수	김연이 김은경 김지아 류제성 문채은 박현희 성진혁 심진영 정인애 조용우	강혜윤 김진주 김태헌 박윤주 신형원 옥지웅 왕지영 정기태 조훈연	구효진 김병철 김태규 박옥길 임새봄 전범준 최윤정	박문수 서은영 오현민 이수비 진수민 황준석
FAX	235-5417	235-5410			235-5415		235-5413	235-5414

과	재산법인세과			조사과					납세자보호담당관	
과장	김윤용 400			한구환 640					이찬호 210	
계	재산1	재산2	법인	조사관리	조사1	조사2	조사3	세원정보	납세자 보호실	민원 봉사실
계장	김세희 481	우근중 501	엄기붕 401	송영찬 641	오승훈	정헌호	송경진	김진형	소재성 211	윤건 221
국세 조사관	권예리 박은정 송혜리 이건우 이수진 이진수 전지은	김은경 이재원 전서동 지소영	김다현 박선영 이근원 이은지 이효진 전광희 조영종 조혜연 허숙영 황선유	김은기 이평희	유승아 이재현	노건호 방아현	이채민	최영철	오지윤 전민정	김주미 나유진 나은주 박유자 송영화 이명하 이병욱 최영미
FAX	235-5419		234- 6445	234-6446					235- 5412	235- 5418

353

충주세무서

대표전화: 043-8416-200 / DID: 043-8416-OOO

서장: **김 용 진**
DID: 043-8416-201

주소	충청북도 충주시 충원대로 724 (금릉동) (우) 27338 충북혁신지서:충북 음성군 맹동면 대하1길10 센텀CGV타워3층 (우) 27738				
코드번호	303	계좌번호	090340	사업자번호	303-83-00014
관할구역	충청북도 충주시, 음성군, 진천군			이메일	chungju@nts.go.kr

과	체납징세과			부가소득세과		재산법인세과	
과장	이상학 240			김몽경 280		안기호 400	
계	운영지원	체납추적	징세	부가	소득	재산	법인
계장	박예규 241	김봉호 551	서혜숙 261	유병호 281	김미애 361	이영직 381	이승재 401
국세 조사관	김종민 박승권 이상욱 이솔 정동엽 허천일	강윤정 권희갑 김나리아 김준혁 이연주 최광식	김효선 정명숙	권오성 김지희 김희창 문지원 안수용 이상봉 정희정 조세흠 채홍선	손규리 이강원 이동규 장성미 최병분	김광섭 이오령 임인택 주은경	권오찬 김문철 김찬규 이경원
FAX	845-3320			845-3322		851-5594	

과	조사과			납세자보호담당관		충북혁신지서 8719-200					
과장	조병길 640			이기활 210		김영찬 201					
계	조사 관리	조사	세원 정보	납세자 보호	민원 봉사실	체납 추적	부가	소득	재산	법인	납세자 보호실
계장	임헌진		김명호 691	신혁 211	홍순진 221	이은혜 551	박지혜 281	정성무 361	신진우 481	임현수 401	황재중 221
국세 조사관	김용진 손정화	<1팀> 안남진(팀장) 장한울 정영철 <2팀> 한상배(팀장) 박영임 박재욱 <3팀> 강희웅(팀장) 이동섭	홍기오	손영진 장동환	심혜원 심혜정 오재홍 임수정	권명윤 김승현 김현숙 남기태 박현정 방준석 최휘철	김재영 박노욱 박수현 방지선 안미분 임다림 정원준 최지훈 한지우 홍석우	신원철 오소진 임성옥 한주희	권유빈 김국현 심준석 전세연	고주연 김수인 김지웅 서정원 이동욱 이수영 전시영 차회윤 황은서	박수연 이혜진 최성한 추민재
FAX	845-3323			851- 5595	847- 9093	871- 9631	871-9632		871-9633		871- 9634

광주지방국세청
관할세무서

광주지방국세청

주소	광주광역시 북구 첨단과기로 208번길 43 (오룡동 1110-13) (우) 61011
대표전화 & 팩스	062-236-7200 / 062-716-7215
코드번호	400
계좌번호	060707
사업자등록번호	102-83-01647
e-mail	gwangjurto@nts.go.kr

청장   이판식

(D) 062-236-7200

징세송무국장	민회준	(D) 062-236-7500
성실납세지원국장	임진정	(D) 062-236-7400
조사1국장	최영준	(D) 062-236-7700
조사2국장	강병수	(D) 062-236-7900

광주지방국세청

대표전화: 062-2367-200 / DID: 062-2367-OOO

청장: **이 판 식**
DID: 062-2367-200

주소	광주광역시 북구 첨단과기로 208번길 43 (오룡동) (우) 61011 별관: 광주광역시 서구 월드컵4강로 101길(화정4동 896-3) (우) 61997				
코드번호	400	계좌번호	060707	사업자번호	410-83-02945
관할구역	광주광역시, 전라남도, 전라북도 전체			이메일	gwangjurto@nts.go.kr

과	운영지원과				감사관		납세자보호담당관	
과장	김훈 240				박진찬 300		이상준 330	
계	행정	인사	경리	현장소통	감사	감찰	납세자보호	심사
계장	김민후 252	강채업 242	남자세 262	오상원 272	이필용 302	이규 312	한동석 332	박소현 342
국세 조사관	김미해 김세곤 김태준 김환 나승창 양진호 이승훈 이혁재 조종필 최철승	노성은 송방의 이재남 장시원 정다희 한유현	김현성 선경미 정진아 추명운 황인철	김경주 박성정 오한솔 홍정기	김민경 박홍범 오경태 유종선 정철기 한다정 한원윤	김우신 손충식 신용호 안호정 임수경 황원복	유희경 정수현 정현아	김대일 김재환 백지원 이건주
FAX	716-7215				376-3102		376-3108	

1등 조세회계 경제신문 조세일보

국실	성실납세지원국										
국장	임진정 400										
과	부가가치세과			소득재산세과				전산관리팀			
과장	이진재 401			손오석 431				곽명환 131			
계	부가1	부가2	소비세	소득	재산	소득지원	소득자료 관리TF	전산 관리1	전산 관리2	정보화 센터1	정보화 센터2
계장	김영민 402	염지영 412	문식 422	박연서 432	최태전 442	박미선 452		김보현 132	김옥희 142	박원석 152	김미애 172
국세 조사관	김태원 유항수 윤병준 윤희겸 장수연	박선영 박지언 심현석 유진선	이정민 주송현 최정이 최환석	김은영 송미소 송봉선 정희경	강종만 김지민 배민예	김명희 김재욱 배은선	김민정 문주연	김영오 김운기 정현호 조선경	박종수 송재윤 오상훈 윤여관 이성	김경례 김경임 김혜영 김희숙 류진 박금단 안정심 염현주 윤희경 이승희 정영숙 황경숙	강진 김미경 김양미 김영미 김은자 김은희 박귀자 박향숙 신미숙 유희경 이향화 이혜경
FAX	236-7651			236-7652				716-7221			

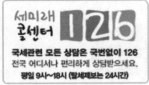

DID : 062-2367-OOO

국실	성실납세지원국			징세송무국					
국장	임진정 400			민회준 500					
과	법인세과			징세과		송무과		체납추적과	
과장	오길재 461			홍영표 501		박순희 521		노현탁 541	
계	법인1	법인2	법인3	징세	체납관리	송무1	송무2	체납추적관리	체납추적
계장	이강영 462	정경일 472	최영임 482	조상옥 502	김옥현 512	김진재 522	박주하 532	박후진 542	민동준 552
국세조사관	강희정 박설희 백철주 임철진 정필섭	강이근 김형경 박상범 이승환 정미진	김득수 민지홍 박형민 정선옥	노미경 이정화 최영주	위지혜 이성민 이장원	박은영 석지혜 윤형길 이동현 이호석 황동욱	나인엽 이성 이영훈 한수홍	김예진 박성진 송재중 전종태 최문영	김성준 김주현 노동균 박지은 정희섭 한채윤
FAX	376-3106			376-3103		376-3107		716-7223	

국실	조사1국				
국장	최영준 700				
과	조사관리과				
과장	정장호 701				
계	제1조사관리	제2조사관리	제3조사관리	제4조사관리	제5조사관리
계장	김민철 702	김철호 712	이성근 722	김엘리야 732	김은미 740
국세 조사관	곽미선 김광성 김보람 박정아 양용희 이승현 임미란 정태호	양승정 유판종 정소영	김상민 배제섭 배주애 서영우 이영은	김학민 김화경 임주리 장성필	김현주 성명재 이채현 하봉남
FAX	376-3105				

세미래
콜센터 126

국세관련 모든 상담은 국번없이 126
전국 어디서나 편리하게 상담받으세요.
평일 9시~18시 (탈세제보는 24시간)

DID : 062-2367-OOO

국실	조사1국					
국장	최영준 700					
과	조사1과			조사2과		
과장	장영수 751			설경양 781		
계	제1조사	제2조사	제3조사	제1조사	제2조사	제3조사
계장	이호 752	김용주 762	임선미 772	방정원 782	김근우 792	윤경호 802
국세 조사관	김지혜 문형민 윤정익	김형주 윤길성 이선민	강중희 신정용 안이슬	문윤진 윤승철 이진택	김혜란 박석환 최원규	송희진 이승완 정경종
FAX	236-7653			236-7654		

국실	조사2국								
국장	강병수 900								
과	조사관리과			조사1과			조사2과		
과장	손재명 901			박성열 931			김대학 961		
계	제1 조사관리	제2 조사관리	제3 조사관리	제1조사	제2조사	제3조사	제1조사	제2조사	제3조사
계장	최권호 902	윤석헌 912	이정관 922	박기호 932	김성희 942	변재만 952	김정운 962	선희숙 972	이수진 982
국세 조사관	김윤희 윤은미 이창주	강문승 김윤희 유춘선 임정미 최보영	나채용 문홍배 민혜민 박재환 신영남 차경진	김만성 주온슬	박인 최연수	문은성 최효영	안재형 한정규	김민석 김유나	김용태 이하현
FAX	716-7228			383-4871			383-4873		

광산세무서

대표전화: 062-9702-200 /DID: 062-9702-OOO

광산세무서   GS주유소

경암근린공원

하남산단 ↑

혹석사거리

운남지구 →

하남지구 ↓

서장: **이 종 학**
DID: 062-9702-201

주소	광주광역시 광산구 하남대로 83(하남동 1276, 1277) (우) 62232						
코드번호	419		계좌번호	027313		사업자번호	
관할구역	광주광역시 광산구, 전라남도 영광군					이메일	

과	체납징세과			부가가치세과		재산법인세과		
과장	박정식 240			양길호 280		김용오 400		
계	운영지원	체납추적	징세	부가1	부가2	재산1	재산2	법인1
계장	방양석 241	하철수 511	송만수 261	박인환 281	정오영 301	남왕주 481	김정연 501	공성원 401
국세 조사관	구윤희 안소연 이일재 정현태	기승연 김정화 박소영 범서희 서우석 선양기 오승섭 이백용 이은광 이지연	강설화 엄하얀 윤민숙	강경희 김영석 김영심 김은미 김지호 나유민 박창용 송다영 신동용 이동훈 이정호 장수희	강용명 김기아 김영순 김용운 박승연 신덕수 심명진 양하섭 이건호 이지현 정세미 조우정	강길주 류호진 문보라 문수미 윤미옥 정보현 정호영 최미영 현경	김기옥 김미화 이동엽 이은진	김서형 김효희 박상은 박종현 손승재 이윤경 이효선 전성준 전지선 정미라 최기환 추지연
FAX	970-2259			970-2299		970-2419		

364

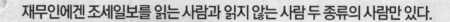

재무인과 함께 걸어가겠습니다 '조세일보'

재무인에겐 조세일보를 읽는 사람과 읽지 않는 사람 두 종류의 사람만 있다.

과	소득세과		조사과					납세자보호담당관	
과장	정길호 360		오현미 640					이성묵 210	
계	소득1	소득2	조사관리	조사1	조사2	조사3	세원정보	납세자 보호실	민원 봉사실
계장	이상준 361	박인수 381	임종안 641	정성수	강성준	신승훈	김현철 691	정기중 211	김영선 221
국세 조사관	강현아 공대귀 기민아 박채연 윤채린 이경환 정수진	김수영 김정호 서은지 지혜림 한정용 홍해라	김미리 김용일 조성재	김영보 정호연	오진명 이승준	남도욱 송원호	김도형	정영천 하주희	김인승 나미선 박지선 선경숙 양동혁 이지영 이하연 조정현 최준민
FAX	970-2379		970-2649					970-2219	970-2238

광주세무서

대표전화: 062-6050-200 /DID: 062-6050-OOO

서장: **정 학 관**
DID: 062-6050-201

광주천 / 광주천 / 태평극장 / NC웨이브 / 금남로 / NTS 광주세무서 / 금남로

주소	광주광역시 동구 중앙로 154 (호남동 39-1) (우) 61484				
코드번호	408	계좌번호	060639	사업자번호	408-83-00186
관할구역	광주광역시 동구, 남구, 전라남도 곡성군, 화순군			이메일	gwangju@nts.go.kr

과	체납징세과			부가가치세과			재산법인세과		
과장	박영수 240			진중기 280			양옥철 400		
계	운영지원	체납추적	징세	부가1	부가2	부가3	재산1	재산2	법인
계장	김명숙 241	장미랑 511	손선미 261	류제형 281	정채규 301	최형동 321	김남수 481	손경근 501	천경식 401
국세 조사관	김정진 박신아 조재연 최가인 최신호 한용철	노은주 박진호 서범석 신영아 윤조아 이정석 이화섭 임미희 한자람	김영하 배현옥 서삼미	김미애 염래경 이기훈 이소영 이진환 임치영 정덕균	성동연 이다영 임경선 정미향 지혜연 최상혁 최연희	권인오 김도연 박성용 윤연자 이로아 정종호 조만호	김가람 김규태 양시은 양은정 양환준 조영두 조혜진 주재정 한수현	남기정 박민국 정건철 한상춘	김승범 김은솔 도하정 송은선 양현황 정기종 정찬일 정혜진 정혜화
FAX	716-7232			716-7233~4			716-7236		716-7237

과	소득세과		조사과						납세자보호담당관	
과장	김애숙 360		진용훈 640						문도연 210	
계	소득1	소득2	조사관리	조사1	조사2	조사3	조사4	세원정보	납세자 보호실	민원 봉사실
계장	박이진 361	박준선 381	오민수 641 김준석	정형태	박형희	심재운		이태훈 691	이성용 211	민경옥 221
국세 조사관	김세나 김은정 김희진 박준규 변지수 신세연 정미선 조유정 황선우	김은수 김희석 나선영 박경단 배진혁 유자연 이태진	박슬기 박유미	김재경 최다혜	김광현 유주미	문경애 진혁환	김다혜 정성문 황정현	최정욱	김영하 김창진 박유나	강미화 김요환 김주현 송진희 엄석찬 염보미 최창무
FAX	716-7235		716-7238						716- 7239	227- 4710

367

북광주세무서

대표전화: 062-5209-200 / DID: 062-5209-OOO

서장: **나 향 미**
DID: 062-5209-201

← 고가　　●농협　　　　●파리바게트　　　전남대 →
경신여고 사거리

주소	광주광역시 북구 금호로 90 (운암동 104-3) (우) 61114			
코드번호	409	**계좌번호** 060671	**사업자번호**	409-83-00011
관할구역	광주광역시 북구, 전라남도 장성군, 전라남도 담양군		**이메일**	bukgwangju@nts.go.kr

과	체납징세과				부가가치세과			소득세과	
과장	엄호만 240				정청운 280			남애숙 360	
계	운영지원	징세	체납추적1	체납추적2	부가1	부가2	부가3	소득1	소득2
계장	강경진 241	박봉선 261	김성호 511	최문자 531	장기영 281	오종식 301	한동환 321	조명관 361	김선희 381
국세 조사관	김유정 민호성 박선미 방해준 서영조 오혜경 이주현 한송이	정숙경 정은연 조호연	김정아 박지혜 박형지 양창헌 이정복 장지민 정재원	김명선 이인숙 임강혁 정미영 정성오 조가윤 허경숙	김윤호 안자영 양재훈 오근님 이경희 장수희 최성배 최연희 홍용길	김미선 김미영 김은영 박복심 박봉현 손정인 양한별 임채영	김재은 김정은 박병일 백광호 오로라 이정우 전용현	김아란 김지민 김혜민 전홍석 정란 정예슬 주은영 채우리 최순옥	강준천 김재은 박경호 신우영 오선주 이수진 이승훈 이아라 최승재
FAX	716-7280		716- 7282~3	716-7287	716-7282~3			716-7287	

과	재산세과		법인세과		조사과			납세자보호담당관	
과장	김현성 480		김희봉 400		심종보 640			김성수 210	
계	재산1	재산2	법인1	법인2	조사관리	조사	세원 정보팀	납세자 보호실	민원 봉사실
계장	박용우 481	윤석길 501	박득연 401	나양선 421	김영호 641		구성본 691	211	전해철 221
국세 조사관	고혜진 기대원 김영숙 김영유 남덕현 박홍일 백남중 오가원 오종수 최장균 하경아	김우성 박봉주 오금선 지정국	강기호 고복님 김예준 박찬열 윤수연 정병주 정주희	강성식 김남이 박병민 윤성두 윤준영 음지영	양명희 이시형 정리나 최종민	<1팀> 강춘구(팀장) 김효수 정영현 <2팀> 한규종(팀장) 김완주 윤한슬 <3팀> 김재춘(팀장) 강경완 임수미 <4팀> 채남기(팀장) 김원주 하지영 <5팀> 한기청(팀장) 박지연 오자은	고석봉 박상준	강윤성 박기혁 박정일	고재성 김송심 김정아 김현진 박경란 박시원 방영화 이윤호 조은지 주선영
FAX	716-7286		716-7285		716-7289			716- 7284	716- 7291

서광주세무서

대표전화: 062-3805-200 / DID: 062-3805-OOO

서장: **나 종 선**
DID: 062-3805-201

주소	광주광역시 서구 상무민주로 6번길 31 (쌍촌동 627-7) (우) 61969				
코드번호	410	계좌번호	060655	사업자번호	410-83-00141
관할구역	광주광역시 서구			이메일	seogwangju@nts.go.kr

과	체납징세과			부가가치세과		재산법인세과		
과장	김균열 240			이장근 280		서한도 400		
계	운영지원	체납추적	징세	부가1	부가2	재산1	재산2	법인
계장	박병환 241	나형채 511	김애심 261	서근석 281	권영훈 301	최재혁 481	강형탁 501	이환 401
국세 조사관	강정희 이호승 장형재 전은상 최상연 홍완표	김근형 김아람 김형연 박새봄 박현준 송은주 이환성 진문수 한도흔 한송이	정은숙 홍수경	강나영 구태휴 김다예 김상훈 김혜정 나한태 문영규 박은영 박지현	김수민 김현재 김현정 목영주 박남중 윤정호 이혜경 정유진 조화경	고부경 고선미 기금헌 박은영 방현정 서민하 전태호 최윤주	김재석 박은지 정재훈 채화영	김동신 김태경 박유라 서경무 윤여찬 이소연 이수라 한은정
FAX	716-7264			371-3143		716-7265		

370

과	소득세과		조사과					납세자보호담당관	
과장	하상진 360		진남식 640					정일상 210	
계	소득1	소득2	조사관리	조사1	조사2	조사3	세원정보	납세자 보호실	민원 봉사실
계장	김광현 361	이송연 381	김대현 641	문경준	박삼용	김광섭	유준 691	김자회 211	이송희 221
국세 조사관	박무수 박해연 이아림 정명운 정선태 정수자	박진웅 이수연 조성애 최시은 최예린 한국일	노민경 양현진	김병기 이옥진	오종호 장지원	정형필	이정	강용구 이정환	국승미 김민정 김영준 김종훈 문준규 조윤경 한윤희 허선덕
FAX	376-0231		716-7266					716-7267	716-7268

나주세무서

대표전화: 061-3300-200 / DID: 061-3300-OOO

서장: **김 태 열**
DID: 061-3300-201

주소	전라남도 나주시 재신길 33(송월동 1125) (우) 58262				
코드번호	412	계좌번호	060642	사업자번호	412-83-00036
관할구역	전라남도 나주시, 영암군(삼호읍 제외), 함평군			이메일	naju@nts.go.kr

과	체납징세과			부가소득세과	
과장	정형주 240			문미선 280	
계	운영지원	체납추적	조사	부가	소득
계장	장민석 241	박태훈 511	박기홍 651	손삼석 281	박정환 361
국세 조사관	김선유 이영민 이철승 차은정	남승원 박시연 신명희 안진영 양행훈 우재만 최제후	강지만 기남국 김회창 문영권 송용기 이정우 임정민 조해정	권정용 김도훈 김미혜 김인중 박선영 유관식 윤한표 정명숙	서정숙 이형용 장진혁 전태현 진경숙 채숙경
FAX	332-8583	333-2100		332-8581	

1등 조세회계 경제신문 조세일보

과	재산법인세과		납세자보호담당관	
과장	김형숙 400		민준기 210	
계	재산	법인	납세자보호실	민원봉사실
계장	김영호 481	박철성 401	정종필 211	이미자 221
국세 조사관	고균석 김현진 나진희 박정환 이다예 이수빈 정세훈	김종명 김철호 신종식 유광호 이유미 이재완 정미선 주희은	김기정	김용태 마현주 신초일 이성진 황지선
FAX	332-2900		332-8583	332-8570

목포세무서

대표전화: 061-2411-200 / DID: 061-2411-OOO

서장: **최 영 철**
DID: 061-2411-201

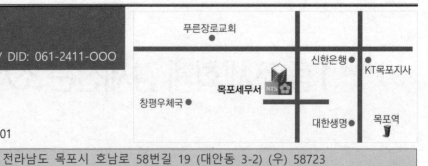

주소	전라남도 목포시 호남로 58번길 19 (대안동 3-2) (우) 58723					
코드번호	411	계좌번호	050144	사업자번호	411-83-00014	
관할구역	전라남도 목포시, 무안군, 신안군, 영암군 중 삼호읍			이메일	mokpo@nts.go.kr	

과	체납징세과			부가가치세과		소득세과	
과장	임종찬 240			정완기 280		김재만 360	
계	운영지원	체납추적	징세	부가1	부가2	소득1	소득2
계장	곽현수 241	조영숙 511	공병국 261	서병희 281	김재석 301	정은영 361	설영태 621
국세 조사관	박상일 윤현웅 정미연 지행주	김민수 김영지 노현정 문형일 박준후 송은영 신은화 이남희 정명근 조영란 최전환	김희정 서경하	고수영 구혜숙 류지훈 문다영 박지희 박현화 심상원 유형근 이은아	김공해 김동구 박종근 박혁 이동주 이성률 이점희 최미혜	강성기 김평화 김현자 나소영 오재란 정주리	김세원 박태준 박향엽 서동현 이선화 진누리
FAX	244-5915			241-1349	247-2900	247-2900	

과	재산법인세과			조사과					납세자보호담당관	
과장	오금탁 400			김용길 640					정윤재 210	
계	재산1	재산2	법인	조사관리	조사1	조사2	조사3	세원정보	납세자 보호실	민원 봉사실
계장	김종숙 481	강석제 491	김안철 401	김태호 641	박철우	김진호	최종선	김봉재 691	양석범 211	김은숙 221
국세 조사관	곽새미 안유정 오춘택 정우철 조정효	윤수환 이창근 임창관 정기은	고재환 김규표 김단비 김수희 박지현 유민희 이상훈 천서정	나혜경 우영만	김자희 한상룡	김대호 최수현	한정관 한창균	김종일	안요한 최지혜	김단 김초원 손광민 이기순 장기현 장슬미 최영임
FAX	241-1669		241- 1602	245-4339					241- 1601	241- 1567

순천세무서

대표전화: 061-7200-200 / DID: 061-7200-OOO

서장: **주 현 철**
DID: 061-7200-201

순천
교육지원청

연향동
동부아파트

순천세무서

부영초등학교

순천연향중학교

주소	전라남도 순천 연향번영길 64 (연향동 1379) (우) 57980 벌교지서 : 전라남도 보성 벌교 채동선로 260 (우) 59425 광양지서 : 전남 광양 중마중앙로 149 (우) 57785				
코드번호	416	계좌번호	920300	사업자번호	416-83-00213
관할구역	전라남도 순천시, 광양시, 구례군, 보성군, 고흥군			이메일	suncheon@nts.go.kr

과	체납징세과			부가가치세과		소득세과		재산법인세과			납세자보호담당관	
과장	장동규 240			박상현 280		서순기 360		김상철 400			고대영 210	
계	운영 지원	체납 추적	징세	부가1	부가2	소득1	소득2	재산1	재산2	법인	납세자 보호실	민원 봉사실
계장	정준갑 241	구대중 511	전복진 261	김종운 281	이용철 301	박도영 361	최인광 381	김준성 541	정종대 561	허재욱 401	서동정 211	박귀숙 221
국세 조사관	김경현 김성진 김소망 김임순 서광기 이세라 홍성표	김상훈 김선진 김태진 박은화 손성희 이성창	정지은 홍미라	강여울 김명중 김종율 김혜경 최병윤 추경진 한귀숙	강임현 권민정 김윤정 김일석 류성주 정종은 황승진	김진희 노순정 오인철 임현택 장지선	강아라 김종철 명국빈 박용문 채명석	김정은 박범진 손명희 손세민 심성환 이종필	백기호 우남준 윤경희 한은정	김미영 류은미 민순기 윤다희 이호남 차유곤	김주일 심성연	곽민경 김상현 김현정 나윤미 남상진 이지헌 전미선
FAX	723-6677			723-6673		720-0330		720-0320			723-6676	

1등 조세회계 경제신문 조세일보

과	조사과			벌교지서 (061-8592-OOO)			광양지서 (061-7604-OOO)			
과장	박권진 640			김형국 201			백계민 201			
계	조사 관리	조사	세원 정보	납세자 보호	부가 소득	재산 법인	납세자 보호	부가	소득	재산 법인
계장	이양원 641		은희도 691	정성일 211	진정 302	강성원 402 조호형 401	이용화 211	이재갑 281	김강수 361	천병희 401
국세 조사관	김문희 박민 박은재 이성실	<1팀> 임수봉(팀장) 안지섭 이진우 <2팀> 배진우 이상철 형신애 <3팀> 임성민(팀장) 김정진 이은행 <4팀> 조광덕(팀장) 차지연 홍영준	양윤성 이창현	강구남 박유진 손수아 이희진	강태민 김재경 나형배 서미순 염삼열 정시온 조규봉 최선	김영순 유상원 유영근 이철 하성철	강선대 노시열 문한솔 박설화	김정선 김희창 노승규 류의지 박승윤 오세철 윤유선 이창훈 정찬우 한규리	김상호 김한림 이수연 천지은	강윤지 김강진 김학수 류성백 박소연 이재원 정찬조
FAX	720-0420			857- 7707	857- 7466	859- 2267	760-4238			

여수세무서

대표전화: 061-6880-200 / DID: 061-6880-OOO

서장: **선 규 성**
DID: 061-6880-201

여수국사
산업단지

주삼동
주민센터

여천농협
석창지점

여수세무서

봉계동 우체국

전남대 →
둔덕캠퍼스

주소	전라남도 여수시 좌수영로 948-5 (봉계동 726-36) (우) 59631				
코드번호	417	계좌번호	920313	사업자번호	417-83-00012
관할구역	전라남도 여수시			이메일	yeosu@nts.go.kr

과	체납징세과			부가소득세과		
과장	서옥기 240			김창현 280		
계	운영지원	체납추적	징세	부가1	부가2	소득
계장	김윤주 241	오창옥 511	오용호 261	이정철 281	류영길 301	이재운 361
국세 조사관	권상일 김재찬 안민숙 이순민 황숙자	윤종호 이은석	김우정 김효정 남상훈 양태영 윤정필 이성호 장재영	배숙희 신상덕 신예진 원두진 정지운 최상영 홍미숙 황해승	강혜정 김아영 김지현 김현진 박영수 조유리 최낙훈	곽용재 김금영 김태원 이한이 정인환 주은상 허미나
FAX	688-0600	682-1649		682-2070		682-1652

과	재산법인세과		조사과				납세자보호담당관	
과장	배종일 400		정영곤 640				정찬성 410	
계	재산	법인	조사관리	조사1	조사2	세원정보	납세자보호실	민원봉사실
계장	황교언 481	박진갑 401	임향숙 651	위석	이탁신	함태진 691	노정운 211	박행진 221
국세조사관	김승수 박광천 박문상 신찬호 이민희 이호철 최보람	곽재원 김정현 김정희 신수정 이은진 이재아 정현미	김혜원 이용욱	박천주 한용희	송윤민	정경식	정일 최인효	김동선 김은진 조근비 주연봉 홍은영
FAX	682-1656		682-1653				682-1648	

해남세무서

대표전화: 061-5306-200 / DID: 061-5306-OOO

해남세무서

← 해남군청

현대자동차
해남대리점

KT 해남

해남종합버스
터미널

서장: **김 일 환**
DID: 061-5306-201

주소	전라남도 해남군 해남읍 중앙1로 18 (우) 59027 강진지서: 전남 강진군 강진읍 사의재길 1 (우) 59226				
코드번호	415	계좌번호	050157	사업자번호	415-83-00302
관할구역	전라남도 해남군, 완도군, 진도군, 강진군, 장흥군			이메일	haenam@nts.go.kr

과	체납징세과			세원관리과		
과장	배삼동 240			박정국 280		
계	운영지원	체납추적	조사	부가	소득	재산법인
계장	박남주 241	박상을 511	한영수 651	조경윤 281	오성실 361	이수창 401
국세 조사관	문승식 박정순 유승철 전진철	김진영 류지윤 손상필 이승준 조상진 황득현	강성현 박종근 이승근 이은경	박소영 윤해진 이보배 정성의 정형준 조현국 허지혜	권준용 김화영 김희관 박용희 유수호	강병관 김창훈 김현철 박미애 배정주 유성진 정미선 한나라 한일용 황선진
FAX	536-6249	536-6074	536-6132	536-6131	534-3995	(재산) 534-3995 (법인) 536-6131

과	납세자보호담당관		강진지서	
과장	김현경 210		노남종 201	
계	납세자보호실	민원봉사실	납세자보호	세원관리
계장		이용혁 221	김준수 210	이정훈 300
국세 조사관	김승진	강희다 김옥천 박명식 안혜정 오윤정	강정님	강석구 국명래 김진우 박민원 박종훈 박홍균 손현정 오은주 장형욱 정병철 정소영
FAX	534-3540		433-4140	434-8214

군산세무서

대표전화: 063-4703-200 / DID:063-4703-OOO

군산시청
미장초등학교
군산동초등학교
NTS
군산세무서
풍경채아파트

서장: **최 이 환**
DID: 063-4703-201

주소	전라북도 군산시 미장13길 49(미장동 525) (우) 54096				
코드번호	401	계좌번호	070399	사업자번호	401-83-00017
관할구역	전라북도 군산시			이메일	gunsan@nts.go.kr

과	체납징세과			부가소득세과		
과장	최홍신 240			전정은 280		
계	운영지원	체납추적	징세	부가1	부가2	소득
계장	장미자 241	이기웅 511	김성근 261	박성종 281	최미경 291	하태준 361
국세 조사관	고의환 구판서 유행철 전요찬 황현	강원 박선영 반장윤 백종현 소윤섭 양아름 이승훈 조홍수	김은아 문은희	노도영 문가나 백종준 이다현 이민영 이종호 이학승 장하영 황현주	문희원 배기연 심세라 한상훈 허진성 황병준	강인석 김선영 김지혜 박신영 배성윤 소수혜 손정현 최호일
FAX	468-2100			467-2007		

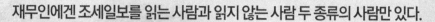

과	재산법인납세과		조사과				납세자보호담당관	
과장	조혜영 400		이종운 640				박인환 210	
계	재산	법인	조사관리	조사1	조사2	세원정보	납세자보호실	민원봉사실
계장	조준식 481	고진수 401	이수현 651	정용주	오두환	방성훈 691	정병관 211	김영관 221
국세조사관	김미향 김회광 문영준 이병재 조성현 최고든 홍서윤	권은경 유재룡 이정애 장용준 전수현 조근호 허유경	김보미 노화정	김혜은 이기원	손세영 정새하	김재실	김현지 최수진	김남덕 김환옥 문은수 이경진 이현임 전이나 정한길
FAX	470-3636		470-3344				470-3214	470-3441

남원세무서

대표전화: 063-6302-200 / DID: 063-6302-OOO

서장: **김 상 구**
DID: 063-6302-201

주소	전북 남원시 동림로 91-1(향교동 232-31) (우) 55741				
코드번호	407	계좌번호	180616	사업자번호	407-83-00015
관할구역	전라북도 남원시, 순창군, 임실군, 장수군 일부			이메일	namwon@nts.go.kr

과	체납징세과			세원관리과	
과장	김행곤 240			염대성 280	
계	운영지원	체납추적	조사	부가	소득
계장	박미선 241	박정희 511	양철민 651	이영태 281	기연희 361
국세 조사관	강소정 곽민호 김철수 윤영원	강지선 김광성 김효근 양용환 이근재	김재원 박란영 박민주 천우남	김진수 류진영 박정욱 박지호 안기웅 양다은 이다혜	김법열 위광환 정초희 정혜경
FAX	632-7302		630-2299	631-4254	

과	세원관리과	납세자보호담당관	
과장	염대성 280	장성재 210	
계	재산법인	납세자보호실	민원봉사실
계장	김정임 401		백찬진 221
국세 조사관	문해수 박지혜 안치영 유재곤 이경화 이춘형 임진아 조연종 최윤영 한연식	김춘광	강선양 김현옥 손현태 이수연
FAX	630-2419	635-6121	

북전주세무서

대표전화: 063-2491-200 / DID: 063-2491-OOO

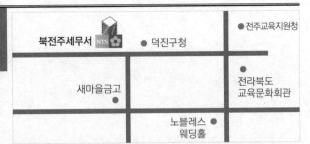

서장: **안 형 태**
DID: 063-2491-201

주소	전라북도 전주시 덕진구 벚꽃로 33 (우) 54937 진안지서 : 전북 진안군 진안읍 중앙로 45 (우) 55426				
코드번호	418	계좌번호	002862	사업자번호	402-83-05126
관할구역	전주시 덕진구, 진안군, 무주군, 장수군 중 일부			이메일	bukjeonju@nts.go.kr

과	체납징세과			부가소득세과			재산법인세과	
과장	정흥기 240			채규일 280			양광준 400	
계	운영지원	체납추적	징세	부가1	부가2	소득	재산	법인
계장	고선주 241	한재령 511	정숙자 261	윤석신 281	김영규 301	김대원 361	이종현 481	안윤섭 401
국세 조사관	김귀종 김용선 김종호 이철호 최경배 최순희	김병주 류지호 류필수 박효정 이두호 임형용 장현숙 채준석	안춘자 최복례	고필권 권은숙 문가영 박미진 서보경 안형숙 이훈 정애리 최재규	노동호 노명진 박종호 박환 윤한빛 이수현 이정은	김기동 김소영 김수경 김예슬 김재만 박현진 장현정 최희재 허정순	고석중 고은정 민효정 박성수 박승훈 박연 임재성 장형준	김한솔 송도규 유현수 이동규 이서진 이주형 진실화 한소은
FAX	249-1555	249-1680		249-1682			249-1681	249-1687

1등 조세회계 경제신문 조세일보

과	조사과					납세자보호담당관		진안지서(430-5200)	
과장	이상두 640					양천일 210		한일수 201	
계	조사관리	조사1	조사2	조사3	세원정보	납세자보호실	민원봉사실	납세자보호실	세원관리
계장	한병민 641	이명준	김준연	권도영	이광선 691	양정희 211	김복기 221	이정운 211	박금규 300
국세조사관	박정숙 유은애	박태완 최현영	박주형 조영숙	서동진 임아련	박종원	이선경 홍현지	김광희 김명숙 김미라 김애령 김혜인 박성주 배정우 전주화	김이영 류장훈 박정재 방귀섭 송송이	강혜린 김다빈 김유경 김의철 김정은 문지홍 손현주 이성은 정흥엽 최칠성
FAX	249-1683					249-1684		433-5996	432-1225

익산세무서

대표전화: 063-8400-200 / DID: 063-8400-OOO

서장: **심 상 동**
DID: 063-840-0201

주소	전라북도 익산시 익산대로52길 19 (남중동352-98) (우) 54619 김제지서 : 전라북도 김제시 신풍길 205 (신풍동 494-20) (우) 54407							
코드번호	403		계좌번호	070425		사업자번호	403-83-01083
관할구역	전라북도 익산시, 김제시					이메일	iksan@nts.go.kr

과	체납징세과			부가소득세과			재산법인납세과	
과장	이민구 240			고대식 280			백운영 400	
계	운영지원	체납추적	징세	부가1	부가2	소득	재산	법인
계장	조용식 241	511	정준 261	김은정 281	김승영 301	소병인 621	한권수 481	최병하 401
국세 조사관	이경선 이은경 전봉철 조준철 최정연	김복선 김삼원 서명권 소태섭 양향열 이하은 지승룡 최성관	박봉근 심재옥	김민주 김은미 김중휘 박성란 박효진 이성준 조성훈 한윤주	김주란 김진철 신지수 유현순 이현기 이현지 전동현 정필경 하나정	김민재 김영현 박상민 박소미 송진용 양영훈 오신영 이세리 정지혜 채수정	설승환 오미경 이현주 조길현 최은비	김성주 김중석 문미나 문정미 이승훈 조성우 허현 황정미
FAX	851-0305			840-0448			840-0549	

과	조사과					납세자보호담당관		김제지서		
과장	김현 640					이창준 210		김창연 201		
계	조사관리	조사1	조사2	조사3	세원정보	납세자 보호	민원 봉사실	납세자 보호	부가소득	재산법인
계장	설진 641	이민호	이경섭	차상윤	박영민 691	변승철 211	김동하 221	이서재 210	유근순 280	장해준 400
국세 조사관	김민지 이한일 최수연	김희태 백연비	김해강 이용출	염보름 최창욱	강태진	이상순 임완진	박인숙 배종진 오영우 정금자 정진화 최재일	김광괄 박가영 이광열	김경희 김은옥 김정원 박지은 송의진 양준복 이정호 임양주 천진영	김성용 김용수 문교병 박동진 박태신 유제석
FAX	840-0509					851-3628		547-4181		

전주세무서

대표전화: 063-2500-200 / DID: 063-2500-OOO

서장: **최 재 훈**
DID: 063-2500-201

● 하이마트

← 고속 터미널

● 환경청

NTS 전주세무서

서곡 중학교

주소	전라북도 전주시 완산구 서곡로 95 (효자동3가 1406) (우) 54956				
코드번호	402	계좌번호	070438	사업자번호	418-83-00524
관할구역	전라북도 전주시 완산구, 완주군			이메일	jeonju@nts.go.kr

과	체납징세과			부가가치세과		소득세과	
과장	장영철 240			이승곤 280		라용기 360	
계	운영지원	징세	체납추적	부가1	부가2	소득1	소득2
계장	이현주 241	이사영 261	백승학 511	김상욱 281	정수명 301	정명수 361	김춘배 621
국세 조사관	강수성 권미자 김경환 김소영 김준석 박상종 설진원 최지현	박인숙	김선경 김용남 김종화 김지홍 류종규 문찬영 심혜진 조상미 최영근 한수경	강성희 고준석 금윤순 김병삼 김용례 박성윤 박소희 손형주 이보영 이수복 이승하 이원교 임소희	강석 김현주 김희숙 박수정 손수현 송하준 오은영 이동영 임지훈 조미옥	김세연 김주현 나진주 박지원 양성철 이미선 이청하 조란 최은철	민경훈 이하승 이현정 전유진 조기정 진동권 차영준
FAX	250-0249	277-7708		277-7706		250-0449	250-0632

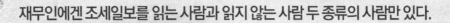

재무인과 함께 걸어가겠습니다 '조세일보'

재무인에겐 조세일보를 읽는 사람과 읽지 않는 사람 두 종류의 사람만 있다.

과	재산법인세과			조사과					납세자보호담당관	
과장	김선주 400			김진환 640					이상수 210	
계	재산1	재산2	법인	조사관리	조사1	조사2	조사3	세원정보	납세자보호실	민원봉사실
계장	조형오 481	허윤봉 491	박윤규 401	임기준 641	문동호	정균호	이승일	유요덕 691	이승용 211	최원택 221
국세조사관	김세웅 김학수 배영태 백원길 성미경 오유진 이소은 이정수 조경제	김지호 박현수 임소미 조지영	권수진 김용범 김은지 김효진 박지명 소수현 심미선 최건희 최세현 홍윤기	김은영 이성식 허경란	김종인 이영민 이용진	장완재 장준엽	손종현 최지희	공미자 정우성	김윤환 손안상	고유나 김이경 김재영 류아영 배정훈 양지연 장영주 최미란
FAX	250-0505,7311			250-0649					275-2100	275-2176

정읍세무서

대표전화: 063-5301-200 / DID: 063-5301-OOO

서장: **황 인 준**
DID: 063-5301-201

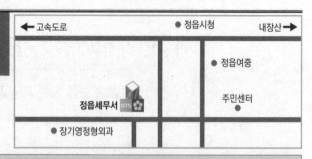

주소	전라북도 정읍시 중앙1길 93 (수성610) (우) 56163				
코드번호	404	**계좌번호**	070441	**사업자번호**	404-83-01465
관할구역	전라북도 정읍시, 고창군, 부안군			**이메일**	jeongeup@nts.go.kr

과	체납징세과			부가소득세과	
과장	조준영 240			오기범 280	
계	운영지원	체납추적	조사	부가	소득
계장	이정길 241	김환국 511	박경수 651	박정애 281	김웅진 361
국세 조사관	김태환 김현진 박진규 오동화 한성희	김미진 김정석 윤성준 이보람 이승재 최현진 허문옥	김필선 유훈주 이윤선 정우진 천명길	고서연 김서현 김수경 김진만 박새얀 신규용 신솔지 오현창 이재희 전혜진	김경은 박명철 유세용 이숙경 이연희 이지연 최방석
FAX	533-9101		535-0040	535-0041	535-0042

1등 조세회계 경제신문 조세일보

과	재산법인세과		납세자보호담당관	
과장	유태정 400		안선표 210	
계	재산	법인	납세자보호실	민원봉사실
계장	송경희 481	남궁화순 401	백홍교 211	이동진 221
국세 조사관	고선주 배성관 이재성 임한솔 한길완 한숙희	김택우 박수인 윤지현 이윤정 전수영 전찬희	양정숙	김유진 문기조 박영석 이주은 이효선
FAX	535-0043	535-6816	535-5109	

대구지방국세청
관할세무서

대구지방국세청

주소	대구광역시 달서구 화암로 301 (대곡동) (우) 42768
대표전화	053-661-7200
코드번호	500
계좌번호	040756
사업자등록번호	102-83-01647
e-mail	daegurto@nts.go.kr

청장   김태호

(D) 053-6617-201

징세송무국장	남영안	(D) 053-6617-500
성실납세지원국장	조성래	(D) 053-6617-400
조사1국장	박수복	(D) 053-6617-700
조사2국장	이동찬	(D) 053-6617-900

대구지방국세청

대표전화: 053-6617-200 / DID: 053-6617-OOO

청장: **김 태 호**
DID: 053-6617-201

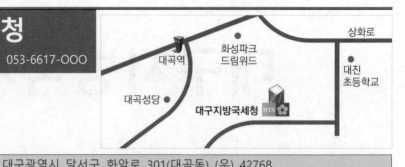

주소	대구광역시 달서구 화암로 301(대곡동) (우) 42768				
코드번호	500	계좌번호	040756	사업자번호	102-83-01647
관할구역	대구광역시, 경상북도			이메일	daegurto@nts.go.kr

과	운영지원과				감사관실		납세자보호담당관실	
과장	박수철 240				윤재복 300		이하철 330	
계	행정 252-8	인사 242-8	경리 262-7	현장소통 272-7	감사 302-8	감찰 312-9	납세자보호 332-5	심사 342-7
계장	성낙진 252	성한기 242	최남숙 262	최기영 272	문효상	김정환	장은경 332	이선영 342
국세 조사관	공성웅 권기봉 김성은 김윤옥 김지수 김태영 박수현 백종열 이범철 이상원	김대훈 남동우 박재형 배재홍 이경아 이수영	권효은 김주영 전영현 정경남 최용훈	권순형 김태희 박원돈 양철승 이영주	김자헌 명기룡 우영재 이승훈 정성호 황지영	김동욱 김민창 김삼규 박윤형 박주현 이상희 임채홍	김민주 김영인 박자임	박은영 박지연 서은혜 이형우 최재혁
FAX	661-7052				661-7054		661-7055	

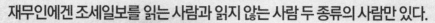

재무인과 함께 걸어가겠습니다 '조세일보'

재무인에겐 조세일보를 읽는 사람과 읽지 않는 사람 두 종류의 사람만 있다.

1등 조세회계 경제신문 조세일보

국실	징세송무국						성실납세지원국		
국장	남영안 500						조성래 400		
과	징세과		송무과		체납추적과		부가가치세과		
과장	이동훈 501		문진혁 521		최종기 541		한채모 401		
계	징세 502-5	체납관리 512-5 141-6	송무1 522-8	송무2 532-6	체납추적 542-7	체납추적 관리	부가1 402-7	부가2 412-6	소비세 422-7
계장	안병수 502	이경민 512	황병록 522	김종수 532	김정철 552	이미숙 542	이문태 402	권용덕 412	이상호 422
국세 조사관	이도경 이동곤 최기용	마성혜 엄경애 하은석	박수정 변지흠 이정국 정수호 최현주 한주성	김부자 김상우 김이레 유병모	김광현 김지윤 박현하 서소담 안성엽	김예빈 김인덕 서정은 이상욱 이성훈 이태희	김규진 소충섭 이소영 채주희	권민규 김재환 임정관 정유나	박재규 정대석 최민석 황성만
FAX	661-7060		661-7061		661-7062		661-7056		

DID : 053-6617-OOO

국실	성실납세지원국										
국장	조성래 400										
과	소득재산세과				법인세과			전산관리팀			
과장	김상섭 431				김기형 461			이범락 621			
계	소득 432-6	재산 442-6	소득지원 452-5	소득자료관리TF 456-7	법인1 462-8	법인2 472-6	법인3 482-5	전산관리1 622-6	전산관리2 632-8	정보화센터1 642~659	정보화센터2 662~678
계장	배세령 432	도해민 442	황재섭 452		권대훈 462	김지인 472	정창근 482	최상복 622	서계주 632	송재준 642	곽명숙 662
국세조사관	권은진 김효삼 도인현 신재은	곽민경 권태혁 석종국 신아영	이동균 정현민 조은경	김혜진 조명석	서상순 안우형 이지영 임치수 최재협 황석현	권순모 김안나 손은숙 우승하	김정환 배진우 이슬 정승우	김연숙 손동민 손윤숙 최은영	김미경 김미량 박경련 서영지 이은주 전현정	강지용 곽정희 김수현 김정실 박미경 장은희 정선희 최선주 홍금자 황주미	고유경 김윤호 김은진 김해옥 양혜진 이경숙 임시원 장현정 정명희 조미정 천효심
FAX	661-7057				661-7058			661-7059			

국실	조사1국							
국장	박수복 700							
과	조사관리과					조사1과		
과장	최원수 701					이훈희 751		
계	제1조사관리 702-10	제2조사관리 712-6	제3조사관리 722-9	제4조사관리 732-6	제5조사관리 742-7	제1조사 752-5	제2조사 762-5	제3조사 772-5
계장	류재무	이명주	이성환	이정남	허재훈	유창석	이중구	조재일
국세 조사관	김성호 김주원 박진희 윤근희 이석진 정현준 주명오	신연숙 이호열 최윤영	김경훈 김득수 김성균 김진영 이준익 이현영 전혜진	김혁동 남상헌 이승명 정은주	권소연 김연희 김재홍 류상효 이장환	권현목 심재훈 최인우 황지성	오세민 이채윤 이충호	김대업 김병욱 서상범
FAX	661-7063					661-7065		

DID : 053-6617-OOO

국실	조사1국			조사2국		
국장	박수복 700			이동찬 900		
과	조사2과			조사관리과		
과장	박규동 801			임종철 901		
계	제1조사 802-5	제2조사 812-5	제3조사 822-4	제1조사관리 902-5	제2조사관리 912-6	제3조사관리 922-7
계장	김혁준	이재혁	김정석	김봉승	김성제	이현수
국세 조사관	김종민 박소정 박영호	김도연 박정화 이정호	김미애 신성용 하헌욱	민갑승 민은연 배유리	김민호 박상혁 송시운 이향옥	오춘식 이진욱 이홍규 정다운 황보정여
FAX	661-7066			661-7067		

1등 조세회계 경제신문 조세일보

국실	조사2국					
국장	이동찬 900					
과	조사1과			조사2과		
과장	은경례 931			이승괄 961		
계	제1조사 932-5	제2조사 942-5	제3조사 952-4	제1조사 962-5	제2조사 972-4	제3조사 982-4
계장	김명경	서지훈	정규삼	한청희	김진환	차종언
국세 조사관	권승비 이기동 이지민	박종원 임성훈	권갑선 우병재	박선혜 박순출 손정훈	김미현 배건한 서동원	구근랑 배민경
FAX	661-7068			661-7069		

남대구세무서

대표전화: 053-6590-200 / DID: 053-6590-○○○

남대구세무서 NTS

🗑️대명역 ●개나리맨션 🗑️안지랑역

← 서부정류장   대명초등학교● KT&G● ●제일빌딩

서장: **신 영 재**
DID: 053-6590-201

주소	대구광역시 남구 대명로 55 (대명동) (우) 42479				
코드번호	514	계좌번호	040730	사업자번호	410-83-02945
관할구역	대구광역시 남구, 달서구 중(월성동, 대천동, 월암동, 상인동, 도원동, 진천동, 대곡동, 유천동, 송현동, 본동), 달성군		이메일		namdaegu@nts.go.kr

과	체납징세과				부가가치세과장			소득세과장		
과장	신용석 240				이창민 280			강정석 360		
계	운영지원	징세	체납추적1	체납추적2	부가1	부가2	부가3	소득1	소득2	소득3
계장	김병석 241	이동준 261	조철호 441	임창수 461	이광희 281	장철 301	정이천 321	신석주 381	하원근 621	김상태 361
국세 조사관	강은비 김덕환 김영숙 김정목 도세영 양미례 이안섭 최현석	이기연 전현진 최춘자	강승묵 김혜영 손예정 안정환 윤강로 윤중호 이선희 이연숙 이호	김유진 신선혜 이승은 조현준 채미연 최유철 허성혁	고재봉 김수경 김윤종 김하영 박다겸 박미주 배수진 이명수 장정혜 정학기 천정희	강민지 권인석 김효인 박현정 오영빈 윤태영 이경희 이주안 장진욱	강률인 김병모 김은영 김효경 도지회 박만용 윤석천 이인우 이종휘 이지은	김석호 김성우 김송연 김희연 박기호 손민지 장근철 최지영	곽철규 김상분 유창진 이영애 이정노 전승조 최선희	김길영 박소영 박해정 변영철 이현탁 정민아
FAX	627-0157	627-7164	623-8498		627-7164			623-8498		

10년간 쌓아온 재무인의 역사를 돌려드립니다 '온라인 재무인명부'

수시 업데이트 되는 국세청, 정·관계 인사의 프로필과 국세청, 지방청, 전국세무서, 관세청,
유관기관 등의 인력배치 현황을 볼 수 있는 온라인 재무인명부

1등 조세회계 경제신문 조세일보

과	재산세과		법인세과		조사과			납세자보호담당관	
과장	김석수 480		변호춘 400		서명숙 640			박영언 210	
계	재산1	재산2	법인1	법인2	조사관리	조사	세원정보	납세자 보호실	민원 봉사실
계장	조래성 481	박서규 501	임병주 401	배한국 421	김현수 641		신상우 691		전미자 221
국세 조사관	강대호 김영록 김좌근 박근윤 송주현 윤기한 이미남 이현정 정재기 조현덕	박정길 이강석 이창우 조준서 한성욱 허정미	서인현 신근수 신진연 안해찬 이동규 이상훈 정찬호 최은애	김영주 배태호 안진희 오가은 이민우 이채원 정경희	김상우 김종인 임희인	<1팀> 김진한(팀장) 한창수 홍현정 <2팀> 윤희진(팀장) 이혜영 장창걸 <3팀> 이희영(팀장) 김호경 조재영 <4팀> 김태겸(팀장) 노은미 임효신 <5팀> 이덕원(팀장) 김인자 안재근 <6팀> 윤판호(팀장) 유미나 이한샘	신진우	구병모 김성민 이순임 이치욱 조남규	김영아 김현두 마명희 박명우 이선이 장효경 황영숙 황은아
FAX	626-3742		627-0262		627-0261			627- 2100	622- 7635

동대구세무서

대표전화: 053-7490-200 / DID: 053-7490-OOO

서장: **이 영 철**
DID: 053-7490-201

대구은행본점 ● 　　성조아파트 ●　　　● 청구고등학교
그랜드호텔 ●　　　　　　　　　　　● 상공회의소
　　　　　　　　　　　　　　　　　● 귀빈예식장
수성구청 ●　대구지방법원 ● MBC
수성경찰서 ●　↓ 남부정류장　2군사령부 ↓　NTS 동대구세무서

주소	대구광역시 동구 국채보상로 895 (우) 41253				
코드번호	502	계좌번호	040769	사업자번호	410-83-02945
관할구역	대구광역시 동구			이메일	dongdaegu@nts.go.kr

과	체납징세과			부가가치세과		소득세과	
과장	장경숙 240			최병달 280		김희진 360	
계	운영지원	체납추적	징세	부가1	부가2	소득1	소득2
계장	이영철 241	장진식 441	배우철 819-3661	곽봉화 281	최점식 301		박진선 381
국세조사관	김상균 김종한 김진규 김홍경 류성주 박정희 박판식	김일룡 배혜진 백경은 이윤재 이춘복 장수정 장종철 정영진 최성실 한경태	박유민 여창숙 오향아	길성구 김동현 김태우 손소희 신지애 조준환 차재익	김민정 김소연 류재리 박은옥 박현주 이광민 임주환 전수진	박현경 이도영 이도현 이미선 이소연 장현우 정인회	김경현 김정섭 김지원 박선영 이나현 허규진
FAX	756-8837			754-0392		756-8106	

과	재산법인세과		조사과					납세자보호담당관	
과장	엄기범 400		김영중 640					장석현 210	
계	재산	법인	조사관리	조사1	조사2	조사3	세원정보	납세자 보호실	민원 봉사실
계장	박형우 481	김창구 401	전영호 641	강덕우	정호용	전종경	이원상 691	박정성 211	유병성 221
국세 조사관	강경미 김태호 노동영 노한가람 안영길 엄수민 이근애 조경희 황준순	김상조 김정훈 박윤정 박혜영 서은호 이승택 이현정 하경숙	서민수 하수진	박미정 오승훈	임준	복현경	김남정	김광열 신은정	김남연 박지연 백효정 서혜경 이경옥 이동명
FAX	744-5088	756-8104	742-7504					756-8111	

북대구세무서

대표전화: 053-3504-200/ DID: 053-3504-OOO

북대구세무서
대구일중학교
칠성초등학교
북구청
북구청역
시민운동장

서장: **이 순 민**
DID: 053-3504-201

주소	대구광역시 북구 원대로 118 (침산동) (우) 41590				
코드번호	504	계좌번호	040772	사업자번호	410-83-02945
관할구역	대구광역시 북구, 중구			이메일	bukdaegu@nts.go.kr

과	체납징세과				부가가치세과			소득세과		
과장	이광무 240				채정훈 280			김경식 360		
계	운영지원	체납추적1	체납추적2	징세	부가1	부가2	부가3	소득1	소득2	소득3
계장	최해인 055-880 -0300	신동식 441	박재진 461	김경자 261	김근우 281	홍동훈 301	박병권 321	정인현 361	박규철 371	전상련 381
국세 조사관	강민경 김동훈 김윤수 김태환 도명선 박수선 오만석 허현정	김재윤 김향희 박승용 손준표 윤원정 이경순 조은비 주우성	강현구 김동환 김정숙 류광오 배현숙 이동호 황선정	김현희 배소영 변재완 최은선	강미화 강인순 공인호 권혁도 김동원 박순주 박정환 백지혜 엄유섭 장호정 최영은	김나영 김완섭 박예진 박은정 신미영 이완식 이은정 추민성 추시은 하예진	김은주 김정옥 김진희 이대헌 이승은 이원형 정녕현 정현중 정환동 최혜경	박시현 신정연 이승환 정수빈 조재범 최미나 황성진	강승지 박상욱 이상분 이연경 이정훈 이창근	고성렬 권민정 김태민 박남진 이지연
FAX	354-4190				356-2557			356-2105		

과	재산세과		법인세과		조사과			납세자보호담당관	
과장	박상호 480		이상경 400		손준호 640			안동상 210	
계	재산1	재산2	법인1	법인2	조사관리	조사	세원정보	납세자보호실	민원봉사실
계장	이명희 481	황일성 501	배대근 401	이준건 421	권성구 641		송기익 691	이해은 211	박영진 221
국세조사관	김영화 김현정 서미정 신대환 안지연 이선애 정형태 채명신	김완태 김혜경 송성근 윤일식	강대화 김영미 김옥현 박정용 방미주 임재학	김아영 도성희 박양규 배혜윤 백종민 정지헌	김진경 문창규 서장은 손신혜	<1팀> 김진숙(팀장) 김수호 옥수진 <2팀> 김규수(팀장) 백유정 이동민 <3팀> 손정완(팀장) 이보라 황성희 <4팀> 이원희(팀장) 강형규 권민정 <5팀> 유현종(팀장) 도선정 이나영 <6팀> 김성대(팀장) 김은경 정휘언 <7팀> 전창훈(팀장) 이영재	장수연 정현모	고병열 김병훈 이유지 정중수	김훈 배리라 신예람 양준호 이금순 임수경 최우영 홍은지
FAX	356-2556		356-2030		357-4415			356-2016	

서대구세무서

대표전화: 053-6591-200 / DID: 053-6591-OOO

서장: **김 만 헌**
DID: 053-6591-201

주소	대구광역시 달서구 당산로38길 33 (두류동) (우) 42645				
코드번호	503	계좌번호	040798	사업자번호	410-83-02945
관할구역	대구광역시 서구, 달서구(월성동, 대천동, 월암동, 상인동, 도원동, 진천동, 대곡동, 유천동, 송현동 및 본동 제외), 경상북도 고령군			이메일	seodaegu@nts.go.kr

과	체납징세과				부가가치세과			소득세과		
과장	김성협 240				김기무 280			정상암 360		
계	운영지원	체납추적1	체납추적2	징세	부가1	부가2	부가3	소득1	소득2	소득3
계장	임상진 241	권성우 441	구종식 461	고재근 261	김명규 281	김홍태 301	김상희 321	김광석 361	장현미 381	박상열 621
국세 조사관	강홍일 김선영 민재영 양서안 유보아 최태용 허환	강태윤 구광모 구혜림 김현숙 배경순 서현지 최혜영	김미재 김주원 손인권 이동민 이정선 정미금	박준욱 이민지 이종숙	김서희 김준우 배영환 손춘희 안대근 이선영 이선영 전소원 전은혜 정진웅	김민연 김영섭 김채은 박영주 손경수 엄슬희 이수경 정경미 조인애 황수진	김봉수 성민지 신익철 안미경 이도현 임수현 장병호 전현진 최유나	김민주 김영엽 이제욱 장희정 정현규	김애진 예성진 이동하 장유나 전은미 조호연	김선미 박시현 안준현 이원명 정쌍화
FAX	627-6121				622-4278			624-6001		

1등 조세회계 경제신문 조세일보

과	재산법인세과				조사과			납세자보호담당관	
과장	장원국 400				석용길 640			김진현 210	
계	재산1	재산2	법인1	법인2	조사관리	조사	세원정보	납세자 보호실	민원 봉사실
계장	정문제 481	김진도 501	신경우 401	오찬현 421	김재섭 641		김명진 691	강전일 211	김태룡 221
국세 조사관	김지숙 박찬노 박희원 이경옥 이은영 전지영 정재현	박홍수 이지하 정수연 정영일	강정화 고영석 김경난 이규태 이승휘 장한슬	김은경 신정석 안지민 이유정 이진규 추은경	반아성 유수현 이은영	<1팀> 오재길(팀장) 임중균 최윤영 <2팀> 박민호(팀장) 신지연 정영주 <3팀> 배창식(팀장) 김영은 김재연 <4팀> 류재현(팀장) 김세온 김혜진 <5팀> 여제현(팀장) 박정현 박진아 <6팀> 유병길(팀장) 김용한 허성은	김형욱	이미영 정순재	권현주 권현지 김연희 박재원 성도현 우병호 이승환 장연숙
FAX	624-6003		629-3643		629-3373			627-5761	625-2103

수성세무서

대표전화: 053-7496-200 / DID: 053-7496-OOO

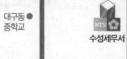

서장: **백 종 찬**
DID: 053-7496-201~2

주소	대구광역시 수성구 달구벌대로 2362 (수성동3가5-1) (우) 42115				
코드번호	516	계좌번호	026181	사업자번호	
관할구역	대구광역시 수성구			이메일	suseong@nts.go.kr

과	체납징세과			부가가치세과		소득세과	
과장	남중화 240			김성진 280		김성열 360	
계	운영지원	체납추적	징세	부가1	부가2	소득1	소득2
계장	이병주 241	이용균 441	박환협 442	박동호 281	김이원 301	이성환 361	김은희 659-1211
국세 조사관	권기창 김영희 나현숙 도연정 이형욱 최선근	김호승 송혜정 안규민 이승준 이연진 이재경 이지안 이해봉 황요셉	김유진 이경향 조은영	김민석 배민정 서영국 여정현 윤상아 이재복 이효진 임종호	김수민 남상호 박근영 박정길 서지현 성주희 이경준	김경석 박정수 안성덕 이진욱 이푸름 임향원 장외자 최근재	김관형 김병욱 박수빈 배수민 이윤주 이준식 이혜경 장창호
FAX	749-6602	749-6623		749-6603		749-6604	

과	재산법인세과			조사과					납세자보호담당관	
과장	이재영 400			박유열 640					한윤구 210	
계	재산1	재산2	법인	조사관리	조사1	조사2	조사3	세원정보	납세자 보호실	민원 봉사실
계장	신옥희 501	하철수 541	김종욱 401	이유조 641	김현수	이종현	송재민	진준식 691	임채현 211	정경일 221
국세 조사관	김경림 박상현 백미주 백종헌 오주경 이재락 이주석 장훈 정호선	고광환 정재호 정지환 정호태	서대영 석수현 손명주 손세규 원종화 이병영	김여경 박진영	권영대 김세현 하효준	김대열 윤지연 정은진	신영준	최진	강덕주 김광련	권영숙 박혜경 신윤숙 윤호현 최수정 최은영
FAX	749-6605			749-6606					749-6607 (국세신고안내센터) 749-6609	749-6608

경산세무서

대표전화: 053-8193-200 / DID: 054-8193-OOO

서장: **전 재 달**
DID: 053-8193-201

사동생활관A ●

대구
미래대학

경산우체국   2차부영   경산시립박물관 ●
APT

주소	경상북도 경산시 박물관로 3 (사동 633-2) (우) 38583				
코드번호	515	계좌번호	042330	사업자번호	410-83-02945
관할구역	경상북도 경산시, 청도군			이메일	gyeongsan@nts.go.kr

과	체납징세과			부가소득세과	
과장	박원서 240			한순국 280	
계	운영지원	징세	체납추적	부가	소득
계장	임한경 241	한교정 261	김도광 441	김성수 281	이영조 301
국세 조사관	배시환 손은식 윤성아 이종현 조라경	구수목 박동열 황순영	김경택 김민주 신승현 양희정 이영우 이정희	강고운 김년성 김도민 김수진 김정한 김정헌 노정하 송민준 이인호 정대섭 최병준 최재은	김경희 박가람 우명주 이승아 이승엽 장호우 조윤주 조정혜 황무근
FAX	811-8307		802-8300	802-8303	

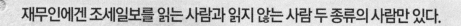

재무인과 함께 걸어가겠습니다 '조세일보'

재무인에겐 조세일보를 읽는 사람과 읽지 않는 사람 두 종류의 사람만 있다.

과	재산법인세과		조사과					납세자보호담당관	
과장	윤윤오 400		김대중 620					황하늘 210	
계	재산	법인	조사관리	조사1	조사2	조사3	세원정보	납세자 보호실	민원 봉사실
계장	채성운 481	김영도 401	연상훈 621	고기태	정이열	장교준	서영교 661	김상균 211	양필희 221
국세 조사관	김지향 김진도 박주현 성은애 소현철 윤성욱 이해진 최유일	김규식 김재민 성준범 양병열 이현수 정소영 정종권 최경화	권오신 장경희	손태우 윤종훈	김지은	장유민	서용준	박재찬	김보정 김하수 박금옥 송은지 정혜원 최도영
FAX	802-8305	802-8304	802-8306					802-8301	802-8302 (청도) 054-372 -2107

경주세무서

대표전화: 054-7791-200/ DID: 054-7791-OOO

서장: **정 규 호**
DID: 054-7791-201

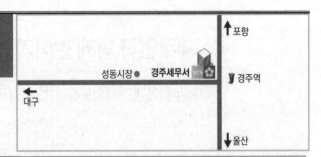

주소	경상북도 경주시 원화로 335 (성동동) (우) 38138 영천지서: 경상북도 영천시 강변로 12 (성내동 230) (우) 38841 (영천지서 대표전화:054-330-9200)				
코드번호	505	계좌번호	170176	사업자번호	410-83-02945
관할구역	경상북도 경주시, 영천시			이메일	gyeongju@nts.go.kr

과	체납징세과			부가소득세과			재산법인세과	
과장	김자영 240			홍경란 280			이홍환 400	
계	운영지원	체납추적	징세	부가1	부가2	소득	재산	법인
계장	이길석 241	김준연 441	송기삼 442	전갑수 281	양정화 261	이춘우 361	김현숙 481	이병희 421
국세 조사관	박경남 백경엽 설진우 예동희 유재현 이재경 정연훈	김정미 김혜정 김혜지 류기환 백승훈 이광재 하태운 한규원	이혜란 최윤형	김병훈 김애진 김윤경 박석흠 양예주 이나경 임완수 최재화	권순식 김태훈 백지영 오규열 은종온 이성호 이승렬 조언혜	권대호 김민혁 나지윤 박준영 윤희범 장두수 정동철 정현정	권은경 나상일 우형수 이백춘 이상건 임지은 최정혜	김정국 김지웅 석진안 신문정 안진우 우제경 유헌정 이규호 이주형
FAX	743-4408			742-2002			749-0913	

과	조사과			납세자보호담당관		영천지서(8581)			
과장	최은호			고상기 210		조승현 330-9201			
계	조사관리	조사	세원정보	납세자 보호실	민원 봉사실	납세자 보호실	체납추적	부가소득	재산법인
계장	이민우		이재훈 691	조범제 211	양순관 221		이원복 261	류희열 222	박종욱 241
국세 조사관	김재국 안초희 이형준	<1팀> 김용민(팀장) 이은희 정유철 <2팀> 황왕규(팀장) 김지연 박청진 <3팀> 김희정(팀장) 김재락 문혜령 <4팀> 정윤철(팀장) 하승범	이유상	구정숙 김상기	김상운 김주완 김찬태 조은미	김상무 정세희	김상범 이동우	강동호 김구하 박자윤 오주희 오준오 주홍준 채승훈 최현희 홍민영	김종현 김현섭 윤상환 이근호 이시형 조민제
FAX	771-9402			749-9206		333-3943	338-5100		

구미세무서

대표전화: 054-4684-200 / DID: 054-4684-OOO

서장: **이 상 락**
DID: 054-4684-201~2

오성전자 ●
LG전자 구미2공장
구미세무서 NTS
구미 ● ● KT구미
소방서   공단지사   3LG디스플레이
삼성SDS →

주소	경상북도 구미시 수출대로 179 (공단동) (우) 39269 선산이동민원실: 경상북도 구미시 선산읍 선산중앙로 83-2 (우) 39119 칠곡민원실: 경상북도 칠곡군 왜관읍 공단로1길 7 (우) 39909				
코드번호	513	계좌번호	905244	사업자번호	410-83-02945
관할구역	경상북도 구미시, 칠곡군			이메일	gumi@nts.go.kr

과	체납징세과				부가가치세과		소득세과	
과장	이강훈 240				오재환 280		백희태 360	
계	운영지원	체납추적1	체납추적2	징세	부가1	부가2	소득1	소득2
계장	최지숙 241	민태규 441	강상주 461	강하연 261	박기탁 281	김창환 302	김익태 361	정석철 381
국세 조사관	김은석 김진우 서이현 우상훈 유지연 이은정	박민주 성영순 양세영 유영숙 이상협 정환주 함희원 황지원	김도숙 김명국 빈승주 안수진 이병욱 정경식 천혜정	박선희 신주영 조미경	김상온 김신규 김태운 김현주 김휘민 복소정 우현지 이민해 이선호 이승엽 진소영 천민근 황윤식	김상희 김정숙 김종연 문호영 박찬녕 백유기 신혜경 이정은 이지영 이현지 장형순 전양호 조현태 천승렬	김민석 김순자 남영호 마일명 배은경 성종호 이예슬	김동범 김민준 남정민 이상규 이윤태 이정순 정수현 최은진
FAX	464-0537				461-4666		461-4057	461-4665

과	재산법인세과				조사과			납세자보호담당관	
과장	김성호 400				권병일 640			변월수 210	
계	재산1	재산2	법인1	법인2	조사관리	조사	세원정보	납세자 보호실	민원 봉사실
계장	변정안 481	서정우 501	전근 401	이성환 421	유종호		조한규 691	노진철 211	최상규 221
국세 조사관	강은진 김보배 김준식 배영옥 이윤정 장병호	김도유 김민수 이승은 이재현	김선영 김선중 김세철 노현진 서경영 윤웅희 윤종현 이수정	강덕훈 김규리 김대영 도이광 심상운 이재홍 황은영	유현숙 이상헌 최주영	<1팀> 김승년(팀장) 강지현 김상헌 <2팀> 김민국(팀장) 권순홍 배진희 <3팀> 조용길(팀장) 김경수 김소희 <4팀> 최영윤(팀장) 이경숙 장성주	김세권	시진기 정경미	안진용 오은비 윤미은 정미연 정민주 주현정 황지원 황현정
FAX	461-4665				461-4144			463-5000	463-2100 (선산) 481-1708 (칠곡) 972-4037

김천세무서

대표전화: 054-4203-200 / DID: 054-4203-OOO

서장: **조 수 진**
DID: 054-4203-201

주소	경상북도 김천시 평화길 128 (평화동) (우) 39610 성주민원실: 경북 성주군 성주읍3길 57 (예산리 334-1) (우) 40026				
코드번호	510	계좌번호	905257	사업자번호	410-83-02945
관할구역	경상북도 김천시, 성주군			이메일	gimcheon@nts.go.kr

과	체납징세과			세원관리과	
과장	김선민 240			박경춘 280	
계	운영지원	체납추적	조사	부가	소득
계장	천상수 241	김경남	정성민 651	장재형 281	김정열 361
국세 조사관	권희정 서석태 손동진 정중현	강진영 김정수 박미숙 오호석 유세은 이창한 이희옥	이선정 이주형 정석호 하성호	김도훈 김소연 김정협 김지민 송채연 안현창 이수미 이찬우 정현명 최수진	김남희 김지현 박규진 박선옥 변연주 전성우
FAX	430-6605	433-6608		430-8764	

1등 조세회계 경제신문 조세일보

과	세원관리과	납세자보호담당관	
과장	박경춘 280	전찬범 210	
계	재산법인	납세자보호실	민원봉사실
계장	김종근 481		민택기
국세 조사관	김미현 김용기 김태완 김하나 노은진 박경태 박기호 이유진 장철현 진언지	백성철	김민주 박세일 정동준
FAX	430-8763	432-2100	432-6604 (성주) 933-2006

상주세무서

대표전화: 054-5300-200 / DID: 054-5300-OOO

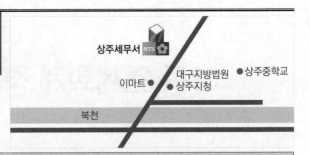

서장: **최 흥 길**
DID: 054-5300-201

주소	경상북도 상주시 경상대로 3173-11 (만산동) (우) 37161 문경민원실: 문경시 당교로 225 (모전동) 문경 시청내 문경지역민원봉사실 (우) 36982			
코드번호	511	계좌번호	905260	사업자번호	410-83-02945
관할구역	경상북도 상주시, 문경시		이메일	sangju@nts.go.kr

과	체납징세과			세원관리과	
과장	이광오 240			김종석 280	
계	운영지원	체납추적	조사	부가	소득
계장	최재영 241	김성우 441	김두곤 651	이인수 281	임광혁 361
국세 조사관	권익찬 김인 이선육 최화성	김성순 배익준 유선희 윤태희 정운월	김종훈 우상준 우용민 정해진	강미진 구태훈 김민철 김은영 남창희 신유진 이승현 조강호 최승필	김경동 김현호 장선희 조원영
FAX	534-9026	534-9025		535-1454	534-8024

과	세원관리과	납세자보호담당관	
과장	김종석 280	박정숙 210	
계	재산법인	납세자보호실	민원봉사실
계장	전익성 401		박재갑 221
국세 조사관	강대일 강성철 김길희 김덕현 김민정 김철연 손가영 안예지 이상민	이순기	문지윤 박금희 신건묵 안홍서
FAX	(재산) 530-0234 (법인) 535-1454	534-9017	536-0400 (문경) 553-9102

안동세무서

대표전화: 054-8510-200 / DID: 054-8510-OOO

서장: **이 미 애**
DID: 054-8510-201

주소	경상북도 안동시 서동문로 208 (우) 36702 의성지서: 경북 의성군 의성읍 후죽5길 27 (우) 37337				
코드번호	508	계좌번호	910365	사업자번호	410-83-02945
관할구역	경상북도 안동시, 영양군, 청송군, 의성군, 군위군			이메일	andong@nts.go.kr

과	체납징세과			세원관리과	
과장	황순영 240			김일우 280	
계	운영지원	체납추적	조사	부가	소득
계장	김동찬 241	배석관 441	이재성 651	배웅준 281	박병희 361
국세 조사관	강순원 노현정 이문한 조영태	권수현 김영아 김태형 이기훈 이미자 조식 하경섭	김현주 남효주 서지훈 성현성 우정호 이지현	구신영 김상근 김선경 김순남 김옥자 박주성 박철순 이영주 최은숙 최재광	강용철 김소현 김진모 이동우 장명진
FAX	859-6177	852-9992	857-8411	857-8412	857-8415

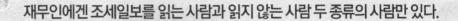
과	세원관리과	납세자보호담당관		의성지서		
과장	김일우 280	이대희 210		윤혁진 601		
계	재산법인	납세자보호실	민원봉사실	납세자보호실	부가소득	재산법인
계장	권오규 401		김수정 221	권혁규 210	허노환 300	김동춘 400
국세 조사관	김수빈 김용석 박근열 박성욱 성원용 신소연 이범구 이소현 이호인 장세훈 장진영 정혁철	권영한 이기동	고인수 김윤정 김화숙 남해용 정혜림	신원경 오현직 임진환	김성하 김영만 김주영 도민지 송영진 이윤주 홍라겸	김혜림 박문수 조성민 최종운
FAX	(재산) 857-8413 (법인) 857-8415	859-0919 (청송·영양) 873-2101 (군위) 383-3110		832-2123	832-9477	832-2123

영덕세무서

대표전화: 054-7302-200 / DID: 054-7302-OOO

서장: **이 동 희**
DID: 054-7302-201

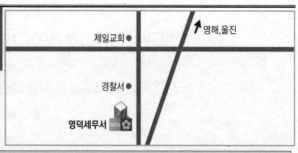

주소	경상북도 영덕군 영덕읍 영덕로 35-11(남산리61-1) (우) 36441 울진지서: 울진군 울진읍 월변2길 48 (읍내리 346-2) (우) 36326				
코드번호	507	계좌번호	170189	사업자번호	410-83-02945
관할구역	경상북도 영덕군, 울진군			이메일	yeongdeok1@nts.go.kr

과	체납징세과			세원관리과
과장	이동범 240			이원우 280
계	운영지원	체납추적	조사	부가소득
계장	김중영 241	권준혁 441	남정근 651	조금옥 281
국세 조사관	김상철 김은윤 박만기 박영우	이성한 이예원 이재원 이종민	김혜영 서우형	김관태 김유진 안소형 이승모
FAX	730-2504		730-2695	730-2314

1등 조세회계 경제신문 조세일보

과	세원관리과	납세자보호담당관		울진지서	
과장	이원우 280	김성종 210		김두현 101	
계	재산법인	납세자보호실	민원봉사실	납세자보호실	세원관리
계장	최준호 401			강정호 120	권오형 140
국세 조사관	김병철 김송원 조순행 최용훈 한상국	이경철	김태원 이광정	이광용	김세훈 박상희 배재호 여세영 윤지승 이도현 이보영 전호종
FAX	730-2314	734-2323		780-5181	780-5182 780-5183

영주세무서

대표전화: 054-6395-200 / DID: 054-6395-OOO

서장: **김 진 업**
DID: 054-6395-201

주소	경상북도 영주시 중앙로 15 (가흥동) (우) 36099 예천민원실: 경북 예천군 예천읍 충효로 111 (대심리 353) (우) 36826 봉화민원실: 경북 봉화군 봉화읍 봉화로 1111 (내성리) 봉화군청 민원실내 (우) 36239				
코드번호	512	**계좌번호**	910378	**사업자번호**	410-83-02945
관할구역	경상북도 영주시, 봉화군, 예천군			**이메일**	yeongju@nts.go.kr

과	체납징세과			세원관리과	
과장	백종규 240			신유환 280	
계	운영지원	체납추적	조사	부가	소득
계장	엄세영 241	이내길 441	배동노 651	김시근 281	안재훈 361
국세 조사관	권일홍 문지현 이준석 장현기	권은순 김수정 송윤선 이복남 이창구 최승훈	우운하 이영수 전상주 정지원 진미란	김도훈 김연희 김의영 김종혁 박무성 안수경 임예인 임종철	곽우정 유성춘 이대영 채만식 최미란
FAX	633-0954			635-5214	

과	세원관리과	납세자보호담당관	
과장	신유환 280	조예현 210	
계	재산법인	납세자보호실	민원봉사실
계장	오조섭 401		김태훈 221
국세 조사관	강재필 김동준 김종택 김천섭 김혜림 손증렬 장혁민 장현주 전우정 황상준	정용구	금대호 김강인 김인경 석귀희 우희정 조경숙
FAX	635-5214	634-2111 (예천) 654-0954 (봉화) 674-0954	

포항세무서

대표전화: 054-2452-200 / DID: 054-2452-OOO

서장: **김 상 현**
DID: 054-2452-201

주소	경상북도 포항시 북구 중앙로 346 (덕수동) (우) 37727 울릉지서: 경북 울릉군 울릉읍 도동2길 76 (도동리) (우) 40221 오천민원실: 경상북도 포항시 남구 오천읍 세계길5 (오천읍주민센터 별관) (우) 37912							
코드번호	506		계좌번호	170192		사업자번호	410-83-02945	
관할구역	경상북도 포항시, 울릉군				이메일	pohang@nts.go.kr		
과	체납징세과				부가가치세과		소득세과	
과장	김상훈 240				이충형 390		김복성 360	
계	운영지원	체납추적1	체납추적2	징세	부가1	부가2	소득1	소득2
계장	이건옥 241	김장수 441	손삼락 461	김영기 261	박경호 281	이창수 301	우병옥 361	김태성 381
국세 조사관	김서영 오정훈 장준환 정연옥 조병래 최병구	박슬기 박언준 박점숙 이승익 채충우 천기문 홍준혁	김종석 남옥희 성현진 송인순 이동욱	권준혜 박기영 임지원	김미 백지원 서은우 손효빈 오미선 유승헌 이규활 이미선 이상훈 임지수 장은영 정주영	김경한 김민식 김예지 김태훈 박승호 박종국 배형수 엄준호 이인원 이주현 정성윤	김성홍 배재호 손동우 이은호 이채민 장세황 조남철 최원제 허소영	고남우 김명선 김재형 김종원 박귀영 박상국 배윤제 우승형 우인호
FAX	248-4040	241-0900			249-2665		246-9013	

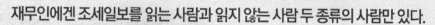

과	재산법인세과				조사과			납세자보호담당관		울릉지서
과장	이동원 400				조현진 640			정희석 210		이종훈 661
계	재산1	재산2	법인1	법인2	조사관리	조사	세원정보	납세자보호실	민원봉사실	세원관리
계장	박원열 481	한종관 501	김동환 401	이종우 421	이향석 641		김성희 691	김용제 211	문성연 221	김재연 791-2602
국세조사관	김월하 김재미 손근희 엄정은 임정훈 최미애 추혜진	김진건 박노진 박주언 이재욱	김강훈 김영훈 김형준 이동욱 정혜진	권지숙 김병수 김정영 박수범 전윤현 한혜영	이승재 임경희 허성길	<1팀> 이주환(팀장) 배재현 정정하 <2팀> 유성만(팀장) 김현진 박미희 <3팀> 최경애(팀장) 김상련 <4팀> 송명철(팀장) 박필규 양유나 <5팀> 손태욱(팀장) 최경미	김형국	류승우 박재성	김영철 김윤우 김재현 김정은 남희욱 안서윤 임유선	박용우 이동희 이성엽
FAX	242-9434		249-2549		241-3886			248-2100		791-4250

부산지방국세청
관할세무서

부산지방국세청

주소	부산광역시 연제구 연제로 12 (연산2동 1557번지) (우) 47605
대표전화 & 팩스	051-750-7200 / 051-759-8400
코드번호	600
계좌번호	030517
사업자등록번호	607-83-04737
e-mail	busanrto@nts.go.kr

청장   노정석

(D) 051-750-7200

국세조사관   이종건   (D) 051-750-7205

징세송무국장		(D) 051-750-7500
성실납세지원국장		(D) 051-750-7370
조사1국장	이승수	(D) 051-750-7630
조사2국장	김대원	(D) 051-750-7800

부산지방국세청

대표전화: 051-7507-200 / DID: 051-7507-OOO

청장: **노 정 석**
DID: 051-7507-200

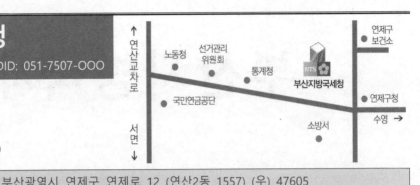

주소	부산광역시 연제구 연제로 12 (연산2동 1557) (우) 47605 별관: 부산광역시 연제구 토곡로 20 (연산동) (우) 47586						
코드번호	600		계좌번호	030517	사업자번호		607-83-04737
관할구역	부산광역시, 울산광역시, 경상남도, 제주도					이메일	busanrto@nts.go.kr

과	운영지원과				감사관		납세자보호담당관		
과장	임경택 240				신예진 300		김광수 330		
계	행정	인사	경리	현장소통	감사	감찰	납세자 보호1	납세자 보호2	심사
계장	신관호 252	차무환 242	김종웅 262	현경훈 272	최강식 302	정상봉 322	정도식 332	한정홍 342	오세정 352
국세 조사관	강지연 금도훈 금병호 김남희 김동신 김동욱 김동원 김묘연 김종월 박두제 박진호 서종율 손성자 이도경 이혁섭 정성만 정은영 조강훈	김창영 김형래 이강식 이성재 임정섭 최수현 허태민 황정민	김옥진 김지은 박지우 손보경 손석민 윤정원 윤지연	김남영 김형진 노영일 백아름 하서연	김성철 김준수 김호 박정하 서현주 이동혁 이주영 최영선 한상수	김현성 김형걸 박영훈 박진우 변민석 이호상 임정환 최윤겸 허성은	박은주 박재우 이지하 주보은	김기중 김지현 안혜영 이용정	김대희 김문정 김민재 이준우 정유영 제상훈 황동일
FAX	711-6426				711-6437		711-6456		

1등 조세회계 경제신문 조세일보

국	징세송무국									
국장	500									
과	징세과		송무과					체납추적과		
과장	황영표 501		최현창 521					손채령 551		
계	징세	체납관리	총괄	법인	개인1	개인2	상증	체납추적관리	체납추적1	체납추적2
계장	황순민 502	권영훈 512	박경민 522	김항범 526	김대옥 532	채한기 536	이재춘 542	주종기 552	황규용 562	권민정 572
국세 조사관	김시현 이동준 이은정 이한빈 전지용	김고은 박선애 우성현 임종진 정수진	고명순 김혜영 설도환	김성훈 배영호 송미정 이진	김주완 정재효	배달환 조태성 최진호	권지은 김민수 황민주	방유진 임경주 진유신 최혜리 허준영	김경무 김성진 오정임 이승진 주형석	강정연 김성준 장원대 정선두 조선영
FAX	758-2746		711-6458					759-8816		

국	성실납세지원국										
국장	370										
과	부가가치세과			소득재산세과				법인세과			
과장	김진영 371			배창경 401				유수호 431			
계	부가1	부가2	소비세	소득	재산	소득지원	소득자료관리TF	법인1	법인2	법인3	법인4
계장	오세두 372	조명익 382	조성용 392	심정미 402	한성삼 412	김택근 422		최만석 432	이우석 442	양기화 452	이석중 462
국세조사관	김동일 김태우 설전 이소애 하이레	곽상은 김경숙 봉지영 안창현 장덕희 장두진	김봉진 김슬지 김영숙 박정의 백종렬 서충석 전진하	김보석 신정곤 윤달영 제홍주 하원경	권성준 김준평 배재연 조형석 허남현	박성민 박하나 지연주	김판신 정혜원 조은서	김민석 김영경 김유리 안수만 이동욱 이현동 최우영 최정훈	김혜진 박미영 유홍주 이진경 지우석 홍민표	강희경 김동영 김현주 유지현 한창용	김태호 조현 하민혜
FAX	711-6451			711-6461				711-6432			

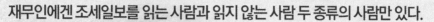

재무인과 함께 걸어가겠습니다 '조세일보'

재무인에겐 조세일보를 읽는 사람과 읽지 않는 사람 두 종류의 사람만 있다.

1등 조세회계 경제신문 조세일보

국	성실납세지원국				
국장	370				
과	전산관리팀				
과장	박민기 471				
계	전산관리1	전산관리2	정보화센터1	정보화센터2	정보화센터3
계장	김병수 472	박상구 482	한희석 102	제일한 132	문승구 162
국세 조사관	김경선 남창현 이영신 장석문 정전화	강기모 김지현 김현진 이동면 정미리 최윤실	김애란 김필순 김희경 류미경 박선애 배미애 석이선 이복재 임나경 장은경 정정희 허윤진	김영미 김정남 송창훈 예성미 이정애 이진경 임미선 임태순 장인숙 조외숙 최정운 최진민	김소연 김외숙 김은주 김지현 손명숙 송영아 이주연 이혜란 정의지 최진숙 허수정
FAX	711-6457				

DID : 051-7507-OOO

국	조사1국										
국장	이승수 630										
과	조사관리과						조사1과				
과장	이종현 631						정영배 711				
계	제1조사관리	제2조사관리	제3조사관리	제4조사관리	제5조사관리	제6조사관리	제1조사	제2조사	제3조사	제4조사	제5조사
계장	권상수 632	652	김형기 662	이진환 672	김창일 682	백선기 702	조용택 712	백영상 717	조선제 722	고준석 726	엄인성 730
국세조사관	강길순 김형수 류혜미 박장훈 서보연 안재원 윤홍규 이나영 이병택 이은주 이종호 이한준 정석우 주지홍	경수현 구수연 이미주 정창재 최세영	김봉준 김상현 김정주 조승연 현경민	김명윤 김종헌 김평섭 김형훈 마혜진 문희진 이한솔 임부은	김동우 김수창 김재중 우미라 이주경 정경미 정해영 최신애	박상용 박웅종 박주현 박준현 배현경 조정목 조현진	강경보 강보성 김나래 이재영	김명훈 박재철 송창희 이남호	정성훈 최병철 편지현	박미회 서기원 임창섭	김경화 손다영 이상훈
FAX	711-6442						711-6454				

436

10년간 쌓아온 재무인의 역사를 돌려드립니다 '온라인 재무인명부'

수시 업데이트 되는 국세청, 정·관계 인사의 프로필과 국세청, 지방청, 전국세무서, 관세청,
유관기관 등의 인력배치 현황을 볼 수 있는 온라인 재무인명부

1등 조세회계 경제신문 조세일보

국실	조사1국									
국장	이승수 630									
과	조사2과					조사3과				
과장	김종진 741					이광호 771				
계	제1조사	제2조사	제3조사	제4조사	제5조사	제1조사	제2조사	제3조사	제4조사	제5조사
계장	박혜경 742	김도암 747	윤영진 752	조형주 756	김홍기 760	이동규 772	조준호 777	781	한현국 785	지재홍 792
국세 조사관	박건 심우용 이지은 최해성	강선미 강성민 김영진 서은혜	김성진 서정균 허영수	신수미 이용진 홍윤종	전성화 정원석 최지영	강보경 김두식 윤영근 이진화	김명렬 김종길 김홍석	곽한식 김형섭 손석주 신연정	김태훈 이현희 추지희	김세진 박치호 여지은 홍민지
FAX	711-6435					711-6445				

437

DID : 051-7507-OOO

국실	조사2국									
국장	김대원 800									
과	조사관리과						조사1과			
과장	손병환 801						김선미 861			
계	제1 조사관리	제2 조사관리	제3 조사관리	제4 조사관리	제5 조사관리	제6 조사관리	제1조사	제2조사	제3조사	제4조사
계장	성병규 802	이동훈 812	이창렬 822	이영재 832	강연태 842	조민래 852	조현진 862	황정만 866	임인수 872	유승명
국세 조사관	김도영 박승희 정승우 하승민 하지경	김재열 조희정	남경호 신민혜 이보은 이상묵 전지현 하복수	강은아 남윤석 박영곤 정현옥 최숙경 한석복	강동희 김일권 배영애 안세희 이성재 정수연 조영일	김정호 김헌국 유승주	강정환 김병삼 하선우	김정현 도현종 이정화	강회영 김익상 이선규	김소영 김진석 주광수
FAX	758-8210						711-6462			

438

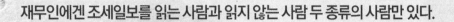

재무인과 함께 걸어가겠습니다 '조세일보'

재무인에겐 조세일보를 읽는 사람과 읽지 않는 사람 두 종류의 사람만 있다.

국	조사2국						
국장	김대원 800						
과	조사2과			조사3과			
과장	정규진 881			이용규 901			
계	제1조사	제2조사	제3조사	제1조사	제2조사	제3조사	제4조사
계장	이강욱 882	정진욱 886	구경식 892	김봉수 902	감경탁 906	서재균 912	손희경 916
국세 조사관	김민경 박선영 이규형	강민규 박진영 조경배	김도연 임득균 한윤주	강종근 김난희 김지훈 최민식	서효진 우윤중 최명길	박건영 이민우 정회영	노운성 유상선 최인실
FAX	711-6434			711-6444			

금정세무서

대표전화: 051-5806-200 / DID: 051-5806-OOO

서장: **강 정 훈**
DID: 051-5806-201

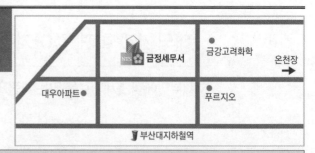

금강고려화학
온천장
대우아파트
푸르지오
부산대지하철역

주소	부산광역시 금정구 중앙대로 1636 (부곡동 266-5) (우) 46272					
코드번호	621		계좌번호	031794	사업자번호	621-83-00019
관할구역	부산광역시 금정구, 기장군				이메일	geumjeong@nts.go.kr

과	체납징세과			부가가치세과		소득세과	
과장	김승임 240			임채일 280		신승환 320	
계	운영지원	체납추적	징세	부가1	부가2	소득1	소득2
계장	김호 241	최인식 441	김동환 261	281	최현택 301	이현기 321	박정호 341
국세 조사관	박준영 박현정 양승철 이자원 전영수 천원철	김민규 김민진 문정현 박주범 이미경 이선자 이성철 정성민 정소윤	박영규 성태선 정영희	김금주 김명미 김보현 노세현 문소원 박민우 신선미 안정민 양기혁 전세현 추수연	김민정 박미선 박영순 신지혜 오지혜 임혜정 조형래 최호성 현지훈	곽미숙 권재영 김숙희 박성환 신미경	김지민 문진선 박영철 유화윤 윤한
FAX	516-8272			516-9928		516-9364	

과	재산법인세과			조사과					납세자보호담당관	
과장	백주현 480			박종헌 640					김동현 210	
계	재산신고	재산조사1	법인	조사관리	조사1	조사2	조사3	세원정보	납세자보호실	민원봉사실
계장	김경대 481	장인철 502	지재기 401	김수영 641		이광섭 651	조재성	이재열 691	이선호 211	임동욱 221
국세조사관	김명지 김준연 박원호 오혁기 이상훈 이정필 하진우 홍경은	문상영 박재한 조현진	민영신 서수현 양세실리아 여수민 우희준 이제연 이지영 정성욱 정준용 정희종	박승찬 장노기	김태희 심서현 이현진	김민석 박용진	양수원	서재은	이상덕 장선우	강은선 김선광 김소연 노진명 문경희 손정화 오주하 이효현 전경숙
FAX	711-6418			711-6421					516-9377	516-0667 (기장) 724-0520

동래세무서

대표전화: 051-8602-200 / DID: 051-8602-OOO

서장: **손 진 호**
DID: 051-8602-201

교대역 ↖ ↗ 안락동
연산역
하나은행
← 거제, 사직 방면 연산터널 →
동래세무서 (별관) 동래세무서 (본관)
↘ 물만골

주소	(본관) 부산시 연제구 월드컵대로 125 더웰타워(연산동) (우)47596 (별관) 부산시 연제구 중앙대로 1091 제세빌딩(연산동) (우)47540								
코드번호	607		계좌번호	030481		사업자번호		607-83-00013	
관할구역	부산광역시 동래구, 연제구					이메일		dongnae@nts.go.kr	

과	체납징세과			부가가치세과			소득세과		납세자보호담당관	
과장	김웅 240			김효숙 280			김기현 360		정진주 210	
계	운영지원	체납추적	징세	부가1	부가2	부가3	소득1	소득2	납세자 보호실	민원 봉사실
계장	박정수 241	김덕성 441	문경덕 261	이봉기 281	김병선 301	이재수 321	김건중 361	양봉규 381	성기일 211	심태석 221
국세 조사관	김성엽 김진상 박희종 백광민 백상현 유문희 이정숙 이현승 최현정	김병윤 김연희 김정미 노윤주 송현주 원성택 이예담 장지영 정현우 정혜진 조인국 최민준	김미지 김오순 이은옥	김민정 노희옥 오주영 이미향 이세호 이하경 전윤지	이강현 이동환 이효진 전지혜 정명환 정춘영 최근식 허순미	공휘람 곽원일 김상훈 김현범 이미연 정은정 채승아	구경임 구승현 남수빈 박경수 박진용 서솔지 이동민 이영채	구경아 김민희 김영권 신현우 윤창중 이민영 이주혜 홍수민	김은희 박욱현 박지숙	강혜진 김해은 성혜리 이신애 이영옥 이현지 임혜경 전봉민 주명진 황종하
FAX	711-6579	866-1055	865-9351	865-9351			866-1182		711-6572	866-2657

과	재산법인세과					조사과						
과장	이상명 400					윤남식 640						
계	재산 신고	재산 조사1	재산 조사2	법인1	법인2	조사 관리	조사1	조사2	조사3	조사4	조사5	세원 정보
계장	최용국 482	추병일	성상진 이정호	이수용 401 최고진 402	이재철 421	이영재 641	한면기 651	654	장유진 657	김동수 660	유세명 663	성대경 691
국세 조사관	김상엽 김솔 김아람 김해영 김현미 박건대 서화영 조수동	이혜진 최소윤		서미영 송보경 이용수 한시윤 홍승현	김경태 김수연 위부일 이준혁 이지수	배영태 유창경 최아라	이민주 최대현 강양욱 김영란 이동형	강양욱 김영란 이동형	김가령 김정환	박선하 허유정	오지현	우을숙 조홍섭
FAX	711-6577					866-5476						866- 3571

부산진세무서

대표전화: 051-4619-200 / DID: 051-4619-OOO

서장: **손 해 수**
DID: 051-4619-201

주소	부산광역시 동구 진성로 23 (수정동) (우) 48781				
코드번호	605	계좌번호	030520	사업자번호	605-83-00017
관할구역	부산광역시 부산진구, 동구			이메일	busanjin@nts.go.kr

과	체납징세과				부가가치세과				소득세과	
과장	이형오 240				김창신 280				장재선 320	
계	운영지원	체납추적1	체납추적2	징세	부가1	부가2	부가3	부가4	소득1	소득2
계장	김무열 241	박영철 441	강병철 461	김은경 261	김부석 281	신미정 381	김현철 301	이준길 361	전병도 321	김정욱 341
국세조사관	김민주 김승용 김형천 손동주 이수정 정민영 정원대	오영주 이상도 이소정 이영란 이탁희 전병일 조인순	강인숙 김성이 박은영 이가영 이영일 정진학 진종희 추원희	서유희 이옥임 차윤주	김한석 오영동 이재원 이현재 이희령 이희정 임은미	권순한 김언선 문권선 박선남 유치현 장주환	곽현숙 김예원 김유리 박선호 박형호 백영규 양소라	김승철 박종무 서자영 손선희 윤지영 이동철 한은숙	김문재 김혜영 배다래 서미선 송은영 안대호 이지연 최재용	김은비 박선연 박선영 박지현 송민국 임지현 진성은
FAX	464-9552				466-9097				468-7331	

444

과	법인세과		재산세과		조사과			납세자보호담당관	
과장	백종복 400		박기식 480		손완수 640			김정명 210	
계	법인1	법인2	재산신고	재산조사1	조사관리	조사	세원정보	납세자 보호실	민원 봉사실
계장	김상영 401	류진수 421	박경석 481	이도경	정경주 641		박필근 691		변환철 221
국세 조사관	고은경 김현목 박윤희 박진희 박화경 손민정 이동목 이연숙 정정민	박서연 손민정 오지연 이승주 정경민 천태근	강영희 강은순 곽소라 권영록 박문주 배선미 백상순 이문호 조은해	송우진 이민경	강남호 고현주 손미숙 예종옥	<1팀> 강호인(팀장) 김양희 이경훈 <2팀> 정은성(팀장) 옥수빈 정종근 <3팀> 장효영(팀장) 김희선 박진영 <4팀> 안병만(팀장) 구상은 이상준	김성환 임윤영	김도윤 김동건 윤호영	강혜윤 김지안 김한신 김현숙 민정 박지현 석진백 장송영 전하윤
FAX	466-8538		468-7175		466-8537			0503-11 6-9201	466- 9098

북부산세무서

대표전화: 051-3106-200 / DID: 051-3106-OOO

서장: **이 민 수**
DID: 051-3106-201

사상터미널
← 구덕터널
북부산세무서 NTS
● 하나은행
● 사상구청
감전지하철
3번출구

주소	부산광역시 사상구 학감대로 263 (감전동) (우) 46984				
코드번호	606	계좌번호	030533	사업자번호	606-83-00193
관할구역	부산광역시 강서구, 북구, 사상구			이메일	bukbusan@nts.go.kr

과	체납징세과				부가가치세1과		부가가치세2과		소득세과	
과장	이승준 240				조관운 280		김정래 320		박성학 360	
계	운영지원	징세	체납추적1	체납추적2	부가1	부가2	부가1	부가2	소득1	소득2
계장	강승묵 241 김석환 124	김인화 261	441	맹수업 461	백순종 281	장준영 301	김풍겸 321	정창후 341	윤상필 361	381
국세조사관	강경민 권성주 김덕봉 김동현 김사라 김선이 오익수 정미현 정세미 주철우	김영경 김은영 박소현 조은하	강승우 김대연 김용주 김정대 김주영 류임정 심민정 안상언 이태형 주종휘 최지윤	강한솔 김경진 배형철 송인숙 이경희 이효진 정숙희	권진아 김대원 김도년 김민수 김민정 김인숙 박하영 박현주 신동훈 이순영 전영욱 한정희	김정은 김지현 김화선 김후영 문성배 신병전 안영서 장주영 정수영 조소현	김대희 김동길 박인혁 박종현 양인애 이정현 이호영	강두석 김경옥 김지용 김태인 박보중 이미애 정건화	곽충균 김종철 김혜진 문강민 박미영 신하나금 안혜령 엄상원 윤성기 이성준 이성호 이재진 전인석 제정임 형서우	문원수 문하윤 박희진 엄미라 이근환 이택건 황미진
FAX	711-6389		328-0044		711-6377		711-6386		711-6379	

1등 조세회계 경제신문 조세일보

과	재산세과			법인세과		조사과			납세자보호담당관	
과장	권성호 480			박희술 400		정철규 640			백정태 210	
계	재산신고	재산조사1	재산조사2	법인1	법인2	조사관리	조사	세원정보	납세자보호실	민원봉사실
계장	이수원 481	고영조	신영승	우창화 401	이진홍 421	이상훈 641		정권 691	김철태 211	박경숙 221
국세조사관	김대철 김혜리 류세경 박종민 서명진 심창훈 안언형 우경화 은기남 이호성 채규욱	문지민	서주희 오종민	박진수 박현주 송주은 신호철 오승현 우동윤 이용환 이진영 이혜미 장성욱 제민지 허유미	고정애 김대원 김일규 김호승 박민영 박상준 원욱 이상현 임채영 하정욱	김영자 배성원 성봉준 이채호 장희라 전희원 정민석 하승희	<1팀> 조형나(팀장) 김민숙 이철호 <2팀> 신용하(팀장) 이미영 조준우 <3팀> 이구현(팀장) 김소영 이훈희 <4팀> 류정희(팀장) 유영진 장홍정 <5팀> 김성호(팀장) 김방민 이민정 <6팀> 정호원(팀장) 김태근 주미균 <7팀> 박순찬 서준영 한재영 <8팀> 김상우(팀장) 신성일 오애란	서주영 안재필 유효진 윤봉한	김상욱 김진삼 전문숙 전영우 정원미 정인택	강영미 김분숙 김학욱 김호 박용훈 박태성 박희령 이청림 정수인 하상우
FAX	711-6381			711-6380		314-8143			711-6385	311-0042

서부산세무서

대표전화: 051-2506-200 / DID: 051-2506-OOO

서장: **황 정 욱**
DID: 051-2506-201

주소	부산광역시 서구 대영로 10 (서대신동2가 288-2) (우) 49228					
코드번호	603		계좌번호	0322571	사업자번호	603-83-00535
관할구역	부산광역시 서구, 사하구				이메일	seobusan@nts.go.kr

과	체납징세과			부가가치세과		소득세과	
과장	남관길 240			손은희 280		최해수 360	
계	운영지원	징세	체납추적	부가1	부가2	소득1	소득2
계장	하인선 241	이명용 261	김기환 441	강성태 281	정창성 301	박정신 361	김대엽 381
국세 조사관	김병수 김지연 박성재 배수진 이승민 이승희	유지혜 이혜경 천효순	강유신 김미현 김수현 김용제 김현배 노윤희 박종욱 선은미 윤경출	김동겸 김수현 김은영 김현정 박정현 박지영 백운기 윤금남 이명호 진훈미	강성문 김덕원 김상우 김형섭 박혜원 신민기 이일구 임윤정	구선희 김숙아 박하니 유재학 이우정 전수미 최은태	김보민 김찬일 노종근 박민정 서지원 송향기 허현
FAX	241-7004		253-2507	253-6922, 256-4490		256-4492	

과	재산법인세과					조사과			납세자보호담당관	
과장	하치석 400					하필태 640			손희영 210	
계	재산신고	재산조사1	재산조사2	법인1	법인2	조사관리	조사	세원정보	납세자보호실	민원봉사실
계장	조재성 481	조재화		박동기 401	박성진 421	박정태		김성찬 691	주오식 211	박현지 221
국세조사관	김권하 김점준 이윤경 이한아 최미경 최혜윤 하정란	김병인	권혜수 박창준	김다예 김은애 명상희 이정호 정성화	김정인 박소영 박태훈 이은희 정호진	김의성 유연숙 장성근	\<1팀\> 강준오(팀장) 임완진 조윤서 \<2팀\> 안준건(팀장) 박재형 성민주 \<3팀\> 임선기(팀장) 김재형 정민경 \<4팀\> 이혜령(팀장) 박다정 박승종	이정웅 정성주	김경우 박노성 박동진 천호철	박미영 오초룡 이철민 홍영임 홍정수
FAX	256-7147			253-2707		257-0170, 255-4100			256-4489	256-7047

수영세무서

대표전화: 051-6209-200 / DID: 051-6209-OOO

서장: **김 성 수**
DID: 051-6209-201

수영
구청

수영세무서

광
남
로
10
번
길

우리은행

남천역

주소	부산광역시 수영구 남천동로 19번길 28 (남천동) (우) 48306			
코드번호	617	계좌번호	030478	사업자번호
관할구역	부산광역시 남구, 수영구		이메일	suyeong@nts.go.kr

과	체납징세과			부가가치세과		소득세과		납세자보호담당관	
과장	유현인 240			손현숙 280		오지윤 360		차규상 210	
계	운영지원	체납추적	징세	부가1	부가2	소득1	소득2	납세자 보호실	민원 봉사실
계장	고영준 241	박성민 441	서귀자 261	이장환 281	김정도 301	권영규 361	손연숙 381	211	최영호 221
국세 조사관	권용승 김철 박헌숙 신주영 임우철 조정훈	강정대 김인재 이시호 이지현 장수연 장윤정 정재호 주연신 최미르 최영철 허진웅 홍지성	이미숙 최윤실	김용현 박재군 박종민 손채은 양승민 이수경 이은정 이은진 이지연 조세영 한준희	금인숙 김민수 김선혁 김승환 박경화 엄지환 이태호 정대화 최선경	김준성 문성철 민경진 배지원 신미옥 이지희 정재철 허태구	고광철 김나은 노근석 박주희 이승걸 최순봉 황상준 황진희	김병욱 이정은 하태영	강승훈 김민진 김양수 김은영 성현영 이미경 정효주
FAX	711-6152			711-6149		622-2084		711-6148	626-2502

과	재산법인세과				조사과				
과장	정용민 400				윤광철 640				
계	재산신고	재산조사1	재산조사2	법인	조사관리	조사1	조사2	조사3	세원정보
계장	유민자 481	양은주	김재준	서명준 401	허성준 641	이영근	김수재	이종배	조용희 691
국세 조사관	강미영 권동민 김명철 김병활 김수연 안정화 정은희 최정주 최지영	강지훈 이강욱	안지영	김정호 김진영 도주연 박수영 박영진 이영옥 이지민 정성용 최재혁	김성연 박수경 송치호	박숙현 박지훈	김금순 김성준	윤석미	최상덕
FAX	711-6153			623-9203	711-6154				

중부산세무서

대표전화: 051-2400-200 / DID: 051-2400-OOO

서장: **오 은 정**
DID: 051-2400-201

보수초등학교
물꽁식당 ● ● 중구청
중부산세무서
보수우체국
부산
●영락
교회
자갈치↓
월드밸리 ● 국민은행
국제시장↓

주소	부산광역시 중구 흑교로 64 (보수동1가) (우) 48962				
코드번호	602	계좌번호	030562	사업자번호	602-83-00129
관할구역	부산광역시 중구, 영도구			이메일	jungbusan@nts.go.kr

과	체납징세과			부가소득세과		
과장	윤현아 240			기태경 280		
계	운영지원	징세	체납추적	부가1	부가2	소득
계장	조홍우 241	서경심 261	강태규 441	이상표 281	박상현 301	송진욱 361
국세 조사관	강재희 김선임 김현준 이수경 최두환 최정훈	김상순 김진경	강병진 김세운 김종선 박정운 이승훈 이현재 임종근	김성기 김혜경 양현정 이치훈 임상현 임하나 최임선	강원혁 김미희 이주현 장재필 조혜윤 최미녀 최재호	권산 김은혜 김정수 김주영 김지혜 박판기 하소영
FAX	241-6009		253-5581	253-5581	711-6535	

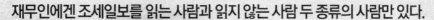

재무인과 함께 걸어가겠습니다 '조세일보'

재무인에겐 조세일보를 읽는 사람과 읽지 않는 사람 두 종류의 사람만 있다.

1등 조세회계 경제신문 조세일보

과	재산법인세과		조사과					납세자보호담당관	
과장	양철근 400		신언수 640					권영록 210	
계	재산	법인	조사관리	조사1	조사2	조사3	세원정보	납세자보호	민원봉사실
계장	이정훈 481	최창배 401	전병운 641	박태원	김영숙	이형석	윤성환 691	이영태 211	하성준 221
국세 조사관	김정이 김찬중 위지혜 이재철 조민희 최학선	강지선 김동건 박동철 안승현 이계훈 전현명 최수진 한정예	김현정 엄애화	이수빈 조용현 진효영	이상언 이하림 전태호	송희진	박건태 황흥모	고상희 이경진	고지원 김경민 김경이 이수영 정연재
FAX	240-0419		711-6538					240-0628	

해운대세무서

대표전화: 051-6609-200 / DID: 051-6609-OOO

서장: **이 재 영**
DID: 051-6609-201

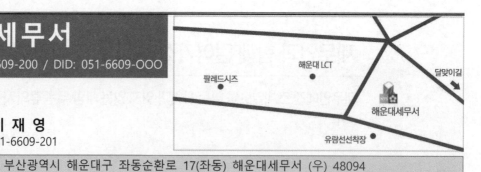

주소	부산광역시 해운대구 좌동순환로 17(좌동) 해운대세무서 (우) 48094					
코드번호	623	계좌번호	025470	사업자번호		
관할구역	부산광역시 해운대구			이메일		

과	체납징세과			부가가치세과		소득세과	
과장	양정일 240			이길형 280		윤나영 360	
계	운영지원	징세	체납추적	부가1	부가2	소득1	소득2
계장	신웅기 241	정정애 261	김미영 441	박찬만 281	김용문 301	신용대 361	김이회 621
국세 조사관	김명수 김혜은 성문성 이묘금 정진호 하창길	심은경 윤노영	강성룡 김미영 김아름 김태헌 박가영 박수진 양회종 이지은 조영진 주자환 진채영	김경애 김동현 김은연 박세준 박시현 박종국 이소영 이수연 정태옥	김태영 나단비 박영진 송강 유정욱 윤제현 장상원 장유나 정우영 최고은	권익현 김동한 김은주 김지현 김초이 최한호	김주훈 박영민 배용현 양문석 정선경 최지은 최혜미
FAX	660-9610		660-9200	660-9602		660-9601	

10년간 쌓아온 재무인의 역사를 돌려드립니다 '온라인 재무인명부'

수시 업데이트 되는 국세청, 정·관계 인사의 프로필과 국세청, 지방청, 전국세무서, 관세청,
유관기관 등의 인력배치 현황을 볼 수 있는 온라인 재무인명부

1등 조세회계 경제신문 조세일보

과	재산법인세과				조사과			납세자보호담당관	
과장	김용정 400				김길호 640			김유신 210	
계	재산신고	재산조사1	재산조사2	법인	조사관리	조사	세원정보	납세자 보호실	민원 봉사실
계장	이선철 481	정석주	전제영 501	김필곤 401	김광수 641		염왕기 691	최창수 211	이상근 221
국세 조사관	김민정 김찬희 김태순 노학준 문홍섭 박소정 심정희 윤석중 이상훈 장회정 최성희	강양동	신성만 안민경 장혜민	강담연 김이현 박유진 이예지 이은정 임정진 최성준 최창우 황지영	박성희 정상훈 조상래	<1팀> 윤상동(팀장) 박지민 심정보 이도연 <2팀> 강유정 정다윗 한대섭 <3팀> 오규진 윤현식 <4팀> 이재석 정유진	권유화	김보경 김선기 엄지명	김영주 류호림 서순연 이배삼 전하나 조정은
FAX	660-9604				660-9605			660-9607	660-9608

동울산세무서

대표전화: 052-2199-200 / DID: 052-2199-OOO

서장: **이 경 순**
DID: 052-2199-201

주소	울산광역시 북구 사청2길 7 (화봉동) (우) 44239				
코드번호	620	계좌번호	001601	사업자번호	610-83-05315
관할구역	울산광역시 중구, 동구, 북구, 울주군(언양읍, 범서읍, 두동면, 두서면, 상북면, 삼남면, 삼동면)			이메일	dongulsan@webmail.nts.go.kr

과	체납징세과				부가가치세과		소득세과	
과장	선연자 240				조성수 280		김순줄 360	
계	운영지원	체납추적1	체납추적2	징세	부가1	부가2	소득1	소득2
계장	이태호 241	조숙현 441	박문호 461	강경태 261	유진희 281	김진도 301	김부일 361	권병선 621
국세조사관	고주환 김영미 김은주 남인제 심영주 이정애 최동석	김민정 김준호 우세훈 정혜경 제재호 조소연 주성민 최보윤	김유진 김장석 김준희 박미영 안은주 정보겸 정인철	강보화 김인주 이진희	고윤학 김라은 김수진 김시은 노동율 민병현 장미진 정순욱 정우수 조연주 진선미 차기숙 최성임 최주영	김계향 김미소 김숙 박미라 송인경 안은미 유명헌 유희진 이성민 이재연 이태진 장유진 정수희 허명화 황경호	김기업 김남현 김현아 엄새얀 이기정 이다솜 이성은 이소영 이진수	김민지 김선희 김윤주 김은호 박정은 박현순 이예원 정유진 정주희
FAX	713-5173				289-8367		289-8375	

1등 조세회계 경제신문 조세일보

과	재산법인세과				조사과			납세자보호담당관	
과장	진우영 400				장영호 640			김용주 210	
계	재산신고	재산조사1	재산조사2	법인	조사관리	조사	세원정보	납세자보호실	민원봉사실
계장	이기용 481	유성욱	김종오	류진열 401	홍석주 641		조석주 691	손민영 211	남권효 221
국세조사관	곽영근 김효민 문성호 박선희 신상수 오경언 이승진 이형근 정혜윤 조성래 최경은	김은수 김종명	주선돈	김미옥 김성기 김슬빛 김연진 김윤서 박용섭 박일동 백선미 백제흠 손주희 엄기동 하현주	이정규 정영록	<1팀> 조석권(팀장) 신병준 이윤서 <2팀> 김미아(팀장) 이재열 허도곤 <3팀> 이선우(팀장) 엄수민 천혜미 <4팀> 윤민희(팀장) 조학래 최창호	우인영 이상욱	박수경 박정은 최원우	권지혜 안영준 이선화 이창훈 이희정 한혜숙 황나래
FAX	287-0729			289-8368	289-8369			289-8370	289-8371

울산세무서

대표전화: 052-2590-200 / DID: 052-2590-OOO

서장: **주 맹 식**
DID: 052-2590-201

주소	울산광역시 남구 갈밭로 49 (삼산동 1632-1번지) (우) 44715				
코드번호	610	계좌번호	160021	사업자번호	
관할구역	울산광역시 남구, 울산광역시 울주군(웅촌,온산,온양,청량,서생)			이메일	ulsan@nts.go.kr

과	체납징세과				부가가치세과		소득세과	
과장	이창규 240				박행옥 280		강헌구 360	
계	운영지원	체납추적1	체납추적2	징세	부가1	부가2	소득1	소득2
계장	임주경 241	박정이 441	김주수 461	지광민 261	홍정자 281	윤혜경 301	진은주 361	권윤호 621
국세 조사관	김우형 백승연 이승훈 이위형 이정걸 장광택	권나영 김령우 김보희 손성웅 이수임 정경임 황지혜	김석민 김지윤 안양후 양규복 유동준 윤혜정 최효순	구화란 권미정 윤영자	김경진 김기범 김영진 김정은 류장식 박혜지 이아람 정성훈 최은수 최진영 최태영 허규석	김경화 김국진 김태완 김효정 박정현 박주아 손지혜 양영선 양효진 우정순 조상운 한정현	강수연 김나현 김미경 김현진 엄태준 윤주련 홍성민	강슬아 윤주민 이효진 임정훈 전국화 정재현
FAX	266-2135				266-2136		257-9435	

과	재산법인세과					조사과			납세자보호담당관	
과장	송인범 400					김창수 640			윤선태 210	
계	재산신고	재산조사1	재산조사2	법인1	법인2	조사관리	조사	세원정보	납세자보호실	민원봉사실
계장	신용도 481	석준기	장재윤	장세철 401	정창원 421	장호철 641		김갑이 691	211	이은희 221
국세조사관	권병수 김미옥 박주희 박준성 서기석 안지현 이현민 최제환	김현기	이연수	권순영 김나현 김진홍 박종수 송주현 여효정 이정민 조홍규	김동현 김미숙 김보은 윤태우 이민희 전용준 최혜진	문아현 문예지 박상길	<1팀> 차상진(팀장) 김종호 김희애 <2팀> 윤종식(팀장) 김효진 노민욱 전성곤 <3팀> 강병문(팀장) 김일희 심민기 <4팀> 임영희(팀장) 고은 백승옥	구태효 김종요	김구환 민선희 박진관 백은주	배서현 백수희 손이슬 신도현 엄제현 이지유 전영심 전현주 조재천
FAX	257-9434					266-2139			266-2140	273-2100 (울주) 050-3115-2946

459

거창세무서

대표전화: 055-9400-200 / DID: 055-9400-OOO

서장: **최 청 흠**
DID: 055-9400-201

주소	경상남도 거창군 거창읍 상동2길 14 (상림리) (우) 50132				
코드번호	611	계좌번호	950419	사업자번호	611-83-00123
관할구역	경상남도 거창군, 함양군, 합천군			이메일	geochang@nts.go.kr

과	체납징세과		
과장	임광준 240		
계	운영지원	체납추적	조사
계장	김재년 241	김지현 441 임용규 441	서정학 651
국세 조사관	강민준 이은상 이준희	김세현 유옥근 이정훈 조원희	김성택 이동진 임도훈 허재호
FAX	942-3616		

과	세원관리과		납세자보호담당관	
과장	노승진 280		우인제 210	
계	부가소득	재산법인	납세자보호실	민원봉사실
계장	김충일 281	정재록 481	전태회 211	조강래221
국세 조사관	김원희 김태수 박상도 박석훈 박주영 손성락 이규호 이병훈 최승덕 한임철	권경숙 권은정 김경은 김성홍 남예나 박호용 배정환 백상훈 안대철 정태환 황상진		김경승 김예인 두영배 장덕진
FAX	944-0382	944-5448	944-0381	

김해세무서

대표전화: 055-3206-200 / DID: 055-3206-OOO

서장: **정 동 주**
DID: 055-3206-201

● 인제대학교　　● 기업은행　　　　　　　● 경찰서

한국통신 ●

김해세무서　● SC 제일은행

주소	경상남도 김해시 호계로 440 (부원동) (우) 50922 밀양지서: 경남 밀양시 중앙로 235 (삼문동 141-2번지) (우) 50440				
코드번호	615	계좌번호	000178	사업자번호	
관할구역	경상남도 김해시, 밀양시 전체		이메일	gimhae@nts.go.kr	

과	체납징세과				부가가치세과			소득세과		재산세과	
과장	강경배 240				장지훈 280			조미숙 360		김동업 480	
계	운영 지원	징세	체납 추적1	체납 추적2	부가1	부가2	부가3	소득1	소득2	재산 신고	재산조사
계장	이상곤 241	문명식 261	한종창 441	김보경 461	변주섭 281	이강우 301	조용호 330	엄병섭 361	권종인 621	장준 481	
국세 조사관	김나영 김명섭 김민재 박미연 송다성 윤덕희 조미희 허준영	오승희 조미애 최예영	강병수 김병우 김성희 류서현 박지혜 송재경 이성웅 이현정 조예언	김병창 김진영 박상미 박수성 양호정 윤정아 이유만 이혜령 하승훈	권선주 김미영 김진우 김현준 송세미 오현아 이경민 이영진 이정관 정가영	김경용 김은연 김희정 박건학 박도현 백지훈 선병우 장혜진 제갈형	김상희 문희준 민승기 송건 이현진 임성미 최지나 황현석 황홍비	고기석 김주홍 박정화 배명한 배미영 이상조 이유정 이지영 지현민	구자양 김승훈 류영선 박모영 박흥수 배선미 윤은미 추병욱	김미정 김영은 서성덕 서유진 양서영 이세훈 조경진 최희숙 함수민	\<1팀\> 안희식(팀장) 김선경 \<2팀\> 오철록(팀장) 안경호 \<3팀\> 김태정 김태훈
FAX	335-2250		349-3471		329-3476			329-3473		329-4902	

462

과	법인세과		조사과			납세자보호담당관		밀양지서		
과장	이상헌 400		공명호 640			임지은 210		홍충훈 359-0201		
계	법인1	법인2	관리	조사	세원 정보	납세자 보호실	민원 봉사실	납세자 보호실	부가소득	재산법인
계장	이종면 401	강호창 421	엄지원 641		김병찬 691	211	윤성조 221	이진섭 211	김성수 300	양현근 400
국세 조사관	박주현 배진만 서준영 송연지 심재인 어윤필 이주현 정도영 정은이 정희선 황선주	김순정 김지원 김희련 남연주 손영미 전종태 정인구 조미주 최안욱	김규한 서민혜 이원섭	<1팀> 현은식(팀장) 공민석 신혜진 <2팀> 성인섭(팀장) 박지영 이재성 <3팀> 백신기(팀장) 김형종 이정숙 <4팀> 이동훈(팀장) 강정선 <5팀> 하은미(팀장) 문혜리 추종완 <6팀> 신성용(팀장) 서미영	박미화 최성민	김진수 윤정훈 이현실 이현정	김유정 김지희 박태준 박홍제 백종욱 변숙자 장수연 정대교 정지현	류선아 박지원 이우형 임규빈 장다혜	김나겸 김나영 김유진 김준영 박진하 배기득 배기윤 안준식 최정웅 하회성	김수진 김장관 박일호 이현도 정성윤 주지훈
FAX	329-3477		329-4903		329- 3472	335 -2100	329 -4901	355- 8462	359- 0612	353- 2228

마산세무서

대표전화: 055-2400-200 / DID: 055-2400-OOO

창원지방법원
법무이원태사무소 ●
NTS 마산세무서
● 마산합포구청

서장: **이 철 경**
DID: 055-2400-201

주소	경상남도 창원시 마산합포구 3.15대로 211 (중앙동3가 3-8) (우) 51265				
코드번호	608	**계좌번호**	140672	**사업자번호**	
관할구역	경상남도 창원시 마산합포구, 마산회원구, 함안군, 의령군, 창녕군			**이메일**	masan@nts.go.kr

과	체납징세과				부가가치세과			소득세과	
과장	한기준 240				우영진 280			김순석 360	
계	운영지원	체납추적1	체납추적2	징세	부가1	부가2	부가3	소득1	소득2
계장	조민경 241	박석규 441	김태은 461	261	이승규 281	김희준 301	정부섭 321	361	이화석 381
국세 조사관	김경태 김경혜 김나영 김중훈 서상율 유정우 이진호	공을상 김윤지 옥상하 이중호 정옥상 조재형 최정애	김봉재 김연수 서윤경 송인수 이병국 정다운	김도형 성지혜 최경희 홍지영	강대현 곽윤영 남송이 민연배 이경희 이남범 이영수 이현희 홍민정	강민정 강수원 김규민 김기용 김민채 김희문 박해경 최수식	구현진 김민서 김정은 남동현 명영빈 윤재련 정대희 정준모 정희봉	김동한 김진수 김화진 박수인 박희숙 이병준 이봉철 정승아 정유영 허종구	박상우 박재홍 서재필 심순보 이은미 이점순 황규현 황성택
FAX	223-6881				241-8634			245-4883	

464

과	재산법인세과					조사과			납세자보호담당관	
과장	곽귀명 400					정성훈 640			최익수 210	
계	재산신고	재산조사1	재산조사2	법인1	법인2	조사관리	조사	세원정보	납세자보호실	민원봉사실
계장	윤봉원 501	이송우	이종욱	최은호 401	백성경 421	이상미 641		홍덕희 691	211	221
국세조사관	강희 박세린 박주희 서학근 안종규 윤진명 이윤미 이은주 정은진	김용백	김진아	김동현 문승준 서민경 이병철 이소은 최원태 하구식 황민훈 황지언	김예정 김정국 박동홍 박인애 심연주 이희진	김병철 박종군 이상민	<1팀> 이재관(팀장) 김도헌 김형민 <2팀> 조주호(팀장) 양재영 이정옥 <3팀> 안수진 전용진 진현덕 <4팀> 이동규(팀장) 노지원 유지향 <5팀> 전창석(팀장) 김수진 <6팀> 임상조(팀장) 김민정	정창국 조현아	배광한 성희찬 염인균 지만	고진수 김정현 김창석 박용남 이경미 이상현 정수진 차민식 홍고은
FAX	223-6911			245-4885		244-0850			240-0238	223-6880

양산세무서

대표전화: 055-3896-200 / DID: 055-3896-OOO

서장: **김 필 식**
DID: 055-3896-201

주소	경상남도 양산시 물금읍 증산역로 135, 9층, 10층 (가촌리1296-1) (우) 50653 웅상민원실 : 경상남도 양산시 진등길 40 (주진동) (우) 50519				
코드번호	624	계좌번호	026194	사업자번호	
관할구역	경상남도 양산시			이메일	

과	체납징세과			부가소득세과			재산세과		
과장	강신걸 240			장시원 280			강경구 480		
계	운영지원	체납추적	징세	부가1	부가2	소득	재산신고	재산조사1	재산조사2
계장	안정희 241	최재우 441	김홍수 261	노영기 281	이금대 301	강보길 321	이수미 481	김연종	정현주
국세조사관	백상인 부강석 안상재 장성근 정미선 조미란	이길재 이예영 이창호 장해미 장현진 제범모 주아라 하선유 한정민	김슬기론 이채은	김동욱 김세은 김지현 양은지 이정미 조준영 최봉순 최항호	김병주 김상덕 남학진 노미향 신은숙 윤성훈 최주연	공미경 민규홍 우성락 이옥주 이창일 이채은 정부원 정슬기 황영	김명선 김민정 김숙례 김태민 이영재 전봄내	김지현	옥경훈
FAX	389-6602	389-6603		389-6604			389-6605		

과	법인세과		조사과					납세자보호담당관	
과장	최정식 400		최용훈 640					권호경 210	
계	법인1	법인2	조사관리	조사1	조사2	조사3	세원정보	납세자보호실	민원봉사실
계장	김일한 401	서덕수 421	정해룡 641	심희정	김경우	김이규	민병기 691	최갑순 211	박병철 221
국세조사관	김준현 이태호 이현진 최윤아	문민지 박수빈 오진수 황은영	김민영 황미경	김민지 배승현	조재승	박재희	정하선	이혜림 임주영	김성수 김윤경 박복자 송인출 이다인 이주엽
FAX	389-6606		389-6607				389-6608	389-6609	389-6610

진주세무서

대표전화: 055-7510-200 / DID: 055-7510-OOO

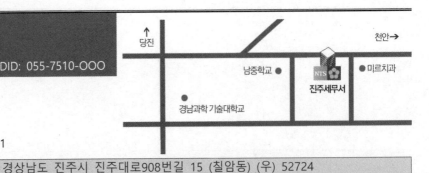

서장: **하 영 식**
DID: 055-7510-201

주소	경상남도 진주시 진주대로908번길 15 (칠암동) (우) 52724 사천지서: 경상남도 사천시 용현면 시청2길 27-20 (우) 52539 하동지서: 경상남도 하동군 하동읍 하동공원길 8 (우) 52331			
코드번호	613	계좌번호	950435	사업자번호
관할구역	경상남도 진주시, 사천시, 산청군, 하동군, 남해군		이메일	jinju@nts.go.kr

과	체납징세과			부가소득세과			재산법인세과			
과장	신승태 240			김정남 280			문병엽 400			
계	운영지원	체납추적	징세	부가1	부가2	소득	재산신고	재산조사	법인1	법인2
계장	김용대 241	이병숙 441	하영설 261	장은영 281	김병수 301	강호준 264 김귀현 361	최윤섭 481		김창현 401	조완석 421
국세 조사관	김인수 박용선 박화순 손해진 이근우 이전승 이정례 정연국	강상원 김아영 김준호 김현열 박윤정 이보라 이성규 이예미 이종원 허지영 현경석	류태경 정하정	김동호 김은주 성정현 신기한 이미희 정유진 정은미 진현탁	강경옥 김민정 김태성 김태식 석대겸 우동훈 장윤화 정성원 정수영 천승리	강동수 김나영 김정민 김준영 김현수 박지혜 서금주 이은순 이현우 이환선 천민아	김영훈 배준철 안원기 여명철 윤경현 이은영 이진주	<1팀> 강신태(팀장) 오성현 <2팀> 최대경(팀장) 최욱경 <3팀> 김재철(팀장) 정호성	김난영 김병기 김수연 김영민 배영은 이상혁 허치환	김수영 박준태 윤성혜 이경구 최서윤 최정연 하민수
FAX	753-9009			752-2100			762-1397			

1등 조세회계 경제신문 조세일보

과	조사과			납세자보호담당관		하동지서			사천지서		
과장	신준기 640			김양수 210		강승구 8684-201			김현철 8685-201		
계	조사관리	조사	세원정보	납세자보호실	민원봉사실	납세자보호실	부가소득	재산	납세자보호실	부가소득	재산
계장	이철승 641		고병렬 691	오영권 211	손은경 221		하철호 300	하병욱 400		301	모규인 401
국세조사관	김경인 여정민	\<1팀\> 이대균(팀장) 공보선 윤중해 \<2팀\> 박병규(팀장) 김화영 신재원 \<3팀\> 이동희(팀장) 민병려 최승훈 \<4팀\> 구경택 이은미 조현용	박용희 임태수	강민호 김경미 김용원	서민재 송효진 오연정 정의웅 조미경	김영민 박철 여리화 오병환 최진관 황미정	권성표 김정식 서형선 유민호 장승일 전영철 정용민 천승민	임원희 화종원	김규진 이진경 정준규	강욱중 강혜인 곽진우 김민정 김성혁 김진 박수민 서정운 이영미 이인재 홍성기	김재준 류정훈 진경준
FAX	758-9060			753-9269	758-9061	883-9931			835-2105		

창원세무서

대표전화: 055-2390-200 / DID: 055-2390-OOO

서장: **천 용 욱**
DID: 055-2390-201

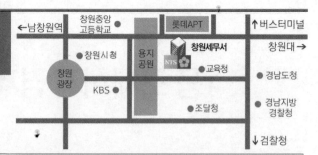

주소	경상남도 창원시 성산구 중앙대로105 STX 오션타워 (우) 51515 진해민원실 : 경상남도 창원시 진해구 진해대로 719 진해상공회의소 1층 (우) 51582			
코드번호	609	계좌번호	140669	사업자번호
관할구역	창원시 성산구, 의창구, 진해구		이메일	changwon@nts.go.kr

과	체납징세과				부가가치세과			소득세과	
과장	김진석 240				손성주 280			여성훈 360	
계	운영지원	징세	체납추적1	체납추적2	부가1	부가2	부가3	소득1	소득2
계장	송성욱 241	김종진 261	장백용 441	임상현 461	오세은 281	정성호 301	문병찬 321	이상호 361	박성규 381
국세 조사관	고인식 김태철 문선희 배지홍 이기영 이창희 이혜정 임종필	김정분 김태숙 최진숙 최혜선	강대석 박성준 변광률 유송화 이수길 임현진 최혜선 하재현	김승미 송미연 윤태영 이대현 이재식 정수환 주혜진 최서우	강경래 권태훈 김세영 김현정 박구슬 박은경 박지은 신동근 윤현화 한지혜 홍경숙	김미진 김영수 박현경 송대섭 송우용 신유진 오정민 최인영 허수범	김재철 박성현 변은희 서기정 윤정미 윤한필 이지현 조정선 하경혜	권은경 노재진 윤간오 이봉화 이은상 이지수 정권술 진석주 홍은아 황혜경	김가은 김윤진 김태균 김현정 이부경 이효영 전종호 최기원 황성업
FAX	285-1201	287-1394			285-0161~2			285- 0163	285- 0164

과	재산세과				법인세과		조사과			납세자보호 담당관	
과장	구석연 480				김현도 400		유진호 640			유선우 210	
계	재산신고	재산조사1	재산조사2	재산조사3	법인1	법인2	조사관리	조사	세원정보	납세자보호	민원봉사실
계장	노재동 481	이장호	구본	최호영	임희택 401	류용운 421	김계영 641		강성호 691	211	박호갑 221
국세조사관	강민규 김영주 김태경 김태호 김회정 노미해 양예진 우재경 이인혁 장혜원 전홍미	주은진	문두열	이성혜	강곡지 김가은 김령언 류현철 박효진 서예주 우재진 임수정 장명수 진현호	강호윤 김다운 김미숙 김성범 박욱상 배선경 배주원 우현하 유도권	문숙미 손병열 최대림 최은경	<1팀> 정월선(팀장) 박미숙 이동윤 이성훈 <2팀> 홍원의(팀장) 이현우 전지민 <3팀> 김창윤(팀장) 김민후 오은주 <4팀> 조병환(팀장) 김혜원 송승리 <5팀> 김형두(팀장) 김혜린 채여정 <6팀> 최윤혁(팀장) 권수경 서자원	김태수 박윤경	강효경 안승훈 이혜경 임병섭 임창수	곽은미 권영철 김영혜 김영화 김종식 도준혁 안재현 엄희지 이재웅 정성우 황수영
FAX	285-0165				287-1332		285-0166			266-9155	

471

통영세무서

대표전화: 055-6407-200 / DID: 055-6407-OOO

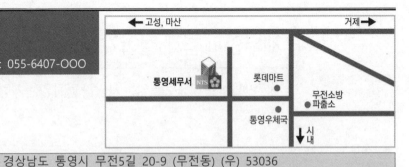

서장: **이 규 성**
DID: 055-6407-201

주소	경상남도 통영시 무전5길 20-9 (무전동) (우) 53036 거제지서: 거제시 계룡로11길 9 (고현동) (우) 53257			
코드번호	612	계좌번호	140708	사업자번호
관할구역	경상남도 통영시, 거제시, 고성군		이메일	tongyeong@nts.go.kr

과	체납징세과					세원관리과		
과장	황인자 240					김남배 280		
계	운영지원	체납추적	징세	조사	세원정보	부가	소득	재산법인
계장	이인권 241	박유경 441	박재완 261	김환중 651	이재평 691	신성원 281	정용섭 361	이상호 401
국세 조사관	김광덕 김기웅 박성환 이현주 정연욱 최은경	송예은 안지연 옥채순 윤연갑 진호근 허금희	김행은 조경혜	김경민 김동건 박성훈 서호성 이혜정 한동훈 한명진 황재민	김현구 최선우	고대근 김마리아 김재환 이승록 이창주 이화영 정소영 정희숙	권준혁 박인홍 안태영 이규영 이영희 이치권 이현아 하현주	강철구 구영범 박경희 백선우 서형숙 이해웅 임상만 정성욱 최지선 최현빈 추상미 허진호
FAX	644-1814		645-7283	645-0397		644-4010		(재산) 648-2748 (법인) 649-5117

과	납세자보호담당관		거제지서			
과장	강신혁 210		허종 201			
계	납세자보호실	민원봉사실	체납추적	납세자보호실	부가소득	재산
계장	최명환 211	오대석 221	윤승호 441	김문수 211	김정면 300	신용현 401
국세조사관	김민준 허춘도	강지현 김혜영 서수정 서용오 윤영수	김명희 김성민 박세웅 손진락 윤지영 전종원	김민주 김시윤 문라형 임인섭 조윤주	곽용석 김경숙 김동민 김민규 김혜빈 박성준 배소연 성미로 윤덕원 윤미현 이미선 이주석 임수정 임수현 정해식 허준호 형만우	강동희 김태원 김효진 송민정 조영수 최윤정
FAX	645-7287	646-9420	636-5456	635-5002	(부가) 636-5457 (소득) 636-5456	636-5456

제주세무서

대표전화: 064-7205-200 / DID: 064-7205-OOO

서장: **박 상 준**
DID: 064-7205-201

e-편한세상 APT
●보건소   도남주유소●
제주세무서
상공회의소   한국전력공사
●한국은행

주소	제주특별자치도 제주시 청사로 59 (도남동, 정부제주지방합동청사) (우) 63219 서귀포지서: 제주도 서귀포시 신중로55 서귀포시청 제2청사 1층 (우) 63565				
코드번호	616	계좌번호	120171	사업자번호	
관할구역	제주특별자치도 (제주시, 서귀포시)			이메일	jeju@nts.go.kr

과	체납징세과				부가가치세과		소득세과		재산세과	
과장	김성준 240				김영두 280		최희경 360		이정걸 480	
계	운영지원	체납 추적1	체납 추적2	징세	부가1	부가2	소득1	소득2	재산신고	재산조사
계장	홍영균 241	이철수 441	노인섭 461	조용문 261	이창림 281	홍성수 301	김영민 361	박명철 381	장영삼 481	
국세 조사관	강형수 고예나 김성연 이경상 이창욱 장익준	김성주 변시철 신정아 양석재 양제문 오쇄행 이대구 정우현 조병녕	구세현 박길훈 손찬희 신민서 양영혁 이부형 지현철 최연덕 황현정	강정인 강해영 고영배	강기완 강창희 고지은 김도연 김문정 김찬희 도진주 문영순 오미진 이승환 차정우 최천식 한상명	김민건 김민규 김한솔 문혜정 박정화 변태민 변혜정 석혜연 신영화 오창곤 이계봉 이재성 이지은	김나영 김수민 김양수 김완철 김혜림 송하연 이창환 임경표 좌용준	김성은 김연순 문서연 박종훈 변민정 오지섭 좌종훈 허윤숙	고정은 김제춘 문영수 박희찬 서현경 송정민 임성아 장소영 진경희	<1팀> 강동균(팀장) 정경주 <2팀> 홍명하(팀장) 이상희 <3팀> 고창기(팀장) 최윤미 <4팀> 심상길(팀장) 박경원
FAX	724-1107				724-2272		724-2274		724-2273	

과	법인세과		조사과			납세자보호담당관		서귀포지서		
과장	김성오 400		김영창 640			박진홍 210		박병관 8686-201		
계	법인1	법인2	조사관리	조사	세원정보	납세자보호실	민원봉사실	납세자보호실	부가소득	재산
계장	최경수 401	김유철 421	조영심 641		김광석 691	정희문 211	강영식 222		고영남 220	부상석 250
국세조사관	고경균 김용재 김태환 김평화 문현국 신담호 양원혁 이상진 이은영 이종률 조은영	강상임 김대훈 김우석 김재환 김지원 김택우 박연주 박진형 부종철 이진선 홍수은	김시연 마순옥	<1팀> 문기창(팀장) 고민하 김형익 <2팀> 강영진(팀장) 고창우 고희주 <3팀> 김지훈(팀장) 김혜진 임병훈 <4팀> 현승철(팀장) 강가에 김민경 <5팀> 이지민(팀장) 김준섭	고규진 정진우	고계명 고봉국 김수현	강희언 곽민석 김성면 김연주 김원경 김진호 박수진 박지호 이창언 현창훈	김지현 이지석 최재훈	강호성 구인서 김남규 김수남 김승용 김현민 박지용 배호기 변은희 변현영 이수민 이정은 이주우 이희윤 정세나 정재조	박정오 석민구 이건준 이지환
FAX	724-2276		724-2280			720-5217	724-1108	730-9245	730-9280	730-9290

475

관세청

관 세 청

주소	대전광역시 서구 청사로 189 정부대전청사 1동 (우) 35208
대표전화	1577-8577
팩스	042-472-2100
당직실	042-481-1163
고객지원센터	125
홈페이지	www.customs.go.kr

청장　　　　임재현

(D) 042-481-7600, 02-510-1600 (FAX) 042-481-7609

비 서 관 　채봉규	(D) 042-481-7601
비 　 　 서 　김석우	(D) 042-481-7602
비 　 　 서 　이준아	(D) 042-481-7603

차장　　　　이종우

(D) 042-481-7610, 02-510-1610 (FAX) 042-481-7619

| 비 　 　 서 　우제국 | (D) 042-481-7611 |
| 비 　 　 서 　박은지 | (D) 042-481-7612 |

관세청

대표전화: 042-481-4114 DID: 042-481-OOOO

청장: **임 재 현**
DID: 042-481-7600

과	대변인	관세국경위험 관리센터	관세청빅데이터 추진단	운영지원과장	코로나19 미래전략추진단
과장	김지현 042-481-7615	민희 042-481-1160	조한진 042-481-3290	백형민 042-481-7620	이나애 042-481-1150

국실	기획조정관			
국장	고석진 042-481-7640			
과	기획재정담당관	행정관리담당관	법무담당관	비상안전담당관
과장	강연호 7660	강병로 7670	이상욱 7680	이병호 7690

국실	감사관		정보데이터정책관			
국장	이석문 042-481-7700		박헌 042-481-7950			
과	감사담당관	감찰팀장	정보데이터기획 담당관	정보관리담당관	연구장비 개발팀장	시스템운영팀장
과장	이진희 7710	김희리 7720	최연수 7760	현명진 7790	최영환 3250	노시교 7770

국실	통관국					심사국			
국장	서재용 042-481-7800					이종욱 042-481-7850			
과	통관물류 정책과	관세국경 감시과	수출입안 전검사과	전자상거 래통관과	보세산업 지원과	심사 정책과	세원 심사과	기업 심사과	공정무역 심사팀
과장	한민 7810	임현철 7920	정기섭 7830	김한진 7840	이광우 7750	이민근 7860	윤동주 7870	김동수 7980	이원상 7880

국실	조사국		
국장	이근후 042-481-7900		
과	조사총괄과	외환조사과	국제조사과
과장	양승혁 7910	김현정 7930	박천정 02-510-1630

1등 조세회계 경제신문 조세일보

국실	국제관세협력국			
국장	김종호 042-481-3200			
과	국제협력총괄과	자유무역협정집행과	원산지검증과	해외통관지원팀장
과장	이철재 3210	오현진 3230	박철완 3220	최현정 7970

관세인재개발원			중앙관세분석소			
원장 : 조은정 / DID : 041-410-8500			소장 : 임병복 / DID : 055-792-7300			
충청남도 천안시 동남구 병천면 충절로 1687 (병천리 331) (우) 31254			경상남도 진주시 동진로 408 (충무공동 16-1) (우) 52851			
과	교육지원과	인재개발과	탐지견훈련센터담당관	총괄분석과	분석1관	분석2관	분석3관
과장	김은경 8510	마순덕 8530	김용섭 032-722-4850	양진철 7310	한규희 7320	문상호 7330	신을기 7340

관세평가분류원			평택직할세관		
원장 : 김정 / DID : 042-714-7500			세관장 : 장웅요 / DID : 031-8054-7001		
대전광역시 유성구 테크노2로 214 (탑림동 693) (우) 34027			경기도 평택시 포승읍 평택항만길 45 (만호리 340-3) (우) 17962		
과	관세평가과	품목분류1과	품목분류2과	통관총괄과	통관검사과	물류감시과
과장	김영경 7501	이승연 7521	정지원 7541	양을수 7020	조정훈 7060	강봉철 7130
과	품목분류3과	품목분류4과	수출입안전심사1과	수출입안전심사2과	심사과	조사과	여행자통관과
과장	박재열 7551	유승희 7560	박진규 7570	홍성구 7590	임현웅 7170	채희열 7200	이규본 7240

세무·회계 전문 홈페이지 무료제작

DIAMONDCLUB

다이아몬드 클럽

다이아몬드 클럽은

세무사, 회계사, 관세사 등을 대상으로 한 조세일보의 온라인 홍보클럽으로
세무·회계에 특화된 홈페이지와 온라인 홍보 서비스를 받으실 수 있습니다.

01 경제적 효과
기본형 홈페이지 구축비용 일체무료 / 도메인·호스팅 무료
홈페이지 운영비 절감 / 전문적인 웹서비스

02 홍보 효과
월평균 방문자 150만명에 달하는
조세일보 메인화면 배너홍보

03 기능적 효과
실시간 뉴스·정보 제공 / 세무·회계 전문 솔루션 탑재
공지사항, 커뮤니티등 게시판 제공

가입문의 02-3146-8256

서울본부세관

주소	서울특별시 강남구 언주로 721 (논현2동 71) (우) 06050
대표전화	02-510-1114
팩스	02-548-1381
당직실	02-510-1999
고객지원센터	125
홈페이지	www.customs.go.kr/seoul/

세관장   성태곤

(D) 02-510-1000 (FAX) 02-548-1922

비　　서　조은애　　　　　　(D) 02-510-1002

통　관　국　장	오 상 훈	(D) 02-510-1100
심　사　1　국　장	윤 선 덕	(D) 02-510-1200
심　사　2　국　장	김 현 석	(D) 02-510-1400
조　사　1　국　장	한 창 령	(D) 02-510-1700
조　사　2　국　장	김 태 영	(D) 02-510-1800
안　양　세　관　장	정 윤 성	(D) 031-596-2001
천　안　세　관　장	강 성 철	(D) 041-640-2300
청　주　세　관　장	신 강 민	(D) 043-717-5700
성　남　세　관　장	윤 영 배	(D) 031-697-2570
파　주　세　관　장	손 영 환	(D) 031-934-2800
구　로　지　원　센　터　장	이 상 수	(D) 02-2107-2501
충　주　지　원　센　터　장	곽 기 복	(D) 043-720-5691
의　정　부　지　원　터　장	표 동 삼	(D) 031-540-2600
도　라　산　지　원　센　터　장	안 준	(D) 031-934-2900

서울본부세관

대표전화: 02-510-1114 / DID: 02-510-OOOO

청장: **성 태 곤**
DID: 02-510-1000

신사역 ← CGV압구정 / 씨네시티 / 안세병원
영동관광호텔 / 강남 을지병원 / 나누리병원 / NTS / 영동고등학교
학동공원 / 프라임아파트 / 서울본부세관 / 영동중앙시장아파트 / 강남구청역
학동역 / 임페리얼 펠리스호텔

과	세관운영과	납세자보호담당관	감사담당관	수출입기업지원센터
과장	신숙경 1030	이은호 1060	방대성 1010	윤청운 1370

국실	통관국			
국장	오상훈 02-510-1100			
과	수출입물류과	통관검사1과	통관검사2과	이사화물과
과장	이영도 1110	박헌욱 1150	장은수 1130	김흥주 1180

국실	심사1국				심사2국			
국장	윤선덕 02-510-1200				김현석 02-510-1400			
과	심사총괄1과	심사1관	심사2관	심사3관	심사총괄2과	심사1관	심사2관	심사3관
과장	김미정 1210	이훈재 1240	정하경 1250	류기석 1270	박성주 1410	성행제 1440	노근홍 1470	곽경훈 1490
과	심사정보과	환급심사과	체납관리과	분석실	심사4관	심사5관	자유무역협정검증1과	자유무역협정검증2과	자유무역협정검증3과
과장	김종철 1310	장영민 1350	김대길 1330	곽재석 1290	양현 1510	길연섭 1530	이종호 1550	이의상 1580	임길호 1640

국실	조사1국			조사2국			
국장	한창령 02-510-1700			김태영 02-510-1800			
과	조사총괄과	조사1관	조사2관	외환조사총괄과	외환조사1관	외환조사2관	외환조사3관
과장	김규진 1710	이은렬 1680	박부열 1690	김재철 1810	박수영 1840	최인규 1850	신동윤 1860
과	특수조사과	디지털무역범죄조사과	조사정보과	외환검사과	외환검사1관	외환검사2관
과장	이옥재 1740	이근영 1750	김관주 1780	문을열 1870	김영기 1910	박일보 1920

국실	안양세관		천안세관	
세관장	정윤성 031-596-2001		강성철 041-640-2300	
과	통관지원과	조사심사과	통관지원과	조사심사과
과장	김진원 2050	배국호 2010	조진용 2350	김남섭 2320

세관	청주세관		
세관장	신강민 043-717-5700		
과	통관지원과	조사심사과	여행자통관과
과장	김원석 5710	김익현 5730	김상연 5750

세관	성남세관	파주세관	구로지원센터
세관장	윤영배 031-697-2570	손영환 031-934-2800	이상수 02-2107-2501

세관	충주지원센터	의정부지원센터	도라산지원센터
세관장	곽기복 043-720-5691	표동삼 031-540-2600	안준 031-934-2900

재무인의 가치를 높이는 변화

조세일보 정회원

온라인 재무인명부
수시 업데이트 되는 국세청, 정·관계 인사의 프로필, 국세청,
지방국세청, 전국세무서, 관세청, 공정위, 금감원등 인력배치 현황

예규·판례
행정법원 판례를 포함한 20만건 이상의 최신 예규, 판례 제공

구인구직
조세일보 일평균 10만 온라인 독자에게 채용 홍보

업무용 서식
세무·회계 및 업무용 필수서식 3,000여개 제공

세무계산기

묶음 상품
정회원 기본형 : 유료기사 + 문자서비스 + 온라인 재무인명부 + 구인구직 = 15만원 / 연
정회원 통합형 : 정회원 기본형 + 예규·판례 = 30만원 / 연

개별 상품
온라인 재무인명부 : 10만원 / 연 | **구인구직** : 10만원 / 연

※ 자세한 조세일보 정회원 서비스 안내 http://www.joseilbo.com/members/info/

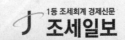

인천본부세관

주소	인천광역시 중구 서해대로 339 (항동7가 1-18) (우) 22346
대표전화	032-452-3114
팩스	032-452-3149
당직실	032-452-3535
고객지원센터	125
홈페이지	www.customs.go.kr/incheon/

세관장　　　　최능하

(D) 032-452-4000 (FAX) 032-722-4039

비　서 이주안	(D) 032-452-4002
비　서 김지현	(D) 032-452-4003

항 만 통 관 감 시 국 장	주 시 경	(D) 032-452-3200
공 항 통 관 감 시 국 장	심 재 현	(D) 032-722-4110
여 행 자 통 관 1 국 장	손 문 갑	(D) 032-722-4400
여 행 자 통 관 2 국 장	정 광 춘	(D) 032-722-5100
특 송 통 관 국 장	김 종 덕	(D) 032-722-4300
심 사 국 장	백 도 선	(D) 032-452-3300
조 사 국 장	이 동 현	(D) 032-452-3400
김 포 공 항 세 관 장	김 혁	(D) 02-6930-4900
인 천 공 항 국 제 우 편 세 관 장	유 태 수	(D) 032-720-7410
수 원 세 관 장	김 용 익	(D) 031-547-3910
안 산 세 관 장	이 범 주	(D) 031-8085-3800
부 평 지 원 센 터 장	신 진 일	(D) 032-509-3700

인천본부세관

대표전화: 032-452-3114/ DID: 032-452-OOOO

청장: **최 능 하**
DID: 032-452-4000

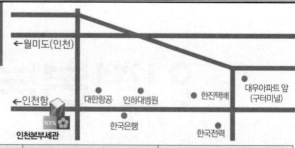

과	세관운영과		감사담당관	수출입기업지원센터	협업검사센터
과장	오세현 3100		최연재 4702	최형균 3630	전병건 3680
팀	인사팀	기획팀			
팀장	장용호 3120	장세창 3110			

국실	항만통관감시국					
국장	주시경 032-452-3200					
과	항만수출입물류과	인천항운영팀장	항만물류감시1과	항만물류감시2과	항만통관검사5과	신항통관과
과장	문행용 3210	정호남 3205	이윤택 3490	김헌주 3480	채정균 3270	여환준 3650
과	항만통관정보과	통관총괄팀장(사)	항만통관검사1과	항만통관검사2과	항만통관검사3과	항만통관검사4과
과장	김종웅 3500	문성환 3477	석창휴 3230	권대호 3240	이승희 3280	김성수 3220

국실	공항통관감시국								
국장	심재현 032-722-4110								
과	공항수출입물류과	공항통관정보과	공항물류감시1과	공항물류감시2과	공항통관검사1과	공항통관검사2과	공항통관검사3과	장비관리과	전산정보관리과
과장	지성근 4105	정구천 4101	이자열 4730	공성회 5810	민경욱 4210	이재훈 4250	김경태 4190	이창희 4780	신효상 4790

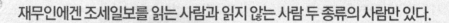

국실	여행자통관1국						
국장	손문갑 032-722-4400						
과	공항여행자통관1과	여행자정보분석과	공항여행자통관검사1관	공항여행자통관검사2관	공항여행자통관검사3관	공항여행자통관검사4관	공항여행자통관검사5관
과장	최천식 4410	김승민 4470	신승호	김동철	박병옥	박상원	이정우
			(B)4520 (C)4530 (D)4540 (E)4550				

과	공항여행자통관검사6관	공항여행자통관검사7관	공항여행자통관검사8관	공항여행자통관검사9관	항만여행자통관과	항만여행자통관검사관
과장	김원섭	류성현	김수복	임용건 4450	강민석 3460	황영철 3520
	(B)4520 (C)4530 (D)4540 (E)4550					

국실	여행자통관2국							
국장	정광춘 032-722-5100							
과	공항여행자통관2과	공항여행자통관검사1관	공항여행자통관검사2관	공항여행자통관검사3관	공항여행자통관검사4관	공항여행자통관검사5관	공항여행자통관검사6관	공항여행자통관검사7관
과장	이현주 5110	김진갑	오도영	임활규	오영진	최훈균	어태룡	김성진 5180
		(A)5160 (B)5170						

국실	조사국								
국장	이동현 032-452-3400								
과	조사총괄과	조사1관	조사2관	조사3관	조사4관	조사5관	조사6관	조사정보과	마약조사과
과장	조영상 3410	김민세 3040	김충식 3440	이정희 3430	정교진 4610	안정호 4670	김범준 5040	장춘호 3420	염승열 4650

10년간 쌓아온 재무인의 역사를 돌려드립니다 '온라인 재무인명부'

수시 업데이트 되는 국세청, 정·관계 인사의 프로필과 국세청, 지방청, 전국세무서, 관세청,
유관기관 등의 인력배치 현황을 볼 수 있는 온라인 재무인명부

국실	심사국									
국장	백도선 032-452-3300									
과	심사총괄과	심사1관	심사2관	심사3관	FTA검증1과	FTA검증2과	심사정보1관	심사정보2관	분석실	분석관
과장	김재홍 3310	유정환 3390	김민호 3340	박세윤 3570	이돈변 5910	문미호 4010	김명섭 3350	김성희 4340	정재하 3380	양승준 4390

세관	특송통관국				김포공항세관		
세관장	김종덕 032-722-4300				김혁 02-6930-4900		
과	특송통관1	특송통관2	특송통관3	특송통관4	통관지원과	조사심사과	여행자통관과
과장	주성렬 4310	서정년 4800	강봉구 5200	류재철 5240	손요나 4910	김영준 4940	심기현 4970

세관	인천공항국제우편세관		수원세관		안산세관		부평지원센터
세관장	유태수 032-720-7410		김용익 031-547-3910		이범주 031-8085-3800		신진일 032-509-3700
과	우편통관과	우편검사과	통관지원과	조사심사과	통관지원과	조사심사과	
과장	김상식 7420	윤동규 7440	고광규 3920	박남기 3950	김보성 3850	이동화 3810	

부산본부세관

주소	부산광역시 중구 충장대로 20 (중앙로 4가 17) (우) 48940
대표전화	**051-620-6114**
팩스	**051-469-5089**
당직실	**051-620-6666**
고객지원센터	**125**
홈페이지	**customs.go.kr/busan/**

세관장　　김재일

(D) 051-620-6000 (FAX) 051-620-1100

비　　서　최서연　　　　　(D) 051-620-6001

통　　관　　국　　장	**김 재 식**	(D) 051-620-6100
감　　시　　국　　장	**김 창 영**	(D) 051-620-6700
신 항 통 관 감 시 국 장	**하 유 정**	(D) 051-620-6200
심　　사　　국　　장	**이 갑 수**	(D) 051-620-6300
조　　사　　국　　장	**남 성 훈**	(D) 051-620-6400
김 해 공 항 세 관 장	**박 희 규**	(D) 051-899-7201
용　당　세　관　장	**이 승 필**	(D) 055-240-7101
양　산　세　관　장	**김 완 조**	(D) 055-783-7300
창　원　세　관　장	**김 동 이**	(D) 055-210-7600
마　산　세　관　장	**이 동 훈**	(D) 055-240-7000
경　남　남　부　세　관	**김 기 동**	(D) 055-639-7500
경　남　서　부　세　관	**권 대 선**	(D) 055-750-7900
통　영　지　원　센　터	**황 종 규**	(D) 055-733-8000
부 산 국 제 우 편 지 원 센 터	**장 준 영**	(D) 055-783-7400
진　해　지　원　센　터	**김 동 영**	(D) 055-210-7680
사　천　지　원　센　터	**김 재 석**	(D) 055-830-7800

부산본부세관

대표전화: 051-620-6114/ DID : 051-620-OOOO

청장: **김 재 일**
DID: 051-620-6000

과	세관운영과	감사담당관	수출입기업지원센터	협업검사센터
과장	도기봉 6030	구태민 6010	이득수 6950	양두열 6910

국실	통관국					
국장	김재식 051-620-6100					
과	통관총괄과	통관검사1과	통관검사2과	통관검사3과	통관검사4과	통관검사5과
과장	신각성 6110	강경훈 6140	홍석헌 6170	박순태 6501	박언종 6520	황윤주 6540

국실	감시국						
국장	김창영 051-620-6700						
과	수출입물류과	물류감시과	물류감시1관	물류감시2관	물류감시3관	여행자통관과	장비관리과
과장	류경주 6710	노경환 6760	박병철 6790	정연오 6810	장종희 6830	고장우 6730	민정기 6850

국실	신항통관감시국				
국장	하유정 051-620-6200				
과	신항통관감시과	신항물류감시과	신항통관검사1과	신항통관검사2과	신항통관검사3과
과장	백광환 6210	피상철 6240	남창훈 6260	장경호 6560	김병헌 6580

국실	심사국							
국장	이갑수 051-620-6300							
과	심사총괄과	심사1관	심사2관	자유무역협정검증과	심사정보과	체납관리과	분석실	분석관
과장	임종민 6310	곽승만 6330	유명재 6350	김용진 6630	김기현 6370	박준희 6390	김영희 6650	김정욱 6660

국실	조사국					
국장	남성훈 051-620-6400					
과	조사총괄과	조사1관	조사2관	조사3관	외환조사과	조사정보과
과장	문흥호 6402	이철옥 6460	장상기 6470	조철 6490	윤인철 6430	최병웅 6450

세관	김해공항세관			용당세관		양산세관	
세관장	박희규 051-899-7201			이승필 055-240-7101		김완조 055-783-7300	
과	통관지원과	조사심사과	여행자통관과	통관지원과	조사심사과	통관지원과	조사심사과
과장	허윤영 7210	유현종 7260	최현오 7240	김가웅 7130	안병윤 7110	김국만 7304	윤해욱 7303

세관	창원세관		마산세관		경남남부세관	
세관장	김동이 055-210-7600		이동훈 055-240-7000		김기동 055-639-7500	
과	통관지원과	조사심사과	통관지원	조사심사	통관지원	조사심사
과장	윤영진 7610	이병용 7630	신동현 7003	이학보 7004	송인숙 7510	오순학 7520

세관	경남서부세관	통영지원센터	부산국제우편지원센터	진해지원센터	사천지원센터
세관장	권대선 055-750-7900	황종규 055-733-8000	장준영 055-783-7400	김동영 055-210-7680	김재석 055-830-7800

대구본부세관

주소	대구광역시 달서구 화암로 301 정부대구지방합동청사 4층, 5층 (우) 42768
대표전화	**053-230-5114**
팩스	**053-230-5611**
당직실	**053-230-5130**
고객지원센터	**125**
홈페이지	**www.customs.go.kr/daegu/**

세관장　　　　　　김용식

(D) 053-230-5000 (FAX) 053-230-5129

비　　　서　정성은　　　　　　(D) 053-230-5001

울 산 세 관	**황 승 호**	(D) 052-278-2200
구 미 세 관	**김 기 재**	(D) 054-469-5600
포 항 세 관	**한 용 우**	(D) 054-720-5700
속 초 세 관	**김 성 복**	(D) 033-820-2100
동 해 세 관	**최 재 관**	(D) 033-539-2650
온 산 지 원 센 터	**이 종 필**	(D) 052-278-2340
고 성 지 원 센 터	**김 학 규**	(D) 033-820-2180
원 주 지 원 센 터	**서 용 택**	(D) 033-811-2850

대구본부세관

대표전화: 053-230-5114/ DID: 053-230-OOOO

청장: **김 용 식**
DID: 053-230-5000

과	세관운영과	감사담당관	수출입기업지원센터	통관지원과	납세지원과	심사과	조사과	여행자통관과
과장	김기환 5100	김덕종 5050	정영진 5180	김성태 5200	임종덕 5300	김희권 5301	권신희 5400	조강식 5500

세관	울산세관				구미세관	
세관장	황승호 052-278-2200				김기재 054-469-5600	
과	통관지원과	조사심사과	감시과	감시관	통관지원과	조사심사과
과장	정용환 2230	강승남 2260	서승현 2290	박정해 2300	심상수 5610	송승언 5630

세관	포항세관		속초세관		동해세관	온산지원센터	고성지원센터	원주지원센터
세관장	한용우 054-720-5700		김성복 033-820-2100		최재관 033-539-2650	이종필 052-278-2340	김학규 033-820-2180	서용택 033-811-2850
과	통관지원과	조사심사과	통관지원과	조사심사과				
과장	이창준 5710	박해준 5730	김창옥 2120	백철형 2140				

광주본부세관

주소	광주광역시 북구 첨단과기로208번길 43 정부광주지방합동청사 10층, 11층 (우) 61011
대표전화	**062-975-8114**
팩스	**062-975-3102**
당직실	**062-975-8114**
고객지원센터	**125**
홈페이지	**www.customs.go.kr/gwangju/**

세관장 　　　　정승환

(D) 062-975-8000 (FAX) 062-975-3101

비　　　서　정민영　　　　　　(D) 062-975-8003

광 양 세 관 장	김 재 홍	(D) 061-797-8400
목 포 세 관 장	성 용 욱	(D) 061-460-8500
대 전 세 관 장	양 재 규	(D) 042-717-2200
여 수 세 관 장	이 소 면	(D) 061-660-8601
군 산 세 관 장	김 원 식	(D) 063-730-8701
제 주 세 관 장		(D) 064-797-8801
전 주 세 관 장	우 동 욱	(D) 063-710-8951
보 령 센 터 장	강 정 수	(D) 041-419-2751
완 도 지 원 센 터	오 명 식	(D) 061-460-8570
대 산 지 원 센 터	김 원 희	(D) 041-419-2700
익 산 지 원 센 터	차 상 두	(D) 063-720-8901

광주본부세관

대표전화: 062-975-8114 / DID: 062-975-OOOO

청장: **정 승 환**
DID: 062-975-8000

과	세관운영과	감사담당관	수출입기업 지원센터	통관지원과	심사과	조사과	여행자통관과
과장	박재붕 8020	임동욱 8010	정진호 8190	양병택 8040	김승현 8060	김양관 8080	정연교 8200

세관	광양세관		목포세관		대전세관	
세관장	김재홍 061-797-8400		성용욱 061-460-8500		양재규 042-717-2200	
과	통관지원과	조사심사과	통관지원과	조사심사과	통관지원과	조사심사과
과장	이한선 8410	이동수 8430	양술 8510	송웅호 8540	김성훈 2220	김용국 2250

세관	여수세관		군산세관		제주세관		
세관장	이소면 061-660-8601		김원식 063-730-8701		064-797-8801		
과	통관지원과	조사심사과	통관지원과	조사심사과	통관지원과	조사심사과	여행자통관과
과장	박병용 8610	선승규 8650	권오성 8710	송현남 8730	박상준 8810	나두영 8850	장유용 8830

세관	전주세관	완도지원센터	대산지원센터	보령지원센터	익산지원센터
세관장	우동욱 063-710-8950	오명식 061-460-8570	김원희 041-419-2700	강정수 041-419-2751	차상두 063-720-8901

세금신고 가이드

http://www.joseilbo.com/taxguide

지 방 세
재 산 세
자 동 차 세
세 무 일 지

법 인 세
종합소득세
부가가치세
원 천 징 수

한번에 CHECK!

연 말 정 산
양도소득세
상속증여세
증권거래세

국 민 연 금
건강보험료
고용보험료
산재보험료

행정안전부 지방재정경제실

대표전화: 02-2100-3399/ DID: 044-205-OOOO

실장: **김 장 회**
DID: 044-205-3600

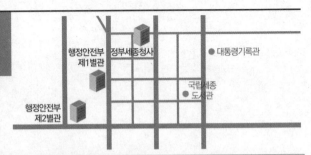

주소	세종특별자치시 정부2청사로 13(나성동) (우) 30128 제1별관: 세종특별자치시 한누리대로 411(어진동) (우) 30116 제2별관: 세종특별자치시 가름로 143(어진동) (우)30116

과	지방재정정책관 최만림 044-205-3700				지방세정책관 이우종 044-205-3800			
과	재정정책과	재정협력과	교부세과	회계제도과	지방세 정책과	부동산 세제과	지방소득 소비세제과	지방세특례 제도과
과장	천준호 3702	채경아 3731	김경태 3751	남호성 3771	하종목 3802	서정훈 3831	홍삼기 3871	김정선 3851
서기관	김문호 3724 서왕장 3719 장강혁 3703	고현웅 3738	임성범 3760	신종필 3785 장명기 3777	김남헌 3803 한수덕 3812	서은주 3834		
사무관	나기홍 3710 심창수 3716 이유경 3720 장혜민 3705 전제범 3704 허정 3721 홍성우 3728	김하영 3733 정유희 3769 이정우 6652 김태범 3732	명삼수 3753 장유진 3752 홍성권 3763 김효빈 3754	권오영 3783 김경옥 3799 김종갑 3772 손동주 3788 양현진 3781 예병찬 3782 이상욱 3787 정창기 3786 조재우 3780 최우성 3776	김한경 3813 박미정 3817 서호성 3804 손은경 3807 송은주 3819 정성모 3818 정솔희 3804 한현 6654	김종택 3848 류병욱 3842 손민지 3843 위형원 3839 이광영 3836 최찬배 3846 한건수 3715	권순현 3878 김정수 3876 박은희 3875 박해근 3885 조진배 3883 천혜원 3881 강민철 3872	손용석 3861 장현석 3852 조석훈 3856
주무관	고진영 3718 김영규 3717 박인숙 3701 이동건 3707 이선경 3712 최민지 3722 김윤호 3708 이광일 3709 이명주 3723 노정현 3713	김민경 3739 이준호 3734 이해창 3737 김영임 3736 박지연 3735 심효선 3767 조원희 3770	김성중 3761 문성훈 3755 박경숙 3764 양필수 3758 이재우 3759 이혜림 3756 정성실 3757	강성현 3774 김수지 3773 류경옥 3779 윤채원 3784 이종만 3787 백선희 3778 윤찬섭 3789 이동하 3792	서원주 3814 심철구 3810 이수호 3811 배인호 3820 김민준 3805 김효주 6656 장은영 3815 김다혜 3806	나병진 3837 조익현 3840 황인산 3838 안명환 3844 정유진 3847 엄세열 3833	김요왕 3886 김정훈 3880 신진주 3882 김영호 3873 서정주 3884 이태훈 3874 장유정 3877 김원웅 3887	김성기 3853 남건욱 3857 김곤휘 3860 이재호 3855 조용식 3854
행정 실무원	조선영 3601			김은성 3775				
기타				이동인 3794 방래혁 3795 김혜미 3793 오아름 3797				

1등 조세회계 경제신문 조세일보

과	지역경제지원관 구본근 044-205-3900					차세대지방세입정보화추진단 송경주 02-2100-4200				
	지역일자리경제과	지방규제혁신과	지역금융지원과	공기업정책과	공기업지원과	총괄기획과	재정정보화사업과	세외수입보조금정보과	지방세정보화사업과	인프라구축과
과장	천영평 3902	이기영 3931	홍성철 3941	박정주 3961	김창남 3981	심진홍 4202	김수희 4141	홍성완 4161	전종길 4181	권창현 4211
서기관	이상연 3903	김두수 3937 박상국 3935	호미영 3946	이경하 3971 이두원 3963	김만봉 3982 이준우 3985		조현혜 4145	김수정 4166		이수진 4212
사무관	김일 3912 김호일 3914 박영주 3904 백진걸 3908 윤미순 3922 이상로 3921 이현종 3917 조화진 3909 최방주 3920	강말순 3933 김길수 3932 박삼범 3997 임승윤 3998 정병진 3936 정유천 3996	박찬혁 3944 송동식 3947 유재민 3949 이화령 3942 정동화 3955 주현민 3954	박현우 3962 변석영 3963 조은주 3969 채현숙 3970	고준석 3986 권용탁 3991 양성훈 3984 이동훈 3990 채가람 3987	성고운 4222 이경수 4203 이은숙 4204 이도원 4209	김동희 4227 김민교 4179 김현경 4228 신동화 4226 이관석 4148 이진경 4176	박인례 4183 이근호 4169 정양기 4162 민선미 4167	김기명 4191 이윤경 4182 하관수 4189 송희라 4184 강윤정 4185	노광래 4214 양석모 4216 심상욱 4213
주무관	김민관 3906 김용진 3923 박선옥 3911 박영진 3905 윤희문 3913 최창완 3918 박희주 3907 이가영 3919 박재정 3910	김선 3940 김윤태 3934 강민수 3938	강경희 3950 장현근 3947 진판곤 3948 김선태 3945	설창환 3968 신소은 3964 전예제 3966 박선재 3965	박규선 3989 이효진 3988 박종재 3983	권슬기 4207 박현숙 4210 이지혜 4170 김효정 4208 석희정 4223 황성일 4205	김령호 4177 서유식 4149	고복인 4168 김태광 4164 정진권 4180 구해리 4163	박병원 4192 박종근 4188 양중구 4190 조형진 4187 김성완 4195 김민 4197 신채원 4193 이승엽 4198	김승회 4219 고운영 4220 김예수 4215 이다일 4217 이호찬 4218
행정실무원	이민아 3901		심규현 3953			윤다솜 4201				
기타				황판희 3973			장명희 4146		이보람 이창진 4192	

국무총리실 조세심판원

대표전화: 044-200-1800 / DID: 044-200-OOOO

원장: **이 상 율**
DID: 044-200-1700~2

주소	세종특별자치시 다솜3로 95 정부세종청사2동 4층 조세심판원 (우) 30108 서울(별관): 서울특별시 종로구 종로1길 42, 3층 301호 (이마빌딩) (우) 03152

원장실 / 행정실

원장실					
박선임(비서) 1703 황재호(기사) 1715					
FAX	044-200-1705				
행정실					
행정실장					
박태의 1710(1720)					
구분	행정	기획	운영	조정1	조정2	조정3
서기관			강필구 1735			
사무관	정해빈 1711	전성익 1731	송기영 1712	배병윤 1741	남연화 1721	김종윤 1725
주무관	문수영 1713 이정희 1716 장효숙 1800 문정우 1714 이민희 1769	모재완 1732 홍승연 1733 임대규 1734	최유미 1736 최진현 1704 김온식 1719 송하나 1718	이창훈 1742 강병희 1743 오세민 1744	송동훈 1722 마준성 1723 이지연 1724	이유진 1726 박천호 1727 ※서울별관 이희복 02-722-8801 Fax)725-6400
전산1, 전산2(1728), 상황실(044-865-1121)					
FAX	200-1706(행정실) 200-1707(민원실)				

심판부

심판부	1심판부	2심판부	3심판부
심판관	이상헌 1801(1811)	황정훈 1805(1815)	박춘호 1802(1812)
비서	신영남 1817	이승희 1837	신영남 1817

심판조사관	1조	2조	3조	4조	5조	6조
	이주한 1750	오인석 1770	유진재 1870	김병철 1860	나종엽 1790	지장근 1780
서기관	이재균 1751			김신철 1861	정진욱 1791	
사무관	조혜정 1752 이성호 1753 주재현 1754	송현탁 1771 오대근 1772 조광래 1773 김혁준 1774	고창보 1871 황성혜 1872 배주형 1873 조진희 1862	윤연원 1863 신정민 1864 전연진 1874	주강석 1792 김승하 1794 이승훈 1793	김정오 1781 곽충험 1782 최창원 1783 김상곤 1784
주무관	강경애 1759		김수정 1869		임윤정 1789	

FAX	1심판부	2심판부	3심판부
조사관실	200-1758, 1768	200-1868	200-1778
심판관실	200-1818	200-1838	200-1818

심판부	7조	8조	9조	10조	11조	12조	13조	14조	15조	16조	17조
심판부	4심판부		5심판부		6심판부(소액·관세)			7심판부(지방세)		8심판부(지방세)	
심판관	류양훈 1803(1813)		이기태 1804		이명구 1806			이동혁 1807(1816)		김영빈 1808(1819)	
비서	신영남 1817		윤승희 1827		윤승희 1827			이승희 1837		이승희 1837	
심판조사관	7조	8조	9조	10조	11조	12조	13조	14조	15조	16조	17조
(조사관)	정정회 1760	정희진 1766	이용형 1820	김천희 1830	이종철 1845	은희훈 1850	조용민 1840	최선재 1880	박정민 1890		
서기관				최경민 1831					조용도 1891		성호승 1889
사무관	장태희 1761 김성엽 1763 강경관 1762 이현우 1764	이은하 1853 박희수 1765 김보람 1767	이지훈 1822 백재민 1823 손대균 1824 박수혜 1825	김상진 1832 이정화 1833 박인혜 1834	김영근 1856 안중관 1847 손태빈 1846	김선엽 1854 김예원 1852 김동원 1857 문상묵 1855	지영근 1841 강용규 1842 한종건 1843	박석민 1881 박천수 1883 한나라 1884 김필한 1887	김두섭 1886 심우돈 1893	현기수 1885 서지용 1896 윤근희 1897	홍순태 1882 윤석환 1892 허광욱 1888
주무관	강혜란 1745		박혜숙 1829		박미란 1858			김연진 1899		전경선 1729	
FAX 조사관실	200-1778		200-1788		200-1848			200-1898		200-1898	
FAX 심판관실	200-1818		200-1828		200-1828			200-1838		200-1838	

한국조세재정연구원

대표전화:044-414-2114/DID: 044-414-0000

원장: **김 재 진**
DID: 044-414-2101

금강 / 세종국책연구단지 / 행정중심복합도시 4-1 생활권 / 한국조세재정연구원

소속	성명/원내	소속	성명/원내	소속	성명/원내
부원장		연구원	성유경 2503(휴직)	연구위원	오종현 2289
원장실		위촉연구원	정석진 2503	부연구위원	강동익 2575
선임전문원	홍유남 2100	정부청년인턴	박찬욱 2517	부연구위원	고지현 2321
감사실		**경영지원실**		부연구위원	권성오 2248
실장	신영철	실장	성주석 2160	부연구위원	권성준 2360
감사역	김정현 2117	**재무회계팀**		부연구위원	정다운 2243
감사역	배현호 2119	팀장	최영란 2180	부연구위원	정재현 2218
특수전문직2급	정훈 2485	행정원	강성훈 2186	부연구위원	최인혁 2446
연구기획실		행정원	이지혜 2183	부연구위원	홍병진 2315
실장	정재호 2120	행정원	임상미 2187	선임연구원	권선정 2263
명예책임전문원	신영철	위촉연구원	성연주 2188	선임연구원	김학효 2482
기획예산팀		**총무팀**		선임연구원	노지영 2246
팀장	최윤용 2121	팀장	박현옥 2170	선임행정원	변경숙 2252
선임행정원	김선정 2123	선임행정원	강신중 2173	선임연구원	서주영 2471
선임행정원	오승민 2126	선임행정원	손동준 2177	선임연구원	황미연 2369
선임전문원	정경순 2124	선임행정원	신수미 2171	연구원	나영 2578
선임연구원	정은경 2122	선임행정원	윤여진 2176	연구원	노수경 2405
행정원	배지호 2128	선임행정원	이현영 2172	연구원	박주혜 2432
정부청년인턴	홍도현 2125	행정원	한용균 2174	연구원	유동영 2414
성과확산팀		행정원	한유미 2175	연구원	이희선 2525
팀장	송경호 2520	정부청년인턴	김기훈 2178	연구원	장아론 2402
선임전문원	박주희 2521	**전산·학술정보팀**		정부청년인턴	변혜진 2436
선임전문원	신지원 2522(휴직)	팀장	김성동 2150	**세법연구센터**	
전문원	이슬기 2524	선임전문원	권정애 2142	센터장 직무대리	홍성희 2418
위촉전문원	김기홍 2523	선임전문원	김석운 2141	초빙전문위원	최영준 2346
위촉연구원	김선화 2512	선임전문원	심수희 2140	선임행정원	변경숙 2252
위촉연구원	박지은 2513	선임전문원	이창호 2153	선임연구원	현하영 2499
정부청년인턴	홍도현 2125	전문원	김민영 2151	정부청년인턴	홍성윤 2486
연구출판팀		전문원	김인아 2154	**세제연구팀**	
팀장	장정순 2130	전문원	홍서진 2155	팀장	홍성희 2418
선임전문원	장은정 2100(휴직)	위촉전문원	김혜윤 2141	책임연구원	송은주 2262
전문원	김서영 2134	정부청년인턴	박현정 2157	선임연구원	강문정 2237
전문원	손유진 2135	**시설구매팀**		특수전문직3급	박수진 2412
위촉전문원	조우리 2137	팀장	노걸현 2190	특수전문직3급	이성현 2347
정부청년인턴	유채원 2138	선임행정원	강민주 2191	특수전문직3급	이형민 2201
연구사업팀		행정원	김범수 2192	선임연구원	허윤영 2308
팀장	유재민 2500	행정원	박정훈 2193	연구원	김효림 2239
선임연구원	김정원 2504(휴직)	**조세정책연구실**		특수진문직 4급	서동연 2215
선임연구원	박성훈 2506	실장	홍범교 2226	연구원	양지영 2278
선임연구원	송진민 2501	선임연구위원	전병목 2200	연구원	이서현 2283
선임연구원	정빛나 2519	연구위원	김빛마로 2339	**관세연구팀**	
선임연구원	조혜진 2502			팀장	정재현 2218
행정원	김영화 2505			특수전문직3급	김다랑 2331
				선임연구원	노영예 2335

502

소속	성명/원내	소속	성명/원내	소속	성명/원내
선임연구원	박지우 2292	**세수추계팀**		**사회복지분석팀**	
특수전문직3급	이재선 2419	팀장	정다운 2243	팀장	김우현 2338
연구원	김미정 2371	부연구위원	권성준 2360	선임연구원	김은숙 2453
위촉특수전문직	박유림 2301	선임연구원	김신정 2291	선임연구원	박신아 2253
세정연구센터		선임연구원	김은정 2303	선임연구원	이정은 2475
센터장	강종훈 2383	연구원	김영직 2318	선임연구원	장준희 2474
특수전문직3급	홍범교 2226	연구원	오은혜 2302	선임연구원	황보경 2367
선임행정원	변경숙 2252	연구원	임연빈 2413	연구원	이재원 2352
세정연구팀		연구원	주남균 2497	**아태재정협력센터**	
팀장	정훈 2485	**재정정책연구실**		센터장	허경선 2241
선임연구원	김민경 2325	실장	김현아 2214	선임연구원	김나리 2387
특수전문직3급	홍민옥 2484	선임연구위원	김종면 2211	선임연구원	김윤옥 2385
특수전문직4급	권순오 2451	선임연구위원	박노욱 2267	선임연구원	이재영 2384
특수전문직4급	김재경 2216	선임연구위원	원종학 2234	선임행정원	최미영 2265
특수전문직4급	김정명 2394	선임연구위원	최성은 2288	선임연구원	최승훈 2340
연구원	박하얀 2466	선임연구위원	최준욱 2221	연구원	김윤지 2395
특수전문직4급	서희진 2276	연구위원	김문정 2342	연구원	김의주 2389
특수전문직4급	이나현 2404	연구위원	김우현 2338	연구원	박도현 2392
특수전문직4급	이미현 2450	연구위원	윤성주 2220	**재정성과평가센터**	
위촉연구원	김치율 2212	연구위원	이은경 2231	소장	장우현 2286
조세·개발협력팀		부연구위원	고창수 2370	부소장	강희우 2224
팀장	김선재 2579	부연구위원	김정환 2328	선임연구위원	박노욱 2267
연구원	김세원 2428	부연구위원	박정흠 2420	부연구위원	조희평 2455
연구원	김세인 2349	부연구위원	송경호	선임행정원	윤혜순 2264
연구원	오현빈 2334	부연구위원	조희평 2455	선임연구원	이순향 2105
연구원	윤소영 2324	선임행정원	권나현 2284	선임연구원	임소영 2290
위촉연구원	이다영 2354	선임연구원	신동준 2364	연구원	변이슬 2294
조세지출성과관리센터		선임연구원	이수연 2336	연구원	심태완 2461
센터장	김용대 2238	선임연구원	임현정 2275	연구원	이은솔 2434
책임연구원	강미정 2261	선임연구원	정보름 2332	정부청년인턴	김다정 2408
책임연구원	이은경 2273	선임연구원	현하영 2499	**국가계약TFT**	
선임연구원	김상현 2376	연구원	박진우 2406	팀장	강희우 2224
특수전문직3급	이슬기 2403	연구원	이강연 2257	연구원	이아름 2270
선임행정원	최미영 2265	연구원	이재국 2410	연구원	이형석 2407
연구원	허현정 2236	연구원	주재민 2320	**평가제도팀**	
조세재정전망센터		정부청년인턴	최혜리 2417	팀장	이환웅 2219
센터장	김빛마로 2339	**재정지출분석센터**		선임연구원	김경훈 2447
연구위원	오종현 2289	센터장	윤성주 2220	선임연구원	안새롬 2293
선임행정원	권나현 2284	선임연구원	구윤모 2452	선임연구원	이보화 2245
선임연구원	김유현 2473	선임행정원	권나현 2284	선임연구원	장낙원 2456
선임연구원	오지연 2225	선임연구원	김인유 2280	선임연구원	장문석 2448
재정전망팀		선임연구원	김정은 2235	위촉연구원	최지현 2313
팀장	고창수 2370	선임연구원	김진아 2343	**경제성과관리팀**	
부연구위원	강동익 2575	선임연구원	박지혜 2244	팀장	장운정 2365
선임연구원	권미연 2374	정부청년인턴	최혜리 2417	선임연구원	박선영 2251
선임연구원	백가영 2454	**경제분석팀**		선임연구원	백종선 2333
선임연구원	손지훈 2490	팀장	송경호 2247	선임연구원	봉재연 2323
선임연구원	오소연 2205	선임연구원	강민채 2458	선임연구원	이홍범 2232
선임연구원	오수정 2307	선임연구원	김선미 2477	선임연구원	전예원 2399
연구원	정상기 2287	선임연구원	이정인 2478	선임연구원	정경화 2310
위촉연구원	이정윤 2207	선임연구원	한혜란 2463	선임연구원	하에스더 2326
		연구원	서동규 2496	선임연구원	한경진 2330
		연구원	염보라 2271		
		위촉연구원	배소민 2411		

소속	성명/원내
선임연구원	허미혜 2316
연구원	강경민 2444
연구원	심백교 2438
사회문화성과관리팀	
팀장	김창민 2350
선임연구원	김인애 2327
선임연구원	김평강 2329
선임연구원	김현숙 2277
선임연구원	박창우 2344
선임연구원	우지은 2351
선임연구원	장민혜 2382
선임연구원	조은빛 2416
선임연구원	최윤미 2449
연구원	곽원욱 2223
연구원	소준영 2487
연구원	이응준 2441
정부투자분석센터	
센터장	박한준 2353
부연구위원	송경호 2247
초빙연구위원	김하영 2368
선임연구원	박유미
선임연구원	박은정 2378
선임연구원	신헌태 2317
선임행정원	안상숙 2381
선임행정원	윤혜순 2264
선임연구원	최미선 2391
정부청년인턴	김다정
분석지원팀	
팀장	현보훈 2285
선임연구원	이준성 2348
연구원	이세미 2483
위촉연구원	양다연 2401
위촉연구원	최시원 2424
인프라사업조사팀	
팀장	이남주 2565
선임연구원	김종혁 2393
연구원	김정현 2481
공공기관연구센터	
선임연구위원	허경선 2241
초빙연구위원	민경률
책임행정원	조종읍 2561
공공정책부	
부소장	하세정 2091
공공정책1팀	
팀장	한동숙 2312
선임연구원	김종원 2362
선임연구원	김준성 2573
선임연구원	임미화 2272
특수전문직4급	김도훈 2281
연구원	남지현 2574
연구원	소병욱 2282

소속	성명/원내
특수전문직4급	안윤선 2498
위촉연구원	김태양 2274
위촉연구원	박진주 2296
위촉연구원	성연주 2188
공공정책2팀	
팀장	배진수 2440
선임연구원	나진희 2460
선임연구원	박화영 2357
선임연구원	이강신 2459
선임연구원	임희영 2208
선임연구원	정예슬 2358
선임연구원	홍소정 2279
연구원	강선희 2443
연구원	윤다솜 2298
위촉연구원	이효주 2431
정책사업팀	
팀장	변민정 2306
선임연구원	송남영 2240
선임연구원	오유미 2377
선임연구원	유승현 2457
선임연구원	이슬 2366
연구원	김정은 2435
연구원	최예나 2427
경영평가부	
부소장	문창오
평가연구팀	
팀장	임홍래 2375
선임연구원	민경석 2204
선임연구원	봉우리 2355
선임연구원	유효정 2363
선임연구원	홍윤진 2361
연구원	강석훈 2356
연구원	서은혜 2433
계량평가·검증팀	
팀장	이진관 2559
특수전문직3급	강초롱 2337
특수전문직3급	남승오 2551
특수전문직3급	임형수 2209
특수전문직3급	현지용 2572
특수전문직4급	김재민 2345
특수전문직4급	장원석 2319
특수전문직4급	전형진 2470
평가지원팀	
팀장	신재경 2543
선임연구원	서영빈 2542
선임연구원	장정윤 2544
선임연구원	정혜진 2587
경영컨설팅팀	
팀장	이주경 2266
선임연구원	서니나 2396
연구원	허민영 2479

소속	성명/원내
고객만족도 계약업무 TFT	
팀장	이희수 2426
선임연구원	임희영
선임연구원	홍윤진
연구원	강선희
연구원	서은혜
위촉연구원	김태양
위촉연구원	박진주
국가회계재정통계센터	
부소장	문창오 2305
초빙연구위원	양은주 2373
초빙연구위원	윤영훈 2445
선임연구원	이정미 2259
선임행정원	최미영 2265
정부청년인턴	유혜선 2409
국가회계팀	
팀장	한소영 2554
특수전문직3급	오예정 2563
특수전문직3급	임정혁 2553
특수전문직3급	진태호 2552
특수전문직4급	이은경 2437
특수전문직4급	장윤지 2518
연구원	최은혜 2493
결산교육팀	
팀장	윤성호 2562
특수전문직3급	오가영 2567
특수전문직3급	이명인 2555
특수전문직3급	임종권 2581
특수전문직3급	한은미 2556
특수전문직4급	정유경 2258
행정원	정현석 2462
위촉특수전문직	정지윤 2537
재정통계팀	
팀장	박윤진 2569
특수전문직3급	방민식 2489
특수전문직3급	유귀운 2566
특수전문직3급	유영찬 2576
특수전문직3급	장지원 2557
특수전문직3급	최금주 2558
특수전문직3급	최중갑 2582
특수전문직3급	최지영 2577
특수전문직4급	이기돈 2492
위촉연구원	이수비 2472
세수통계TFT	
팀장	윤영훈 2445
특수전문직4급	이기돈 2492
연구원	장아론 2402

전 국 세 무 관 서 주 소 록

세무서	주 소	우편번호	전화번호	팩스번호	코드	계좌
국세청	세종특별자치시 국세청로 8-14 국세청 (정부세종2청사 국세청동)	30128	044-204-2200	02-732-0908	100	011769
서울청	서울특별시 종로구 종로5길 86 (수송동)	03151	02-2114-2200	02-722-0528	100	011895
강남	서울특별시 강남구 학동로 425 (청담동)	06068	02-519-4200	02-512-3917	211	180616
강동	서울특별시 강동구 천호대로 1139 (길동)	05355	02-2224-0200	02-489-3251	212	180629
강서	서울특별시 강서구 마곡서1로 60 (마곡동)	07799	02-2630-4200	02-2679-8777	109	012027
관악	서울특별시 관악구 문성로 187(신림동)	08773	02-2173-4200	02-2173-4269	145	024675
구로	서울특별시 영등포구 경인로 778 (문래동1가)	07363	02-2630-7200	02-2679-6394	113	011756
금천	서울특별시 금천구 시흥대로152길 11-21 (독산동)	08536	02-850-4200	02-861-1475	119	014371
남대문	서울특별시 중구 삼일대로 340 (저동1가)	04551	02-2260-0200	02-755-7114	104	011785
노원	서울특별시 도봉구 노해로69길 14 (창동)	01415	02-3499-0200	02-992-1485	217	001562
도봉	서울특별시 강북구 도봉로 117 (미아동)	01177	02-944-0200	02-984-2580	210	011811
동대문	서울특별시 동대문구 약령시길 159 (청량리1동)	02489	02-958-0200	02-967-7593	204	011824
동작	서울특별시 영등포구 대방천로 259 (신길동)	07432	02-840-9200	02-831-4137	108	000181
마포	서울특별시 마포구 독막로 234(신수동)	04090	02-705-7200	02-717-7255	105	011840
반포	서울특별시 서초구 방배로 163 (방배동)	06573	02-590-4200	02-536-4083	114	180645
삼성	서울특별시 강남구 테헤란로 114 (역삼동)	06233	02-3011-7200	02-564-1129	120	181149
서대문	서울특별시 서대문구 충정로 60	03740	02-2287-4200	02-379-0552	110	011879
서초	서울특별시 강남구 테헤란로 114 (역삼동)	06233	02-3011-6200	02-563-8030	214	180658
성동	서울특별시 성동구 광나루로 297 (송정동)	04802	02-460-4200	02-468-0016	206	011905
성북	서울 성북구 삼선교로 16길 13	02863	02-760-8200	02-744-6160	209	011918
송파	서울특별시 송파구 강동대로 62 (풍납동)	05506	02-2224-9200	02-409-8329	215	180661
양천	서울특별시 양천구 목동동로 165 (신정동)	08013	02-2650-9200	02-2652-0058	117	012878
역삼	서울특별시 강남구 테헤란로 114 (역삼동)	06233	02-3011-8200	02-561-6684	220	181822
영등포	서울특별시 영등포구 선유동 1로 38 (당산동3가)	07261	02-2630-9200	02-2678-4909	107	011934
용산	서울특별시 용산구 서빙고로24길15 (한강로3가)	04388	02-748-8200	02-792-2619	106	011947
은평	서울특별시 은평구 서오릉로7 (응암동84-5)	03460	02-2132-9200	02-2132-9501	147	026165
잠실	서울특별시 송파구 강동대로 62 (풍납2동 388-6)	05506	02-2055-9200	02-475-0881	230	019868
종로	서울특별시 종로구 삼일대로 30길 22	03133	02-760-9200	02-744-4939	101	011976
중랑	서울특별시 중랑구 망우로 176(상봉동 137-1)	02118	02-2170-0200	02-493-7315	146	025454
중부	서울 중구 소공로 70(충무로1가 21-1)	04535	02-2260-9200	02-2268-0582	201	011989
중부청	경기도 수원시 장안구 경수대로 1110-17(파장동 216-1)	16206	031-888-4200	031-888-7612	200	000165
강릉	강원도 강릉시 수리골길 65 (교동)	25473	033-610-9200	033-641-4186	226	150154
경기 광주	경기도 광주시 문화로 127	12752	031-880-9200	031-769-0417	233	023744

세무서	주소	우편번호	전화번호	팩스번호	코드	계좌
구리	경기도 구리시 안골로 36 (교문동 736-2)	11934	031-326-7200	031-326-7249	149	027290
기흥	경기도 용인시 기흥구 흥덕2로117번길15(영덕동 974-3)	16953	031-8007-1200	031-895-4902	236	026178
남양주	경기도 남양주시 화도읍 경춘로 1807 (묵현리)	12167	031-550-3200	031-566-1808	132	012302
동수원	경기도 수원시 영통구 청명남로 13 (영통동)	16704	031-695-4200	031-273-2416	135	131157
동안양	경기도 안양시 동안구 관평로202번길 27 (관양동)	14054	031-389-8200	0503-112-9375	138	001591
분당	경기도 성남시 분당구 분당로 23 (서현동 277)	13590	031-219-9200	031-781-6852	144	018364
삼척	강원도 삼척시 교동로 148	25924	033-570-0200	033-574-5788	222	150167
성남	경기도 성남시 수정구 희망로 480 (단대동)	13148	031-730-6200	031-736-1904	129	130349
속초	강원도 속초시 수복로 28 (교동)	24855	033-639-9200	033-633-9510	227	150170
수원	경기도 수원시 팔달구 매산로 61 (매산로3가 28)	16456	031-250-4200	031-258-9411	124	130352
시흥	경기도 시흥시 마유로 368 (정왕동)	15055	031-310-7200	031-314-3973	140	001588
안산	경기도 안산시 단원구 화랑로 350(고잔동 517)	15354	031-412-3200	031-412-3300	134	131076
안양	경기도 안양시 만안구 냉천로 83 (안양동)	14090	031-467-1200	031-467-1300	123	130365
영월	강원도 영월군 영월읍 하송안길 49	26235	033-370-0200	033-374-2100	225	150183
용인	경기도 용인시 처인구 중부대로1161번길 71	17019	031-329-2200	031-321-1625	142	002846
원주	강원도 원주시 북원로 2325	26411	033-740-9200	033-746-4791	224	100269
이천	경기도 이천시 부악로 47 (중리동)	17380	031-644-0200	031-634-2103	126	130378
춘천	강원도 춘천시 중앙로 115	24358	033-250-0200	033-252-3589	221	100272
평택	경기도 평택시 죽백6로6 (죽백동 796)	17862	031-650-0200	031-658-1116	125	130381
홍천	강원도 홍천군 홍천읍 생명과학관길 50 (연봉리)	25142	033-430-1200	033-433-1889	223	100285
동화성	경기도 화성시 동탄오산로 86-3 (MK 타워 3,4,9,10,11층)	18478	031-934-6200	031-934-6249	151	027684
화성	경기도 화성시 봉담읍 참샘길 27 (와우리 31-16)	18321	031-8019-1200	031-8019-8211	143	018351
인천청	인천광역시 남동구 남동대로 763 (구월동)	21556	032-718-6200	032-718-6021	800	027054
남인천	인천광역시 남동구 인하로 548 (구월동 1447-1)	21582	032-460-5200	032-463-5778	131	110424
북인천	인천광역시 계양구 효서로244 (작전동 422-1)	21120	032-540-6200	032-545-0411	122	110233
서인천	인천광역시 서구 서곶로369번길 17 (연희동)	22721	032-560-5200	032-561-5777	137	111025
인천	인천광역시 동구 우각로 75 (창영동)	22564	032-770-0200	032-777-8104	121	110259
남부천	경기도 부천시 경인옛로 115 (괴안동 6-5)	14691	032-459-7200	032-459-7249	152	027685
부천	경기도 부천시 계남로227	14535	032-320-5200	032-328-6931	130	110246
고양	경기도 고양시 일산동구 중앙로1275번길 14-43 (장항동 774)	10401	031-900-9200	031-901-9177	128	012014
광명	경기도 광명시 철산로 3-12 (철산동 251)	14235	02-2610-8200	02-3666-0611	235	025195
김포	경기도 김포시 김포한강1로 22	10087	031-980-3200	031-983-8125	234	023760
동고양	경기도 고양시 덕양구 화중로104번길 16 (화정동) 화정아카데미타워 3층(민원실), 4층, 5층, 9층	10497	031-900-6200	031-963-2372	232	023757
연수	인천광역시 연수구 인천타워대로 323 (송도동)	22007	032-670-9200	032-858-7351	150	027300
의정부	경기도 의정부시 의정로 77 (의정부동)	11622	031-870-4200	031-875-2736	127	900142

세무서	주 소	우편번호	전화번호	팩스번호	코드	계좌
파주	경기도 파주시 금릉역로 62 (금촌동)	10915	031-956-0200	031-957-0315	141	001575
포천	경기도 포천시 소흘읍 송우로 75	11177	031-538-7200	031-544-6090	231	019871
대전청	대전광역시 대덕구 계족로 677 (법동)	34383	042-615-2200	042-621-4552	300	080499
공주	충청남도 공주시 봉황로 87 (반죽동 332)	32550	041-850-3200	041-850-3692	307	080460
논산	충청남도 논산시 논산대로241번길 6 (강산동)	32959	041-730-8200	041-730-8270	308	080473
대전	대전광역시 중구 보문로 331 (선화 188)	34851	042-229-8200	042-253-4990	305	080486
동청주	충청북도 청주시 청원구 1순환로 44 (율량동)	28322	043-229-4200	043-229-4601	317	002859
보령	충청남도 보령시 옥마로 56	33482	041-930-9200	041-936-7289	313	930154
북대전	대전광역시 유성구 유성대로 935번길7(죽동 731-4)	34127	042-603-8200	042-823-9662	318	023773
서대전	대전광역시 서구 둔산서로 70 (둔산동)	35239	042-480-8200	042-486-8067	314	081197
서산	충청남도 서산시 덕지천로 145-6	32003	041-660-9200	041-660-9259	316	000602
세종	세종특별자치시 시청대로 126 (보람동 724)		044-850-8200	044-850-8431	320	025467
아산	충청남도 아산시 배방읍 배방로 57-29 토마토빌딩	31486	041-536-7200	041-533-1351	319	024688
영동	충청북도 영동군 영동읍 계산로2길 10 (계산리 681-4)	29145	043-740-6200	043-740-6250	302	090311
예산	충청남도 예산군 오가면 윤봉길로 1883	32425	041-330-5200	041-330-5305	311	930167
제천	충청북도 제천시 복합타운1길 78	27157	043-649-2200	043-648-3586	304	090324
천안	충청남도 천안시 동남구 청수14로 80	31198	041-559-8200	041-559-8250	312	935188
청주	충청북도 청주시 흥덕구 죽천로 151 (복대동 262-1)	28583	043-230-9200	043-235-5417	301	090337
충주	충청북도 충주시 충원대로 724 (금릉동)	27338	043-841-6200	043-845-3320	303	090340
홍성	충청남도 홍성군 홍성읍 홍덕서로 32	32216	041-630-4200	041-630-4249	310	930170
광주청	광주광역시 북구 첨단과기로208번길 43 (오룡동)	61011	062-236-7200	062-716-7215	400	060707
광주	광주광역시 동구 중앙로 154 (호남동)	61484	062-605-0200	062-225-4701	408	060639
광산	광주광역시 광산구 하남대로 83 (하남동 1276)	62232	062-970-2200	062-970-2209	419	027313
군산	전라북도 군산시 미장13길 49 (미장동)	54096	063-470-3200	063-470-3249	401	070399
나주	전라남도 나주시 재신길 33	58262	061-330-0200	061-332-8583	412	060642
남원	전라북도 남원시 동림로 91-1 (향교동 232-31)	55741	063-630-2200	063-632-7302	407	070412
목포	전라남도 목포시 호남로 58번길 19 (대안동)	58723	061-241-1200	061-244-5915	411	050144
북광주	광주광역시 북구 경양로 170 (중흥동 712-3)	61238	062-520-9200	062-716-7280	409	060671
북전주	전라북도 전주시 덕진구 볏꽃로 33	54937	063-249-1200	063-249-1555	418	002862
서광주	광주광역시 서구 상무민주로 6번길 31 (쌍촌동)	61969	062-380-5200	062-716-7260	410	060655
순천	전라남도 순천시 연향번영길 64 (연향동)	57980	061-720-0200	061-723-6677	416	920300
여수	전라남도 여수시 좌수영로 948-5 (봉계동)	59631	061-688-0200	061-682-1649	417	920313
익산	전라북도 익산시 익산대로52길 19 (남중동 352-98)	54619	063-840-0200	063-851-0305	403	070425
전주	전라북도 전주시 완산구 서곡로 95 (효자동3가 1406)	54956	063-250-0200	063-277-7708	402	070438
정읍	전라북도 정읍시 중앙1길 93 (수성동)	56163	063-530-1200	063-533-9101	404	070441
해남	전라남도 해남군 해남읍 중앙1로 18	59027	061-530-6200	061-536-6249	415	050157

세무서	주 소	우편번호	전화번호	팩스번호	코드	계좌
대구청	대구광역시 달서구 화암로 301 (대곡동)	42768	053-661-7200	053-661-7052	500	040756
경산	경상북도 경산시 박물관로 3 (사동 633-2)	38583	053-819-3200	053-802-8300	515	042330
경주	경상북도 경주시 원화로 335 (성동동)	38138	054-779-1200	054-743-4408	505	170176
구미	경상북도 구미시 수출대로 179 (공단동)	39269	054-468-4200	054-464-0537	513	905244
김천	경상북도 김천시 평화길 128 (평화동)	39610	054-420-3200	054-430-6605	510	905257
남대구	대구광역시 남구 대명로 55 (대명동)	42479	053-659-0200	053-627-0157	514	040730
동대구	대구광역시 동구 국채보상로 895 (신천동)	41253	053-749-0200	053-756-8837	502	040769
북대구	대구광역시 북구 원대로 118 (침산동)	41590	053-350-4200	053-354-4190	504	040772
상주	경상북도 상주시 경상대로 3173-11 (만산동)	37161	054-530-0200	054-534-9026	511	905260
서대구	대구광역시 달서구 당산로 38길 33	42645	053-659-1200	053-627-6121	503	040798
수성	대구광역시 수성구 달구벌대로 2362 (수성동3가 5-1)	42115	053-749-6200	053-749-6602	516	026181
안동	경상북도 안동시 서동문로 208	36702	054-851-0200	054-859-6177	508	910365
영덕	경상북도 영덕군 영덕읍 영덕로 35-11 (남산리 61-1)	36441	054-730-2200	054-730-2504	507	170189
영주	경상북도 영주시 중앙로 15 (가흥동)	36099	054-639-5200	054-633-0954	512	910378
포항	경상북도 포항시 북구 중앙로346 (덕수동)	37727	054-245-2200	054-248-4040	506	170192
부산청	부산광역시 연제구 연제로 12 (연산2동 1557번지)	47605	051-750-7200	051-759-8400	600	030517
거창	경상남도 거창군 거창읍 상동2길 14 (상림리)	50132	055-940-0200	055-942-3616	611	950419
금정	부산광역시 금정구 중앙대로 1636 (부곡동)	46272	051-580-6200	051-516-8272	621	031794
김해	경상남도 김해시 호계로 440 (부원동)	50922	055-320-6200	055-335-2250	615	000178
동래	부산광역시 연제구 월드컵대로 125, 더웰타워 (연산동)	47517	051-860-2200	051-866-6252	607	030481
동울산	울산광역시 북구 사청2길 7 (화봉동)	44239	052-219-9200	052-289-8365	620	001601
마산	경상남도 창원시 마산합포구 3.15대로 211	51265	055-240-0200	055-223-6881	608	140672
부산진	부산광역시 동구 진성로 23 (수정동)	48781	051-461-9200	051-464-9552	605	030520
북부산	부산광역시 사상구 학감대로 263 (감전동)	46984	051-310-6200	051-711-6389	606	030533
서부산	부산광역시 서구 대영로 10 (서대신동2가 288-2)	49228	051-250-6200	051-241-7004	603	030546
수영	부산광역시 수영구 남천동로 19번길 28 (남천동)	48306	051-620-9200	051-621-2593	617	030478
양산	경상남도 양산시 물금읍 증산역로135, 9층, 10층 (가촌리1296-1)	50653	055-389-6200	055-389-6602	624	026194
울산	울산광역시 남구 갈밭로 49	44715	052-259-0200	052-266-2135	610	160021
제주	제주특별자치도 제주시 청사로 59 (도남동)	63219	064-720-5200	064-724-1107	616	120171
중부산	부산광역시 중구 흑교로 64 (보수동1가)	48962	051-240-0200	051-241-6009	602	030562
진주	경상남도 진주시 진주대로908번길 15 (칠암동)	52724	055-751-0200	055-753-9009	613	950435
창원	경상남도 창원시 성산구 중앙대로105 STX 오션타워	51515	055-239-0200	055-287-1394	609	140669
통영	경상남도 통영시 무전5길 20-9 (무전동)	53036	055-640-7200	055-644-1814	612	140708
해운대	부산광역시 해운대구 좌동순환로 17 (좌동)	48084	051-660-9200	051-660-9610	623	025470

색인

ㄱ

이름	소속	페이지
고윤형	평택서	259
고은		459
고은경	부산진서	445
고은경	한국세무	27
고은미	중부청	228
고은별	국세청	114
고은선	중부청	222
고은정	동화성서	260
고은정	북전주서	386
고은주	양천서	201
고은지	강동서	164
고은혜	안산서	251
고은희	중부청	223
고의환	남부천서	302
고의환	동청주서	346
고의환	군산서	382
고인수	안동서	423
고인식	창원서	470
고일명	대전청	319
고임형	송파서	199
고장우	부산세관	490
고재국	중부청	223
고재규	서대구서	408
고재민	역삼서	202
고재민	인천청	281
고재봉	남대구서	402
고재성	북광주서	369
고재신	기재부	85
고재우	광주주서	346
고재윤	중부청	228
고재화	법인하나	41
고재환	목포서	375
고정근	포천서	313
고정란	중부서	217
고정민	기재부	89
고정삼	기재부	76
고정선	남부천서	303
고정수	도봉서	179
고정애	북부산서	447
고정연	서대전서	327
고정은	제주서	474
고정주	인천청	284
고정진	서울청	156
고정환	천안서	342
고정희	기재부	84
고종관	북인천서	289
고종섭	중기회	111
고종우	중랑서	215
고종철	세종서	336
고주석	서울청	159
고주연	충주서	355
고주환	동울산서	456
고준석	전주서	390
고준석	부산청	436
고준석	지방재정	499
고지면	기재부	76
고지원	중부산서	453
고지은	제주서	474
고지현	평택서	259
고지현	조세재정	502
고지환	동고양서	300
고진곤	부천서	304
고진수	군산서	383
고진수	마산서	465
고진숙	평택서	258
고진영	지방재정	498
고진효	평택서	259
고창보	조세심판	500
고창수	조세재정	503
고창수	조세재정	503
고창우	제주서	475
고철호	대전서	322
고태일	영등포서	205
고태혁	국세청	119
고택수	동고양서	301
고필권	북전주서	386
고한일	이천서	256
고혁준	서울청	149
고현수	경기광주	249
고현웅	동대문서	180
고현웅	지방재정	498
고현일	구로서	170
고현재	이천서	256
고현주	구로서	170
고현주	영등포서	205
고현주	중부청	223
고현호	부산진서	445
고현준	종로서	213
고현태	기재부	89
고현호	서울청	157
고형관	동작서	183
고혜진	대전청	319
고혜진	북광주서	369
고호경	안산서	250
고호석	국세청	128
고희경	중부청	223
고희선	종로서	213
고희주	제주서	475
공기성	북대전서	324
공대귀	광산서	365
공덕환	서울청	159
공동준	기재부	79
공명호	안양서	463
공미경	양산서	466
공미자	전주서	391
공민석	김해서	463
공민지	북인천서	289
공병국	목포서	374
공병규	서울청	147
공보선	진주서	469
공석환	중부청	220
공선미	성남서	243
공선영	서울청	155
공성웅	대구청	396
공성원	광산서	364
공성회	인천세관	486
공숙영	기재부	75
공순권	인천세무	30
공신혜	화성서	262
공영국	기재부	89
공영원	속초서	268
공영이	용인서	255
공용성	인천청	285
공원재	인천청	280
공원택	국세교육	137
공유진	동청주서	346
공윤선	마포서	184
공을상	마산서	464
공익성	세원법인	43
공인호	북대구서	406
공자빈	반포서	187
공정민	시흥서	247
공주희	국세청	118
공진배	서울청	143
공진하	고양서	294
공태재	원주서	272
공태운	종로서	213
공현주	서울청	156
공효정	강남서	162
공휘림	동래서	442
공희현	인천청	281
곽경미	삼성서	189
곽경훈	서울세관	482
곽귀명	마산서	465
곽기복	서울세관	481
곽기철	서울세관	483
곽길영	안산서	250
곽노일	동청주서	346
곽동대	서울청	140
곽동윤	금천서	173
곽동훈	서인천서	291
곽락원	춘천서	275
곽만권	연수서	307
곽명숙	대구청	398
곽명환	광주청	359
곽문희	북대전서	325
곽미나	서울청	144
곽미선	광주청	361
곽미송	안산서	251
곽미숙	금정서	440
곽미경	대구청	398
곽민석	제주서	475
곽민성	광명서	296
곽민욱	기재부	77
곽민정	남대문서	174
곽민정	역삼서	202
곽민혜	국세청	116
곽민호	남원서	384
곽병길	성동서	194
곽병철	중부청	223
곽보경	춘천서	274
곽봉섭	송파서	198
곽봉화	동대구서	404
곽상민	도봉서	178
곽상은	부산청	434
곽새미	목포서	375
곽성용	의정부서	308
곽성준	동안양서	238
곽세옥	동화성서	260
곽세운	관악서	168
곽소라	부산진서	445
곽수연	남대문서	181
곽수정	시흥서	246
곽승만	부산세관	490
곽승현	잠실서	211
곽승훈	의정부서	309
곽영경	서울청	161
곽영국	태평양	58
곽영근	동울산서	457
곽영미	마포서	185
곽용섭	창원서	214
곽용석	통영서	473
곽용은	용산서	206
곽용재	영주서	378
곽용우	영주서	426
곽원욱	조세재정	504
곽원일	동래서	442
곽유진	남부천서	303
곽윤영	마산서	464
곽윤희	금천서	173
곽은미	창원서	471
곽은선	기흥서	232
곽은희	경기광주	249
곽인혜	중부서	216
곽장운	김앤장	51
곽재석	서울세관	482
곽재승	중부청	227
곽재원	여수서	379
곽재형	인천청	285
곽정수	용인서	255
곽정은	서울청	143
곽정주	반포서	186
곽정환	기재부	77
곽정희	대구청	398
곽종욱	서울청	145
곽종훈	역삼서	202
곽주권	국세청	128
곽주욱	송파서	198
곽준옥	안산서	250
곽지은	포천서	313
곽지은	국세청	127
곽지성	서울청	146
곽지후	기재부	87
곽지훈	반포서	187
곽지훈	북대전서	324
곽진섭	남부천서	303
곽진우	부천서	304
곽진주	진주서	469
곽진후	동대문서	181
곽진희	동화성서	261
곽철규	남대구서	402
곽충규	북부산서	446
곽충험	조세심판	500
곽태류	법무율촌	54
곽하능	남인천서	286
곽한민	예산서	341
곽한식	부산청	437
곽한울	동화성서	260
곽현수	목포서	374
곽현숙	부산진서	444
곽현성	서초서	192
곽형신	대전청	316
곽혜원	서울청	148
곽혜정	중부청	223
곽호현	원주서	273
곽훈	의정부서	308
구경식	부산청	439
구경아	동래서	442
구경자	동래서	442
구경택	진주서	469
구광모	서대구서	408
구규완	용산서	258
구근랑	대구청	401
구대중	순천서	376
구대현	인천청	280
구동욱	마포서	185
구동원	기재부	74
구명옥	서울청	151
구명옥	북대전서	325
구명호	기흥서	233
구문주	국세청	120
구미선	양천서	200
구민성	서울청	152
구본	창원서	471
구본균	기재부	75
구본균	경기광주	248
구본근	지방재정	499
구본녕	서울청	155
구본녕	기재부	76
구본섭	남인천서	287
구본수	중부청	229
구본옥	기재부	75
구본윤	광교법인	36
구본하	서대문서	190
구상은	부산진서	445
구석연	창원서	471
구선영	서울청	148
구선호	구로서	170
구선회	서부산서	448
구섭본	한국관세	46
구성민	동안양서	238
구성분	북광주서	369
구성진	서울청	146
구세윤	국세청	117
구세진	용산서	206
구세현	제주서	474
구수목	경산서	412
구수연	부산청	436
구수정	북인천서	289
구순옥	국세청	129
구순옥	서울청	142
구승권	정진세림	24
구승민	국세청	131
구승완	대전청	320
구승현	동래서	442
구승회	삼정회계	18
구신영	안동서	422
구아림	인천서	293
구아현	중부청	228
구양훈	서현이현	7
구영대	관악서	168
구영민	강남서	162
구영범	통영서	472
구영진	국세청	124
구옥선	서울청	145
구용모	잠실서	211
구우형	서대구서	191
구원호	금감원	106
구윤모	조세재정	503
구윤희	광산서	364
구은숙	홍성서	344
구은정	논산서	330
구용서	기흥서	233
구인서	제주서	475
구인선	삼성서	188
구자양	김해서	462
구자연	남대문서	174
구자옥	동대문서	180
구자율	서울청	145
구자은	국세청	118
구자호	중부청	224
구재본	상공회의	110
구재효	반포서	186
구정대	기재부	77
구정래	영월서	271
구정서	용산서	206
구정숙	경주서	415
구정인	아산서	339
구정환	서인천서	291
구종식	서대구서	408
구지은	고양서	295
구진선	동안양서	238
구진아	용산서	206
구진영	성북서	196
구축마	지방재정	499
구태경	서울청	151
구태민	부산세관	490
구태환	동화성서	261
구태효	울산서	459
구태훈	상주서	420
구태휴	서광주서	370
구판서	군산서	382
구표수	인천청	284
구해리	지방재정	499
구현근	인천세무	30
구현정	삼성서	189
구현지	서울청	141
구현진	마산서	464
구현철	성동서	195
구혜란	안산서	250
구혜림	서대구서	408
구혜숙	목포서	374
구홍림	중부청	225
구화란	울산서	458
구효진	청주서	352
구훈모	영등포서	204
구경호	중부청	225
국명래	해남서	381
국봉규	인천서	293
국승미	서광주서	371
국승원	구로서	171
국승윤	법인삼륭	40
국윤미	북대전서	324
국태선	세종서	336
권갑선	대구청	401
권경란	서울청	154
권경미	동청주서	347
권경숙	서울청	149
권경숙	공주서	328
권경숙	거창서	461
권경해	서울청	141
권경환	국세청	119
권경훈	경기광주	249
권관수	은평서	208
권교범	남대문서	176
권구범	예일법인	44
권구성	동안양서	239
권규종	분당서	241
권근아	기재부	89
권기대	감사원	70
권기봉	대구청	396
권기성	포천서	313
권기수	중부서	217
권기연	부천서	305
권기완	인천청	285
권기정	기재부	89
권기정	중부청	222
권기주	국세청	122
권기중	기재부	85
권기창	은평서	209
권기창	수성서	410
권기태	딜로이트	13
권기현	서울청	141
권기홍	은평서	208
권기환	기재부	76
권나경	수원서	245
권나영	울산서	458
권나예	서대문서	191
권나현	도봉서	178
권나현	조세재정	503
권나현	조세재정	503
권나현	조세재정	503
권다혜	이천서	256
권달오	광교법인	36
권대규	대전청	321
권대명	용인서	254
권대선	부산세관	491
권대식	남대문서	174
권대훈	대구청	398
권대호	경주서	414
권대호	인천세관	486
권덕환	구로서	170
권도균	신대동	48
권도영	북전주서	387
권도진	김포서	298
권도현	서인천서	290
권도민	수영서	451
권동철	세종서	336
권동한	기재부	77
권명율	충주서	355
권명자	강남서	162
권묘향	서울청	145
권문연	서울청	90
권미경	기재부	82
권미경	반포서	186
권미경	평택서	259

이름	소속	쪽
권미라	기재부	75
권미애	경기광주	248
권미연	조세재정	503
권미영	종로서	212
권미자	전주서	390
권미정	울산서	458
권미희	안산서	251
권민경	국세청	114
권민경	동안양서	238
권민규	대구청	397
권민상	기재부	90
권민선	동작서	182
권민선	분당서	240
권민수	서울청	145
권민수	서초서	193
권민정	기재부	75
권민정	서초서	193
권민정	순천서	376
권민정	북대구서	406
권민정	북대구서	407
권민정	부산청	433
권민지	관악서	168
권민지	송파서	198
권민철	국세교육	136
권민형	대전청	319
권범준	서울청	160
권범진	영등포서	204
권병묵	인천서	292
권병선	동울산서	456
권병수	울산서	459
권병일	구미서	417
권보성	관악서	168
권보현	동고양서	301
권부환	송파서	199
권산	중부산서	452
권상수	부산청	436
권상욱	기재부	90
권상일	여수서	378
권서영	서인천서	290
권석용	제천서	350
권석주	마포서	185
권석진	국세상담	134
권석현	서울청	144
권선정	조세재정	502
권선주	김해서	462
권선화	기흥서	232
권설진	안양서	253
권성구	북대구서	407
권성대	서초서	193
권성동	국회법제	66
권성미	인천청	285
권성오	조세재정	502
권성우	서대구서	408
권성은	EY한영	12
권성주	북부산서	446
권성준	부산청	434
권성준	조세재정	502
권성준	조세재정	503
권성철	기재부	76
권성표	진주서	469
권성호	북부산서	447
권성훈	영등포서	205
권세혁	포천서	313
권소연	대구청	399
권소현	중부청	228
권수경	창원서	471
권수중	예산서	341
권수오	전주서	391
권수진	안동서	422
권순근	대전서	323
권순락	중부청	220
권순노	대구청	390
권순미	영등포서	204
권순배	기재부	79
권순식	경주서	414
권순엽	반포서	187
권순영	기재부	84
권순영	서산서	334
권순영	울산서	459
권순오	조세재정	503
권순일	세종서	337
권순재	서울청	150
권순찬	서울청	156
권순한	부산진서	444
권순현	지방재정	498
권순형	대구청	396
권순호	강서서	166
권순호	예일법인	44
권순홍	구미서	417
권슬기	지방재정	499
권승민	성남서	243
권승비	대구청	401
권승욱	중부서	216
권신외	대구세관	494
권안석	미래회계	14
권영규	수영서	450
권영대	인천서	292
권영대	수성서	411
권영대	법무광장	53
권영록	부산진서	445
권영록	북부산서	453
권영림	서울청	142
권영명	경기광주	248
권영민	기재부	78
권영빈	동수원서	236
권영선	북대전서	324
권영숙	수성서	411
권영승	서울청	161
권영신	김앤장	51
권영은	춘천서	274
권영은	시흥서	247
권영조	서대전서	327
권영주	대문서	180
권영진	도봉서	179
권영진	용인서	254
권영창	삼덕회계	15
권영철	창원서	471
권영칠	부천서	185
권영한	안동서	423
권영현	기재부	81
권영호	동안양서	238
권영훈	서광주서	370
권영훈	부산청	433
권영희	서울청	159
권예리	청주서	353
권예솔	동안양서	239
권예매	강남서	162
권예지	남대문서	176
권오광	동작서	182
권오광	강릉서	264
권오고	이천서	257
권오규	안동서	423
권오남	반포서	187
권오방	부천서	304
권오복	감사원	70
권오봉	역삼서	202
권오상	수영서	203
권오석	동대문서	180
권오성	삼성서	188
권오성	충주서	354
권오성	광주세관	496
권오승	영등포서	205
권오신	강산서	413
권오영	기재부	86
권오영	지방재정	498
권오윤	상공회의	110
권오정	양천서	200
권오준	남대문서	177
권오진	부천청	223
권오찬	의정부서	308
권오찬	충주서	354
권오철	예일법인	44
권오평	국세청	115
권오항	인천세무	30
권오학	법무광장	53
권오현	국세청	124
권오현	강서서	166
권오현	서초서	193
권오형	영덕서	425
권오훈	세종서	337
권옥기	시흥서	246
권용덕	대구청	397
권용상	도봉서	178
권용승	수영서	450
권용언	중부세무	29
권용익	성북서	197
권용준	기재부	86
권용탁	삼성서	189
권용탁	지방재정	499
권용학	중부서	216
권용현	한국관세	46
권용훈	국세청	116
권우건	마포서	185
권우철	서현이현	7
권우태	중부청	225
권우택	도봉서	179
권유림	기재부	85
권유미	서울청	153
권유빈	충주서	355
권유이	금융위	93
권유화	해운대서	455
권유수	예산서	341
권윤호	울산서	458
권윤회	영등포서	205
권윤희	반포서	187
권은경	종로서	213
권은경	남인천서	287
권은경	군산서	383
권은경	경주서	414
권은경	창원서	470
권은민	김앤장	51
권은숙	반포서	186
권은숙	북주서	386
권은순	영주서	426
권은영	기재부	82
권은영	서초서	192
권은영	서초서	192
권은정	남양주서	235
권은정	거창서	461
권은지	서초서	193
권은진	대구청	398
권은호	동작서	183
권은희	국회정무	68
권은희	반포서	256
권이혁	기흥서	232
권익근	동화성서	260
권익성	동수원서	236
권익찬	상주서	420
권익현	해운대서	454
권인석	남대구서	402
권인숙	대전청	318
권인오	광주서	366
권일홍	영주서	426
권자인	부천서	304
권재관	기재부	85
권재서	춘천서	274
권재선	서울청	151
권재영	금정서	440
권재효	국세청	123
권정기	금천서	173
권정석	경기광주	249
권정숙	인천청	283
권정순	서울청	145
권정애	조세재정	502
권정용	나주서	372
권정우	영등포서	205
권정운	강서서	166
권정훈	삼성서	189
권정희	서울청	149
권종기	역삼서	203
권종욱	강남서	163
권종인	김해서	462
권주희	서초서	193
권준경	대전청	318
권준수	기재부	85
권준엽	서현이현	7
권준용	해남서	380
권준혁	영덕서	424
권준혁	통영서	472
권준혜	포항서	428
권중구	기재부	77
권중훈	시흥서	246
권지숙	포항서	429
권지나	텍스숨	42
권지용	동화성서	260
권지원	고양서	295
권지은	동작서	182
권지은	부산청	433
권지혜	동울산서	457
권진록	기재부	161
권진솔	경기광주	248
권진아	북부산서	446
권진영	천안서	342
권진웅	감사원	71
권진혁	국세청	116
권진혁	서대문서	190
권창위	시흥서	247
권창현	춘천서	274
권창현	지방재정	499
권창호	국세상담	135
권채윤	금천서	173
권철균	아산서	338
권춘식	동화성서	261
권충구	김포서	298
권태경	서인천서	290
권태영	법무광장	53
권태용	대문서	180
권태인	구로서	171
권태준	관악서	168
권태혁	대구청	398
권태훈	창원서	470
권택경	동수원서	236
권택만	속초서	269
권한조	예일회계	21
권해영	남대문서	176
권혁	국세청	154
권혁규	안동서	423
권혁기	딜로이트	13
권혁노	강서서	167
권혁도	상공회의	110
권혁도	북대구서	406
권혁빈	서울청	145
권혁빈	의정부서	309
권혁성	국세청	120
권혁수	세종서	336
권혁순	기재부	76
권혁용	서울청	141
권혁윤	인일화우	57
권혁준	서울청	143
권혁준	서울청	160
권혁준	고양서	294
권혁진	성동서	195
권혁찬	기재부	75
권혁찬	남대문서	180
권혁찬	원주서	272
권혁희	대전서	323
권현목	대구청	399
권현성	서울청	142
권현식	송파서	198
권현신	구로서	171
권현옥	국세청	122
권현정	수원서	244
권현주	서대구서	409
권현지	서대구서	409
권현택	서인천서	290
권현회	남양주서	234
권현희	서울청	153
권혜랑	성북서	196
권혜련	북인천서	288
권혜미	반포서	186
권혜수	서부산서	449
권혜숙	삼성서	145
권혜원	천안서	343
권혜정	국세청	127
권혜정	영등포서	205
권혜지	관악서	169
권혜지	세종서	337
권혜진	서인천서	290
권호경	양산서	467
권호용	예산서	340
권효은	대구서	396
권효정	남인천서	286
권흥일	성남서	242
권희갑	충주서	354
권희순	이천서	256
권희정	김천서	418
금기준	공주서	328
금기태	북대전서	326
금대호	영주서	427
금도미	안산서	250
금도형	부산청	432
금동화	삼척서	267
금병호	부산청	432
금봉호	부산서	197
금승수	잠실서	210
금승훈	강남서	162
금영송	대구청	320
금유순	전주서	390
금인숙	수영서	450
금잔디	성북서	196
금종희	북대전서	324
금진희	동작서	183
금현정	서울청	160
금기헌	서광주서	370
기남국	나주서	372
기대원	북광주서	369
기두현	남인천서	287
기민아	광산서	365
기상도	김앤장	51
기승연	광산서	364
기승호	부천서	304
기아람	고양서	294
기양호	더택스	39
기연희	남원서	384
기영서	국세청	114
기영준	인천서	293
기은지	원주서	272
기은진	영등포서	204
기재희	서울청	161
기정림	역삼서	203
기준각	중부세무	29
기태경	중부산서	452
기회훈	천안서	342
길기혁	국회재정	63
길명규	상공회의	110
길미정	시흥서	247
길미정	의정부서	308
길민석	서산서	335
길성구	동대구서	404
길수정	연수서	292
길연섭	서울세관	482
길요한	논산서	330
길웅섭	북인천서	288
길은정	반포서	186
길익찬	강남서	163
길혜선	광교법인	34
길혜정	성동서	195
김가람	인천청	284
김가람	광주서	366
김가란	동래서	443
김가림	중부서	216
김가민	수원서	244
김가연	송파서	199
김가연	중부서	217
김가연	고양서	295
김가영	인천서	292
김가영	고양서	294
김가영	남부천서	302
김가영	천안서	342
김가웅	부산세관	491
김가원	동청주서	346
김가은	창원서	470
김가은	창원서	471
김가이	서울청	156
김가인	반포서	220
김가혜	기흥서	232
김가희	성동서	194
김감채	파주서	310
김갑수	서울청	147
김갑수	중부세무	29
김갑심	송파서	199
김갑이	울산서	459
김강	경기광주	249
김강록	아성서	263
김강미	안양서	252
김강산	화성서	262
김강수	순천서	377
김강우	영주서	427
김강주	중부청	224
김강진	순천서	377
김강현	성동서	195
김강훈	금천서	173
김강훈	기흥서	232
김강훈	포항서	429
김건식	마포서	185
김건영	인천청	284
김건우	국세청	118
김건우	남양주서	235
김건우	동수원서	237
김건웅	중랑서	237
김건중	국세상담	135
김건형	동래서	442
김건형	남인천서	286
김건호	강서서	166
김건호	화성서	262
김겸순	한국세무	27
김경구	삼일회계	17

이름	소속	쪽
김경국	기재부	73
김경국	삼성서	188
김경난	서대구서	409
김경남	김천서	418
김경대	서울청	441
김경덕	서울청	145
김경돈	원주서	273
김경동	상주서	420
김경두	서울청	140
김경라	의정부서	309
김경란	안양서	252
김경란	이천서	257
김경란	중부청	228
김경례	광주청	359
김경록	기재부	81
김경록	국세청	115
김경록	마포서	185
김경록	속초서	268
김경린	성남서	242
김경림	수성서	411
김경만	국세청	116
김경만	세종서	336
김경모	마포서	185
김경모	수원서	244
김경무	부산청	433
김경미	서울청	160
김경미	마포서	185
김경미	연수서	307
김경미	대전청	316
김경미	진주서	469
김경미	삼정회계	19
김경민	국세청	115
김경민	국세청	118
김경민	잠실서	210
김경민	남양주서	235
김경민	용인서	254
김경민	평택서	259
김경민	인천청	283
김경민	중부산서	453
김경민	통영서	472
김경복	남대문서	175
김경석	수성서	410
김경선	국세청	116
김경선	도봉서	178
김경선	부산청	435
김경수	기재부	79
김경수	구미서	417
김경숙	관악서	168
김경숙	남대구서	175
김경숙	기흥서	232
김경숙	이천서	257
김경숙	원주서	273
김경숙	인천청	285
김경숙	부산청	434
김경숙	통영서	473
김경승	거창서	461
김경식	서울청	155
김경식	북대구서	406
김경아	국세청	116
김경아	서대문서	190
김경아	성동서	195
김경아	중부서	216
김경아	안산서	250
김경아	파주서	311
김경아	포천서	313
김경애	기재부	86
김경애	국세청	127
김경애	부천서	304
김경애	해운대서	454
김경업	반포서	186
김경업	파주서	310
김경연	기재부	76
김경연	평택서	258
김경영	금감원	106
김경오	아산서	338
김경옥	성동서	195
김경옥	북부산서	446
김경옥	지방재정	498
김경용	김해서	462
김경우	서부산서	449
김경우	양산서	467
김경원	성동서	195
김경은	정읍서	392
김경은	거창서	461
김경이	중부산서	453
김경익	중부서	216
김경인	진주서	469
김경일	중부청	225
김경임	광주청	359
김경자	성동서	194
김경자	북대구서	406
김경주	광주청	358
김경중	기재부	84
김경진	강서서	167
김경진	중부청	229
김경진	인천청	285
김경진	북부산서	446
김경진	울산서	458
김경철	기재부	78
김경철	대전청	321
김경태	구로서	171
김경태	동안양서	238
김경태	북인천서	289
김경태	동래서	443
김경태	마산서	464
김경태	인천세관	486
김경태	법무광장	52
김경택	중부세무	29
김경탁	경산서	412
김경하	서울청	145
김경하	성동서	195
김경하	포항서	428
김경해	국세청	116
김경해	광명서	296
김경향	반포서	186
김경현	성동서	194
김경현	순천서	376
김경현	동대구서	404
김경혜	영등포서	205
김경혜	마산서	464
김경호	감사원	69
김경호	사원	71
김경호	강서서	166
김경호	양천서	201
김경호	의정부서	309
김경호	천안서	343
김경호	삼일회계	16
김경화	부산청	436
김경화	울산서	458
김경화	강서서	167
김경환	고양서	295
김경환	전주서	390
김경훈	삼성서	189
김경훈	중부청	229
김경훈	구리서	230
김경훈	대구서	399
김경훈	지방재정	503
김경훈	기재부	77
김경희	국세청	123
김경희	안산서	167
김경희	구로서	171
김경희	서초서	193
김경희	영등포서	205
김경희	성남서	242
김경희	광명서	297
김경희	익산서	389
김경희	경산서	412
김계영	동대문서	181
김계정	창원서	471
김계정	의정부서	309
김계향	동울산서	456
김계희	국세청	116
김고은	남대문서	174
김고은	잠실서	211
김고은	부산청	433
김고환	종로서	213
김고희	수원서	244
김곤휘	지방재정	498
김공해	목포서	374
김관균	한국세무	27
김관수	청주서	352
김관용	대전청	321
김관우	아산서	338
김관주	서울세관	482
김관형	영덕서	424
김관형	수성서	410
김관홍	인천청	281
김광괄	익산서	389
김광대	국세청	114
김광덕	통영서	472
김광래	국세청	117
김광래	인천세무	30
김광련	수성서	411
김광록	중랑서	215
김광묵	포천서	312
김광미	역삼서	203
김광미	은평서	209
김광복	화성서	263
김광석	양천서	200
김광석	서대구서	408
김광석	제주서	475
김광섭	충주서	354
김광섭	서광주서	371
김광성	광주청	361
김광섭	남부서	384
김광수	서울청	159
김광수	동수원서	237
김광수	고양서	295
김광수	부산청	432
김광수	해운대서	455
김광순	대전청	318
김광식	동화성서	260
김광식	강릉서	265
김광연	사척서	266
김광연	마포서	185
김광영	대구서	405
김광용	서울청	159
김광용	국세청	120
김광일	기재부	80
김광위	중앙서	93
김광준	중부청	222
김광천	인천청	281
김광태	남인천서	287
김광표	인천서	293
김광현	서울청	148
김광현	구로서	170
김광현	평택서	259
김광현	광주서	367
김광현	서광주서	371
김광현	대구청	397
김광혜	중부청	222
김광호	성동서	194
김광화	강남서	163
김광희	북전주서	387
김교선	수성서	216
김교선	중부청	227
김교중	기재부	88
김교태	삼정회계	18
김구름	서울청	159
김구봉	아산서	338
김구하	경주서	415
김구호	구리서	230
김구호	세종서	337
김구한	울산서	459
김국만	부산세관	491
김국성	중부청	225
김국진	서울청	161
김국진	울산서	458
김국현	중부청	219
김국현	중부청	222
김국현	중부청	223
김국현	중부청	224
김국현	기흥서	232
김국현	수원서	244
김국현	충주서	355
김권	남대문서	177
김권하	서부산서	449
김귀비	기재부	81
김귀종	북전주서	386
김귀화	진주서	468
김규동	법무율촌	54
김규리	관악서	168
김규리	도봉서	179
김규리	종로서	213
김규리	구미서	417
김규림	파주서	310
김규민	마산서	464
김규석	태평양	58
김규성	강서서	166
김규성	영등포서	204
김규식	경산서	413
김규연	서울청	140
김규완	서울청	144
김규용	감사원	71
김규원	동화성서	260
김규원	영동서	349
김규인	금천서	172
김규주	동수원서	237
김규진	대구청	397
김규진	진주서	469
김규진	서울세관	482
김규태	광주서	366
김규표	목포서	375
김규한	경기광주	249
김규한	김해서	463
김규헌	인천세무	30
김규혁	수원서	249
김규호	남양주서	235
김규호	남부천서	303
김규희	서울청	146
김균태	북대전서	325
김극돈	국세관	131
김근경	화성서	262
김근민	화성서	262
김근수	서울청	150
김근수	중부청	221
김근아	서산서	335
김근영	김포서	299
김근우	인천청	284
김근우	광주청	362
김근우	북대구서	406
김근혁	법무율촌	1
김근하	북대전서	324
김근한	평택서	258
김근영	서광주서	370
김근화	서울청	142
김근환	대전청	320
김금비	기재부	81
김금순	수영서	451
김금영	여수서	378
김금자	분당서	240
김금주	금정서	440
김금태	금감원	98
김기나	예일법인	44
김기남	강서서	167
김기대	천안서	342
김기덕	서울청	154
김기덕	이천서	256
김기동	기재부	77
김기동	아산서	338
김기동	북전주서	386
김기동	부산세관	491
김기동	서울세무	28
김기만	종로서	213
김기명	지방재정	499
김기무	법무바른	1
김기문	서대구서	408
김기문	기재부	85
김기문	중기회	111
김기미	용산서	206
김기미	북대전서	325
김기배	안산서	251
김기범	울산서	458
김기복	법무바른	1
김기쁨	남대문서	177
김기석	서울청	168
김기석	인천서	293
김기선	동대문서	181
김기선	동작서	183
김기선	성동서	195
김기성	서산서	334
김기송	남인천서	286
김기수	상공회의	109
김기수	대전청	315
김기수	대전청	320
김기수	대전청	321
김기숙	서울청	145
김기식	대전청	323
김기식	중부청	220
김기식	서인천서	291
김기연	국세청	364
김기업	동울산서	456
김기연	종로서	213
김기열	국세청	127
김기열	금감원	95
김기영	금감원	101
김기영	국세청	116
김기영	국세청	117
김기영	평택서	258
김기옥	광산서	364
김기완	서울청	150
김기완	춘천서	274
김기용	마산서	464
김기용	통영서	472
김기은	구로서	170
김기은	중부청	226
김기재	대구세관	493
김기재	대구세관	494
김기정	나주서	373
김기준	대전청	319
김기중	성동서	195
김기중	부산청	432
김기진	서울청	157
김기천	서울청	149
김기철	용산서	206
김기태	국세청	115
김기태	제천서	351
김기현	서울청	160
김기현	동래서	442
김기현	부산세관	490
김기형	대구청	398
김기홍	기재부	78
김기홍	서울청	153
김기홍	이천서	256
김기홍	조세재정	502
김기환	종로서	213
김기환	안산서	251
김기환	광명서	296
김기환	서부산서	448
김기환	대구세관	494
김기훈	시흥서	246
김기훈	동화성서	261
김기훈	조세재정	502
김길수	지방재정	499
김길영	남대구서	402
김길영	국세청	127
김길호	해운대서	455
김길희	상주서	421
김나겸	김해서	463
김나나	동화성서	260
김나나	강동서	165
김나리	양천서	201
김나리	용인서	255
김나래	부산청	436
김나래	서초서	192
김나리	조세재정	503
김나리아	충주서	354
김나미	파주서	310
김나연	국세교육	137
김나연	강서서	167
김나연	용산서	207
김나연	중랑서	214
김나영	의정부서	309
김나영	삼성서	189
김나영	중부청	225
김나영	구리서	231
김나영	동안양서	239
김나영	북대구서	406
김나영	김해서	462
김나영	김해서	463
김나영	마산서	464
김나영	진주서	468
김나영	제주서	474
김나영	택스홈	42
김나은	기재부	88
김나은	남대문서	176
김나은	반포서	186
김나은	수영서	450
김나현	국세주류	132
김나현	마포서	185
김나현	안산서	251
김나현	울산서	458
김나현	울산서	459
김나희	논산서	330
김낙용	성동서	195
김낙현	기재부	78
김낙현	법무율촌	54
김난경	송파서	198
김난미	서울청	159
김난영	중부청	221
김난영	진주서	468
김난영	강남서	163
김난희	서울청	149
김난희	부산청	439
김남교	서초서	193

이름	소속	쪽
김남구	국세청	123
김남국	국회법제	66
김남국	서헌이현	7
김남규	제주서	475
김남균	강서서	166
김남덕	군산서	383
김남배	통영서	472
김남섭	서울세관	483
김남수	광주서	366
김남연	동대구서	405
김남영	중부청	224
김남영	부산청	432
김남영	예일법인	44
김남용	국세청	117
김남정	북광주서	369
김남정	동대구서	405
김남주	마포서	184
김남주	안양서	252
김남주	홍천서	277
김남준	국세상담	135
김남중	동수원서	236
김남중	세종서	337
김남철	의정부서	309
김남헌	지방재정	498
김남현	동울산서	456
김남호	동안양서	238
김남효	기재부	78
김남훈	국세청	115
김남훈	대전청	319
김남희	기재부	77
김남희	서초서	192
김남희	김천서	418
김남희	부산청	432
김내리	국세청	128
김년성	경산서	412
김년호	대전서	322
김노섭	중랑서	214
김녹영	상공회의	109
김누리	이천서	257
김다람	중부청	220
김다랑	조세재정	502
김다미	분당서	240
김다민	서울청	152
김다빈	북전주서	387
김다솔	동화성서	260
김다솔	포천서	312
김다솜	분당서	240
김다솜	대전서	322
김다연	동작서	182
김다연	대전청	319
김다영	강서서	166
김다영	삼성서	188
김다영	중부청	223
김다영	동안양서	238
김다영	강릉서	264
김다영	김포서	298
김다예	서광주서	370
김다예	서부산서	449
김다운	중부청	220
김다운	창원서	471
김다원	동작서	182
김다은	국세청	128
김다은	화성서	262
김다은	인천청	285
김다이	중부청	224
김다정	조세재정	503
김다정	조세재정	504
김다현	기재부	77
김다현	삼성서	189
김다현	중랑서	214
김다현	청주서	353
김다형	남인천서	286
김다혜	광주서	367
김다혜	지방재정	498
김다희	중부청	226
김단	목포서	375
김단비	성남서	242
김단비	평택서	259
김단비	목포서	375
김단아	금천서	172
김담님	춘천서	275
김대관	강남서	162
김대관	김포서	299
김대권	영등포서	204
김대규	아산서	338
김대길	도봉서	178
김대길	서울세관	482
김대범	인천청	284
김대범	파주서	310
김대성	동수원서	237
김대식	동청주서	346
김대식	그룹토은	37
김대업	대구청	399
김대연	구리서	231
김대연	동화성서	261
김대연	고양서	295
김대연	북부산서	446
김대열	수성서	411
김대엽	서부산서	448
김대영	서울청	157
김대영	남인천서	287
김대옥	구미서	417
김대옥	국세청	130
김대옥	부산청	433
김대용	은평서	209
김대용	대전청	319
김대우	서울청	146
김대우	서울청	148
김대욱	북인천서	288
김대운	공주서	328
김대원	기재부	75
김대원	강남서	163
김대원	중부청	228
김대원	북전주서	386
김대원	부산청	431
김대원	부산청	438
김대원	부산청	439
김대원	북부산서	446
김대원	북부산서	447
김대일	국세청	114
김대일	국세청	115
김대일	서인천서	290
김대일	광주청	358
김대준	서울청	155
김대중	국세청	130
김대중	서울청	150
김대중	경산서	413
김대지	국세청	113
김대지	국세청	114
김대진	대전청	316
김대진	법인삼릉	40
김대철	서울청	152
김대철	북부산서	447
김대학	광주청	363
김대혁	동안양서	238
김대현	국세청	120
김대현	서울청	158
김대현	서광주서	371
김대호	고시회	31
김대호	서울청	156
김대호	목포서	375
김대환	법무화우	56
김대환	수원서	244
김대환	파주서	311
김대훈	마포서	185
김대훈	기흥서	232
김대훈	대구청	396
김대훈	제주서	475
김대훈	광교법인	34
김대희	부산청	432
김대희	북부산서	446
김덕교	고양서	295
김덕기	세종서	336
김덕기	양천서	200
김덕봉	북부산서	446
김덕성	동래서	442
김덕영	강동서	165
김덕원	국세청	118
김덕원	서부산서	448
김덕용	삼척서	140
김덕종	대구세관	494
김덕중	법무화우	56
김덕중	법무화우	56
김덕진	서초서	193
김덕진	동안양서	238
김덕현	기흥서	90
김덕현	상주서	421
김덕호	서산서	334
김덕환	남대구서	402
김덕환	기재부	88
김도경	강남서	162
김도경	동화성서	260
김도광	경산서	412
김도균	국세청	124
김도균	양천서	201
김도균	의정부서	308
김도년	북부산서	446
김도숙	경산서	412
김도숙	구미서	416
김도암	부산서	437
김도애	의정부서	308
김도연	기재부	84
김도연	서울청	140
김도연	동작서	183
김도연	중부청	225
김도연	용인서	255
김도연	동청주서	346
김도연	광주서	366
김도연	대구청	400
김도연	제주서	474
김도영	구로서	170
김도영	송파서	198
김도영	중부청	220
김도영	부산청	438
김도영	택스홈	42
김도원	국세청	126
김도유	구미서	417
김도유	송파서	198
김도윤	이천서	256
김도윤	부산진서	445
김도헌	서울청	156
김도헌	삼척서	266
김도헌	마산서	465
김도현	서울청	144
김도협	서인천서	290
김도형	동작서	182
김도형	구리서	231
김도형	의정부서	308
김도형	광산서	365
김도형	마산서	464
김도화	송파서	199
김도훈	기재부	88
김도훈	경기광주	248
김도훈	나주서	372
김도훈	김천서	418
김도훈	영주서	426
김도훈	조세재정	504
김도희	기재부	83
김도희	용인서	206
김도희	분당서	240
김도희	의정부서	308
김동건	부산진서	445
김동건	중부산서	453
김동건	통영서	472
김동겸	부산서	448
김동곤	기재부	90
김동구	평택서	258
김동구	목포서	374
김동근	중기회	111
김동근	국세청	126
김동근	서울청	140
김동근	남양주서	234
김동길	북부산서	446
김동만	경기광주	249
김동만	중랑서	215
김동민	용산서	206
김동민	수원서	245
김동범	통영서	473
김동범	성북서	196
김동빈	구미서	416
김동빈	국세청	114
김동석	감사원	71
김동석	기재부	83
김동석	삼척서	267
김동선	광명서	297
김동선	여수서	379
김동선	EY한영	12
김동소	김앤장	51
김동수	국세청	119
김동수	기흥서	90
김동수	서인천서	290
김동수	김포서	299
김동수	부천서	305
김동수	동래서	443
김동수	관세청	478
김동수	법무을촌	54
김동식	고양서	295
김동신	서광주서	370
김동신	부산청	432
김동업	김해서	462
김동연	고양서	295
김동열	동화성서	260
김동열	인천청	281
김동엽	서울청	143
김동엽	김포서	298
김동영	영등포서	204
김동영	부산청	434
김동완	부산세관	491
김동완	영등포서	204
김동완	영등포서	204
김동우	관악서	168
김동우	인천청	281
김동우	김포서	298
김동우	부산청	436
김동우	기재부	81
김동욱	기재부	88
김동욱	국세청	131
김동욱	서울청	148
김동욱	삼성서	188
김동욱	역삼서	202
김동욱	역삼서	203
김동욱	은평서	209
김동욱	평택서	259
김동욱	대구청	396
김동욱	부산청	432
김동욱	양산서	466
김동욱	서초서	193
김동욱	양천서	200
김동원	동화성서	261
김동원	북대구서	406
김동원	부산청	432
김동원	조세심판	501
김동윤	서초서	193
김동윤	안양서	252
김동윤	속초서	269
김동은	양천서	201
김동익	부산세관	491
김동익	기재부	86
김동일	기재부	74
김동일	국세청	129
김동일	국세청	130
김동일	국세청	131
김동일	북대전서	324
김동일	부산청	434
김동조	중부청	224
김동준	중부청	225
김동준	부천서	305
김동준	영주서	427
김동직	국세청	118
김동진	감사원	71
김동진	마포서	185
김동진	잠실서	211
김동진	남대문서	242
김동진	서인천서	291
김동찬	용산서	206
김동찬	관악서	422
김동철	중부서	216
김동철	인천세관	487
김동철	중부청	423
김동하	구로서	170
김동학	익산서	389
김동학	기재부	90
김동한	해운대서	454
김동한	마산서	464
김동혁	기재부	81
김동혁	천안서	343
김동현	강동서	165
김동헌	관악서	168
김동현	구로서	171
김동현	마포서	184
김동현	삼성서	188
김동현	은평서	209
김동현	중부청	226
김동현	구리서	230
김동현	남인천서	287
김동현	부천서	304
김동현	대전청	316
김동현	아산서	339
김동현	제천서	351
김동현	동대구서	404
김동현	금정서	441
김동현	북부산서	446
김동현	해운대서	454
김동현	울산서	459
김동현	마산서	465
김동청	태평양	58
김동청	북대전서	324
김동호	국세교육	137
김동호	남인천서	287
김동호	진주서	468
김동환	기재부	81
김동환	서울청	158
김동환	은평서	209
김동환	종로서	213
김동환	북대구서	406
김동환	포항서	429
김동환	금정서	440
김동회	금감원	95
김동회	금감원	101
김동훈	기재부	77
김동훈	국세청	115
김동훈	서울청	141
김동훈	북대구서	406
김동훈	삼정회계	19
김동휘	남인천서	289
김동희	국세청	127
김동희	구리서	230
김동희	지방재정	499
김두곤	상주서	420
김두관	국회재정	64
김두리	이천서	256
김두섭	대전청	319
김두섭	조세심판	501
김두성	성북서	197
김두수	구리서	230
김두수	춘천서	274
김두수	포천서	313
김두수	지방재정	499
김두식	부산청	437
김두연	서울청	148
김두연	동청주서	347
김두영	영월서	270
김두현	영덕서	425
김두환	중부서	217
김두환	청주서	352
김득수	광주청	360
김득수	대구청	399
김득중	서초서	193
김득화	인천서	292
김라은	동울산서	456
김라희	천안서	342
김란	서울청	140
김란주	시흥서	247
김래하	성동서	195
김령도	은평서	209
김령언	창원서	471
김령우	울산서	458
김령호	지방재정	499
김로환	북대전서	324
김리아	북대전서	325
김리영	서울청	160
김린	동화성서	260
김마리아	통영서	472
김만기	기재부	78
김만덕	김포서	298
김만래	대전서	323
김만복	예산서	340
김만봉	지방재정	499
김만석	감사원	70
김만성	광주청	363
김만수	기재부	90
김만숙	남대문서	177
김만식	경기광주	248
김만헌	서대구서	408
김말숙	국세청	131
김명경	인천청	284
김명경	대구청	401
김명국	구미서	416
김명규	기재부	81
김명규	상공회의	110
김명규	서울청	141
김명규	고양서	294
김명규	서대구서	408
김명규	딜로이트	13
김명도	영등포서	205
김명돌	광교법인	36
김명렬	부산청	437

이름	소속	쪽
김명미	금정서	440
김명섭	기재부	88
김명선	강서서	166
김명선	성남서	242
김명선	남부천서	302
김명선	북광주서	368
김명선	포항서	428
김명선	양산서	466
김명섭	김해서	462
김명섭	인천세관	488
김명섭	광교법인	34
김명수	북인천서	289
김명수	해운대서	454
김명숙	송파서	198
김명숙	중부청	222
김명숙	광주서	366
김명숙	북전주서	387
김명순	잠실서	210
김명순	대전청	318
김명실	동작서	183
김명실	기재부	84
김명열	서울청	148
김명옥	기재부	77
김명운	감사원	69
김명원	서울청	159
김명윤	부산청	436
김명자	마포서	184
김명제	국세청	125
김명주	관악서	168
김명준	서울청	281
김명중	순천서	376
김명지	금정서	441
김명진	서울청	158
김명진	반포서	187
김명진	연수서	307
김명진	대전청	316
김명진	서대구서	409
김명진	인천세무	30
김명철	수영서	451
김명철	삼정회계	15
김명호	잠실서	211
김명호	중부청	228
김명호	충주서	355
김명환	기재부	79
김명환	서울청	145
김명훈	부산청	436
김명희	서울청	160
김명희	금천서	172
김명희	남대문서	175
김명희	성동서	195
김명희	광주청	359
김명희	통영서	473
김몽경	충주서	354
김묘성	서울청	149
김묘자	부산청	432
김묘정	안양서	252
김무남	고양서	295
김무수	수원서	244
김무열	부산진서	444
김무영	영월서	271
김문건	기재부	74
김문경	서울청	150
김문경	삼성서	188
김문균	강서서	167
김문기	서울청	159
김문길	삼성서	188
김문성	서울청	145
김문수	기재부	82
김문수	서산서	334
김문수	통영서	473
김문숙	성북서	197
김문영	중부서	216
김문재	부산진서	444
김문정	부산청	432
김문정	제주서	474
김문정	조세재정	503
김문철	충주서	354
김문학	중부세무	29
김문형	평택서	258
김문호	지방재정	498
김문환	강남서	162
김문환	안양서	253
김문환	택스홈	42
김문훈	중랑서	214
김문희	안양서	253
김문희	공주서	328
김문희	순천서	377
김미	포항서	428
김미경	국세청	117
김미경	강남서	163
김미경	금천서	172
김미경	남대문서	173
김미경	삼성서	188
김미경	서대문서	191
김미경	서대문서	191
김미경	춘천서	274
김미경	고양서	294
김미경	논산서	331
김미경	보령서	333
김미경	광주청	359
김미경	대구청	398
김미경	울산서	458
김미나	반포서	187
김미나	중부청	221
김미나	기흥서	232
김미나	남양주서	234
김미나	고양서	294
김미덕	부천서	304
김미라	기재부	74
김미라	중부청	227
김미라	북전주서	387
김미란	서대문서	190
김미란	양천서	200
김미란	역삼서	202
김미란	동화성서	260
김미랑	대구청	398
김미례	서울청	155
김미리	광산서	365
김미림	강서서	166
김미림	반포서	186
김미미	인천서	292
김미선	기재부	89
김미선	서초서	193
김미선	구리서	230
김미선	남양주서	235
김미선	인천청	280
김미선	영동서	349
김미선	북광주서	368
김미성	서대문서	190
김미소	동작서	183
김미소	은평서	208
김미소	동울산서	456
김미솔	서대전서	326
김미숙	관악서	169
김미숙	동작서	182
김미숙	삼성서	188
김미숙	울산서	459
김미숙	창원서	471
김미순	금천서	173
김미애	서울청	155
김미애	도봉서	178
김미애	수원서	244
김미애	세종서	336
김미애	충주서	354
김미애	광주청	359
김미애	광주서	366
김미애	대구청	400
김미연	국세청	122
김미연	관악서	168
김미연	도봉서	179
김미연	서초서	182
김미연	중부서	217
김미연	서인천서	291
김미영	금감원	95
김미영	금감원	96
김미영	국세청	125
김미영	서울청	145
김미영	남대문서	176
김미영	잠실서	210
김미영	동화성서	261
김미영	서인천서	291
김미영	북광주서	368
김미영	순천서	376
김미영	해운대서	454
김미영	해운대서	454
김미영	김해서	462
김미옥	남대문서	174
김미옥	분당서	240
김미옥	인천서	292
김미옥	동울산서	457
김미옥	울산서	459
김미원	금천서	172
김미자	논산서	330
김미재	서대구서	408
김미정	서울청	148
김미정	강동서	165
김미정	반포서	186
김미정	성동서	194
김미정	성북서	197
김미정	구리서	230
김미정	동안양서	238
김미정	경기광주	249
김미정	연수서	306
김미정	포천서	313
김미정	김해서	462
김미정	서울세관	482
김미정	조세재정	503
김미정	세원법인	43
김미주	반포서	187
김미지	동래서	442
김미지	기재부	81
김미진	남대문서	175
김미진	동대문서	180
김미진	양천서	200
김미진	정읍서	392
김미진	창원서	470
김미해	광주청	358
김미향	수원서	244
김미향	군산서	383
김미현	대구청	401
김미현	김천서	419
김미현	서부산서	448
김미혜	대구청	310
김미혜	나주서	372
김미화	광산서	364
김미희	역삼서	202
김미희	시흥서	247
김미희	천안서	343
김미희	중부산서	452
김민	국세청	118
김민	안양서	252
김민	인천서	285
김민	지방재정	499
김민건	제주서	474
김민경	국세청	117
김민경	강서서	167
김민경	동대문서	181
김민경	마포서	185
김민경	성북서	196
김민경	용산서	207
김민경	동수원서	236
김민경	수원서	244
김민경	평택서	259
김민경	인천청	285
김민경	광주청	358
김민경	부산청	439
김민경	제주서	475
김민경	지방재정	498
김민경	조세재정	503
김민관	지방재정	499
김민교	지방재정	499
김민규	기재부	85
김민규	이천서	257
김민규	보령서	332
김민규	금정서	440
김민규	통영서	473
김민규	제주서	474
김민균	수원서	244
김민기	서울청	156
김민녕	분당서	240
김민래	서초서	192
김민상	은평서	208
김민상	인천청	280
김민석	마산서	464
김민석	기재부	77
김민석	서울청	151
김민석	용산서	207
김민석	중부청	224
김민석	파주서	311
김민석	광주청	363
김민석	수성서	410
김민석	구미서	416
김민석	부산청	434
김민석	금정서	441
김민선	강동서	165
김민선	용산서	206
김민선	중부청	222
김민선	삼척서	266
김민선	김포서	298
김민선	파주서	311
김민섭	청주서	352
김민섭	중랑서	214
김민성	동대문서	181
김민성	구리서	230
김민성	안산서	250
김민세	인천세관	487
김민수	성동서	124
김민수	국세청	128
김민수	남대문서	176
김민수	동작서	183
김민수	인천청	280
김민수	김포서	298
김민수	세종서	337
김민수	목포서	374
김민수	구미서	417
김민수	부산청	433
김민수	북부산서	446
김민수	수영서	450
김민숙	서울청	145
김민숙	북부산서	447
김민식	포항서	428
김민아	서울청	152
김민아	삼성서	188
김민아	파주서	310
김민애	인천서	292
김민양	양천서	201
김민연	서대구서	408
김민영	국세청	117
김민영	국세청	119
김민영	도봉서	179
김민영	서대문서	190
김민영	양천서	200
김민영	천안서	342
김민영	양산서	467
김민영	조세재정	502
김민옥	국회정무	67
김민완	인천청	285
김민우	서울청	147
김민우	구로서	170
김민욱	고양서	294
김민웅	국세청	119
김민웅	더택스	39
김민재	익산서	388
김민재	부산서	432
김민재	김해서	462
김민정	감사원	71
김민정	기재부	77
김민정	국세청	120
김민정	국세상담	134
김민정	서울청	146
김민정	도봉서	178
김민정	마포서	184
김민정	성동서	194
김민정	잠실서	211
김민정	중부청	227
김민정	기흥서	232
김민정	안양서	252
김민정	이천서	257
김민정	평택서	259
김민정	속초서	268
김민정	남인천서	287
김민정	북인천서	288
김민정	북인천서	289
김민정	인천서	293
김민정	김포서	299
김민정	포천서	312
김민정	대전청	318
김민정	천안서	343
김민정	동청주서	347
김민정	광주청	359
김민정	서광주서	371
김민정	대구서	404
김민정	상주서	421
김민정	금정서	440
김민정	동래서	442
김민정	북부산서	446
김민정	해운대서	455
김민정	동울산서	456
김민정	마산서	465
김민정	양산서	466
김민정	진주서	468
김민정	진주서	469
김민정	법인화우	57
김민제	국세청	128
김민조	고양서	294
김민주	기재부	77
김민주	기재부	86
김민주	국세청	119
김민주	서울청	143
김민주	서울청	146
김민주	금천서	172
김민주	남대문서	174
김민주	성동서	194
김민주	영등포서	204
김민주	잠실서	211
김민주	종로서	212
김민주	원주서	273
김민주	서인천서	290
김민주	인천서	293
김민주	익산서	388
김민주	대구청	396
김민주	서대구서	408
김민주	경산서	412
김민주	김천서	419
김민주	부산진서	444
김민주	통영서	473
김민준	북대전서	324
김민준	구미서	416
김민준	성서	473
김민준	지방재정	498
김민중	인천서	293
김민지	기재부	86
김민지	기재부	88
김민지	국세청	120
김민지	구로서	170
김민지	남대문서	176
김민지	동작서	182
김민지	반포서	187
김민지	종로서	212
김민지	종로서	213
김민지	익산서	389
김민지	동울산서	456
김민지	양산서	467
김민진	미래회계	14
김민진	기재부	88
김민진	기재부	90
김민진	역삼서	202
김민진	잠실서	210
김민진	금정서	440
김민진	수영서	450
김민창	대구청	396
김민채	마산서	464
김민철	구리서	230
김민철	광주청	361
김민철	상주서	420
김민표	중부청	229
김민혁	경주서	414
김민형	기재부	85
김민형	금천서	173
김민형	서인천서	290
김민형	논산서	330
김민혜	관악서	168
김민호	기재부	85
김민호	중부청	228
김민호	대구청	400
김민호	인천세관	488
김민후	광주청	358
김민후	창원서	471
김민후	법무광장	52
김민희	양천서	201
김민희	남양주서	234
김민희	수원서	245
김민희	인천청	283
김민희	파주서	311
김민희	동래서	442
김반디	안산서	251
김반석	국세교육	136
김방민	북부산서	447
김백규	남인천서	286
김범구	국세청	127
김범석	기재부	82
김범석	기재부	90
김범석	고양서	295
김범석	고시회	31
김범수	삼척서	267
김범수	조세재정	502

이름	소속	쪽	이름	소속	쪽	이름	소속	쪽	이름	소속	쪽	이름	소속	쪽
김범재	동안양서	238	김병휘	서울청	156	김봉재	광명서	297	김상운	삼일회계	16	김석원	용인서	254
김범전	국세청	118	김병희	부천서	304	김봉재	목포서	375	김상원	서울청	143	김석일	원주서	273
김범준	금감원	98	김보경	서울청	144	김봉조	마산서	464	김상원	수원서	147	김석제	수원서	244
김범준	마포서	185	김보경	관악서	169	김봉조	국세청	119	김상원	역삼서	203	김석주	용인서	254
김범준	인천세관	487	김보경	구로서	171	김봉조	서초서	193	김상윤	인천청	285	김석준	평택서	258
김범채	삼척서	266	김보경	동화성서	261	김봉준	부산청	436	김상은	반포서	187	김석진	딜로이트	13
김범철	국세청	117	김보경	서인천서	291	김봉진	예산서	341	김상이	서울청	153	김석찬	국세상담	134
김법열	남원서	384	김보경	천안서	342	김봉진	부산서	434	김상인	국세청	122	김석채	제천서	351
김별나	구로서	170	김보경	해운대서	455	김봉찬	서울청	156	김상일	서울청	159	김석현	대전서	322
김별아	중부청	226	김보경	김해서	462	김봉한	금감원	102	김상조	동대구서	405	김석호	남대구서	402
김별진	서울청	151	김보균	국세상담	135	김봉호	남인천서	286	김상진	인천청	285	김석환	북부산서	446
김병구	원주서	272	김보균	연수서	306	김봉희	종로서	212	김상진	대전청	317	김석훈	국세청	131
김병국	삼정회계	18	김보나	동수원서	236	김부석	부산진서	444	김상진	조세심판	501	김선	동화성서	261
김병국	삼정회계	18	김보나	인천청	284	김부일	동울산서	456	김상진	예일법인	44	김선	지방재정	499
김병규	인천청	283	김보남	광교법인	35	김부자	대구청	397	김상천	성동서	194	김선경	강동서	164
김병규	파주서	310	김보라	도봉서	178	김분숙	북부산서	447	김상철	삼성서	189	김선경	전주서	390
김병기	서울청	160	김보라	종로서	213	김분희	중부청	222	김상철	중부청	229	김선경	안동서	422
김병기	평택서	259	김보라	중부서	216	김봉호	충주서	354	김상철	서인천서	290	김선경	김해서	462
김병기	서광주서	371	김보라	남인천서	287	김빛누리	동고양서	301	김상철	순천서	376	김선광	금정서	441
김병기	진주서	468	김보람	춘천서	275	김빛마로	조세재정	502	김상철	영덕서	424	김선근	중부청	222
김병래	도봉서	178	김보람	남인천서	287	김빛마로	조세재정	503	김상태	세안법인	43	김선기	대전청	321
김병래	포천서	313	김보람	제천서	350	김사라	북부산서	446	김상태	대전청	320	김선기	해운대서	455
김병로	금천서	173	김보람	광주청	361	김산	삼척서	267	김상태	남대구서	402	김선길	기재부	84
김병만	강서서	167	김보람	조세심판	501	김삼규	대구청	396	김상헌	구미서	417	김선덕	역삼서	203
김병모	남대구서	402	김보미	강남서	163	김삼수	대전청	319	김상혁	성동서	195	김선도	금천서	173
김병목	삼일회계	17	김보미	구로서	170	김삼용	서초서	193	김상혁	수원서	244	김선돌	서산서	335
김병삼	전주서	390	김보미	영등포서	205	김삼원	익산서	388	김상현	종로서	213	김선득	광교법인	36
김병삼	부산청	438	김보미	기흥서	233	김삼중	은평서	209	김상현	화성서	263	김선량	종로서	212
김병석	동작서	183	김보미	수원서	245	김상걸	서대문서	190	김상현	예산서	340	김선면	국세교육	136
김병석	남대구서	402	김보미	화성서	262	김상곤	서울청	151	김상현	순천서	376	김선명	중부세무	29
김병선	동작서	182	김보미	화성서	263	김상곤	조세심판	500	김상현	포항서	428	김선명	고시회	31
김병선	동래서	442	김보미	북인천서	289	김상구	남부서	384	김상현	부산청	436	김선문	청주서	352
김병섭	분당서	240	김보미	서인천서	291	김상균	북인천서	288	김상현	조세재정	503	김선미	서울청	157
김병성	서울청	140	김보미	대전서	322	김상균	고양서	294	김상현	삼덕회계	15	김선미	남대문서	176
김병수	중기회	111	김보미	제천서	350	김상균	남대구서	404	김상형	기재부	88	김선미	동대문서	181
김병수	강동서	164	김보미	군산서	383	김상균	경산서	413	김상호	영등포서	204	김선미	대전청	320
김병수	파주서	310	김보미	서부산서	448	김상근	중부서	216	김상호	순천서	377	김선미	서대구서	408
김병수	포항서	429	김보배	구미서	417	김상근	안동서	422	김상훈	기재부	81	김선미	부산청	438
김병수	부산서	435	김보석	성북서	196	김상기	경주서	415	김상훈	기재부	91	김선민	조세재정	503
김병수	서부산서	448	김보석	부산청	434	김상길	관악서	168	김상훈	국세청	119	김선민	김천서	418
김병수	진주서	468	김보성	서초서	192	김상덕	경기광주	248	김상훈	안산서	250	김선봉	부천서	304
김병순	정진세림	24	김보성	동안양서	239	김상덕	양산서	466	김상훈	홍성서	345	김선수	국세청	117
김병식	국세청	117	김보성	세종서	337	김상돈	택스홈	42	김상훈	서광주서	370	김선순	중부서	216
김병식	서대전서	327	김보성	인천세관	488	김상동	국세청	127	김상훈	순천서	376	김선아	기재부	82
김병옥	서울청	140	김보송	도봉서	178	김상련	포항서	429	김상훈	포항서	428	김선아	국세청	113
김병우	동작서	183	김보연	서울청	154	김상록	동안양서	238	김상훈	동래서	442	김선아	관악서	168
김병우	김해서	462	김보연	서대문서	190	김상린	예산서	341	김상훈	법무광장	52	김선아	서대문서	191
김병욱	국회정무	68	김보연	양천서	200	김상만	인천서	292	김상희	삼정회계	19	김선아	송파서	198
김병욱	대구청	399	김보연	영등포서	205	김상목	역삼서	202	김상희	송파서	198	김선아	양천서	201
김병욱	수성서	410	김보영	화성서	262	김상무	경주서	415	김상희	용산서	206	김선아	용인서	255
김병욱	수영서	450	김보영	구로서	171	김상문	감사원	70	김상희	서대구서	408	김선아	서인천서	291
김병윤	관악서	169	김보영	금천서	173	김상문	분당서	240	김상희	구미서	416	김선애	기재부	84
김병윤	동래서	442	김보영	평택서	259	김상민	수원서	245	김상희	김해서	462	김선애	평택서	258
김병인	서부산서	449	김보영	서산서	334	김상민	화성서	263	김새날	기재부	89	김선애	광명서	297
김병일	성남서	243	김보운	서울청	145	김상민	포천서	312	김새미	서울청	169	김선애	대전서	322
김병일	북대전서	325	김보원	고양서	294	김상민	광주청	361	김새봄	중부청	223	김선엽	조세심판	501
김병주	중부청	225	김보윤	서울청	143	김상배	국세청	126	김생분	인천청	284	김선영	기재부	85
김병주	북전주서	386	김보윤	강남서	459	김상범	중부청	222	김서경	국세청	252	김선영	동대문서	180
김병주	양산서	466	김보정	경산서	413	김상분	경주서	415	김서광	삼성서	188	김선영	마포서	185
김병준	금천서	172	김보정	기재부	85	김상분	남대구서	402	김서란	기재부	78	김선영	중부청	222
김병준	법무광장	52	김보현	광주청	359	김상선	관악서	169	김서미	서울청	247	김선영	화성서	262
김병진	강서서	167	김보현	금정서	440	김상섭	대구청	398	김서안	강남서	163	김선영	인천청	283
김병찬	은평서	208	김보혜	국세청	126	김상수	국회정무	67	김서연	역삼서	202	김선영	포천서	312
김병찬	북인천서	289	김보혜	서대전서	326	김상숙	대전청	317	김서연	역삼서	203	김선영	북대전서	324
김병찬	김해서	463	김보희	울산서	458	김상순	중부산서	452	김서영	서울청	145	김선영	군산서	382
김병찬	중부세무	29	김복기	북전주서	387	김상식	인천세관	488	김서영	서대문서	191	김선영	서대구서	408
김병창	김해서	462	김복래	인천청	281	김상아	시흥서	246	김서영	포항서	428	김선영	구미서	417
김병채	중부세무	29	김복선	청주서	352	김상연	서울청	159	김서영	조세재정	502	김선우	인천서	292
김병철	기재부	77	김복성	익산서	388	김상연	동울산세관	483	김서우	서울청	145	김선웅	구리서	230
김병철	국세청	131	김복임	포항서	428	김상엽	기재부	82	김서은	시흥서	247	김선유	나주서	372
김병철	서대전서	326	김복헌	동고양서	300	김상엽	국세청	119	김서이	양천서	201	김선율	강남서	162
김병철	청주서	352	김복희	서울청	147	김상엽	동래서	443	김서정	중부청	229	김선이	용인서	255
김병철	영덕서	425	김봄	기흥서	233	김상영	부산진서	445	김서준	기재부	89	김선이	북부산서	446
김병철	마산서	465	김봄	용인서	254	김상옥	동수원서	236	김서중	기재부	85	김선인	기재부	81
김병철	조세심판	500	김봉규	서울청	158	김상온	구미서	416	김서현	강동서	164	김선인	국세상담	134
김병헌	부산세관	490	김봉기	이천서	256	김상용	동화성서	260	김서현	정읍서	392	김선일	서울청	150
김병현	서울청	155	김봉범	강남서	163	김상용	남양주서	235	김서형	광산서	364	김선임	광산서	305
김병현	의정부서	308	김봉수	구리서	230	김상우	대구청	397	김서희	서대구서	408	김선임	동작서	182
김병홍	국세청	114	김봉수	서대구서	408	김상우	남대구서	403	김서희	영등포서	204	김선임	중부산서	452
김병환	기재부	81	김봉수	부산청	439	김상우	서부산서	448	김석규	국세교육	30	김선자	논산서	331
김병환	동수원서	236	김봉승	대구청	400	김상욱	서울청	151	김석동	구리서	230	김선장	평택서	259
김병환	서현이현	7	김봉완	남인천서	289	김상욱	전주서	390	김석모	울산서	458	김선재	원주서	272
김병활	수영서	451	김봉완	인천청	284	김상욱	북부산서	447	김석민	남대구서	403	김선재	조세재정	503
김병훈	대전서	322	김봉재	국세청	120	김상운	경주서	415	김석우	국세청	113	김선정	국세상담	134
김병훈	북대구서	407	김봉재	국세청	129				김석우	관세청	477	김선정	국세상담	135
김병훈	경주서	414							김석운	조세재정	502	김선정	반포서	186

이름	소속	쪽
김선정	조세재정	502
김선종	시흥서	246
김선주	기재부	86
김선주	서울청	152
김선주	동작서	183
김선주	반포서	187
김선주	대전서	322
김선주	전주서	391
김선중	시흥서	246
김선중	구미서	417
김선중	딜로이트	13
김선진	동대문서	180
김선진	순천서	376
김선태	지방재정	499
김선하	국세청	128
김선학	논산서	331
김선한	송파서	199
김선향	남대문서	174
김선혁	수영서	450
김선호	잠실서	211
김선화	동작서	182
김선화	성북서	197
김선화	송파서	198
김선화	중부청	223
김선화	동안양서	239
김선화	인천청	280
김선희	조세재정	502
김선희	국세청	116
김선희	은평서	209
김선희	시흥서	246
김선희	북광주서	368
김선희	동울산서	456
김설화	신대동	48
김성경	속초서	269
김성곤	남부천서	302
김성국	법인하나	41
김성균	대구청	399
김성근	국세교육	137
김성근	중부청	228
김성근	군산서	382
김성기	국세청	114
김성기	국세청	122
김성기	서울청	146
김성기	김포서	299
김성기	중부산서	452
김성기	동울산서	457
김성기	지방재정	498
김성길	중부청	224
김성길	안양서	253
김성대	서울청	148
김성덕	마포서	184
김성덕	성북서	189
김성덕	성북서	197
김성도	동작서	182
김성동	의정부서	309
김성동	조세재정	502
김성두	동작서	182
김성래	동작서	143
김성렬	서산서	335
김성록	북인천서	289
김성면	제주서	475
김성묵	은평서	208
김성문	서울청	149
김성문	중부청	225
김성미	강남서	163
김성미	마포서	185
김성미	중부청	222
김성미	수원서	244
김성민	국세청	115
김성민	국세청	119
김성민	국세청	125
김성민	국세상담	135
김성민	속초서	269
김성민	천안서	342
김성민	남대구서	403
김성민	통영서	473
김성범	국세청	131
김성범	동안양서	239
김성범	양산서	471
김성복	대구세관	493
김성봉	한국관세	46
김성선	성동서	195
김성수	성북서	196
김성수	안산서	251
김성수	속초서	268
김성수	북광주서	369
김성수	경산서	412
김성수	수영서	450
김성수	김해서	463
김성수	양산서	467
김성수	인천세관	486
김성숙	예일법인	44
김성숙	용산서	207
김성순	상주서	420
김성식	안양서	252
김성실	서울청	160
김성연	인천서	293
김성연	천안서	342
김성연	수영서	451
김성연	제주서	474
김성연	상공회의	110
김성열	남대문서	177
김성열	안산서	250
김성열	수성서	410
김성엽	세종서	337
김성엽	동래서	442
김성엽	조세심판	501
김성영	국세청	114
김성영	연수서	306
김성영	삼일회계	16
김성오	북대전서	325
김성오	제주서	475
김성완	지방재정	499
김성용	기재부	84
김성용	동작서	183
김성용	익산서	389
김성우	김감원	101
김성우	종로서	213
김성우	남양주서	235
김성우	남대구서	402
김성우	상주서	420
김성욱	기재부	74
김성욱	기재부	86
김성욱	기재부	87
김성욱	서울청	152
김성욱	강남서	163
김성욱	성동서	195
김성웅	기재부	80
김성웅	기재부	91
김성율	삼성서	189
김성은	성동서	195
김성은	분당서	240
김성은	보령서	332
김성은	대구서	396
김성은	제주서	474
김성이	부산진서	444
김성일	국세청	122
김성일	남대문서	174
김성재	인천청	282
김성제	대구청	400
김성조	금융위	93
김성종	영덕서	425
김성주	삼성서	188
김성주	송파서	199
김성주	익산서	388
김성주	제주서	474
김성주	인천세무	30
김성주	인천세무	30
김성준	국세청	124
김성준	파주서	310
김성준	세종서	336
김성준	광주청	360
김성준	부산청	433
김성준	수영서	451
김성준	제주서	474
김성준	한국관세	46
김성중	지방재정	498
김성진	감사원	70
김성진	기재부	85
김성진	기재부	86
김성진	기재부	90
김성진	금융위	93
김성진	국세청	124
김성진	국세청	127
김성진	서울청	152
김성진	도봉서	178
김성진	동대문서	180
김성진	마포서	184
김성진	서대문서	191
김성진	잠실서	211
김성진	화성서	263
김성진	포천서	313
김성진	순천서	376
김성진	수성서	410
김성진	부산청	433
김성진	부산서	437
김성진	인천세관	487
김성찬	서부산서	449
김성채	기재부	80
김성철	기재부	86
김성철	북인천서	288
김성철	부산서	432
김성철	광교법인	36
김성태	대구세관	494
김성택	거창서	460
김성표	금천서	172
김성필	서울청	159
김성하	안동서	423
김성한	국세청	115
김성한	서울청	147
김성향	서울청	154
김성향	송파서	199
김성혁	천안서	469
김성현	서초서	193
김성현	수원서	244
김성현	삼정회계	19
김성협	서대구서	408
김성호	국세청	123
김성호	서울청	156
김성호	서초서	192
김성호	송파서	199
김성호	중부청	221
김성호	시흥서	247
김성호	용인서	255
김성호	북광주서	368
김성호	대구서	399
김성호	구미서	417
김성홍	포항서	428
김성홍	거창서	461
김성환	서울청	154
김성환	역삼서	202
김성환	영동서	348
김성환	부산진서	445
김성환	법무광장	52
김성훈	기재부	83
김성훈	중부청	222
김성훈	기흥서	232
김성훈	원주서	272
김성훈	부산청	433
김성훈	광주세관	496
김성희	기재부	89
김성희	기재부	89
김성희	서울청	142
김성희	양천서	201
김성희	영등포서	204
김성희	파주서	310
김성희	광주청	363
김성희	포항서	429
김성희	김해서	462
김성희	인천세관	488
김세건	의정부서	309
김세곤	광주청	358
김세권	기재부	417
김세기	동수원서	236
김세나	광주서	367
김세라	국세청	117
김세령	용산서	207
김세령	아산서	338
김세리	기재부	80
김세린	금천서	173
김세명	포천서	313
김세민	국세교육	136
김세빈	관악서	168
김세빈	반포서	187
김세연	동안양서	238
김세연	공주서	328
김세연	전주서	390
김세영	고양서	295
김세영	창원서	470
김세온	서대구서	409
김세옥	대전서	322
김세운	중부산서	452
김세웅	전주서	391
김세원	목포서	374
김세원	조세재정	503
김세은	기재부	80
김세은	서인천서	290
김세은	양산서	466
김세인	조세재정	503
김세일	국세상담	134
김세종	잠실서	210
김세진	부산청	437
김세진	구미서	417
김세철	서울청	158
김세현	중부서	217
김세현	수성서	411
김세현	거창서	460
김세호	원주서	272
김세호	대전서	322
김세환	서울청	145
김세훈	서울청	159
김세훈	안산서	251
김세훈	영덕서	425
김세희	서울청	153
김세희	청주서	353
김소나	서울청	161
김소담	서초서	192
김소담	북인천서	289
김소라	남대문서	174
김소라	서초서	192
김소리	반포서	186
김소리	평택서	258
김소망	순천서	376
김소민	청주서	352
김소민	기재부	85
김소연	서울청	149
김소연	강남서	163
김소연	남대문서	176
김소연	서초서	192
김소연	성동서	194
김소연	영등포서	204
김소연	영등포서	205
김소연	중랑서	215
김소연	동수원서	236
김소연	평택서	259
김소연	동화성서	261
김소연	속초서	269
김소연	남인천서	286
김소연	광명서	296
김소연	의정부서	309
김소연	세종서	336
김소연	영도서	349
김소연	동대구서	404
김소연	김천서	418
김소연	부산청	435
김소연	금정서	441
김소영	국세청	118
김소영	서울청	141
김소영	강남서	162
김소영	관악서	168
김소영	관악서	168
김소영	수원서	244
김소영	수원서	245
김소영	동화성서	260
김소영	화성서	262
김소영	북전주서	386
김소영	전주서	390
김소영	부산청	438
김소영	북부산서	447
김소윤	삼척서	266
김소윤	서인천서	291
김소정	중부서	216
김소정	중부청	221
김소정	의정부서	308
김소정	시흥서	246
김소현	원주서	273
김소현	남부천서	303
김소현	안동서	422
김소현	택스홈	42
김소희	서울청	160
김소희	강동서	165
김소희	성동서	195
김소희	송파서	198
김소희	구미서	417
김솔	동작서	182
김솔	동래서	443
김송심	북광주서	369
김송연	남대구서	402
김송영	영덕서	425
김송이	중부청	226
김송이	기흥서	232
김송이	안산서	251
김송정	인천서	292
김송주	안양서	253
김수경	기재부	90
김수경	동작서	183
김수경	중랑서	214
김수경	북인천주서	386
김수경	정읍서	392
김수남	남대구서	402
김수남	제주서	475
김수랑	영동서	349
김수미	평택서	258
김수민	도봉서	179
김수민	성남서	242
김수민	북인천서	288
김수민	서인천서	290
김수민	서대전서	326
김수민	서광주서	370
김수민	수성서	410
김수민	제주서	474
김수복	인천세관	487
김수빈	서초서	192
김수빈	성북서	197
김수빈	고양서	294
김수빈	예산서	341
김수빈	인천청	423
김수상	중부청	220
김수아	기재부	74
김수아	중부청	225
김수아	북인천서	289
김수연	도봉서	179
김수연	성동서	195
김수연	역삼서	203
김수연	용산서	206
김수연	수원서	244
김수연	동화성서	261
김수연	화성서	263
김수연	인천서	293
김수연	동래서	443
김수연	수영서	451
김수연	진주서	468
김수열	국세청	119
김수영	기재부	86
김수영	서울청	145
김수영	구로서	171
김수영	성북서	196
김수영	구리서	230
김수영	고양서	294
김수영	김포서	298
김수영	대전청	318
김수영	광산서	365
김수영	금정서	441
김수옥	논산서	331
김수용	국세상담	134
김수용	서울청	159
김수용	성동서	195
김수원	서울청	160
김수원	인천서	292
김수원	예산서	340
김수월	대전청	318
김수인	기흥서	232
김수인	충주서	355
김수일	용산서	207
김수재	수영서	451
김수정	마포서	182
김수정	역삼서	203
김수정	영등포서	205
김수정	기흥서	232
김수정	동안양서	238
김수정	동안양서	238
김수정	분당서	240
김수정	성남서	242
김수정	인천청	283
김수정	공주서	329
김수정	안동서	423
김수정	영주서	426
김수정	지방재정	499
김수정	조세심판	500
김수종	동수원서	237
김수지	국세청	127
김수지	서울청	159
김수지	시흥서	246
김수지	동화성서	261
김수지	화성서	263
김수지	파주서	310
김수지	지방재정	498
김수진	국세청	114

이름	소속	번호	이름	소속	번호	이름	소속	번호	이름	소속	번호	이름	소속	번호
김수진	서울청	145	김슬기	국세청	115	김신홍	서대전서	327	김연태	기재부	87	김영복	동청주서	346
김수진	강서서	167	김슬기	남대문서	175	김신희	춘천서	274	김연호	화성서	263	김영빈	국세청	124
김수진	금천서	173	김슬기	도봉서	178	김실근	법무율촌	54	김연화	국세청	122	김영빈	서울청	140
김수진	동작서	182	김슬기론	양산서	466	김아경	서대전서	327	김연화	삼척서	266	김영빈	조세심판	501
김수진	마포서	184	김슬빛	동작서	457	김아란	북광주서	368	김연희	송파서	198	김영삼	이천서	256
김수진	반포서	186	김슬지	부산서	434	김아람	시흥서	247	김연희	수원서	244	김영삼	천안서	342
김수진	반포서	187	김승구	용산서	206	김아람	서광주서	370	김연희	대구청	399	김영석	국회정무	67
김수진	서초서	192	김승국	국세청	118	김아름	동래서	443	김연희	서대구서	409	김영석	서울청	150
김수진	종로서	212	김승룡	분당서	240	김아름	이천서	256	김연희	영주서	426	김영석	동작서	182
김수진	중부청	224	김승룡	서초서	192	김아름	인천서	292	김연희	동래서	442	김영석	중랑서	215
김수진	구리서	231	김승모	EY한영	12	김아름	북대전서	324	김영	서초서	192	김영석	중부청	225
김수진	기흥서	232	김승미	중부청	226	김아름	해운대서	454	김영간	세종서	337	김영석	구리서	230
김수진	안산서	251	김승미	창원서	470	김아름	미래회계	14	김영건	국세청	126	김영석	광산서	364
김수진	안산서	251	김승민	국세청	130	김아리수	강서서	166	김영걸	천안서	342	김영선	서대문서	191
김수진	용인서	254	김승민	인천세관	487	김아영	성남서	242	김영경	부산청	434	김영선	중랑서	214
김수진	용인서	255	김승범	용인서	255	김아영	안양서	252	김영경	북부산서	446	김영선	안산서	251
김수진	평택서	259	김승범	논산서	330	김아영	예산서	341	김영관	관세성	479	김영선	대전청	317
김수진	대전청	320	김승석	광주서	366	김아영	여수서	378	김영곤	동수원서	237	김영선	광산서	365
김수진	북대전서	324	김승석	송파서	199	김아영	북대구서	407	김영관	감사원	69	김영섭	서대구서	408
김수진	경산서	412	김승연	여수서	379	김아영	진주서	468	김영관	군산서	71	김영성	중부서	217
김수진	동울산서	456	김승연	기재부	75	김아정	의정부서	308	김영관	군산서	383	김영세	수원서	245
김수진	김해서	463	김승영	익산서	388	김아현	성동서	195	김영교	대전청	320	김영수	기재부	87
김수진	마산서	465	김승용	부산진서	444	김안나	남대문서	177	김영규	김포서	298	김영수	서울청	145
김수진	더택스	39	김승용	제주서	475	김안나	잠실서	210	김영권	동래서	442	김영수	강서서	167
김수창	부산청	436	김승욱	동대문서	181	김안나	대구청	398	김영규	감사원	70	김영수	송파서	198
김수한	국세청	125	김승욱	중부청	227	김안순	이천서	256	김영규	서울청	147	김영수	인천청	282
김수현	삼성서	188	김승원	평택서	258	김안철	목포서	375	김영규	인천서	292	김영수	창원서	470
김수현	국세청	120	김승일	강서서	166	김애라	강동서	164	김영규	북전주서	386	김영숙	서울청	145
김수현	국세청	129	김승일	논산서	440	김애라	부산세	435	김영규	지방재정	498	김영숙	금천서	172
김수현	서울청	144	김승주	삼척서	267	김애령	북전주서	387	김영균	강동서	164	김영숙	남대문서	177
김수현	서울청	150	김승주	대전청	316	김애리	기재부	81	김영균	서산서	334	김영숙	삼성서	189
김수현	강남서	162	김승진	해남서	381	김애숙	분당서	240	김영근	화성서	262	김영숙	삼척서	266
김수현	강서서	166	김승철	경기광주	248	김애숙	광주서	367	김영근	포천서	312	김영숙	인천청	283
김수현	도봉서	179	김승철	부산진서	444	김애심	서광주서	370	김영근	조세심판	501	김영숙	광명서	296
김수현	동작서	182	김승태	기재부	81	김애진	서대구서	408	김영근	광교법인	34	김영숙	북광주서	369
김수현	양천서	201	김승태	국세청	114	김애진	경주서	414	김영기	서울청	141	김영숙	남대구서	402
김수현	용산서	206	김승태	파주서	311	김약수	경주서	352	김영기	남대문서	175	김영숙	부산청	434
김수현	중부서	220	김승태	대전청	319	김양근	서울청	141	김영기	중부청	228	김영숙	중부산서	453
김수현	중부청	222	김승하	조세심판	500	김양래	대전청	323	김영기	대전청	317	김영숙	광산서	364
김수현	안산서	250	김승현	속초서	268	김양미	대전청	318	김영기	포항서	428	김영순	순천서	377
김수현	북대전서	324	김승현	충무서	355	김양미	광주청	359	김영기	서울세관	482	김영승	의정부서	309
김수현	예산서	341	김승현	예일법인	44	김양수	구로서	171	김영기	티앤피	38	김영식	남양주서	235
김수현	대구청	398	김승혜	종로서	213	김양수	송파서	198	김영기	티앤피	129	김영식	서산서	335
김수현	서부산서	448	김승호	태평양	58	김양수	대전청	319	김영길	중기회	111	김영신	감사원	70
김수현	서부산서	448	김승환	삼성서	188	김양수	수영서	450	김영길	조세	335	김영신	도봉서	178
김수현	제주서	475	김승환	제천서	350	김양수	진주서	469	김영남	도봉서	178	김영신	영등포서	205
김수형	서울청	151	김승환	수영서	450	김양수	제주서	474	김영남	아산서	338	김영신	청주서	352
김수호	금융위	93	김승회	지방재정	499	김양언	기재부	75	김영노	인천청	282	김영신	광산서	364
김수호	국세상담	135	김승훈	청주서	352	김양희	기재부	88	김영달	제천서	351	김영아	연수서	307
김수호	북대구서	407	김승훈	김해서	462	김양희	경기광주	248	김영대	기재부	75	김영아	예산서	340
김수환	홍천서	277	김승희	서대문서	190	김양희	부산진서	445	김영대	동청주서	346	김영아	남대구서	403
김수홍	국회재정	64	김승희	인천청	284	김억주	강릉서	264	김영도	경산서	413	김영아	안동서	422
김수희	분당서	240	김승희	김포서	299	김언선	부산진서	444	김영동	영등포서	205	김영애	수원서	244
김수희	목포서	375	김시곤	국세주류	132	김엘리아	광주청	361	김영두	서대구서	474	김영엽	서대구서	408
김수희	지방재정	499	김시근	영주서	426	김여경	중부청	220	김영란	국세청	125	김영엽	광주청	359
김숙	기재부	86	김시백	국세청	117	김여경	수성서	411	김영란	동래서	443	김영옥	기재부	75
김숙	해운서	456	김시아	동작서	182	김여진	은평서	209	김영란	동래서	443	김영옥	구로서	170
김숙기	국세청	121	김시연	제주서	475	김여진	중부청	222	김영래	천안서	342	김영옥	남대문서	176
김숙동	감사원	71	김시영	남대문서	176	김연광	평택서	259	김영록	남대구서	403	김영옥	삼일회계	16
김숙례	양산서	466	김시옥	서인천서	290	김연대	기재부	84	김영면	인천청	423	김영옥	기재부	75
김숙아	서부산서	448	김시욱	종로서	212	김연선	상공회의	110	김영면	강동서	164	김영옥	평택서	259
김숙영	중부서	217	김시윤	강릉서	264	김연선	기재부	83	김영목	서대전서	326	김영운	마포서	184
김숙영	중부청	223	김시윤	통영서	473	김연수	국세청	122	김영무	종로서	213	김영웅	기재부	85
김숙영	성남서	242	김시은	포천서	313	김연수	고양서	295	김영무	의정부서	308	김영웅	금천서	172
김숙자	성동서	194	김시은	동울산서	456	김연수	마산서	464	김영미	서울청	145	김영유	북광주서	369
김숙희	평택서	259	김시일	금감원	105	김연숙	서울청	145	김영미	관악서	168	김영은	기재부	85
김숙희	금정서	440	김시재	그룹토은	37	김연숙	대전청	318	김영미	은평서	209	김영은	북인천서	288
김순근	양천서	200	김시재	그룹토은	129	김연순	대구청	398	김영미	잠실서	210	김영은	서대구서	409
김순남	안동서	422	김시정	경기광주	249	김연순	제주서	474	김영미	동수원서	236	김영은	김해서	462
김순복	대전청	316	김시태	서울청	159	김연신	성북서	197	김영미	인천청	285	김영익	포천서	312
김순석	인천청	281	김시현	중부청	224	김연실	국세상담	135	김영미	광주청	359	김영인	대구청	396
김순석	마산서	464	김시현	부산청	433	김연아	서울청	254	김영미	북대구서	407	김영일	강남서	163
김순아	동수원서	236	김시형	국세청	119	김연이	청수서	352	김영미	부산청	435	김영일	강서서	166
김순영	서울청	145	김시홍	부천서	304	김연자	강동서	164	김영미	동울산서	456	김영일	제천서	350
김순영	중부청	222	김시훈	삼성서	188	김연재	서대문서	191	김영민	기재부	81	김영임	기재부	74
김순영	북인천서	289	김신규	구미서	416	김연정	남양주서	234	김영민	서울청	141	김영임	지방재정	498
김순옥	기재부	79	김신덕	중부청	226	김연종	양산서	466	김영민	동작서	183	김영자	기재부	76
김순옥	서울청	149	김신애	서울청	160	김연종	법무율촌	54	김영민	성북서	196	김영자	북부산서	447
김순옥	성남서	242	김신애	수원서	245	김연주	금천서	173	김영민	수원서	245	김영재	서울청	143
김순자	구미서	416	김신애	경기광주	249	김연주	제주서	475	김영민	화성서	262	김영재	관악서	168
김순정	삼성서	189	김신언	한국세무	27	김연우	금융위	94	김영민	광주청	359	김영재	서인천서	290
김순정	김해서	463	김신우	국세청	119	김연지	강릉서	264	김영민	진주서	468	김영재	고양서	295
김순줄	동울산서	456	김신우	남대문서	175	김연지	파주서	311	김영민	진주서	469	김영조	부천서	305
김순중	남대문서	175	김신자	마포서	184	김연진	동울산서	457	김영민	제주서	474	김영종	서울청	142
김순화	고시회	31	김신정	조세재정	503	김연진	조세심판	501	김영배	국회법제	66	김영종	서울청	144
김스텔라	EY한영	12	김신철	조세심판	500				김영보	광산서	365	김영주	금감원	95

이름	소속	페이지
김윤정	안동서	423
김윤종	남대구서	402
김윤주	남인천서	287
김윤주	의정부서	308
김윤주	여수서	378
김윤주	동울산서	456
김윤지	마산서	464
김윤지	조세재정	503
김윤진	창원서	470
김윤태	지방재정	499
김윤혁	이천서	256
김윤혁	안산서	250
김윤호	서대문서	190
김윤호	북광주서	368
김윤호	대구서	398
김윤호	지방재정	498
김윤환	전주서	391
김윤희	기재부	75
김윤희	기재부	85
김윤희	역삼서	202
김윤희	경기광주	248
김윤희	경기광주	249
김윤희	동화성서	261
김윤희	남인천서	287
김윤희	김포서	299
김윤희	대전서	322
김윤희	광주서	363
김윤희	광주청	363
김율희	성동서	195
김은경	금감원	95
김은경	금감원	104
김은경	국세상담	134
김은경	서울청	143
김은경	남대문서	177
김은경	서초서	193
김은경	시흥서	246
김은경	이천서	256
김은경	의정부서	309
김은경	북대전서	324
김은경	논산서	330
김은경	청주서	352
김은경	청주서	353
김은경	북대구서	407
김은경	서대구서	409
김은경	부산진서	444
김은규	천안서	342
김은기	국세청	116
김은기	인천서	293
김은기	청주서	353
김은령	강서서	167
김은령	은평서	208
김은령	화성서	262
김은미	서울청	144
김은미	광주청	361
김은미	광산서	364
김은미	익산서	388
김은비	부산진서	444
김은서	안산서	250
김은석	금천서	172
김은석	구미서	416
김은선	서울서	156
김은선	삼성서	188
김은선	파주서	310
김은설	동대문서	180
김은성	성남서	243
김은성	지방재정	498
김은솔	광주서	366
김은송	북인천서	288
김은수	중부청	221
김은수	광주서	367
김은수	동울산서	457
김은숙	서울청	141
김은숙	서울청	150
김은숙	구로서	171
김은숙	종로서	212
김은숙	중부청	228
김은숙	동수원서	237
김은숙	목포서	375
김은숙	조세재정	503
김은순	남양주서	234
김은실	동대문서	181
김은실	양천서	200
김은아	기재부	89
김은아	국세청	114
김은아	서울청	143
김은아	마포서	185
김은아	군산서	382
김은애	화성서	262
김은애	서부산서	449
김은연	해운대서	454
김은연	김해서	462
김은영	국세상담	134
김은영	서울청	154
김은영	강남서	162
김은영	강서서	167
김은영	남대문서	174
김은영	남대문서	175
김은영	남양주서	234
김은영	인천청	283
김은영	광주청	359
김은영	북광주서	368
김은영	전주서	391
김은영	남대구서	402
김은영	상주서	420
김은영	북부산서	446
김은영	서부산서	448
김은영	수영서	450
김은옥	인천서	292
김은옥	천안서	342
김은옥	익산서	389
김은윤	영덕서	424
김은의	세종서	336
김은이	중부서	216
김은자	국세교육	136
김은자	종로서	212
김은자	광주청	359
김은정	국세청	128
김은정	서울청	144
김은정	서울청	146
김은정	강동서	165
김은정	금천서	173
김은정	남대구서	175
김은정	도봉서	179
김은정	반포서	186
김은정	삼성서	188
김은정	성동서	194
김은정	평택서	258
김은정	인천청	282
김은정	북인천서	289
김은정	고양서	294
김은정	광주서	367
김은정	익산서	388
김은정	조세재정	503
김은정	예일법인	44
김은주	서울청	141
김은주	반포서	187
김은주	중부청	225
김은주	안양서	252
김은주	용인서	255
김은주	인천청	283
김은주	연수서	307
김은주	북대전서	324
김은주	아산서	338
김은주	북대구서	406
김은주	부산청	435
김은주	해운대서	454
김은주	동울산서	456
김은주	진주서	468
김은중	성동서	194
김은지	동작서	183
김은지	전주서	391
김은진	국세청	114
김은진	국세청	116
김은진	국세청	116
김은진	서울청	144
김은진	서울청	158
김은진	송파서	198
김은진	영등포서	204
김은진	중부청	221
김은진	안양서	253
김은진	여수서	379
김은진	대구청	398
김은채	기재부	87
김은철	서대전서	326
김은하	성동서	194
김은하	부천서	304
김은해	서대문서	191
김은향	인천청	283
김은혜	금천서	172
김은혜	마포서	185
김은혜	양천서	200
김은혜	중부청	228
김은혜	안산서	251
김은혜	대전서	322
김은혜	중부산서	452
김은호	구로서	171
김은호	서초서	192
김은호	중부청	220
김은호	동울산서	456
김은화	남대문서	176
김은화	도봉서	178
김은희	서울청	149
김은희	금천서	173
김은희	서초서	193
김은희	송파서	198
김은희	남양주서	235
김은희	원주서	273
김은희	대전청	317
김은희	광주청	359
김은희	수성서	410
김은희	동래서	442
김을령	북인천서	288
김응남	북대전서	324
김의구	상공회의	109
김의동	동화성서	261
김의성	서부산서	449
김의연	김포서	298
김의영	기재부	85
김의영	동고양서	301
김의영	영주서	426
김의주	조세재정	503
김의중	도봉서	178
김의철	북전주서	387
김의환	김앤장	51
김이규	양산서	467
김이레	대구청	397
김이섭	인천청	285
김이수	천안서	343
김이영	북전주서	387
김이원	수영서	410
김이준	서울청	147
김이한	기재부	83
김이현	기재부	77
김이현	서대전서	326
김이현	해운대서	455
김이화	동고양서	300
김이회	해운대서	454
김익상	부산청	438
김익왕	김포서	299
김익태	구미서	416
김익현	서울세관	483
김익환	관악서	168
김인	서울청	420
김인겸	서울청	140
김인겸	중부청	225
김인경	남부서	217
김인경	영주서	427
김인기	파주서	311
김인덕	대구청	397
김인빈	삼성서	188
김인석	서울청	152
김인성	인천서	292
김인수	서울청	144
김인수	서울청	153
김인수	진주서	468
김인숙	서울청	142
김인숙	양천서	200
김인숙	구리서	230
김인숙	동화성서	261
김인숙	인천청	284
김인숙	북부산서	446
김인승	광산서	365
김인아	서울청	145
김인아	조세재정	502
김인애	경기광주	248
김인애	조세재정	504
김인영	기재부	88
김인욱	김포서	299
김인유	조세재정	503
김인자	남대구서	403
김인재	수영서	450
김인정	남인천서	287
김인주	동울산서	456
김인중	서울청	146
김인중	나주서	372
김인찬	포천서	312
김인천	국세청	118
김인철	화성서	263
김인태	영동서	348
김인혜	동안양서	239
김인호	서대문서	190
김인호	천안서	343
김인홍	강동서	165
김인화	잠실서	211
김인화	세종서	337
김인화	북부산서	446
김인희	인천청	281
김일	지방재정	499
김일권	부산청	438
김일규	북부산서	447
김일도	국세청	131
김일동	서대문서	191
김일두	양천서	201
김일룡	동대구서	404
김일석	순천서	376
김일섭	광교법인	35
김일용	파주서	310
김일우	안동서	422
김일우	안동서	423
김일하	동문서	180
김일한	양산서	467
김일향	해남서	380
김일희	울산서	459
김임경	관악서	169
김임년	국세청	119
김임순	순천서	376
김자경	논산서	330
김자린	인천서	292
김자영	경주서	414
김자헌	대구청	396
김자현	양천서	201
김자회	서광주서	371
김자회	목포서	375
김장관	김해서	463
김장근	은평서	209
김장년	국세청	116
김장석	동울산서	456
김장섭	경기광주	249
김장수	천안서	342
김장수	포항서	428
김장용	대전청	319
김장화	중부세무	29
김장희	지방재정	498
김장훈	기재부	77
김재경	금감원	106
김재경	남부천서	302
김재경	광주서	367
김재경	순천서	377
김재경	조세재정	503
김재곤	양천서	201
김재곤	시흥서	247
김재관	성동서	195
김재관	역삼서	203
김재광	남양주서	235
김재구	대전서	322
김재국	경주서	415
김재권	북인천서	288
김재규	성동서	194
김재균	서울청	144
김재년	거창서	460
김재락	관악서	415
김재락	양천서	200
김재만	목포서	374
김재만	북전주서	386
김재미	포항서	429
김재민	중부청	222
김재민	동고양서	301
김재민	서대전서	327
김재민	경산서	413
김재민	조세재정	504
김재백	서울청	148
김재산	국세청	126
김재석	국세청	118
김재석	인천청	284
김재석	서광주서	370
김재석	목포서	374
김재석	부산세관	491
김재선	인천서	293
김재섭	서대구서	409
김재성	서울청	146
김재성	삼성서	188
김재식	부산세관	490
김재신	감사원	70
김재신	기재부	80
김재실	군산서	383
김재실	성북서	197
김재연	서대구서	409
김재연	포항서	429
김재열	부산청	438
김재영	기재부	76
김재영	영월서	270
김재영	충주서	355
김재영	전주서	391
김재완	기재부	77
김재완	서울청	154
김재완	대전서	322
김재용	영월서	271
김재우	광산서	207
김재욱	국세청	116
김재욱	서울청	140
김재욱	서울청	146
김재욱	중부청	225
김재욱	광주청	359
김재욱	법무광장	52
김재원	기재부	84
김재원	기재부	88
김재원	금천서	173
김재원	광명서	297
김재원	남원서	384
김재윤	구리서	230
김재윤	인천청	281
김재윤	북대구서	406
김재율	예일회계	21
김재율	대전청	317
김재은	북광주서	368
김재은	북광주서	368
김재일	경기광주	249
김재일	안산서	251
김재일	부산세관	489
김재일	부산세관	490
김재준	원주서	273
김재준	북인천서	288
김재준	수영서	451
김재준	진주서	469
김재중	기재부	90
김재중	분당서	241
김재중	인천청	285
김재중	부산청	436
김재진	중기회	111
김재진	서울청	150
김재진	조세재정	502
김재집	기재부	86
김재찬	여수서	378
김재천	천안서	343
김재철	구로서	171
김재철	중부청	219
김재철	중부청	220
김재철	인천청	285
김재철	대전청	316
김재철	창원서	470
김재철	서울세관	482
김재하	서울청	148
김재한	양천서	200
김재한	기재부	84
김재현	국세청	117
김재현	국세청	119
김재현	서울청	151
김재현	서울청	158
김재현	강서서	167
김재현	양천서	200
김재현	중부서	217
김재현	보령서	333
김재현	포항서	429
김재형	금천서	173
김재형	역삼서	203
김재형	중부청	227
김재형	속초서	268
김재형	포항서	428
김재형	서부산서	449
김재호	김감원	97
김재호	서울청	141
김재호	이천서	256
김재호	인천청	284
김재호	부천서	304
김재호	이천서	257
김재홍	대구청	399
김재홍	인천세관	488
김재홍	광주세관	495
김재홍	광주세관	496

이름	소속	번호
김재환	기재부	82
김재환	대전서	323
김재환	광주청	358
김재환	대구청	397
김재환	통영서	472
김재환	제주서	475
김재훈	중랑서	215
김재희	동대문서	180
김재희	수원서	244
김점동	딜로이트	13
김점준	서부산서	449
김정	기재부	79
김정	관세청	479
김정각	금융위	93
김정건	동수원서	237
김정관	중부청	224
김정국	경주서	414
김정국	마산서	465
김정규	기흥서	232
김정근	서울청	157
김정근	대전서	322
김정기	동화성서	261
김정기	인천서	293
김정남	국세청	117
김정남	국세상담	135
김정남	부산청	435
김정남	진주서	468
김정담	역삼서	202
김정대	인천청	283
김정대	북부산서	446
김정도	기재부	76
김정도	수영서	450
김정동	동대문서	180
김정동	남인천서	286
김정란	기재부	86
김정란	관악서	168
김정래	북부산서	446
김정륜	서울세	146
김정림	중부청	222
김정면	통영서	473
김정명	부산진서	445
김정명	조세재정	503
김정목	남대구서	402
김정미	서울청	160
김정미	강서서	167
김정미	구로서	170
김정미	동대문서	180
김정미	동대문서	180
김정미	중부서	216
김정미	경주서	414
김정미	동래서	442
김정민	국세청	114
김정민	강서서	167
김정민	동작서	183
김정민	원주서	273
김정민	진주서	468
김정배	잠실서	210
김정범	종로서	212
김정범	성남서	242
김정범	대전서	323
김정복	법인하나	41
김정분	창원서	470
김정석	정읍서	392
김정석	대구청	400
김정선	국세청	116
김정선	마포서	185
김정선	순천서	377
김정선	지방재정	498
김정섭	역삼서	203
김정섭	경기광주	
김정섭	동고양서	300
김정섭	대전청	319
김정섭	동대구서	404
김정수	기재부	76
김정수	서울청	146
김정수	역삼서	202
김정수	북대전서	324
김정수	서대전서	327
김정수	아산서	338
김정수	김천서	418
김정수	중부산서	452
김정수	지방재정	498
김정숙	서울청	141
김정숙	금천서	172
김정숙	반포서	186
김정숙	서산서	334
김정숙	북대구서	406
김정숙	구미서	416
김정식	영월서	271
김정식	진주서	469
김정실	국세상담	134
김정실	대구청	398
김정아	기재부	77
김정아	북광주서	368
김정아	북광주서	369
김정애	기재부	86
김정연	송파서	199
김정연	광산서	364
김정열	광명서	297
김정엽	김천서	418
김정엽	국세상담	134
김정영	포항서	429
김정오	조세심판	500
김정옥	북대구서	406
김정우	서울청	144
김정우	평택서	259
김정욱	부산진서	444
김정욱	부산세관	490
김정운	경기광주	363
김정운	법인화우	57
김정원	국세청	114
김정원	남인천서	288
김정원	익산서	389
김정원	조세재정	502
김정윤	서울청	149
김정윤	서울청	149
김정윤	고시회	31
김정은	강서서	167
김정은	분당서	241
김정은	수원서	245
김정은	안산서	251
김정은	남광주서	368
김정은	순천서	376
김정은	북전주서	387
김정은	포항서	429
김정은	북부산서	446
김정은	울산서	458
김정은	마산서	464
김정은	조세재정	503
김정은	조세재정	504
김정이	삼정회계	19
김정이	인천청	282
김정인	중부산서	453
김정인	중랑서	214
김정인	광명서	297
김정인	서부산서	449
김정일	강남서	344
김정임	남원서	385
김정주	국세청	115
김정주	부산청	436
김정준	안산서	251
김정진	기재부	75
김정진	송파서	366
김정진	순천서	377
김정철	대구청	397
김정태	대전서	250
김정하	평택서	258
김정학	국세청	114
김정한	서울청	143
김정한	북인천서	288
김정한	경산서	412
김정한	경산서	412
김정혁	고양서	294
김정현	남대문서	176
김정현	부천서	228
김정현	제천서	350
김정현	여수서	379
김정현	부산청	438
김정현	마산서	465
김정현	조세재정	502
김정현	조세재정	504
김정협	김천서	418
김정혜	화성서	263
김정호	서울청	140
김정호	의정부서	309
김정호	광산서	365
김정호	부산청	438
김정호	수영서	451
김정호	삼일회계	16
김정홍	법무광장	53
김정화	서울청	148
김정화	용인서	254
김정환	광산서	364
김정환	국세청	114
김정환	대구청	396
김정환	대구청	398
김정환	동래서	443
김정환	조세재정	503
김정효	동안양서	238
김정효	의정부서	309
김정훈	기재부	74
김정훈	국세교육	136
김정훈	서울청	140
김정훈	안양서	253
김정훈	포천서	313
김정훈	대전서	316
김정훈	동대구서	405
김정훈	지방재정	498
김정흠	강남서	163
김정희	국세청	116
김정희	서울청	147
김정희	양천서	200
김정희	잠실서	211
김정희	동수원서	236
김정희	이천서	257
김정희	삼척서	266
김정희	인천청	283
김정희	여수서	379
김제민	국세청	124
김제봉	의정부서	309
김제석	국세청	121
김제성	서울청	141
김제성	구로서	170
김제은	강남서	162
김제주	연수서	306
김제준	제주서	474
김제현	인천청	285
김조연	고시회	31
김종각	국세청	129
김종갑	지방재정	498
김종곤	서울청	155
김종국	서울청	161
김종규	마포서	185
김종규	국회정무	67
김종근	김천서	419
김종길	부산청	437
김종덕	인천세관	485
김종덕	인천세관	488
김종두	서울청	160
김종락	기재부	80
김종만	국세청	120
김종만	서초서	193
김종만	성동서	194
김종만	동수원서	237
김종면	조세재정	503
김종면	나주서	373
김종명	동울산서	457
김종무	연수서	306
김종문	반포서	187
김종문	북대전서	325
김종민	국회법제	66
김종민	금감원	95
김종민	중부청	226
김종민	충주서	354
김종민	대구청	400
김종복	서울청	153
김종봉	더택스	39
김종빈	서산서	335
김종삼	삼성서	188
김종서	파주서	311
김종석	기재부	80
김종석	서울청	159
김종석	상주서	420
김종석	상주서	421
김종석	포항서	428
김종석	중부산서	452
김종성	기재부	83
김종성	용산서	207
김종성	북대전서	324
김종수	국세청	120
김종수	강남서	163
김종수	대구청	397
김종수	목포서	375
김종승	기재부	75
김종식	양천서	200
김종식	창원서	471
김종신	신대동	48
김종연	남대문서	176
김종연	구미서	416
김종오	정진세림	24
김종오	동울산서	457
김종완	고양서	295
김종요	울산서	459
김종욱	경기광주	249
김종욱	기재부	75
김종욱	수성서	411
김종운	화성서	263
김종운	순천서	376
김종웅	부산청	432
김종원	인천세관	486
김종원	포항서	428
김종원	조세재정	504
김종원	부산청	432
김종윤	국세청	114
김종윤	조세심판	500
김종의	국세청	125
김종인	전주서	391
김종인	남대구서	403
김종일	국세청	119
김종일	국세상담	134
김종일	대전서	316
김종일	목포서	375
김종임	기재부	85
김종재	법인하우	41
김종주	서울청	151
김종주	북인천서	288
김종주	마포서	184
김종진	천안서	343
김종진	부산청	437
김종진	창원서	470
김종철	순천서	376
김종철	북부산서	446
김종철	북부산서	482
김종태	상공회의	110
김종태	안산서	250
김종태	영주서	427
김종택	지방재정	498
김종필	영월서	271
김종학	국세청	120
김종헌	동대구서	404
김종헌	반포서	187
김종현	부산청	436
김종현	영주서	426
김종혁	조세재정	504
김종현	서울청	144
김종현	남양주서	235
김종현	동청주서	346
김종현	경주서	415
김종현	택스홈	42
김종협	서울청	152
김종호	국세주류	132
김종호	남양주서	240
김종호	시흥서	246
김종호	북전주서	386
김종호	부산청	459
김종호	관세청	479
김종화	파주서	310
김종화	충주서	390
김종화	세원법인	43
김종훈	금융위	94
김종훈	중부청	220
김종훈	안산서	250
김종훈	인천청	282
김종훈	서광주서	371
김종훈	상주서	420
김좌근	남대구서	403
김주강	서울청	143
김주덕	삼일회계	16
김주란	중부청	222
김주란	중부청	224
김주란	익산서	388
김주만	용산서	207
김주미	청주서	353
김주민	기재부	81
김주상	순천서	275
김주생	마포서	185
김주석	서울청	158
김주선	북대전서	325
김주섭	연수서	307
김주수	울산서	458
김주식	국세청	114
김주아	남인천서	286
김주애	성북서	196
김주애	남양주서	235
김주언	아산서	338
김주언	기재부	75
김주연	국세청	118
김주연	구로서	171
김주연	중부청	225
김주연	수원서	244
김주엽	관악서	169
김주영	국세재정	64
김주영	국세청	116
김주영	삼성서	188
김주영	잠실서	211
김주영	안산서	251
김주영	공주서	328
김주영	대구청	396
김주영	안동서	423
김주영	북부산서	446
김주영	중부산서	452
김주예	강남서	162
김주옥	삼성서	188
김주옥	시흥서	246
김주욱	화성서	263
김주완	경주서	415
김주완	부산청	433
김주원	기재부	89
김주원	서울청	146
김주원	반포서	186
김주원	중부서	221
김주원	평택서	259
김주원	대구청	399
김주원	서대구서	408
김주일	순천서	376
김주찬	종로서	213
김주찬	속초서	269
김주하	의정부서	309
김주헌	서울청	159
김주헌	국세상담	134
김주현	강동서	164
김주현	금천서	172
김주현	동작서	183
김주현	아산서	338
김주현	광주청	360
김주현	광주서	367
김주현	전주서	390
김주현	서울세무	28
김주현	남양주서	234
김주예	서울청	156
김주호	서현이현	7
김주흥	서울청	151
김주흥	김포서	299
김주홍	김해서	462
김주헌	평택서	258
김주훈	해운대서	454
김주희	성북서	196
김주희	분당서	240
김주희	남인천서	287
김준	금천서	172
김준	삼성서	188
김준기	서울청	160
김준기	고시회	31
김준덕	서현이현	7
김준범	기재부	74
김준범	평택서	258
김준상	잠실서	210
김준석	광주서	367
김준석	전주서	390
김준석	제주서	475
김준섭	기재부	81
김준성	순천서	376
김준성	수영서	450
김준성	조세재정	504
김준수	중랑서	214
김준수	남인천서	286
김준수	해남서	381
김준수	부산청	432
김준식	구미서	417
김준식	남대문서	177
김준연	종로서	213
김준연	북전주서	387
김준영	경주서	414
김준영	금정서	441
김준영	중기회	111
김준영	서울청	140
김준영	중부청	225

이름	소속	번호
김준영	남부천서	302
김준영	영동서	349
김준영	김해서	463
김준영	진주서	468
김준오	이천서	257
김준용	서초서	193
김준우	국세청	131
김준우	서울청	155
김준우	용산서	206
김준우	서대구서	408
김준이	동화성서	261
김준익	북대전서	325
김준철	기재부	84
김준철	마포서	184
김준철	고양서	295
김준태	시흥서	247
김준평	부산청	434
김준하	기재부	79
김준하	삼성서	188
김준하	서대전서	326
김준혁	원주서	272
김준혁	충주서	354
김준현	양산서	467
김준형	남대문서	174
김준형	포천서	313
김준호	국세청	127
김준호	성남서	243
김준호	화성서	262
김준호	서인천서	291
김준호	연수서	307
김준호	동울산서	456
김준호	진주서	468
김준환	연수서	307
김준희	기흥서	232
김준희	동울산서	456
김중규	파주서	310
김중규	보령서	333
김중근	경기광주	249
김중삼	중부청	222
김중석	익산서	388
김중영	영덕서	424
김중재	북인천서	289
김중현	성남서	243
김중훈	마산서	464
김중휘	익산서	388
김지동	서인천서	291
김지만	서초서	193
김지미	남대문서	176
김지민	기재부	79
김지민	국세청	124
김지민	국세청	127
김지민	서울청	144
김지민	중부청	224
김지민	광주청	359
김지민	광광주서	368
김지민	김천서	418
김지민	금정서	440
김지범	구로서	171
김지석	기재부	78
김지선	기재부	89
김지선	동작서	182
김지선	역삼서	202
김지선	종로서	213
김지선	세종서	337
김지성	역삼서	203
김지수	국회재정	63
김지수	기재부	77
김지수	기재부	83
김지수	기재부	84
김지수	강남서	162
김지수	구리서	230
김지수	인천청	283
김지수	김포서	299
김지수	아산서	338
김지수	대구서	396
김지수	광교법인	34
김지숙	북인천서	288
김지숙	서대구서	409
김지아	청주서	352
김지안	부산진서	445
김지암	중부청	220
김지애	부천서	305
김지언	국세상담	135
김지언	안산서	250
김지연	국세청	126
김지연	국세청	127
김지연	서울청	145
김지연	서울청	159
김지연	마포서	184
김지연	삼성서	188
김지연	서대문서	190
김지연	성동서	195
김지연	송파서	199
김지연	영등포서	204
김지연	은평서	208
김지연	종로서	213
김지연	안산서	250
김지연	안산서	250
김지연	평택서	258
김지연	홍성서	344
김지연	경주서	415
김지연	서부산서	448
김지엽	인천청	280
김지영	기재부	85
김지영	기재부	87
김지영	기재부	88
김지영	서울청	140
김지영	서울청	147
김지영	구로서	171
김지영	성동서	194
김지영	성동서	195
김지영	역삼서	203
김지영	안양서	252
김지영	안양서	253
김지영	용인서	254
김지영	이천서	256
김지영	서인천서	291
김지영	고양서	295
김지영	천안서	343
김지완	마포서	185
김지용	북부산서	446
김지우	천안서	342
김지운	삼성서	188
김지웅	충주서	355
김지웅	경주서	414
김지원	기재부	80
김지원	은평서	209
김지원	종로서	212
김지원	중부서	220
김지원	시흥서	246
김지원	동청주서	289
김지원	동대구서	404
김지원	김해서	463
김지원	제주서	475
김지윤	국세청	119
김지윤	강동서	165
김지윤	남대문서	174
김지윤	남대문서	177
김지윤	수원서	244
김지윤	경기광주	248
김지윤	이천서	257
김지윤	서대전서	327
김지윤	대구청	397
김지윤	울산서	458
김지은	기재부	88
김지은	국세청	129
김지은	마포서	184
김지은	성동서	194
김지은	성동서	194
김지은	양천서	201
김지은	중부서	217
김지은	북인천서	289
김지은	인천서	292
김지은	인천서	292
김지은	포천서	312
김지인	경산서	413
김지인	부산청	432
김지인	동고양서	300
김지인	대구성	398
김지태	원주서	273
김지향	화성서	262
김지향	경산서	413
김지혁	의정부서	309
김지현	서울청	145
김지현	강서서	166
김지현	서대문서	190
김지현	양천서	201
김지현	영등포서	204
김지현	용산서	207
김지현	잠실서	211
김지현	종로서	212
김지현	중랑서	215
김지현	중랑서	215
김지현	중부청	224
김지현	중부청	225
김지현	남양주서	234
김지현	동안양서	238
김지현	평택서	259
김지현	남인천서	286
김지현	대전청	292
김지현	광명서	296
김지현	동고양서	300
김지현	대전청	319
김지현	서대전서	326
김지현	여수서	378
김지현	김천서	418
김지현	부산청	432
김지현	부산청	435
김지현	부산청	435
김지현	북부산서	446
김지현	해운대서	454
김지현	거창서	460
김지현	양산서	466
김지현	양산서	466
김지현	제주서	475
김지현	관세청	478
김지현	인천세관	485
김지현	딜로이트	13
김지혜	서울청	141
김지혜	강남서	162
김지혜	강남서	162
김지혜	강동서	165
김지혜	강서서	166
김지혜	마포서	184
김지혜	마포서	185
김지혜	중부서	217
김지혜	중부청	226
김지혜	구리서	231
김지혜	안양서	252
김지혜	동화성서	261
김지혜	서인천서	291
김지혜	서인천서	291
김지혜	의정부서	309
김지혜	파주서	311
김지혜	광주청	362
김지혜	군산서	382
김지혜	북부산서	452
김지혜	택스홈	42
김지호	국세상담	135
김지호	북대전서	325
김지호	광산서	364
김지호	전주서	391
김지홍	전주서	390
김지훈	중부청	219
김지훈	중부청	228
김지훈	중부청	229
김지훈	파주서	310
김지훈	서대전서	327
김지훈	부산청	439
김지희	기재부	82
김지희	충주서	354
김지희	김해서	463
김진	진주서	469
김진갑	동화성서	260
김진건	인천세관	487
김진경	포항서	429
김진경	북대구서	407
김진경	중부산서	452
김진곤	상공회의	110
김진곤	남양서	203
김진관	속초서	269
김진구	용인서	255
김진구	관악서	168
김진국	김포서	299
긴진규	서울청	161
김진규	동대구서	404
김진기	고양서	294
김진기	의정부서	309
김진기	대전청	342
김진달래	잠실서	210
김진덕	중부청	221
김진도	파주서	298
김진도	서대구서	409
김진도	경산서	413
김진도	동울산서	456
김진동	잠실서	210
김진만	속초서	269
김진만	정읍서	392
김진명	기재부	74
김진모	안동서	422
김진뭉	은평서	208
김진문	천안서	343
김진미	서울청	151
김진배	동청주서	347
김진범	서울청	144
김진삼	구리서	231
김진삼	북부산서	447
김진상	동래서	442
김진서	세종서	336
김진석	국세청	118
김진석	남대문서	175
김진석	안산서	251
김진석	부산청	438
김진석	창원서	470
김진섭	의정부서	309
김진성	성북서	197
김진성	홍천서	276
김진세	고시회	31
김진솔	강서서	166
김진수	기재부	78
김진수	기재부	78
김진수	기재부	84
김진수	강동서	165
김진수	마포서	184
김진수	종로서	212
김진수	수원서	244
김진수	춘천서	274
김진수	남원서	384
김진수	김해서	463
김진수	마산서	464
김진수	삼덕회계	15
김진숙	예일법인	44
김진숙	중부청	226
김진술	대전청	319
김진슬	동안양서	238
김진식	서울청	159
김진식	홍성서	344
김진아	역삼서	203
김진아	경기광주	248
김진아	안산서	251
김진아	북인천서	288
김진아	서산서	334
김진아	마산서	465
김진아	조세재정	503
김진업	영주서	426
김진열	국세청	120
김진영	국세청	116
김진영	서울청	150
김진영	기흥서	232
김진영	춘천서	275
김진영	서인천서	291
김진영	세종서	336
김진영	해남서	380
김진영	대구청	399
김진영	부산청	434
김진영	수영서	451
김진영	김해서	462
김진오	평택서	258
김진옥	시흥서	247
김진우	서울청	142
김진우	서울청	143
김진우	중부청	222
김진우	중부청	224
김진우	인천청	283
김진우	해남서	381
김진우	구미서	416
김진우	김해서	462
김진웅	아산서	338
김진원	동고양서	300
김진원	서울세관	483
김진재	광주청	360
김진주	서울청	150
김진주	도분서	178
김진주	경기광주	248
김진주	청주서	352
김진철	익산서	388
김진태	서현이현	7
김진태	서현이현	7
김진헌	국세청	126
김진현	국세청	127
김진현	서대구서	409
김진형	삼정회계	18
김진형	안산서	251
김진형	청주서	353
김진호	서울청	139
김진호	서울청	148
김진호	성동서	194
김진호	안산서	250
김진호	목포서	375
김진호	제주서	475
김진홍	기재부	78
김진홍	국세청	120
김진홍	울산서	459
김진화	강릉서	264
김진화	서산서	335
김진환	성남서	183
김진환	성남서	242
김진환	용인서	254
김진환	서대전서	327
김진환	전주서	391
김진환	대구청	401
김진훈	고시회	31
김진홍	국세청	130
김진희	서울청	147
김진희	강동서	164
김진희	반포서	187
김진희	삼성서	189
김진희	성동서	194
김진희	남양주서	234
김진희	동화성서	260
김진희	강릉서	264
김진희	인천청	283
김진희	남인천서	286
김진희	대전서	323
김진희	순천서	376
김진희	북대구서	406
김진희	법인하나	41
김진희	광교법인	35
김차남	강남서	162
김차돌	구리서	230
김찬	남대문서	175
김찬	화성서	262
김찬규	예산서	341
김찬규	충주서	354
김찬규	삼일회계	16
김찬기	수원서	244
김찬섭	의정부서	308
김찬수	감사원	71
김찬수	안양서	252
김찬우	동안양서	238
김찬우	파주서	310
김찬웅	동대문서	181
김찬일	성북서	197
김찬일	서부산서	448
김찬주	송파서	198
김찬주	광명서	297
김찬중	중부산서	453
김찬태	경주서	415
김찬희	삼성서	189
김찬희	해운대서	455
김찬희	제주서	474
김창구	동대구서	405
김창권	국세청	120
김창근	마포서	185
김창기	기재부	90
김창남	지방재정	499
김창명	송파서	198
김창미	남대문서	175
김창미	평택서	258
김창민	조세재정	504
김창범	송파서	198
김창섭	마산서	465
김창섭	예일법인	44
김창수	양천서	201
김창수	울산서	459
김창순	영동서	349
김창신	부산진서	444
김창열	익산서	389
김창열	중부세무	29
김상영	북대전서	325
김창영	부산청	432
김창영	부산세관	490
김창오	동안양서	239
김창옥	대구세관	494
김창우	분당서	240
김창윤	경기광주	248
김창윤	부산청	436
김창진	광주서	367
김창진	세림법인	173
김창현	인천서	292
김창현	여수서	378

이름	소속	번호	이름	소속	번호	이름	소속	번호	이름	소속	번호	이름	소속	번호
김창현	진주서	468	김태근	북부산서	447	김태은	천안서	343	김푸름	남대문서	175	김항범	부산청	433
김창호	영등포서	205	김태남	안양서	252	김태은	마산서	464	김풍겸	북부산서	446	김항중	연수서	306
김창호	남인천서	286	김태년	국회재정	64	김태익	기재부	86	김필곤	해운대서	455	김해강	익산서	389
김창호	서인천서	290	김태두	동고양서	301	김태익	감사원	71	김필선	정읍서	392	김해경	용인서	255
김창환	서대전서	327	김태랑	송파서	198	김태잉	서울청	157	김필수	대전서	323	김해년	영월서	270
김창환	구미서	416	김태룡	서대구서	409	김태인	북부산서	446	김필순	부산청	435	김해림	강남서	162
김창훈	해남서	380	김태민	마포서	184	김태정	기재부	79	김필식	양산서	466	김해중	김앤장	51
김창희	국세청	125	김태민	삼척서	266	김태정	김해서	462	김필종	은평서	209	김해서	동안양서	239
김창희	국세청	128	김태민	북대구서	406	김태주	기재부	78	김필한	조세심판	501	김해영	서울청	152
김창희	법무광장	53	김태민	양산서	466	김태주	기재부	79	김하강	안산서	250	김해영	동래서	443
김채린	동청주서	347	김태범	이천서	256	김태주	기재부	80	김하나	경기광주	248	김해옥	대구청	398
김채아	용인서	254	김태범	지방재정	498	김태준	강남서	163	김하나	서인천서	290	김해은	성북서	197
김채원	관악서	169	김태서	대전청	317	김태준	광주청	358	김하나	김천서	419	김해은	동래서	442
김채원	중랑서	215	김태석	서울청	144	김태준	삼정회계	19	김하늘	서울청	140	김해인	서울청	146
김채용	중랑서	214	김태석	영등포서	205	김태중	기재부	90	김하니	구리서	230	김해진	양천서	200
김채은	서대구서	408	김태선	남부천서	302	김태중	중부청	219	김하림	서울청	161	김해진	동화성서	260
김채현	동작서	182	김태섭	남대문서	174	김태진	중부청	225	김하림	평택서	259	김햇님	중부청	223
김천섭	영주서	427	김태섭	남대문서	175	김태진	남양주서	234	김하성	인천청	283	김행곤	남원서	384
김천수	동수원서	236	김태성	감사원	70	김태진	순천서	376	김하수	경산서	413	김행복	성북서	196
김천희	조세심판	501	김태성	금감원	106	김태철	창원서	470	김하얀	고양서	295	김행순	잠실서	210
김철	금천서	172	김태성	국세청	131	김태헌	청주서	352	김하연	반포서	186	김행은	통영서	472
김철	수영서	450	김태성	구리서	230	김태헌	해운대서	454	김하연	은평서	209	김향미	중부청	221
김철	EY한영	12	김태성	포항서	428	김태현	삼성서	189	김하연	서현이현	7	김향숙	성북서	196
김철권	종로서	212	김태성	진주서	468	김태현	서초서	193	김하영	서울청	252	김향숙	북인천서	289
김철민	서울청	148	김태성	삼일회계	17	김태현	안산서	250	김하영	남대구서	402	김향주	국세청	129
김철민	서초서	193	김태수	국세청	117	김태현	화성서	263	김하영	지방재정	498	김향주	인천청	281
김철수	남원서	384	김태수	거창서	461	김태현	국세청	118	김하영	조세재정	504	김향희	북대구서	406
김철연	상주서	421	김태수	창원서	471	김태형	국세청	127	김하영	예일법인	44	김헌국	서초서	192
김철웅	국세청	115	김태숙	창원서	470	김태형	서울청	159	김하원	광명서	297	김헌규	부산서	438
김철태	북부산서	447	김태순	기재부	81	김태형	송파서	199	김하은	춘천서	274	김헌규	양천서	200
김철현	기재부	79	김태순	대전청	318	김태형	동수원서	236	김하중	서울청	155	김헌우	경기광주	249
김철현	은평서	209	김태순	해운대서	455	김태형	김포서	298	김학관	강동서	164	김혁	인천세관	486
김철호	의정부서	308	김태식	과천서	166	김태형	안동서	422	김학규	부천서	305	김혁	영등포서	205
김철호	광주청	361	김태식	진주서	468	김태형	기재부	87	김학규	대구세관	493	김혁	파주서	310
김철호	나주서	373	김태양	조세재정	504	김태호	금감원	106	김학규	대구세관	494	김혁	인천세관	485
김철호	예일법인	44	김태양	조세재정	504	김태호	국세상담	134	김학민	청주서	361	김혁	인천세관	488
김철홍	부천서	305	김태언	서울청	155	김태호	남대문서	176	김학선	국세청	121	김혁동	대구청	399
김청일	서울청	141	김태연	기재부	81	김태호	목포서	375	김학송	중부청	224	김혁준	태평양	58
김초롱	분당서	241	김태연	상공회의	109	김태호	대구청	395	김학수	순천서	377	김혁준	대구청	400
김초아	종로서	213	김태연	금천서	173	김태호	대구청	396	김학수	전주서	391	김혁준	조세심판	500
김초원	목포서	375	김태연	반포서	186	김태호	동대구서	405	김학수	서현이현	6	김현	관악서	168
김초이	해운대서	454	김태연	수원서	245	김태호	부산청	434	김학영	중랑서	214	김현	강남서	163
김초혜	대전서	322	김태연	속초서	268	김태호	창원서	471	김학욱	북부산서	447	김현	익산서	389
김초희	평택서	258	김태열	나주서	372	김태호	이안법인	45	김학주	삼정회계	18	김현	삼성서	188
김춘성	송파서	198	김태영	동대문서	181	김태환	동고양서	301	김학진	안산서	250	김현경	송파서	198
김춘경	종로서	213	김태영	서초서	192	김태환	대전청	316	김학진	서대전서	326	김현경	시흥서	247
김춘광	남원서	385	김태영	기흥서	232	김태환	정읍서	392	김학효	조세재정	502	김현경	평택서	258
김춘동	동고양서	301	김태영	광명서	296	김태환	북대구서	406	김한결	서울청	148	김현경	인천청	281
김춘례	강동서	164	김태영	파주서	311	김태환	제주서	475	김한경	지방재정	498	김현경	해남서	381
김춘배	서울청	390	김태영	세종서	337	김태효	이천서	257	김한규	동작서	183	김현경	지방재정	499
김춘수	서울청	140	김태영	대구청	396	김태훈	국세청	117	김한근	성동서	195	김현곤	기재부	85
김춘화	시흥서	246	김태영	해운대서	454	김태훈	국세청	124	김한기	딜로이트	13	김현곤	서초서	193
김중국	신승회계	20	김태영	서울세관	481	김태훈	삼성서	189	김한나	북인천서	289	김현구	통영서	472
김중만	서울청	157	김태영	서울세관	482	김태훈	서대문서	191	김한나	북인천서	289	김현기	반포서	186
김중모	안산서	250	김태오	용산서	207	김태훈	서초서	192	김한림	순천서	377	김현기	울산서	459
김중배	이천서	257	김태완	중기회	111	김태훈	용산서	206	김한민	세종서	337	김현도	창원서	471
김중상	남대문서	174	김태완	국세청	116	김태훈	중부청	221	김한범	인천서	293	김현두	국세청	129
김중식	인천세관	487	김태완	김천서	419	김태훈	인천서	292	김한별	부천서	305	김현두	남대구서	403
김중일	거창서	461	김태완	울산서	458	김태훈	광명서	296	김한상	남양주서	235	김현만	삼정회계	19
김중현	영등포서	204	김태완	중부청	220	김태훈	대전청	316	김한석	부산진서	444	김현미	부산진서	445
김치우	영등포서	205	김태용	남인천서	287	김태훈	경주서	414	김한선	중부청	227	김현미	중부청	225
김치율	조세재정	503	김태우	감사원	71	김태훈	영주서	427	김한선	강남서	163	김현미	안산서	250
김치헌	서울청	147	김태우	성동서	195	김태훈	포항서	428	김한솔	북인천서	289	김현미	화성서	262
김치호	국세청	131	김태우	중부청	222	김태훈	부산청	437	김한솔	북인천서	289	김현미	동래서	443
김치호	인천청	284	김태우	구리서	231	김태훈	김해서	462	김한솔	북전주서	386	김현민	성동서	195
김탁현	감사원	71	김태우	동대구서	404	김태희	역삼서	203	김한솔	제주서	474	김현민	중부서	217
김태건	대전청	318	김태우	부산청	434	김태희	남인천서	286	김한수	남양주서	235	김현민	동안양서	238
김태경	기재부	78	김태욱	서울청	150	김태희	인천서	293	김한수	국세세무	30	김현민	김포서	298
김태경	기재부	81	김태운	국세청	114	김태희	연수서	307	김한슬	영등포서	204	김현민	제주서	475
김태경	기재부	81	김태웅	구미서	416	김태희	대구청	396	김한신	부산진서	445	김현배	서부산서	448
김태경	역삼서	202	김태웅	기재부	82	김태희	금정서	441	김한오	관악서	168	김현배	고시회	31
김태경	삼척서	267	김태웅	북인천서	288	김택근	부산청	434	김한올	김포서	298	김현보	동래서	442
김태경	홍천서	277	김태원	국세청	118	김택범	서울청	147	김한올	파주서	310	김현보	역삼서	202
김태경	서광주서	370	김태원	인천청	285	김택우	정읍서	393	김한일	서산서	334	김현서	분당서	241
김태경	창원서	471	김태원	광주청	359	김택우	제주서	475	김한정	국회정무	68	김현서	파주서	311
김태경	법무광장	53	김태원	여수서	378	김택창	서산서	334	김한종	제천서	350	김현석	국세청	123
김태곤	기재부	76	김태원	영덕서	425	김판신	부산청	434	김한준	법무광장	52	김현석	경기광주	248
김태광	지방재정	499	김태원	통영서	473	김판준	국세청	114	김한진	수원서	244	김현석	서울세관	481
김태규	청주서	352	김태윤	기재부	74	김평강	조세재정	504	김한진	인천청	280	김현석	서울세관	482
김태균	역삼서	202	김태윤	반포서	187	김평선	서울청	157	김한진	관세청	478	김현석	법무바른	1
김태균	수원서	245	김태윤	양천서	201	김평섭	부산청	436	김한태	강서서	167	김현선	서울청	141
김태균	천안서	343	김태은	성북서	197	김평호	서초서	182	김한필	기재부	82	김현선	관악서	168
김태균	창원서	470	김태은	동수원서	236	김평화	목포서	374	김항년	기재부	75	김현선	역삼서	202
김태균	태평양	58	김태은	평택서	258	김평화	제주서	475	김항로	서울청	145	김현섭	경주서	415
			김태은	평택서	259	김푸른	국세청	118				김현성	삼척서	266

이름	소속	번호	이름	소속	번호	이름	소속	번호	이름	소속	번호	이름	소속	번호
김현성	광주청	358	김현진	군산서	383	김형준	포항서	429	김혜인	북전주서	387	김환규	국세청	128
김현성	북광주서	369	김현진	기재부	88	김형진	서울청	148	김혜정	국세청	114	김환석	구로서	170
김현성	부산청	432	김현진	서울청	149	김형진	관악서	169	김혜정	국세상담	134	김환옥	군산서	383
김현수	기재부	79	김현진	강동서	164	김형진	부산청	432	김혜정	강서서	167	김환중	통영서	472
김현수	상공회의	109	김현진	잠실서	211	김형진	부산진서	444	김혜정	마포서	185	김환진	용인서	254
김현수	성동서	195	김현진	동안양서	238	김형천	포천서	312	김혜정	마포서	185	김황경	의정부서	308
김현수	남대구서	403	김현진	수원서	244	김형태	서울청	145	김혜정	성동서	195	김회광	군산서	383
김현수	수성서	411	김현진	인천서	293	김형태	서울청	160	김혜정	송파서	199	김회언	부천서	305
김현수	진주서	468	김현진	북광주서	369	김형태	서대문서	190	김혜정	경기광주	249	김회정	창원서	471
김현수	예일회계	21	김현진	나주서	373	김형후	은평서	209	김혜정	북인천서	288	김회창	나주서	372
김현숙	서울청	159	김현진	여수서	378	김형훈	기재부	84	김혜정	연수서	307	김효경	국세교육	137
김현숙	남대문서	176	김현진	정읍서	392	김형훈	부산청	436	김혜정	서광주서	370	김효경	남대구서	402
김현숙	삼성서	188	김현진	포항서	429	김혜경	서울청	145	김혜정	경주서	414	김효근	보령서	332
김현숙	북대전서	324	김현진	부산청	435	김혜경	중부서	216	김혜미	경주서	414	김효근	남원서	384
김현숙	충주서	355	김현진	울산서	458	김혜경	기흥서	232	김혜진	기재부	77	김효남	도봉서	178
김현숙	서대구서	408	김현진	예일법인	44	김혜경	평택서	259	김혜진	국세청	117	김효림	종로서	213
김현숙	경주서	414	김현진	택스홈	42	김혜경	서대전서	326	김혜진	양천서	200	김효림	조세재정	502
김현숙	부산진서	445	김현철	감사원	71	김혜경	순천서	376	김혜진	수원서	245	김효미	성남서	242
김현숙	조세재정	504	김현철	서울청	140	김혜경	북대구서	407	김혜진	경기광주	248	김효민	동울산서	457
김현승	국세청	114	김현철	기흥서	232	김혜경	중부산서	452	김혜진	강릉서	265	김효민	지방재정	498
김현승	이천서	256	김현철	성남서	243	김혜란	영등포서	204	김혜진	인천청	280	김효삼	대구청	398
김현아	남대문서	174	김현철	동고양서	300	김혜란	수원서	245	김혜진	북인천서	289	김효상	도봉서	178
김현아	천안서	342	김현철	광산서	365	김혜란	광주청	362	김혜진	대구청	398	김효상	동작서	182
김현아	동울산서	456	김현철	해남서	380	김혜랑	강동서	164	김혜진	서대구서	409	김효상	구리서	230
김현아	조세재정	503	김현철	부산진서	444	김혜련	기재부	81	김혜진	부산청	434	김효선	충주서	354
김현열	진주서	468	김현철	진주서	469	김혜령	중부청	220	김혜진	북부산서	446	김효섭	성동서	195
김현옥	서초서	193	김현태	관악서	168	김혜령	중부청	227	김혜진	제주서	475	김효수	북광주서	369
김현옥	남원서	385	김현태	대전청	317	김혜령	서인천서	290	김혜현	성동서	195	김효숙	시흥서	246
김현우	서울청	158	김현하	국세청	117	김혜령	서울청	147	김호	성동서	195	김효숙	동래서	442
김현우	남대문서	174	김현호	서울청	141	김혜리	서울청	153	김호	서인천서	290	김효영	동안양서	238
김현우	종로서	212	김현호	중부청	224	김혜리	북부산서	447	김호	부산청	432	김효은	서인천서	290
김현웅	국세청	131	김현호	상주서	420	김혜리	남인천서	287	김호	금정서	440	김효인	남대구서	402
김현웅	대전청	316	김현후	기재부	88	김혜린	창원서	471	김호	북부산서	447	김효일	중부청	225
김현익	기재부	89	김현희	국세상담	134	김혜림	안동서	423	김호겸	홍성서	345	김효정	기재부	87
김현일	기흥서	232	김현희	은평서	208	김혜림	영주서	427	김호국	남대구서	403	김효정	구로서	171
김현일	김포서	299	김현희	북대구서	406	김혜림	제주서	474	김호국	남양주서	234	김효정	금천서	173
김현일	예일회계	21	김형걸	부산청	432	김혜미	서울청	155	김호근	국세교육	136	김효정	남대문서	174
김현자	목포서	374	김형경	청주청	360	김혜미	역삼서	203	김호복	강동서	165	김효정	성동서	195
김현재	서울청	147	김형곤	삼정회계	18	김혜미	공주서	329	김호서	마포서	184	김효정	역삼서	202
김현재	서광주서	370	김형구	기재부	82	김혜미	지방재정	498	김호승	수성서	410	김효정	강릉서	265
김현정	서울청	145	김형국	순천서	377	김혜민	용산서	207	김호승	북부산서	447	김효정	인천청	285
김현정	서울청	156	김형국	포항서	429	김혜민	북광주서	368	김호업	법인하나	41	김효정	아산서	338
김현정	구로서	170	김형규	경기광주	249	김혜빈	기재부	75	김호영	서울청	144	김효정	여수서	378
김현정	구로서	171	김형기	동작서	183	김혜빈	강남서	162	김호영	구리서	230	김효정	울산서	458
김현정	남대문서	174	김형기	부산청	436	김혜빈	송파서	198	김호일	지방재정	499	김효정	지방재정	499
김현정	동대문서	180	김형남	서현이현	7	김혜빈	종로서	212	김호정	중부청	226	김효주	지방재정	498
김현정	반포서	186	김형래	남대문서	177	김혜빈	남인천서	287	김호준	서울청	160	김효진	국세청	118
김현정	반포서	187	김형래	잠실서	211	김혜성	성동서	195	김호진	송파서	199	김효진	서울청	141
김현정	성동서	194	김형래	부산서	432	김혜성	남인천서	286	김호찬	영월서	271	김효진	남대문서	174
김현정	동안양서	238	김형모	상공회의	109	김혜수	역삼서	202	김호현	중부청	224	김효진	동작서	183
김현정	안양서	252	김형묵	성동서	195	김혜수	의정부서	309	김홍경	연수서	306	김효진	양천서	200
김현정	용인서	254	김형민	화성서	262	김혜숙	동대문서	180	김홍균	중부청	220	김효진	중부서	217
김현정	강릉서	264	김형민	마산서	465	김혜숙	동고양서	301	김홍근	대전청	317	김효진	동수원서	237
김현정	수성서	298	김형배	법무울산	54	김혜숙	동고양서	301	김홍기	부산청	437	김효진	남인천서	286
김현정	서광주서	370	김형봉	남부천서	302	김혜연	은평서	209	김홍남	중부청	223	김효진	인천청	293
김현정	순천서	376	김형석	서울청	154	김혜연	인천청	283	김홍란	대전청	318	김효진	전주서	391
김현정	서부산서	407	김형석	강서서	167	김혜연	부천서	304	김홍래	잠실서	210	김효진	울산서	459
김현정	서부산서	448	김형선	안양서	252	김혜영	강서서	167	김홍렬	반포서	187	김효진	통영서	473
김현정	중부산서	453	김형섭	국회재정	63	김혜영	마포서	185	김홍경	부산청	437	김효환	한국세무	27
김현정	창원서	470	김형섭	서울청	160	김혜영	서대문서	191	김홍섭	기재부	89	김효희	광산서	364
김현정	창원서	470	김형섭	부산청	437	김혜영	성동서	195	김홍수	양산서	466	김후영	북부산서	446
김현정	관세청	478	김형섭	서부산서	448	김혜영	성북서	196	김홍식	금융위	93	김훈	동수원서	236
김현종	대전청	320	김형수	성남서	158	김혜영	성북서	196	김홍식	부천서	305	김훈	부천서	305
김현종	논산서	330	김형수	강릉서	265	김혜영	구리서	231	김홍영	의정부서	308	김훈	광주청	358
김현주	서울청	142	김형수	부산청	436	김혜영	남인천서	286	김홍용	국세청	122	김훈	북대구서	407
김현주	강남서	163	김형수	나주서	373	김혜영	광주청	359	김홍주	예일법인	44	김훈	성동서	195
김현주	중부청	223	김형식	서인천서	291	김혜영	남대구서	402	김홍태	서대구서	408	김훈기	중부청	224
김현주	중부청	227	김형연	서광주서	370	김혜영	영덕서	424	김홍태	삼일회계	16	김훈민	속초서	269
김현주	광주청	361	김형욱	강남서	162	김혜영	부산청	433	김화경	광주청	361	김훈수	보령서	332
김현주	전주서	390	김형욱	기재부	77	김혜영	부산진서	444	김화도	남대문서	175	김훈주	예일법인	44
김현주	구미서	416	김형욱	서울청	156	김혜영	통영서	473	김화선	북부산서	446	김훈태	분당서	240
김현주	안동서	422	김형욱	춘천서	275	김혜원	강동서	165	김화숙	서울청	141	김휘리	구미서	416
김현주	부산청	434	김형욱	서내구서	409	김혜원	종로서	212	김화숙	역삼서	203	김휘영	국세청	122
김현주	고시회	31	김형운	택스홈	42	김혜원	중부청	220	김화순	안동서	423	김휘태	인천서	292
김현준	영등포서	205	김형익	기재부	77	김혜원	영동서	348	김화영	해남서	380	김흥곤	남대문서	177
김현준	안산서	251	김형익	제주서	475	김혜원	여수서	379	김화영	진주서	469	김흥곤	서울세관	482
김현준	동고양서	301	김형일	강서서	167	김혜원	창원서	471	김화영	영월서	271	김희겸	국세청	130
김현준	중부산서	452	김형정	서울청	140	김혜윤	인천청	282	김화윤	기재부	88	김희경	서울청	154
김현준	안동서	462	김형묵	김해서	463	김혜윤	조세재정	502	김화정	서초서	192	김희경	반포서	187
김현준	고시회	31	김형주	강동서	164	김혜은	인천청	281	김화정	인천청	282	김희경	남부천서	303
김현중	서대전서	327	김형준	광주청	362	김혜은	연수서	306	김화정	서울청	156	김희경	부산청	435
김현지	서울청	128	김형준	기재부	75	김혜은	군산서	383	김화정	마산서	464	김희곤	국회정무	68
김현지	서울청	143	김형준	강동서	164	김혜은	해운대서	454	김환	동안양서	239	김희관	해남서	380
김현지	중부서	216	김형준	시흥서	247	김혜은	역삼서	203	김환	광주청	358	김희권	대구세관	494
김현지	분당서	240	김형준	이천서	256	김혜인	강릉서	264	김환국	정읍서	392	김희규	인천세무	30
김현지	안산서	251	김형준	원주서	272							김희대	국세청	128

이름	소속	페이지
김희락	구로서	171
김희란	아산서	339
김희련	김해서	463
김희리	관세청	478
김희문	마산서	464
김희봉	북광주서	369
김희석	광주서	367
김희선	국세교육	136
김희선	서초서	192
김희선	성북서	197
김희선	중랑서	214
김희선	중부청	222
김희선	의정부서	309
김희선	부산진서	445
김희수	부천서	304
김희숙	강남서	163
김희숙	중부청	220
김희숙	광주청	359
김희숙	전주서	390
김희애	서울청	146
김희애	울산서	459
김희연	삼성서	189
김희연	양천서	201
김희연	남대구서	402
김희영	동고양서	300
김희영	포천서	312
김희영	대전청	319
김희원	동청주서	347
김희윤	송파서	199
김희은	동안양서	239
김희재	기재부	82
김희재	국세청	116
김희재	강릉서	265
김희정	국세청	116
김희정	강동서	165
김희정	동대문서	180
김희정	반포서	186
김희정	잠실서	210
김희정	잠실서	211
김희정	동고양서	301
김희정	의정부서	309
김희정	목포서	374
김희정	김해서	462
김희주	강동서	164
김희주	의정부서	308
김희준	기재부	81
김희준	서울청	158
김희준	마산서	464
김희중	기재부	76
김희중	중기회	111
김희중	서울청	141
김희지	관악서	169
김희진	서울청	158
김희진	서대문서	191
김희진	인천청	282
김희진	고양서	294
김희진	광주서	367
김희진	동대구서	404
김희창	인천청	292
김희창	충주서	354
김희창	순천서	377
김희철	김앤장	51
김희철	고시회	31
김희태	기재부	77
김희태	북대전서	325
김희태	익산서	389
김희화	중부청	224
김희환	남부천서	303
강영남	반포서	186

ㄴ

이름	소속	페이지
나경아	서울청	148
나경영	서대문서	191
나경태	안양서	253
나경훈	의정부서	309
나교석	서대문서	190
나기석	동화성서	260
나기훈	지방재정	498
나길제	연수서	307
나단비	해운대서	454
나덕희	동안양서	239
나동욱	동안양서	238
나동일	국세청	128
나두영	광주세관	496
나명균	국세청	120
나명수	광교법인	36
나명호	서울청	155
나미선	광산서	365
나민수	서울청	144
나민지	북인천서	289
나병진	지방재정	498
나상곤	기재부	82
나상률	기재부	89
나상일	경주서	414
나석환	삼정회계	18
나선	나선	254
나선영	광주서	367
나선영	의정부서	309
나선회	의정부서	308
나성빈	관악서	168
나소영	목포서	374
나승연	중부청	221
나승도	삼일회계	16
나승운	국세청	117
나승창	광주청	358
나양선	북광주서	369
나영	부천서	304
나영	조세재정	502
나영미	은평서	208
나영수	경기광주	248
나예영	동작서	182
나예영	삼성서	188
나용선	국세상담	135
나용호	동작서	352
나우영	중부서	216
나원주	기재부	84
나유림	김포서	298
나유민	광산서	364
나유빈	안산서	251
나유숙	제천서	351
나유진	청주서	353
나윤미	순천서	376
나윤수	안양서	253
나윤정	기재부	82
나은경	강동서	164
나은비	성남서	242
나은주	청주서	353
나인애	반포서	186
나인엽	광주청	360
나정주	마포서	184
나정학	중랑서	215
나정연	동청주서	346
나정희	영동서	349
나종선	서광주서	370
나종엽	조세심판	500
나종현	동작서	182
나주범	기재부	85
나지유	경주서	414
나진순	서울청	146
나진주	전주서	390
나진희	나주서	373
나진희	조세재정	504
나찬용	남대문서	174
나찬수	인천서	282
나정주	광주청	363
나철호	재정회계	23
나태윤	김해서	288
나한결	강남서	162
나향미	서광주서	370
나한태	인천청	280
나혁균	부천서	304
나현수	수성서	410
나현숙	순천서	377
나형배	안산서	250
나형욱	서광주서	370
나형채	목포서	375
나혜경	영동서	349
나혜진	구리서	230
나환영	강서서	167
나환웅	중부청	225
나희선	용산서	206
나희영	감사원	70
남가영	지방재정	498
남경	북대전서	325
남경민	홍천서	276
남경일	종로서	212
남경자	양천서	201
남경호	부산청	438
남경희	시흥서	246
남관길	동화성서	261
남관덕	서부산서	448
남궁민	남인천서	286
남궁재옥	보령서	332
남궁정	국세청	123
남궁수정	서울청	149
남궁준	종로서	212
남궁순	경기광주	249
남권효	정읍서	393
남근	파주서	311
남기	동울산서	457
남기대	성동서	195
남기범	기재부	74
남기범	예일법인	44
남기선	천안서	343
남기연	수원서	244
남기은	영동포서	204
남기인	인천서	293
남기인	남부천서	302
남기정	기재부	81
남기태	인천청	280
남기현	광주서	366
남기형	충주서	355
남기홍	중부청	222
남다미	강서서	166
남덕현	영월서	270
남도경	고양서	294
남도성	서울청	149
남도욱	도봉서	179
남동국	성남서	242
남동균	북광주서	369
남동석	천안서	342
남동오	기재부	77
남동우	대구청	396
남동진	삼일회계	16
남동현	마산서	464
남동훈	서울청	161
남명균	잠실서	210
남명기	중부청	223
남명정	대전청	316
남무정	국세청	130
남미라	은평서	208
남미정	동수원서	236
남민기	국세청	127
남보라	동청주서	346
남봉근	고양서	295
남상균	국세청	131
남상용	논산서	330
남상준	중부청	225
남상진	순천서	376
남상헌	대구청	399
남상현	국세청	116
남상훈	수성서	410
남석주	여수서	378
남선애	기흥서	232
남성윤	양천서	201
남성준	부산세관	490
남송이	마포서	185
남송이	마산서	464
남수경	기재부	88
남수빈	동래서	442
남수주	성동서	194
남수진	강동서	164
남수진	화성서	263
남숙경	안양서	253
남순옥	기재부	74
남승규	서울청	147
남승오	조세재정	504
남승원	나주서	372
남승호	반포서	187
남애숙	북광주서	368
남연경	삼척서	266
남연주	김해서	463
남연화	조세심판	500
남영안	대구청	395
남영안	대구청	397
남영우	평택서	259
남영우	고양서	294
남영철	서울청	144
남영호	구미서	416
남예나	거창서	461
남예원	남인천서	286
남예진	구리서	231
남옥희	포항서	428
남왕주	광산서	364
남용우	중부청	225
남용훈	EY한영	12
남용희	남대문서	177
남우점	감사원	71
남우창	국세청	117
남우창	국세청	118
남원우	기재부	78
남유승	중부청	227
남유진	국세청	126
남유현	용인서	255
남윤석	부산청	438
남윤수	서울청	157
남윤정	강서서	167
남윤종	영동포서	205
남윤현	이천서	257
남은현	남인천서	287
남은빈	북인천서	288
남은숙	논산서	331
남은영	송파서	199
남은영	인천청	282
남인덕	동울산서	456
남일현	인천청	285
남자세	광주청	358
남장우	강동서	164
남장현	택스홈	42
남전우	강서서	166
남정근	영덕서	424
남정림	춘천서	274
남정민	구미서	416
남정식	부천서	305
남정태	동대문서	180
남정화	양천서	201
남중화	수성서	410
남지연	서울청	142
남지윤	경기광주	248
남지은	동고양서	300
남지현	조세재정	504
남창현	부산청	435
남창현	한국세무	27
남창현	국세청	120
남창훈	부산세관	490
남창훈	상주서	420
남칠현	성동서	194
남태숙	분당서	240
남태연	김앤장	51
남택원	서울청	340
남택진	미래회계	14
남학진	양산서	466
남한섭	기재부	78
남해용	안동서	423
남현두	이천서	256
남현승	서울청	141
남현우	청주서	352
남현정	기흥서	233
남현주	부천서	304
남현철	인천서	292
남현희	국세청	117
남형석	삼일회계	16
남형주	고양서	295
남혜경	동청주서	347
남혜숙	서울청	115
남혜진	성북서	196
남호규	춘천서	274
남호성	서울청	155
남호성	지방재정	498
남호진	반포서	187
남호철	영동포서	205
남화영	은평서	209
남효정	이천서	256
남효주	안동서	422
남효훈	이천서	256
남희욱	포항서	429
노강래	홍천서	277
노강원	잠실서	210
노건호	청주서	353
노걸현	조세재정	502
노경민	동작서	183
노경민	원주서	273
노경수	서울청	152
노경아	중부서	216
노경환	부산세관	490
노계연	서울청	156
노광래	지방재정	499
노광수	중부청	220
노광환	포천서	313
노구영	예산서	341
노규현	동고양서	300
노근석	수영서	450
노근홍	서울세관	482
노금기	상공회의	110
노금기	상공회의	110
노기숙	국세상담	134
노기우	아산서	338
노기원	인천세무	30
노기원	교법인	34
노기항	도봉서	179
노기훈	의정부서	308
노남규	인천청	284
노남종	해남서	381
노도영	군산서	382
노동규	광주청	360
노동렬	국세청	115
노동승	영동포서	205
노동유	동대구서	405
노동율	동울산서	456
노동호	북전주서	386
노명진	북전주서	386
노명환	평택서	259
노명희	강남서	162
노무안	국세청	114
노미경	광주청	360
노미란	양천서	200
노미선	강남서	162
노미향	창원서	471
노미현	양산서	466
노미희	삼성서	189
노민경	서광주서	371
노민욱	울산서	459
노병현	안양서	252
노상우	인천청	281
노석봉	삼성서	188
노성모	강동서	165
노성수	기재부	75
노성은	광주청	358
노성태	동화성서	260
노세영	인천청	281
노세현	금정서	440
노수경	영동포서	205
노수경	조세재정	502
노수연	동대문서	180
노수정	서울청	150
노수지	동화성서	260
노수진	성남서	243
노순창	이천서	256
노순정	인천서	376
노순규	순천서	377
노승옥	용산서	206
노승진	거창서	461
노승현	택스홈	42
노승환	종로서	213
노시교	관세청	478
노시월	순천서	377
노신인	안양서	253
노아령	인천청	283
노아영	동작서	182
노아영	용산서	207
노연섭	관악서	168
노연수	연수서	306
노영기	양산서	466
노영래	기재부	78
노영배	서울청	148
노영석	삼일회계	16
노영실	홍성서	344
노영예	조세재정	502
노영인	강남서	163
노영일	부산청	432
노영하	서울청	349
노영훈	남인천서	287
노예순	기재부	79
노용래	대전청	319
노용승	삼척서	266

ㄴ

이름	소속	페이지
노우성	예산서	341
노우정	마포서	184
노운성	부산청	439
노원준	분당서	241
노원철	국세청	129
노윤주	동래서	442
노윤희	서부산서	448
노은미	남대구서	403
노은복	중부청	223
노은실	기재부	75
노은아	대전청	319
노은영	고양서	295
노은주	광주서	366
노은지	국세상담	134
노은진	김천서	419
노은호	종로서	213
노익환	부천서	304
노익환	광교법인	35
노인선	용산서	206
노인섭	제주서	474
노일호	인천청	285
노일호	남대문서	175
노재동	창원서	471
노재원	동고양서	300
노재윤	남대문서	176
노재진	창원서	470
노재호	관악서	169
노재훈	남인천서	287
노재희	시흥서	246
노정민	국세상담	135
노정민	춘천서	274
노정석	부산청	431
노정석	부산청	432
노정애	서울청	145
노정연	용산서	206
노정운	여수서	379
노정윤	중부청	222
노정택	서울청	147
노정하	경산서	412
노정현	지방재정	498
노정환	강동서	164
노정환	제천서	351
노종근	서부산서	448
노종대	인천서	292
노종영	서울청	158
노종옥	반포서	187
노주아	안산서	251
노주연	보령서	332
노주호	경기광주	248
노준호	공주서	328
노중권	중부청	229
노중현	기재부	83
노지영	조세재정	502
노지원	마산서	465
노지은	용산서	206
노지현	관악서	168
노지형	서울청	148
노지혜	서초서	193
노진명	금정서	441
노진철	구미서	417
노충모	마포서	185
노충환	서울청	144
노태경	수원서	244
노태송	공주서	329
노태순	국세청	130
노태천	분당서	240
노하진	구로서	170
노학종	아산서	338
노학준	해운대서	455
노한가람	동대구서	405
노현민	화성서	263
노현숙	수원서	244
노현아	경기광주	249
노현정	서울청	140
노현정	목포서	374
노현정	안동서	422
노현주	기흥서	233
노현진	구미서	417
노현탁	광주청	360
노혜련	반포서	187
노혜리	관악서	206
노혜선	잠실서	210
노혜원	대전서	322
노혜정	세종서	337
노화정	군산서	383
노희옥	동래서	442

ㄷ

이름	소속	페이지
당만기	삼성서	189
도경민	서초서	193
도규상	금융위	92
도기봉	부산세관	187
도기원	구로서	170
도나리	은평서	209
도림동	북대구서	406
도명선	종로서	213
도명준	천안서	342
도미선	서울청	159
도미영	안동서	423
도민지	서울청	160
도상욱	북대구서	407
도선정	북대구서	407
도성희	남대구서	402
도수정	관악서	168
도승호	연수서	306
도연정	수성서	410
도영희	서대문서	190
도영만	남인천서	287
도영수	국세청	126
도예리	서울청	159
도우형	국세청	115
도유정	역삼서	203
도이광	구미서	417
도인현	대구청	398
도정미	강남서	162
도종호	평택서	259
도종화	기재부	81
도주연	수영서	451
도주현	동안양서	238
도주희	중부청	228
도준혁	창원서	471
도지회	남대구서	402
도진주	제주서	474
도창현	서울청	141
도하정	광주서	366
도해민	서산서	334
도해민	대구청	398
도형종	부산청	438
도형우	종로서	213
도혜순	마포서	185
동남일	남대문서	176
동소연	국세청	125
동철호	서초서	192
두영배	분당서	240
두용균	거창서	461
두준철	중부세무	29
두진국	남대문서	175
두채린	동작서	323
두채린	동작서	183

ㄹ

이름	소속	페이지
라기정	천안서	342
라영채	중부청	223
라송기	전주서	390
라원선	국세청	116
라유성	국세청	116
라지영	서울청	157
류가연	부천서	304
류경아	의정부서	309
류경주	지방재정	498
류경탁	부산세관	490
류광오	잠실서	210
류광선	북대구서	195
류광현	반포서	187
류기석	서울세관	169
류기수	관악서	214
류기연	중랑서	214
류남욱	남대문서	176
류다현	경주서	414
류남욱	기재부	86
류다현	대전청	319
류대현	이천서	256
류대훈	남대문서	175
류동균	강동서	164
류동현	중랑서	214
류두형	성남서	242
류득현	예일법인	44
류득현	예일법인	193
류매란	동고양서	300
류명옥	잠실서	211
류명지	국세청	119
류문환	안양서	253
류미경	부산청	435
류미순	안산서	250
류미한	분당서	240
류병욱	지방재정	498
류병하	광교법인	35
류병호	용산서	206
류상효	대구청	399
류서현	김해서	462
류선아	서대문서	190
류선아	김해서	463
류선주	남대문서	175
류성걸	국재정	64
류성결	대전청	319
류성무	삼일회계	16
류성백	기재부	81
류성열	순천서	376
류성주	동대구서	404
류성현	인천세관	487
류성현	법무광장	53
류세현	북부산서	447
류세현	북대전서	325
류소윤	기재부	82
류송	인천청	284
류수연	중부청	222
류수현	동작서	182
류순영	인천청	282
류승남	강동서	165
류승우	송파서	199
류승우	국세청	125
류승윤	포항서	429
류승윤	안양서	252
류승중	국세청	118
류승현	의정부서	309
류승현	양천서	200
류승혜	동화성서	260
류신우	강릉서	264
류아영	전주서	391
류양훈	조세심판	501
류여경	부천서	304
류연호	서울청	149
류연희	그룹토은	37
류영기	여수서	378
류영길	김포서	299
류영리	국세청	131
류영선	김해서	462
류예림	기흥서	233
류오진	서울청	144
류옥희	서울청	150
류용운	창원서	471
류용환	삼정회계	18
류원석	아산서	339
류은미	순천서	376
류은선	기재부	83
류의지	순천서	377
류인용	동작서	182
류임정	북부산서	446
류자영	의정부서	308
류장곤	역삼서	202
류장식	울산서	458
류장훈	북전주서	387
류재경	홍천서	277
류재리	동대구서	404
류재무	대구청	399
류재영	삼척서	266
류재영	김앤장	51
류재철	인천세관	488
류재현	기재부	77
류재현	중부청	225
류정금	기재부	82
류정란	서초서	192
류정모	국세청	114
류정훈	진주서	469
류제성	청주서	352
류제현	서산서	334
류제형	광주서	366
류종규	전주서	390
류종수	평택서	259
류중성	중부서	216
류중재	중부청	83
류지용	중부청	226
류지윤	해남서	380
류지은	영등포서	204
류지현	서울청	140
류지혜	서울청	155
류지호	잠실서	211
류지호	전주서	386
류지화	택스홀	42
류지훈	목포서	374
류진	국세청	127
류진	용산서	206
류진	광주청	359
류진규	서울청	151
류진수	부산진서	445
류진열	동울산서	457
류진영	남원서	384
류천호	시흥서	247
류충선	국세청	120
류충선	남원서	121
류치선	종로서	213
류태경	진주서	468
류풍년	딜로이트	13
류필수	북전주서	386
류한상	삼성서	189
류한솔	기재부	82
류현수	서울청	149
류현준	강남서	163
류현준	창원서	471
류혜미	부산청	436
류혜미	서울청	161
류호균	해운대서	455
류호림	삼성서	188
류호진	광산서	364
류호진	동고양서	301
류훈민	역삼서	203
류희열	경주서	415
류희정	남대문서	177

ㅁ

이름	소속	페이지
마경진	잠실서	211
마동운	용인서	255
마명희	남대구서	403
마민화	서초서	193
마삼호	대전청	318
마선희	잠실서	210
마성민	남대구서	140
마성혜	대구청	397
마숙룡	서현이현	7
마숙화	서현이현	7
마숙연	동청주서	347
마순옥	제주서	475
마승진	세종서	336
마옥현	법무광장	52
마용재	기재부	75
마일명	기재부	416
마재정	파주서	310
마정윤	양천서	201
마정훈	중부서	224
마준선	조세심판	500
마준호	국세상담	134
마창훈	정진세림	24
마혁주	딜로이트	373
마혜진	부산청	436
맹기성	강동서	164
맹선애	기재부	209
맹선영	광명서	296
맹송섭	중부청	223
맹수업	북부산서	446
맹수윤	남대문서	177
맹창호	북대전서	324
맹호호	양천서	200
맹환준	중부청	227
명거동	서울청	140
명경자	성남서	243
명경철	포천서	312
명국빈	순천서	376
명기룡	대구청	396
명삼수	지방재정	498
명상희	서부산서	449
명성철	서울청	151
명영빈	마산서	464
명인범	서울청	160
명재호	신대동	48
명현욱	서울청	152
명혜란	제천서	350
모규인	진주서	469
모두열	서울청	160
모상용	강서서	167
모재완	조세심판	500
모충서	파주서	311
모희산	강남서	163
목명균	중부세무	29
목영주	서광주서	370
목완수	서울청	141
문가나	군산서	382
문가영	북전주서	386
문가은	동수원서	237
문강기	기재부	77
문강민	북부산서	446
문강수	북대전서	325
문경	광명서	296
문경덕	동래서	442
문경록	정진세림	24
문경미	국회정무	7
문경애	광주서	367
문경은	부천서	304
문경준	서광주서	371
문경호	기재부	90
문경호	서울청	143
문경희	금정서	441
문관덕	국세청	131
문광섭	용산서	206
문교병	익산서	389
문교현	서울청	156
문권선	부산진서	444
문권주	성동서	195
문근필	구로서	170
문근기	기재부	76
문근산	용산서	207
문금식	관악서	169
문기조	정읍서	393
문다영	삼성서	189
문다우	목포서	374
문도형	금천서	172
문동배	광주서	367
문동호	중부청	227
문동화	대전청	317
문두열	전주서	391
문라형	창원서	471
문만수	통영서	473
문명선	기재부	90
문명식	기재부	82
문명화	김해서	462
문미경	관악서	168
문미나	익산서	388
문미라	강동서	164
문미란	북대전서	325
문미선	나주서	373
문미영	동청주서	346
문미진	서초서	193
문미호	인천세관	488
문미희	북대전서	324
문민규	파주서	311
문민숙	성북서	196
문민지	양산서	467
문민호	이천서	256
문민희	삼성서	189
문바롬	서울청	150
문병갑	국세청	123
문병국	국세청	131
문병권	대전청	319
문병남	서울청	141
문병대	원주서	272
문병무	미래회계	14
문병엽	진주서	468
문병찬	창원서	470
문보선	동청주서	346
문보라	광산서	364
문삼식	인천청	280
문상균	대전청	321
문상묵	조세심판	501

이름	소속	쪽
문상영	금정서	441
문상철	서울청	157
문상혁	마포서	184
문서림	대전서	322
문서연	중부서	474
문서윤	동고양서	300
문석권	택스홈	42
문석빈	도봉서	178
문석영	국세청	130
문선영	은평서	209
문선우	시흥서	247
문선희	화성서	262
문선희	창원서	470
문성배	북부산서	446
문성빈	천안서	343
문성연	포항서	429
문성원	양천서	200
문성윤	강서서	167
문성은	포천서	312
문성진	서울청	140
문성철	수영서	450
문성호	기재부	78
문성호	제천서	350
문성호	제천서	351
문성호	동울산서	457
문성환	인천세관	486
문성희	지방재정	498
문성희	기재부	85
문성희	북인천서	288
문세련	중부청	223
문소웅	국세청	123
문소원	금정서	440
문소진	영등포서	205
문수미	광산서	364
문수영	조세심판	500
문숙미	창원서	471
문숙자	국세청	117
문숙현	서울청	145
문순철	의정부서	309
문승구	부산청	435
문승대	광교법인	36
문승덕	중부청	226
문승민	서울청	151
문승식	해남서	380
문승준	마산서	465
문승진	서울청	159
문승현	서대문서	191
문시현	성남서	242
문식	광주청	359
문아연	강서서	166
문아현	국세청	459
문안전	보령서	332
문여리	남대문서	174
문영건	기흥서	232
문영권	나주서	372
문영규	서광주서	370
문영미	남부천서	303
문영순	제주서	474
문영수	제주서	474
문영순	동대문서	181
문영임	대전청	318
문영준	군산서	383
문영현	국세청	125
문영희	기재부	84
문예서	금천서	194
문예슬	성동서	173
문예지	울산서	459
문오석	그룹토은	37
문용식	관악서	168
문용원	강서서	166
문용원	북부산서	446
문유정	중랑서	214
문윤진	광주청	362
문은성	광주청	363
문은수	군산서	383
문은진	역삼서	203
문은진	연수서	307
문은하	동안양서	239
문은희	군산서	103
문을열	서울세관	482
문인섭	연수서	307
문재창	은평서	208
문재희	은평서	209
문전안	구리서	230
문정기	동청주서	346
문정미	익산서	388
문정민	송파서	199
문정민	중랑서	214
문정오	서울청	151
문정우	조세심판	500
문정형	남대문서	176
문정현	금정서	440
문정희	강동서	164
문종구	북인천서	288
문종빈	서울청	156
문주경	국세상담	134
문주란	역삼서	202
문주연	광주서	359
문주희	동고양서	301
문준검	구로서	170
문준규	서광주서	371
문준연	택스홈	42
문준영	법무율촌	54
문준영	국세주류	132
문지만	국세청	130
문지선	북부산서	447
문지선	중부청	221
문지영	안산서	251
문지영	서울청	156
문지영	파주서	311
문지영	대전서	322
문지원	충주서	354
문지윤	상주서	421
문지은	화성서	262
문지혁	서울청	140
문지현	파주서	311
문지현	영주서	426
문지혜	국세청	118
문지홍	북전주서	387
문진선	금정서	440
문진영	대전서	322
문진현	대구청	397
문진희	김포서	298
문진희	파주서	310
문찬식	대전서	323
문찬우	전주서	390
문찬우	대전청	317
문찬호	서인천서	291
문창규	북대구서	407
문창수	동안양서	238
문창오	조세재정	504
문창오	조세재정	504
문창전	성남서	243
문창환	종로서	213
문창환	평택서	259
문채은	청주서	352
문철홍	중기회	111
문태범	안산서	251
문태정	국세청	131
문태형	김해서	122
문태홍	정진세림	24
문태흥	용산서	207
문하유	용인서	255
문하별	북부산서	446
문한별	국세청	127
문한솔	순천서	377
문해수	남원서	385
문행용	인천세관	486
문혁	화성서	262
문혁완	기재부	85
문현	인천청	282
문현경	안산서	250
문현국	이천서	256
문현희	제주서	475
문형민	마포서	184
문형민	서울청	144
문형민	서울청	160
문형민	광주청	362
문형식	종로서	212
문형일	서대전서	326
문혜경	목포서	374
문혜령	경주서	415
문혜리	김해서	463
문혜림	국세청	115
문혜미	안양서	253
문혜원	영등포서	204
문혜정	제주서	474
문호승	강동서	164
문호영	대전서	322
문호영	구미서	416
문홍규	서울청	160
문홍배	광주청	363
문홍섭	해운대서	455
문홍승	중부청	229
문화	문화	77
문효상	대구청	396
문흥호	부산세관	490
문희원	기재부	78
문희원	수원서	245
문희제	군산서	382
문희준	화성서	262
문희준	김해서	462
문희진	부산서	436
민갑승	대구청	400
민강	서울청	146
민경률	조세재정	504
민경삼	북인천서	289
민경상	잠실서	211
민경석	김앤장	51
민경석	용인서	255
민경석	조세재정	504
민경선	삼덕회계	15
민경욱	수영서	367
민경욱	인천세관	486
민경원	김포서	298
민경	동작서	182
민경준	남부천서	302
민경진	화성서	262
민경진	수영서	450
민경하	강남서	163
민경화	중부서	217
민경훈	반포서	186
민경훈	전주서	390
민경희	서울청	146
민규홍	용인서	254
민규홍	양산서	466
민근혜	서울청	150
민기영	양산서	198
민다연	기재부	79
민덕기	수원서	245
민동준	광주청	360
민동휘	금감원	106
민백기	남양주서	234
민병기	국회정무	68
민병덕	진주서	469
민병려	울산서	147
민병현	동울산서	456
민상원	서울청	145
민샘	강동서	164
민석기	기재부	84
민선미	지방재정	499
민선희	울산서	459
민성기	중부청	304
민성림	송파서	198
민성림	평택서	259
민소윤	마산서	293
민수진	동고양서	301
민수호	홍성서	345
민순기	순천서	376
민승기	잠실서	210
민승기	김해서	462
민승환	국회정무	67
민애희	동화성서	260
민양기	대전청	320
민연배	마산서	464
민영규	춘천서	274
민영신	금정서	441
민예지	중부청	292
민옥자	세종서	337
민용우	화성서	262
민우빈	의정부서	309
민우진	서울청	158
민윤기	딜로이트	13
민윤선	파주서	311
민윤식	마포서	185
민은os	성북서	196
민은호	대구청	400
민재영	동수원서	236
민재영	서대구서	408
민정	부산진서	445
민정기	남대문서	177
민정기	부산세관	490
민정대	서울청	145
민정은	금천서	173
민정하	시흥서	246
민정하	서울세무	28
민종권	인천청	284
민종현	인천청	285
민주영	기재부	86
민주원	중부청	219
민주연	중부청	224
민주원	중부청	225
민준기	나주서	373
민지영	강동서	165
민지현	동작서	182
민지혜	구로서	171
민지홍	광주청	360
민진기	도봉서	179
민천아	중부청	224
민철기	기재부	74
민철기	남인천서	286
민태규	구미서	416
민택기	김천서	419
민현석	서울청	220
민현순	서울청	141
민형배	국회정무	68
민혜미	광주청	363
민혜선	잠실서	210
민혜수	기재부	84
민혜애	서울청	155
민호성	북광주서	368
민호정	반포서	186
민회준	광주청	357
민회준	광주청	360
민효정	북전주서	386
민훈기	국세청	114
민희	관세청	478
민희망	서울청	156

ㅂ

이름	소속	쪽
박가람	경산서	412
박가영	기재부	82
박가영	익산서	389
박가영	해운대서	454
박가은	종로서	213
박가을	서울청	149
박강수	남양주서	234
박건	부산서	437
박건규	부천서	304
박건대	동래서	443
박건영	부산서	439
박건우	중부서	224
박건웅	강남서	163
박건준	중부청	227
박건태	중부서	453
박건학	김해서	462
박경균	서대문서	327
박경근	서울청	157
박경남	경주서	414
박경란	광주서	367
박경란	강남서	163
박경란	동고양서	300
박경란	북광주서	369
박경렬	대구청	398
박경록	금천서	172
박경림	국세청	127
박경미	삼성서	189
박경미	춘천서	274
박경민	구리서	231
박경민	수원서	244
박경민	부산청	433
박경석	부산진서	445
박경수	잠실서	211
박경수	중부청	227
박경수	정읍서	392
박경수	동래서	442
박경숙	북부산서	447
박경숙	지방재정	498
박경아	남양주서	234
박경애	용산서	206
박경오	삼성서	189
박경오	수원서	245
박경완	북인천서	288
박경용	시흥서	246
박경원	제주서	474
박경윤	그룹토은	37
박경은	남양주서	234
박경은	서인천서	291
박경인	서울청	146
박경일	평택서	258
박경진	화성서	263
박경진	김천서	418
박경춘	김천서	419
박경태	국세상담	134
박경태	김천서	419
박경호	북광주서	368
박경호	포항서	428
박경화	강서서	167
박경화	수영서	450
박경화	서대전서	326
박경휘	시흥서	247
박경희	국회정무	67
박경희	서울청	156
박경희	통영서	472
박계희	반포서	187
박관중	역삼서	251
박관중	평택서	259
박광	금융위	93
박광	서울청	141
박광룡	국세청	120
박광석	국세청	124
박광수	인천청	279
박광수	인천청	283
박광수	인천청	284
박광수	서산서	335
박광식	청주서	352
박광온	국회법제	65
박광용	국회법제	66
박광우	강서서	167
박광우	금감원	106
박광욱	남인천서	286
박광전	대전청	317
박광전	대전청	318
박광진	포천서	312
박광천	여수서	379
박광춘	서울청	146
박광태	시흥서	246
박구영	창원서	470
박국진	삼성서	189
박국진	인천청	279
박권조	인천청	281
박권진	서울청	140
박귀덕	순천서	377
박귀영	순천서	376
박귀자	포항서	428
박귀화	광주청	359
박규동	역삼서	203
박규미	대구청	400
박규빈	서울청	147
박규빈	강남서	163
박규빈	광명서	297
박규서	예산서	340
박규송	지방재정	499
박규진	강동서	164
박규진	김천서	418
박균득	북대구서	406
박균식	서울청	152
박근애	강서서	167
박근애	동대문서	180
박근엽	안동서	423
박근엽	인천청	285
박근영	종로서	213
박근용	수성서	410
박근우	수원서	245
박근우	삼정회계	18
박근윤	대구서	403
박근재	국세청	129
박근재	국세청	130
박근호	김포서	298
박금규	북전주서	387
박금단	광주청	359
박금배	이천서	256
박금세	국세청	126
박금숙	남대문서	175
박금숙	북대전서	324
박금옥	서울청	147
박금옥	경산서	413
박금지	서초서	193
박금찬	성남서	242
박금철	기재부	79
박금철	안산서	251

이름	소속	쪽
박금희	상주서	421
박기룡	인천서	292
박기민	홍성서	344
박기범	양천서	200
박기봉	분당서	240
박기식	부산진서	445
박기영	포항서	428
박기오	기재부	82
박기우	중부청	228
박기운	삼일회계	16
박기정	중랑서	214
박기정	대전청	316
박기탁	구미서	416
박기태	춘천서	275
박기택	동안양서	239
박기혁	북광주서	369
박기현	시흥서	246
박기형	EY한영	12
박기호	광주청	363
박기호	남대구서	402
박기호	김천서	419
박기홍	나주서	372
박기환	서초서	193
박길대	경기광주	248
박길우	국세주류	132
박길원	세종서	337
박길훈	제주서	474
박꽃보라	기재부	82
박나리	영등포서	205
박나정	세종서	336
박나혜	영월서	271
박남규	강서서	167
박남규	삼척서	266
박남기	인천세관	488
박남숙	화성서	262
박남주	해남서	380
박남중	서광주서	370
박남진	북대구서	406
박노성	서부산서	449
박노승	고양서	295
박노욱	충주서	355
박노욱	조세재정	503
박노욱	조세재정	503
박노준	남대문서	176
박노진	포항서	429
박노헌	관악서	169
박노훈	동청주서	347
박다겸	남대구서	402
박다빈	중부청	224
박다슬	영등포서	205
박다인	경기광주	248
박다정	서부산서	449
박달영	남대문서	174
박대경	국세청	122
박대광	용산서	207
박대열	기재부	82
박대영	서울청	159
박대은	국세청	129
박대중	서울청	153
박대현	서울청	152
박대협	북인천서	288
박대희	국세청	122
박덕수	원주서	272
박도영	순천서	376
박도은	종로서	213
박도현	김해서	462
박도현	조세재정	503
박도훈	안산서	250
박동규	금천서	173
박동규	대전서	322
박동균	속초서	269
박동기	서부신시	449
박동기	한국관세	46
박동민	상공회의	109
박동민	상공회의	110
박동민	용인서	254
박동수	서울청	143
박동수	성북서	196
박동오	경산서	412
박동오	EY한영	12
박동완	속초서	269
박동일	분당서	240
박동일	천안서	342
박동진	부천서	305
박동진	익산서	389
박동진	서부산서	449
박동찬	서울청	140
박동철	중부산서	453
박동현	동안양서	239
박동호	수성서	410
박동홍	마산서	465
박동희	김앤장	51
박두순	서울청	151
박두용	세종서	337
박두원	서인천서	291
박두제	부산청	432
박득라	수원서	244
박득서	감사원	70
박득연	북광주서	369
박라영	용인서	255
박란수	용산서	206
박란영	남원서	384
박래용	평택서	258
박래용	속초서	269
박래인	삼성서	188
박마래	남대문서	175
박만기	중부청	223
박만기	영덕서	424
박만길	서울청	140
박만성	법무법인	54
박만용	남대구서	402
박만욱	구로서	171
박매라	아산서	338
박명삼	중부세무	29
박명수	시흥서	246
박명숙	북대전서	325
박명숙	중부청	223
박명순	인천서	292
박명식	남원서	381
박명아	서인천서	290
박명열	성동서	195
박명우	남대구서	403
박명진	성동서	194
박명철	정읍서	392
박명철	제주서	474
박명하	송파서	198
박명훈	강서서	166
박명희	강동서	165
박모린	부천서	304
박모영	김해서	462
박모우	남인천서	286
박무성	영주서	426
박무수	서광주서	371
박문규	기재부	75
박문규	양천서	200
박문상	여수서	379
박문수	구로서	171
박문수	청주서	352
박문수	안동서	423
박문영	국세청	117
박문주	부산진서	445
박문철	도봉서	178
박문호	동울산서	456
박미경	기재부	84
박미경	기재부	89
박미경	국세청	117
박미경	중부청	222
박미경	북인천서	288
박미경	의정부서	308
박미경	세종서	337
박미경	천안서	342
박미경	대구청	398
박미나	북인천서	289
박미라	시흥서	246
박미라	동울산서	456
박미란	인천서	292
박미란	서대전서	326
박미란	조세심판	501
박미래	인천서	292
박미래	남부천서	303
박미리	구리서	231
박미리	북대전서	325
박미선	서울청	158
박미선	중부청	227
박미선	용인서	255
박미선	인천서	292
박미선	광주청	359
박미선	남원서	384
박미선	금정서	440
박미성	안산서	250
박미소	인천청	283
박미숙	국세청	117
박미숙	서울청	181
박미숙	중부청	222
박미숙	의정부서	308
박미숙	동청주서	346
박미숙	김천서	418
박미숙	창원서	471
박미애	해남서	380
박미연	서울청	153
박미연	구로서	171
박미연	김포서	299
박미연	부천서	305
박미연	김해서	462
박미영	성동서	194
박미영	성동서	195
박미영	인천서	293
박미영	광명서	296
박미영	의정부서	308
박미영	부산청	434
박미영	북부산서	446
박미영	서부산서	449
박미영	동울산서	456
박미옥	원주서	273
박미정	국회재정	63
박미정	서울청	145
박미정	동작서	182
박미정	마포서	185
박미정	성동서	195
박미정	삼척서	266
박미정	동청주서	347
박미정	동대구서	405
박미정	지방재정	498
박미주	서울청	167
박미주	남대구서	402
박미진	국세청	118
박미진	강서서	194
박미진	북인천서	289
박미진	고양서	294
박미진	사하서	304
박미진	대전청	319
박미진	북대전서	324
박미진	북전주서	386
박미현	중부청	224
박미현	홍성서	345
박미혜	화성서	262
박미화	상공회의	109
박미화	김해서	463
박미화	부산청	436
박미희	송파서	198
박미희	포항서	429
박민	순천서	377
박민국	광주서	366
박민규	국세교육	137
박민규	남양주서	234
박민규	안산서	251
박민기	부산청	435
박민서	서울청	141
박민서	포천서	312
박민선	분당서	240
박민수	역삼서	203
박민수	청주서	352
박민아	예산서	340
박민영	북부산서	447
박민우	성동서	195
박민우	성북서	197
박민우	금정서	440
박민원	서울청	151
박민원	해남서	381
박민재	강남서	163
박민정	마포서	184
박민정	서초서	192
박민정	용인서	255
박민정	서부산서	448
박민주	기재부	87
박민주	관악서	168
박민주	북대전서	324
박민주	남원서	384
박민주	구미서	416
박민준	동고양서	301
박민중	중부서	217
박민지	서울청	146
박민호	국세청	117
박민호	대전서	323
박민후	남대문서	176
박민희	기재부	75
박민희	양천서	200
박민희	남인천서	287
박배근	역삼서	202
박배열	종로서	212
박범규	동작서	182
박범석	서울청	150
박범석	대전청	321
박범수	인천청	284
박범수	대전청	319
박범우	영등포서	204
박범진	국세청	125
박범진	삼성서	188
박범진	순천서	376
박범곤	인천청	283
박병관	제주서	475
박병권	북대구서	406
박병남	중부청	227
박병문	동청주서	347
박병민	이천서	256
박병민	광명서	297
박병민	북광주서	369
박병선	기재부	78
박병선	동안양서	239
박병선	부산세관	490
박병수	동청주서	346
박병수	남양주서	235
박병연	서울청	147
박병옥	인천세관	487
박병용	광주세관	496
박병원	지방재정	499
박병일	상공회의	109
박병일	북광주서	368
박병주	평택서	259
박병진	대전청	318
박병철	분당서	240
박병철	양산서	467
박병철	부산세관	490
박병태	북인천서	289
박병헌	분당서	240
박병화	세종서	337
박병환	국세청	119
박병환	서광주서	370
박병훈	중부청	223
박병희	안동서	422
박보경	서울청	123
박보경	서울청	153
박보경	남양주서	235
박보경	성남서	242
박보경	북인천서	289
박보민	포천서	312
박보영	중부청	226
박보중	북부산서	446
박복순	용산서	207
박복심	북광주서	368
박복영	남대문서	175
박복자	양산서	467
박봉근	강남서	388
박봉기	영등포서	205
박봉선	북광주서	368
박봉주	북광주서	369
박봉철	서인천서	290
박봉현	북광주서	368
박복행	금감원	106
박부열	서울세관	482
박삼범	지방재정	499
박삼용	서광주서	371
박상곤	홍성서	344
박상구	부산청	435
박상국	포항서	428
박상국	지방재정	499
박상규	북인천서	288
박상기	국세청	114
박상기	국세청	119
박상기	잠실서	210
박상길	송파서	198
박상길	양산서	459
박상도	거창서	461
박상돈	서울청	159
박상미	서초서	193
박상미	김해서	462
박상민	국세청	130
박상민	이천서	256
박상민	익산서	388
박상배	국세주류	132
박상범	광주청	360
박상별	광명서	297
박상봉	서울청	148
박상봉	의정부서	308
박상선	남양주서	234
박상선	북인천서	289
박상식	파주서	311
박상식	구로서	170
박상아	인천청	285
박상언	대전청	319
박상언	강릉서	264
박상언	택스홈	42
박상열	서대구서	408
박상영	기재부	75
박상영	기재부	78
박상영	인천청	285
박상옥	대전청	318
박상용	국세상담	134
박상용	부산청	436
박상우	기재부	76
박상우	기재부	91
박상우	분당서	240
박상우	안양서	252
박상우	인천청	281
박상우	마산서	464
박상욱	금감원	95
박상욱	금감원	105
박상욱	대전청	319
박상욱	천안서	343
박상욱	북대구서	406
박상운	기재부	87
박상원	기재부	90
박상원	마포서	184
박상원	인천세관	487
박상율	성북서	197
박상은	광산서	364
박상을	해남서	380
박상인	서울청	140
박상일	목포서	374
박상옥	고양서	295
박상종	전주서	390
박상주	기흥서	232
박상주	서현이현	7
박상준	서초서	193
박상준	서초서	193
박상준	북광주서	369
박상준	북부산서	447
박상준	제주서	474
박상준	광주세관	496
박상직	강릉서	264
박상혁	대구청	400
박상혁	택스홈	42
박상현	기재부	88
박상현	서울청	147
박상현	서초서	193
박상현	순천서	376
박상현	수성서	411
박상현	중부산서	452
박상호	북대구서	407
박상호	택스홈	42
박상훈	서울청	158
박상훈	양천서	201
박상훈	경기광주	248
박상훈	삼정회계	19
박상홍	용인서	254
박상희	국세청	117
박상희	강서서	166
박상희	분당서	241
박상희	북대전서	324
박상희	영덕서	425
박새롬	기재부	73
박새미	삼성서	189
박새봄	서광주서	370
박새현	정읍서	392
박샛별	영등포서	204
박서규	남대구서	403
박서빈	서울청	156
박서연	서울청	141
박서연	서울청	147
박서연	수원서	244
박서우	부산진서	445
박서우	남인천서	286
박서정	서울청	148
박서현	이천서	152
박서초	서초서	192
박서희	서대전서	327
박석규	마산서	464
박석민	조세심판	501

이름	소속	쪽
박석환	광주청	362
박석훈	거창서	461
박석흠	경주서	414
박선경	기재부	86
박선규	관악서	169
박선남	부산진서	444
박선례	양천서	201
박선미	아산서	339
박선미	북광주서	368
박선민	구로서	170
박선민	북대전서	324
박선범	중부청	229
박선수	고양서	295
박선아	서울청	145
박선애	부산서	433
박선애	부산서	435
박선양	안산서	250
박선연	부산진서	444
박선열	중부청	222
박선영	기재부	78
박선영	기재부	83
박선영	동대문서	181
박선영	마포서	184
박선영	삼성서	188
박선영	역삼서	203
박선영	용산서	206
박선영	종로서	213
박선영	중부청	224
박선영	기흥서	232
박선영	남양주서	237
박선영	동수원서	234
박선영	용인서	254
박선영	대전서	322
박선영	청주서	353
박선영	광주청	359
박선영	나주서	372
박선영	군산서	382
박선영	동대구서	404
박선영	부산청	439
박선영	부산진서	444
박선영	조세재정	503
박선옥	김천서	418
박선옥	지방재정	499
박선용	의정부서	309
박선우	영등포서	205
박선은	송파서	198
박선재	지방재정	499
박선주	반포서	187
박선하	동래서	443
박선혜	대구청	401
박선호	부산진서	444
박선화	안산서	250
박선희	국세청	123
박선희	남대문서	176
박선희	고양서	295
박선희	구미서	416
박선희	동울산서	457
박설화	순천서	377
박설희	광주청	360
박성경	천안서	343
박성구	북인천서	288
박성국	역삼서	202
박성권	기재부	75
박성규	창원서	470
박성근	강남서	162
박성기	서울청	142
박성대	감사원	70
박성란	익산서	388
박성룡	대전청	319
박성무	금융위	93
박성미	중부청	225
박성미	국세청	116
박성민	관악서	169
박성민	구로서	171
박성민	부천서	304
박성민	부산청	434
박성민	수영서	450
박성배	중부청	223
박성수	동대문서	180
박성수	반포서	186
박성수	북전주서	386
박성순	분당서	240
박성신	서초서	192
박성애	서울청	161
박성열	광주청	363
박성용	수원서	245
박성용	광주서	366
박성우	국세청	131
박성욱	안동서	423
박성원	남양주서	235
박성원	대전서	322
박성윤	전주서	390
박성은	국세청	116
박성은	분당서	240
박성은	성남서	243
박성일	도봉서	178
박성일	서대전서	327
박성재	북대전서	324
박성재	예산서	340
박성재	서부산서	448
박성정	광주청	358
박성종	군산서	382
박성주	기재부	86
박성주	북전주서	387
박성주	서울세관	482
박성주	국회법제	66
박성준	기재부	77
박성준	강서서	167
박성준	역삼서	203
박성준	중부청	223
박성준	창원서	470
박성준	통영서	473
박성진	광주청	360
박성진	서부산서	449
박성진	남대문서	177
박성찬	영등포서	205
박성찬	연수서	306
박성탄	역삼서	203
박성태	인천청	280
박성하	역삼서	203
박성학	서울청	151
박성한	북부산서	446
박성한	관악서	168
박성한	딜로이트	13
박성혁	법무광장	52
박성혁	김포서	299
박성현	기재부	78
박성현	서초서	175
박성현	화성서	263
박성현	창원서	470
박성현	송파서	199
박성호	중랑서	215
박성호	인천서	280
박성호	법무바른	1
박성환	금정서	440
박성환	통영서	472
박성훈	기재부	75
박성훈	중랑서	214
박성훈	통영서	472
박성훈	조세재정	502
박성희	국세상담	134
박성희	서울청	147
박성희	해운대서	455
박세국	공주서	329
박세라	중부청	223
박세라	남부천서	303
박세린	마산서	465
박세림	영등포서	205
박세민	종로서	213
박세민	중부청	228
박세영	연수서	306
박세웅	통영서	473
박세윤	연수서	307
박세윤	인천세관	488
박세인	강동서	164
박세인	서초서	193
박세일	서울청	159
박세일	김천서	419
박세종	예일법인	44
박세준	해운대서	454
박세진	남대문서	176
박세진	화성서	262
박세진	서대전서	326
박세하	서대문서	190
박세현	서대문서	190
박세환	남대문서	176
박세환	대전청	317
박세훈	법무율촌	54
박세훈	남대문서	175
박세희	용산서	207
박소미	강남서	163
박소미	강서서	166
박소미	익산서	388
박소미	마포서	185
박소연	강서서	166
박소연	강서서	167
박소연	도봉서	179
박소연	성동서	195
박소연	종로서	212
박소연	동수원서	236
박소연	동안양서	238
박소연	북인천서	288
박소연	대전서	322
박소연	북대전서	325
박소연	순천서	377
박소연	국세청	120
박소영	서울청	152
박소영	영등포서	205
박소영	성남서	243
박소영	김포서	298
박소영	보령서	332
박소영	동청주서	347
박소영	광산서	364
박소영	해남서	380
박소영	남대구서	402
박소윤	서부산서	449
박소윤	경기광주	249
박소은	공파서	170
박소정	강남서	163
박소정	대구청	400
박소정	해운대서	455
박소현	기재부	81
박소현	강동서	165
박소현	중랑서	214
박소현	동수원서	236
박소현	성남서	242
박소현	의정부서	308
박소현	광주서	358
박소현	북부산서	446
박소혜	북인천서	288
박소희	남대문서	174
박소희	서대문서	191
박소희	인천서	292
박소희	인천청	390
박송복	남대문서	176
박송이	시흥서	246
박수경	국세교육	137
박수경	아산서	338
박수경	수영서	451
박수경	동울산서	457
박수미	인천서	293
박수민	기재부	87
박수민	진주서	469
박수범	화성서	262
박수범	포항서	429
박수복	중부청	221
박수복	대구청	395
박수복	대구청	399
박수복	대구청	400
박수빈	수성서	410
박수빈	양산서	467
박수선	고시회	31
박수선	북대구서	406
박수성	김해서	462
박수아	세종서	337
박수연	강서서	166
박수연	동작서	183
박수연	잠실서	210
박수연	충주서	355
박수연	삼일회계	16
박수열	안양서	252
박수열	국회정무	68
박수영	기재부	83
박수영	국세청	130
박수영	수영서	451
박수영	서울세관	482
박수옥	기흥서	233
박수용	안산서	251
박수용	동화성서	260
박수인	정읍서	393
박수인	마산서	464
박수정	파주서	310
박수정	전주서	390
박수정	대구청	397
박수지	서울청	155
박수지	서초서	192
박수지	안산서	250
박수지	동고양서	300
박수지	부천서	304
박수진	기재부	84
박수진	기재부	85
박수진	양천서	200
박수진	수원서	245
박수진	시흥서	246
박수진	안산서	250
박수진	동고양서	300
박수진	의정부서	308
박수진	동청주서	347
박수진	해운대서	454
박수진	제주서	475
박수진	조세재정	502
박수철	대구청	396
박수춘	남양주서	234
박수태	이천서	256
박수한	서초서	193
박수현	기재부	77
박수현	서울청	156
박수현	서초서	192
박수현	성북서	196
박수현	동수원서	237
박수현	충주서	355
박수현	대구청	396
박수혜	조세심판	501
박수홍	시흥서	247
박숙영	역삼서	202
박숙정	국세청	117
박숙현	수영서	451
박숙현	국세교육	136
박숙희	강동서	164
박순규	서산서	334
박순득	북인천서	288
박순애	서울청	146
박순웅	안양서	252
박순정	천안서	342
박순주	서울청	151
박순주	북대구서	406
박순준	중부청	227
박순찬	북부산서	447
박순철	영월서	271
박순철	화성서	262
박순출	대구청	401
박순태	부산세관	490
박순희	관악서	168
박순희	광주청	360
박스	금감원	97
박슬기	남대문서	176
박슬기	서대문서	191
박슬기	남부천서	302
박슬기	광주서	367
박슬기	포항서	428
박승권	천안서	342
박승규	충주서	354
박승규	서울청	150
박승규	강서서	167
박승규	강남서	162
박승연	기재부	81
박승연	광산서	364
박승용	북대구서	406
박승우	중부청	222
박승원	세종서	337
박승윤	순천서	377
박승종	국세청	128
박승종	서부산서	449
박승주	춘천서	274
박승찬	중기회	111
박승찬	금정서	441
박승철	시흥서	246
박승연	역삼서	203
박승현	대전청	317
박승혜	국세청	119
박승호	성동서	194
박승호	역삼서	202
박승호	포항서	428
박승환	기재부	73
박승효	기재부	79
박승훈	강릉서	265
박승훈	북전주서	386
박승희	동작서	183
박승희	부산청	438
박승희	나주서	372
박시연	연수서	306
박시용	강남서	163
박시원	북광주서	369
박시춘	성북서	196
박시현	남부천서	302
박시현	북대구서	406
박시현	서대구서	408
박시현	해운대서	454
박시형	예산서	341
박시후	국세청	118
박신아	광주서	366
박신아	조세재정	503
박신애	서울청	161
박신영	국세청	117
박신영	관악서	169
박신영	의정부서	308
박신영	군산서	382
박신우	인천서	292
박신정	천안서	343
박신해	서울청	141
박아름	강서서	167
박아름별	김포서	299
박아연	서울청	144
박안나	강동서	165
박안제라	서울청	159
박애경	남대문서	176
박애란	영월서	271
박애리	서울청	145
박애심	의정부서	308
박애자	서울청	161
박애자	중부서	216
박양규	기재부	83
박양규	국세청	126
박양규	북대구서	407
박양숙	구리서	231
박양옥	도봉서	179
박양희	국세상담	134
박양희	포천서	312
박언준	부산세관	490
박언준	포항서	428
박엘리	북대전서	325
박여경	기재부	82
박연	세종서	336
박연	북전주서	386
박연근	한국세무	27
박연기	중부세무	29
박연미	동화성서	261
박연아	광주청	359
박연선	동대문서	180
박연숙	이천서	257
박연주	국세교육	136
박연주	반포서	186
박연주	삼성서	189
박연주	제주서	475
박연진	남부천서	302
박영	서초서	192
박영건	국세청	129
박영건	동수원서	236
박영곤	부산청	438
박영규	평택서	259
박영규	금정서	440
박영기	김포서	299
박영기	법무광장	53
박영길	남부천서	303
박영도	상공회의	110
박영도	상공회의	110
박영란	남대문서	177
박영래	서울청	145
박영민	광명서	296
박영민	예산서	340
박영민	익산서	389
박영민	해운대서	454
박영숙	정읍서	393
박영선	대전서	322
박영성	태평양	58
박영수	인천서	292
박영수	광주서	366
박영수	여수서	378
박영숙	금천서	173
박영순	금정서	440
박영식	기재부	78
박영식	서울청	143
박영실	중부청	222
박영애	성동서	194
박영애	영등포서	205
박영언	남대구서	403
박영용	고양서	294
박영우	기재부	81

이름	소속	번호	이름	소속	번호	이름	소속	번호	이름	소속	번호	이름	소속	번호
박영우	영덕서	424	박원경	수원서	244	박은정	동안양서	239	박재석	기재부	79	박정민	조세심판	501
박영욱	법무광장	52	박원규	안양서	252	박은정	성남서	243	박재석	김앤장	51	박정민	삼정회계	19
박영웅	중부청	220	박원득	이천서	257	박은정	수원서	245	박재성	서울청	140	박정배	부천서	305
박영은	성남서	242	박원균	도봉서	179	박은정	평택서	258	박재성	서울청	151	박정상	기재부	83
박영인	시흥서	247	박원기	속초서	268	박은정	천안서	343	박재성	잠실서	210	박정선	삼일회계	17
박영일	서대전서	327	박원돈	대구청	396	박은정	청주서	353	박재수	포항서	429	박정섭	삼성서	189
박영임	마포서	184	박원미	경산서	412	박은정	북대구서	406	박재수	중부세무	29	박정성	동대구서	405
박영임	충주서	355	박원석	기재부	89	박은정	조세재정	504	박재숙	동작서	182	박정수	속초서	269
박영종	분당서	240	박원석	광주청	359	박은주	송파서	199	박재신	국세청	127	박정수	대전서	322
박영주	영등포서	205	박원열	포항서	429	박은주	양천서	200	박재억	법인하나	41	박정수	수성서	410
박영주	대전청	321	박원영	강서서	166	박은주	수원서	244	박재열	관세청	479	박정수	동래서	442
박영주	서대구서	408	박원준	국세상담	135	박은주	부산서	432	박재영	기재부	74	박정숙	법무화우	56
박영주	지방재정	499	박원준	서울청	159	박은지	성동서	194	박재영	서울청	152	박정숙	잠실서	211
박영준	서울청	156	박원준	강릉서	264	박은지	종로서	213	박재영	강동서	164	박정숙	대전청	318
박영진	수원서	245	박원희	예산서	341	박은지	경기광주	248	박재영	태평양	58	박정숙	북전주서	387
박영진	인천청	281	박원호	금정서	441	박은지	서광주서	370	박재완	통영서	472	박정순	상주서	421
박영진	북대구서	407	박원희	은평서	208	박은지	관세청	477	박재우	안산서	251	박정순	서울청	147
박영진	수영서	451	박유경	통영서	472	박은혜	제천서	181	박재우	동청주서	347	박정순	구로서	170
박영진	해운대서	454	박유광	송파서	198	박은화	남대문서	177	박재우	부산서	432	박정순	영등포서	204
박영진	지방재정	499	박유나	광주서	367	박은화	순천서	376	박재우	법무화우	56	박정숭	해남서	380
박영철	금정서	440	박유라	남부천서	302	박은희	서울청	159	박재욱	공주서	328	박정식	광산서	364
박영철	부산진서	444	박유라	서광주서	370	박은희	마포서	184	박재욱	충주서	355	박정신	서부산서	448
박영호	인천청	285	박유리	금천서	172	박은희	삼성서	189	박재원	서울청	155	박정아	삼성서	189
박영호	대구서	400	박유리	고시회	31	박은희	동안양서	239	박재원	서대구서	409	박정아	광주청	361
박영환	수원서	245	박유린	동안양서	238	박은희	홍천서	277	박재윤	분당서	240	박정안	삼성서	188
박영훈	중기회	111	박유림	조세재정	503	박은희	북인천서	288	박재은	기재부	86	박정안	정읍서	392
박영훈	동화성서	260	박유미	강서서	166	박은희	지방재정	498	박재정	지방재정	499	박정언	서울청	156
박영훈	부산서	432	박유미	마포서	184	박을기	강릉서	265	박재진	기재부	82	박정연	반포서	186
박예규	충주서	354	박유미	광주서	367	박이진	광주서	367	박재진	북대구서	406	박정연	양천서	200
박예나	기재부	74	박유미	조세재정	504	박익상	광주청	363	박재찬	경산서	413	박정연	청주서	352
박예람	인천서	282	박유민	동대구서	404	박인	광주청	363	박재찬	김앤장	51	박정오	제주서	475
박예림	동작서	182	박유신	시흥서	246	박인국	동대문서	180	박재철	부산서	436	박정용	기흥서	233
박예은	고양서	294	박유열	수성서	411	박인국	북대전서	324	박재춘	마포서	184	박정용	북대구서	407
박예지	북대구서	406	박유자	청주서	353	박인규	구로서	171	박재한	금정서	441	박정우	국세교육	137
박옥길	청주서	352	박유정	삼성서	188	박인규	성북서	197	박재혁	세종서	336	박정우	서대문서	190
박옥련	영등포서	205	박유정	동수원서	236	박인례	지방재정	499	박재현	기재부	88	박정욱	동화성서	260
박옥임	국세청	125	박유진	분당서	240	박인배	의정부서	309	박재현	서초서	192	박정욱	남원서	384
박옥주	마포서	184	박유진	순천서	377	박인선	동청주서	346	박재현	성동서	194	박정웅	중부산서	452
박옥진	남대문서	177	박유진	해운대서	455	박인수	인천청	280	박재현	춘천서	275	박정원	북인천서	288
박옥희	마포서	185	박유천	평택서	259	박인수	광산서	365	박재형	기재부	77	박정윤	인천서	292
박완기	감사원	70	박윤경	고양서	294	박인숙	익산서	389	박재형	국세청	127	박정은	기재부	80
박완식	경기광주	248	박윤경	창원서	471	박인숙	전주서	390	박재형	국세청	128	박정은	강동서	165
박요나	서울청	142	박윤규	전주서	391	박인순	지방재정	498	박재형	강동서	164	박정은	마포서	185
박요안나	아산서	338	박윤미	의정부서	308	박인순	파주서	311	박재형	대구서	396	박정은	인천청	283
박요철	중부청	222	박윤배	화성서	263	박인애	마산서	465	박재형	서부산서	449	박정은	동울산서	456
박용	국세청	129	박윤세	남양주서	234	박인제	인천청	285	박재호	국세청	123	박정은	동울산서	457
박용관	국세청	131	박윤수	서울청	154	박인철	안양서	252	박재홍	기재부	85	박정이	부산서	434
박용남	마산서	465	박윤우	기재부	74	박인혁	북부산서	446	박재홍	기재부	91	박정이	울산서	458
박용만	중기회	111	박윤정	서울청	152	박인혁	조세심판	501	박재홍	서대문서	191	박정인	국세상담	135
박용문	순천서	376	박윤정	동대구서	405	박인호	국세청	127	박재홍	양천서	201	박정일	북광주서	369
박용범	강릉서	265	박윤정	진주서	468	박인홍	종로서	213	박재홍	중부청	227	박정일	김앤장	51
박용병	국세청	116	박윤주	삼성서	150	박인홍	중랑서	472	박재홍	동고양서	300	박정임	서울청	153
박용석	동대문서	181	박윤주	청주서	352	박인환	중랑서	215	박재홍	대전청	322	박정임	구로서	170
박용선	진주서	468	박윤지	고양서	295	박인환	광산서	364	박재홍	마산서	464	박정재	북전주서	387
박용섭	동울산서	457	박윤지	양천서	200	박인환	군산서	383	박재홍	김앤장	51	박정주	기재부	82
박용업	서초서	192	박윤진	조세재정	504	박인희	중랑서	215	박재환	금융위	92	박정주	지방재정	499
박용우	금천서	173	박윤형	대구청	396	박인희	원주서	273	박재환	광주청	363	박정주	경기광주	249
박용우	북광주서	369	박윤화	관악서	146	박일권	반포서	186	박재훈	동안양서	238	박정준	인천청	285
박용우	포항서	429	박윤화	부산진서	445	박일동	동울산서	457	박재훈	서울청	145	박정진	연수서	306
박용운	김포서	299	박으뜸	은평서	209	박일병	천안서	342	박재희	양산서	467	박정태	서부산서	449
박용운	파주서	310	박은결	기재부	87	박일수	서울세관	482	박점숙	천안서	428	박정하	부산청	432
박용준	감사원	70	박은경	창원서	470	박일수	인천청	285	박정건	서울청	159	박정한	동작서	183
박용진	국회정무	68	박은미	남대문서	177	박일수	동고양서	300	박정곤	도봉서	179	박정한	대구세관	494
박용진	국세청	118	박은미	동수원서	236	박일영	기재부	88	박정국	해남서	380	박정현	기재부	77
박용진	서울청	152	박은미	북인천서	288	박일주	동화성서	261	박정권	서울청	159	박정현	서대문서	190
박용진	금정서	441	박은비	중부청	228	박일찬	속초서	269	박정기	성동서	195	박정현	역삼서	202
박용태	삼성서	189	박은비	분당서	241	박일호	인천서	292	박정기	이택스	39	박정현	구리서	231
박용태	인천청	283	박은선	서울청	160	박일호	김해서	463	박정길	남대구서	403	박정현	화성서	263
박용택	기재부	77	박은숙	중부청	223	박일환	이천서	256	박정길	수성서	410	박정현	김포서	298
박용현	분당서	241	박은실	동청주서	346	박임선	인천청	281	박정나	국세청	116	박정현	서대구서	409
박용호	서인천서	290	박은심	기재부	88	박자영	용산서	207	박정란	국세상담	134	박정현	서부산서	448
박용환	기재부	/8	박은아	중부청	224	박자윤	경주서	415	박정란	서울청	152	박정현	울산서	458
박용훈	중부청	225	박은영	기재부	75	박자윤	송파서	198	박정례	포천서	313	박정현	중부세무	29
박용훈	북부산서	447	박은영	서대문서	190	박자임	대구청	396	박정린	국세청	131	박정혜	시흥서	246
박용희	해남서	380	박은영	홍성서	345	박장기	국세주류	132	박정미	강남서	163	박정화	의정부서	308
박용희	진주서	469	박은영	광주청	360	박장미	국세청	127	박정미	기재부	75	박정호	서울청	159
박우성	영등포서	205	박은영	서광주서	370	박장수	인천서	293	박정민	강남서	163	박정호	고양서	294
박우영	남인천서	286	박은영	대구청	396	박장훈	부산청	436	박정민	관악서	169	박정호	금정서	440
박우정	국세청	117	박은영	부산진서	444	박재갑	상주서	421	박정민	구로서	170	박정화	서울청	153
박우현	수영서	149	박은옥	동대구서	404	박재곤	천안서	343	박정민	반포서	187	박정화	성동서	194
박욱상	창원서	471	박은재	순천서	377	박재광	금천서	172	박정민	용산서	206	박정화	대구청	400
박욱현	동래서	442	박은정	남대문서	176	박재군	수영서	450	박정민	은평서	208	박정화	김해서	462
박운영	국세청	127	박은정	도봉서	178	박재란	대구청	397	박정민	중부청	220	박정화	제주서	474
박웅	반포서	187	박은정	삼성서	189	박재균	미래회계	14	박정민	동수원서	236	박정환	나주서	372
박웅	대전청	319	박은정	성북서	196	박재근	상공회의	109	박정민	성남서	242	박정환	나주서	373
박웅종	부산청	436				박재근	국세청	117	박정민	서산서	335			

이름	소속	번호
박정환	북대구서	406
박정훈	금융위	92
박정훈	용인서	254
박정훈	조세재정	502
박정훈	더택스	39
박정흠	조세재정	503
박정희	강동서	164
박정희	중랑서	214
박정희	남원서	384
박정희	동대구서	404
박제린	춘천서	275
박제상	동화성서	260
박제영	청주서	352
박제웅	중부청	228
박제효	중부청	228
박조은	안산서	250
박종각	금감원	105
박종갑	상공회의	109
박종경	춘천서	274
박종경	동청주서	346
박종국	포항서	428
박종국	해운대서	454
박종군	마산서	465
박종규	파주서	311
박종근	목포서	374
박종근	해남서	380
박종근	지방재정	499
박종렬	서울청	153
박종렬	인천세무	30
박종률	동고양서	301
박종면	서울청	141
박종무	부산진서	444
박종민	서초서	195
박종민	북부산서	447
박종민	수영서	450
박종빈	예산서	340
박종석	서울청	140
박종석	기재부	89
박종석	중랑서	214
박종석	인천청	283
박종석	인천서	292
박종성	광교법인	34
박종수	기재부	90
박종수	광주청	359
박종수	울산서	459
박종영	서산서	334
박종완	화성서	262
박종우	기재부	80
박종욱	딜로이트	13
박종욱	경주서	415
박종욱	서부산서	448
박종운	기재부	83
박종원	북전주서	387
박종원	대구청	401
박종익	중부서	217
박종인	국세청	127
박종일	대전청	321
박종일	강서서	166
박종일	중부청	220
박종재	지방재정	499
박종주	성동서	195
박종주	서인천서	290
박종진	파주서	310
박종찬	국세청	128
박종태	서울청	144
박종필	관악서	168
박종필	보령서	332
박종필	금정서	441
박종현	기재부	79
박종현	국세청	117
박종현	서대문서	190
박종현	남양주서	234
박종현	광산서	364
박종현	북부산서	446
박종현	김앤장	51
박종형	서초서	193
박종호	반포서	187
박종호	중부청	224
박종호	안양서	252
박종호	대전청	320
박종호	홍성서	345
박종호	북전주서	386
박종화	강동서	164
박종화	중부청	221
박종환	경기광주	249
박종훈	기재부	75
박종훈	해남서	381
박종훈	제주서	474
박종희	서울청	139
박좌준	인천청	283
박주단	서울청	156
박주리	중부청	222
박주미	수원서	244
박주미	국회법제	66
박주범	화성서	262
박주범	금정서	440
박주선	기재부	78
박주성	안동서	422
박주아	울산서	458
박주언	포항서	429
박주연	국회정무	67
박주연	남대문서	175
박주연	김포서	298
박주열	경기광주	248
박주열	연수서	306
박주영	금융위	94
박주영	서초서	192
박주영	부천서	305
박주영	거창서	461
박주오	대전청	319
박주원	서초서	192
박주일	서현이현	7
박주철	금천서	173
박주하	광주청	360
박주항	논산서	330
박주현	기재부	85
박주현	서울청	142
박주현	중부청	223
박주현	연수서	307
박주현	대구청	396
박주현	경산서	413
박주현	부산청	436
박주현	김해서	463
박주형	북전주서	387
박주혜	송파서	198
박주혜	조세재정	502
박주호	남부천서	303
박주환	국세청	117
박주효	중부청	228
박주희	남대문서	176
박주희	연수서	306
박주희	수영서	450
박주희	울산서	459
박주희	마산서	465
박주희	조세재정	502
박주희	삼일회계	16
박준	상공회의	110
박준규	역삼서	202
박준규	용인서	255
박준규	대전청	319
박준규	서대전서	326
박준규	광주서	367
박준명	서초서	179
박준배	국세청	121
박준범	국세교육	136
박준범	남양주서	234
박준서	국세교육	136
박준서	도봉서	178
박준석	기재부	87
박준석	성북서	197
박준선	국세청	130
박준선	광주서	367
박준성	서울청	143
박준성	울산서	459
박준수	기재부	87
박준식	강동서	165
박준식	인천청	282
박준영	기재부	85
박준영	서울청	158
박준영	중부청	220
박준영	서인천서	290
박준영	서인천서	291
박준영	경주서	414
박준영	금정서	440
박준용	서울청	147
박준용	서울청	157
박준욱	도봉서	178
박준욱	서대구서	408
박준원	송파서	198
박준원	이천서	256
박준태	진주서	468
박준하	기재부	86
박준서	용인서	254
박준현	부산청	436
박준형	대전청	317
박준호	기재부	74
박준호	강남서	162
박준홍	서울청	146
박준후	목포서	374
박준희	동대문서	180
박준희	안산세	250
박중서	부산세관	490
박중근	국세교육	136
박중기	동안양서	239
박중민	기재부	87
박중석	한국관세	46
박지명	전주서	391
박지민	인천서	292
박지민	해운대서	455
박지상	법인하나	41
박지선	화성서	262
박지선	인천서	282
박지선	광산서	365
박지성	동작서	183
박지수	영등포서	204
박지수	북대전서	324
박지숙	서울청	161
박지숙	서대문서	190
박지숙	동래서	442
박지암	인천청	282
박지애	동안양서	238
박지양	마포서	185
박지언	광주청	359
박지연	강동서	164
박지연	영등포서	204
박지연	북광주서	369
박지연	대구청	396
박지연	동대구서	405
박지연	지방재정	498
박지연	기재부	80
박지연	기재부	89
박지영	서울청	149
박지영	도봉서	179
박지영	성북서	197
박지영	역삼서	203
박지영	경기광주	249
박지영	서부산서	448
박지영	김해서	463
박지영	김앤장	51
박지예	경기광주	249
박지용	제주서	475
박지우	이천서	256
박지우	부산청	432
박지우	조세재정	503
박지원	마포서	184
박지원	서초서	192
박지원	중부청	226
박지원	인천청	284
박지원	고양서	294
박지원	전주서	390
박지원	김해서	463
박지윤	서대전서	327
박지은	구로서	171
박지은	동안양서	238
박지은	남부천서	303
박지은	부천서	305
박지은	청주서	352
박지은	광주청	360
박지은	익산서	389
박지은	창원서	470
박지은	조세재정	502
박지해	북인천서	288
박지현	기재부	83
박지현	서울청	159
박지현	삼성서	189
박지현	남양주서	235
박지현	인천서	285
박지현	서광주서	370
박지현	목포서	375
박지현	부산진서	444
박지현	부산진서	445
박지현	딜로이트	13
박지혜	기재부	80
박지혜	기재부	86
박지혜	강서서	167
박지혜	강서서	167
박지혜	도봉서	178
박지혜	기흥서	232
박지혜	수원서	244
박지혜	시흥서	247
박지혜	용인서	255
박지혜	서인천서	290
박지혜	충주서	355
박지혜	북광주서	368
박지혜	남원서	385
박지혜	김해서	462
박지혜	진주서	468
박지혜	조세재정	503
박지호	남원서	384
박지호	제주서	475
박지화	관악서	168
박지훈	관악서	168
박지훈	기재부	82
박지훈	서울청	140
박지훈	성동서	195
박지훈	연수서	306
박지훈	수영서	451
박지훈	강서서	167
박지희	서초서	192
박지희	영등포서	205
박지희	목포서	374
박진갑	여수서	379
박진관	울산서	459
박진규	중부청	220
박진규	정읍서	392
박진규	관세청	479
박진미	도봉서	178
박진석	연수서	306
박진석	서울청	142
박진석	인천서	284
박진선	동대구서	404
박진성	반포서	186
박진성	중부청	224
박진솔	서울청	140
박진수	국세청	124
박진수	성남서	243
박진수	동고양서	301
박진수	북부산서	447
박진수	예일회계	21
박진수	기재부	81
박진숙	대전청	318
박진숙	대전청	320
박진습	서울청	160
박진실	서인천서	291
박진아	인천청	280
박진아	광명서	297
박진아	서대구서	409
박진영	기재부	74
박진영	기재부	83
박진영	서울청	150
박진영	역삼서	203
박진영	기흥서	233
박진영	용인서	254
박진영	수성서	411
박진영	부산청	439
박진영	부산진서	445
박진영	예일법인	44
박진영	동래서	442
박진용	예일회계	21
박진우	국세청	118
박진우	국세청	119
박진우	영등포서	205
박진우	부산청	432
박진우	조세재정	503
박진웅	서광주서	371
박진원	국세청	119
박진원	국세청	120
박진원	서울청	157
박진주	조세재정	504
박진주	조세재정	504
박진찬	광주청	358
박진하	서울청	142
박진하	김해서	463
박진해	금감원	106
박진혁	국세청	115
박진현	화성서	263
박진현	강남서	163
박진형	제주서	475
박진호	경기광주	249
박진호	광주서	366
박진호	부산청	432
박진후	제주서	475
박진흥	남양주서	235
박진희	금융위	93
박진희	서울청	161
박진희	남대문서	176
박진희	동대문서	180
박진희	기흥서	232
박진희	대구청	399
박진희	부산진서	445
박찬경	서울청	145
박찬규	동대문서	181
박찬녕	구미서	416
박찬노	서대구서	409
박찬덕	서울청	156
박찬만	해운대서	454
박찬민	영등포서	205
박찬민	안양서	253
박찬송	잠실서	210
박찬순	국세주류	132
박찬승	중부청	228
박찬열	북광주서	369
박찬영	춘천서	275
박찬오	아산서	338
박찬욱	고성서	300
박찬욱	국세청	124
박찬욱	서울청	147
박찬욱	역삼서	203
박찬욱	조세재정	502
박찬웅	국세청	115
박찬웅	서울청	161
박찬웅	속초서	269
박찬익	구리서	230
박찬정	동대문서	181
박찬주	국세청	115
박찬택	김포서	298
박찬혁	지방재정	499
박찬호	기재부	74
박찬호	동작서	183
박찬호	평택서	258
박찬호	기재부	83
박찬희	성동서	194
박찬희	포천서	312
박찬희	대전청	316
박창규	기재부	86
박창길	광명서	296
박창선	화성서	263
박창언	한국관세	46
박창오	국세청	119
박창오	국세청	117
박창용	동화성서	260
박창용	광산서	364
박창우	포천서	313
박창우	조세재정	504
박창웅	예일법인	44
박창준	서부산서	449
박창현	반포서	186
박창현	의정부서	308
박창환	인천청	281
박채린	영동서	349
박채웅	광산서	365
박채웅	상공회의	109
박채원	남인천서	287
박채수	조세심판	501
박천우	서울청	140
박천우	서울청	140
박천웅	관세청	478
박천주	여수서	379
박천호	조세심판	500
박철	진주서	469
박철건	기재부	85
박철규	이천서	257
박철민	서울청	141
박철성	나주서	373
박철수	국세청	119
박철순	안동서	422
박철완	서울청	153
박철완	관세청	479
박철우	강남서	163
박철우	목포서	375
박철한	세종서	336
박철호	기재부	89
박철호	국회법제	66
박철훈	기재부	84
박청진	경주서	415
박초롱	성동서	195
박초아	서울청	158
박추옥	동청주서	346
박춘규	기재부	86

이름	소속	쪽	이름	소속	쪽	이름	소속	쪽	이름	소속	쪽	이름	소속	쪽
박춘목	기재부	79	박현수	국세청	127	박혜숙	홍성서	345	박희주	지방재정	499	배문경	서울청	145
박준석	원주서	272	박현수	남대문서	177	박혜숙	조세심판	501	박희주	서현이현	7	배문수	대전청	317
박춘성	동화성서	260	박현수	중부청	221	박혜영	평택서	258	박희진	영등포서	205	배미경	서울청	159
박춘자	공주서	328	박현수	안양서	253	박혜영	동대구서	405	박희진	용산서	206	배미애	부산청	435
박춘호	조세심판	500	박현수	전주서	391	박혜옥	동대문서	181	박희찬	북부산서	446	배미영	김해서	462
박충열	안양서	252	박현숙	서울청	145	박혜원	서부산서	448	박희찬	북전주서	474	배미영	고시회	31
박충원	한국세무	27	박현숙	남대문서	176	박혜인	금천서	173	박희창	이천서	256	배미일	강동서	165
박치원	강서서	167	박현숙	지방재정	499	박혜인	남양주서	235	반기홍	서울세무	28	배미현	기재부	77
박치현	은평서	209	박현순	동울산서	456	박혜인	인천서	293	반미경	잠실서	210	배민경	대구청	401
박치호	부산청	437	박현승	국세청	114	박혜정	서대문서	190	반병권	제천서	351	배민예	광주청	359
박칠군	기재부	75	박현아	영등포서	204	박혜정	역삼서	202	반승민	경기광주	248	배민우	기재부	82
박태구	서초서	193	박현애	기재부	79	박혜정	영월서	270	반승희	마포서	184	배민우	도봉서	179
박태구	논산서	330	박현옥	서울청	143	박혜지	울산서	458	반아성	서대구서	409	배민정	남대문서	176
박태성	북부산서	447	박현옥	안산서	251	박혜진	서울청	158	반장윤	군산서	382	배민정	수성서	410
박태신	익산서	389	박현옥	조세재정	502	박혜진	구로서	171	반재욱	김포서	299	배병석	분당서	241
박태완	인천청	281	박현우	기재부	74	박혜진	동작서	183	반재훈	국세청	130	배병운	조세심판	500
박태완	북전주서	387	박현우	중부청	221	박혜진	반포서	187	반정원	남인천서	287	배삼동	해남서	380
박태원	중부산서	453	박현우	서인천서	291	박혜진	성동서	195	반종복	천안서	304	배상록	관악서	168
박태윤	동수원서	236	박현우	지방재정	499	박혜진	분당서	240	반흥찬	기흥서	232	배상용	김포서	299
박태정	대전청	318	박현자	영등포서	204	박혜진	동화성서	260	방경섭	성남서	242	배상원	성남서	243
박태준	목포서	374	박현정	강남서	162	박혜진	강릉서	264	방귀업	북전주서	387	배상진	광교법인	35
박태준	김해서	463	박현정	동작서	183	박혜진	대전청	320	방대섭	서울세관	482	배상철	용산서	206
박태진	영월서	270	박현정	반포서	187	박호갑	창원서	471	방래혁	지방재정	498	배서현	울산서	459
박태진	삼일회계	16	박현정	중부청	223	박호빈	서인천서	290	방문솔	성북서	197	배석	국세청	114
박태호	성동서	194	박현정	성남서	242	박호성	기재부	78	방미경	남인천서	287	배석관	안동서	422
박태훈	국세청	120	박현정	인천서	293	박호용	거창서	461	방미경	부천서	305	배석준	관악서	169
박태훈	파주서	311	박현정	대전서	322	박호일	삼성서	188	방미숙	중부청	223	배선경	창원서	471
박태훈	나주서	372	박현정	동청주서	346	박홍규	동화성서	260	방미주	북대구서	407	배선미	부산진서	445
박태훈	서부산서	449	박현정	충주서	355	박홍균	송파서	198	방민식	남양주서	235	배선미	김해서	462
박판기	중부산서	452	박현정	남대구서	402	박홍균	해남서	381	방민식	조세재정	504	배설희	춘천서	275
박판식	동대구서	404	박현정	금정서	440	박홍기	대전청	319	방민주	남부천서	256	배성관	정읍서	393
박평식	강서서	167	박현정	조세재정	502	박홍립	국세교육	136	방서주	남부천서	302	배성수	인천청	284
박푸른	송파서	198	박현종	수원서	244	박홍범	광주청	358	방선아	국세청	123	배성심	인천청	280
박필규	포항서	429	박현주	국세청	116	박홍수	서대구서	409	방선우	동작서	182	배성연	서울청	145
박필근	부산진서	445	박현주	서울청	149	박홍일	북광주서	369	방성자	인천청	280	배성원	북부산서	447
박하나	기재부	87	박현주	반포서	187	박홍자	동안양서	239	방성훈	군산서	383	배성윤	군산서	382
박하나	부산청	434	박현주	원주서	272	박홍제	김해서	463	방슬비	은평서	208	배성진	포천서	313
박하늬	중부청	225	박현주	동대구서	404	박홍희	기재부	82	방수민	천안서	342	배성현	기재부	88
박하늬	남대문서	176	박현주	북부산서	446	박화연	광산서	445	방아현	청주서	353	배성혜	인천청	284
박하늬	서부산서	448	박현주	북부산서	447	박화선	중기회	111	방양석	광산서	364	배성호	양천서	200
박하란	중부서	216	박현준	서초서	192	박화순	진주서	468	방영화	북광주서	369	배성효	인천세무	30
박하송	성동서	195	박현준	중부청	227	박화영	조세재정	504	방예진	용산서	207	배세령	대구청	398
박하연	조세재정	503	박현준	서광주서	370	박환	북전주서	386	방용익	동작서	275	배세영	반포서	187
박하연	김포서	298	박현준	서부산서	449	박환택	서현이현	7	방원석	강서서	167	배소민	조세재정	503
박하영	북부산서	446	박현진	북전주서	386	박환협	수성서	410	방유미	서대문서	191	배소연	통영서	473
박하홍	동화성서	260	박현진	중부서	216	박회경	포천서	312	방유진	부산청	433	배소영	북대구서	425
박학일	공주서	329	박현철	서대문서	190	박회숙	중부청	223	방유희	인천청	281	배수	법인하나	41
박한빛	종로서	213	박현하	대구청	397	박효근	중부청	221	방은미	화성서	263	배수민	수성서	410
박한상	성북서	196	박현혜	구로서	170	박효선	포천서	312	방재필	서산서	334	배수영	안양서	253
박한석	대전청	316	박현희	목포서	374	박효숙	송파서	198	방정기	의정부서	308	배수일	서울청	140
박한수	보령서	332	박현희	청주서	352	박효영	기재부	91	방정원	광주청	362	배수지	남양주서	235
박한승	관악서	168	박형	시흥서	246	박효은	남인천서	286	방종호	국세청	118	배수진	구로서	170
박한열	부천서	304	박형규	중부청	226	박효정	북전주서	386	방준석	충주서	355	배수진	남대구서	402
박한준	조세재정	504	박형규	기재부	78	박효정	동작서	182	방지선	충주서	355	배수진	서부산서	448
박한중	남부천서	303	박형민	국세청	125	박효진	종로서	213	방지연	반포서	187	배숙희	여수서	378
박해경	마산서	464	박형민	인천청	285	박효진	익산서	388	방진영	태평양	58	배순철	서울청	142
박해근	지방재정	498	박형민	광주청	360	박효진	창원서	471	방춘식	기재부	76	배승현	양산서	467
박해란	안산서	251	박형배	서울청	161	박후진	광주청	360	방치권	부산청	253	배시환	경산서	412
박해리	남부천서	303	박형선	공파서	199	박훈미	안산서	250	방해준	북광주서	368	배영섭	국세청	123
박해연	서광주서	371	박형수	국회재정	64	박훈수	안산서	250	방현정	강남서	163	배영애	부산청	438
박해영	국세청	122	박형우	금천서	173	박흥배	의정부서	309	방현정	강남서	370	배영옥	구미서	417
박해원	잠실서	211	박형우	동대구서	405	박흥수	김해서	462	방형석	삼성서	189	배영진	진주서	468
박해정	남대구서	402	박형주	중부청	224	박희경	삼성서	188	방혜경	반포서	186	배영진	역삼서	203
박해준	대구세관	494	박형주	춘천서	275	박희경	중부청	222	방혜선	서대구서	295	배영태	전주서	391
박행옥	울산서	458	박형준	금감원	103	박희경	중부청	227	배건한	대구청	401	배영태	동래서	443
박행진	여수서	379	박형준	인천서	292	박희규	부산세관	491	배경순	서대구서	408	배영호	부산청	433
박향기	국세청	115	박형준	고양서	294	박희라	역삼서	203	배경은	부산청	75	배영훈	서대구서	408
박향미	서울청	151	박형지	북광주서	368	박희달	서울청	141	배경은	인천청	282	배옥현	금천서	172
박향숙	광주청	359	박형진	포천서	313	박희동	남대문서	176	배경직	서울청	158	배용현	해운대서	454
박향엽	목포서	374	박형철	춘천서	275	박희동	남양주	93	배경환	도봉서	178	배우철	동대구서	404
박현	관세청	478	박형호	영등포서	205	박희령	북부산서	447	배경희	서인천서	343	배우환	고양서	294
박헌숙	수영서	450	박형효	부산진서	444	박희상	양천서	201	배광한	마산서	465	배웅준	안동서	422
박헌욱	서울세관	482	박형희	광주서	367	박희선	국세상담	135	배국호	서울세관	483	배원기	예일회계	21
박혁	목포서	374	박혜경	성북서	196	박희수	은평서	209	배기득	김해서	462	배원만	삼성서	189
박현경	서울청	145	박혜경	동안양서	238	박희수	조세심판	501	배기연	군산서	382	배원준	중부청	220
박현경	동대구서	404	박혜경	평택서	259	박희숙	마산서	464	배기윤	김해서	463	배유리	대구청	400
박현경	창원서	470	박혜경	천안서	342	박희술	북부산서	447	배다래	부산진서	444	배유진	분당서	240
박현구	부천서	304	박혜경	수성서	411	박희영	중부청	222	배달환	부산청	433	배윤정	인천청	282
박현규	성동서	194	박혜경	부산청	437	박희영	서대구서	409	배대근	북대구서	407	배윤제	포항서	428
박현규	중부세무	29	박혜림	아산서	339	박희윤	태평양	58	배동노	서대구서	426	배윤진	안양서	252
박현명	동수원서	236	박혜민	금천서	172	박희자	서울청	152	배동혁	남대문서	176	배은경	중부서	217
박현배	보령서	333	박혜민	삼성서	189	박희정	서울청	142	배동희	인천청	283	배은경	대전청	319
박현서	고양서	294	박혜성	국세상담	135	박희정	강서서	166	배리라	북대구서	407	배은경	구미서	416
박현석	천안서	342	박혜성	남인천서	287	박희정	서대전서	327	배명선	파주서	311	배은상	인천서	292
박현선	서울청	140	박혜성	삼성서	188	박희종	동래서	442	배명우	국세청	114	배은선	광주청	359
박현수	국세청	125	박혜숙	양천서	201				배명한	김해서	462	배은아	서울청	149

ㅅ

서경영	구미서	417	서민	금감원	97	서예주	창원서	471	서정우	구리서	230	서효정	구로서	170
서경원	중부서	216	서민경	동청주서	347	서예진	관악서	168	서정우	구미서	417	서효진	부산화서	439
서경원	중부청	226	서민경	마산서	465	서옥기	여수서	378	서정운	진주서	469	서흥원	북인천서	289
서경자	안산서	250	서민덕	논산서	331	서옥배	보령서	332	서정원	세종서	336	서희진	조세재정	503
서경진	동대문서	181	서민성	국세청	119	서왕재	지방재정	498	서정원	충주서	355	석귀희	영주서	427
서경철	도봉서	179	서민수	서울청	146	서용범	삼일회계	17	서정은	구로서	171	석대경	진주서	468
서경하	목포서	374	서민수	동대구서	405	서용오	통영서	473	서정은	대전청	317	석란	기재부	74
서경희	관악서	169	서민수	딜로이트	13	서용준	영등포서	205	서정은	대구청	397	석민구	제주서	475
서계영	국세상담	134	서민아	기재부	87	서용준	경산서	413	서정이	성북서	196	석산호	김포서	298
서계주	대구청	398	서민우	강남서	163	서용택	대구세관	493	서정주	지방재정	498	석상훈	기재부	83
서광기	순천서	376	서민자	서울청	152	서용택	대구세관	494	서정철	광교법인	35	석수현	수성서	411
서광렬	동고양서	301	서민재	진주서	469	서용하	대전청	321	서정학	거창서	460	석승운	서초서	193
서광원	삼성서	188	서민정	중랑서	215	서용현	은평서	208	서정현	서대문서	191	석영일	용인서	255
서국환	법인삼릉	40	서민지	인천서	292	서용훈	안양서	253	서정훈	기재부	88	석용길	서대구서	409
서귀자	수영서	450	서민철	국세상담	134	서우석	광산서	364	서정훈	시흥서	246	석용훈	시흥서	246
서귀환	서울청	141	서민하	서광주서	370	서우형	영덕서	424	서정훈	지방재정	498	석원영	대전청	319
서근석	서광주서	370	서민혜	김해서	463	서운용	양천서	200	서정희	국세교육	136	석이선	부산청	382
서금석	중랑서	214	서백현	삼일회계	16	서원상	시흥서	246	서종율	부산청	432	석장수	중부청	222
서금주	진주서	468	서범석	서울청	148	서원식	국세청	130	서주아	남대문서	177	석종국	대구청	398
서기석	울산서	459	서범석	광주서	366	서원식	서울청	154	서주연	북부산서	447	석준기	울산서	459
서기열	마포서	185	서병관	기재부	83	서원식	서인천서	290	서주영	조세재정	502	석지영	서울청	156
서기열	인천청	282	서병수	국회재정	64	서원주	지방재정	498	서주원	기재부	79	석지원	기재부	81
서기영	시흥서	247	서병식	기흥서	232	서원준	분당서	240	서주희	남인천서	286	석지윤	송파서	199
서기원	국세청	122	서병희	목포서	374	서위숙	북인천서	289	서주희	북부산서	447	석지혜	광주청	360
서기원	부산청	436	서보경	북전주서	386	서유미	서울청	156	서준	평택서	258	석진백	부산진서	445
서기정	창원서	470	서보림	국세청	130	서유빈	국세청	128	서준석	국세청	122	석진안	경주서	414
서나윤	북대전서	324	서보미	동작서	182	서유라	안산서	250	서준석	북부산서	447	석진영	국세청	122
서남이	동작서	183	서보연	부산청	436	서유식	지방재정	499	서준영	김해서	463	석창휴	인천세관	486
서나나	조세재정	504	서봉규	김앤장	51	서유진	남인천서	286	서준용	법인삼릉	40	석총괄	금감원	105
서대성	공주서	329	서봉수	예일법인	44	서유진	김해서	462	서지민	남양주서	234	석혜숙	천안서	343
서대영	수성서	411	서봉우	성동서	194	서유진	삼정회계	19	서지민	용인서	254	석혜연	제주서	474
서덕성	용인서	254	서빛나	서울청	159	서유희	부산진서	444	서지상	강릉서	264	석혜조	서울청	160
서덕수	양산서	467	서삼미	광주서	366	서윤경	마산서	464	서지연	기재부	74	석호정	구리서	231
서덕호	상공회의	110	서상범	대구청	399	서윤식	용산서	206	서지연	남양주서	234	석희정	지방재정	499
서돈영	국세상담	134	서상순	대구청	398	서윤정	기재부	79	서지영	국세청	117	선경미	광주청	358
서동경	시흥서	246	서상율	마산서	464	서윤주	도봉서	178	서지영	서울청	144	선경숙	광산서	365
서동규	조세재정	503	서석준	EY한영	12	서윤호	예일법인	44	서지용	조세심판	501	선경식	김포서	299
서동근	북대전서	325	서석천	파주서	311	서윤희	동안양서	238	서지우	김포서	299	선규성	여수서	378
서동민	국세청	114	서석태	김천서	418	서은미	남천서	302	서지원	서울청	146	선기영	성남서	243
서동선	용인서	255	서석현	남인천서	286	서은미	성남서	243	서지원	서부산서	448	선명우	대전청	317
서동연	조세재정	502	서석덕	김해서	462	서은영	영월서	271	서지원	예일법인	44	선민규	삼일회계	17
서동옥	구리서	231	서성일	중랑서	215	서은주	청주서	352	서지은	반포서	187	선민준	중부청	222
서동우	송파서	198	서성철	화성서	262	서은우	포항서	428	서지은	기재부	82	선병오	삼일회계	16
서동욱	용산서	206	서성현	국세청	117	서은원	서울청	156	서지현	수성서	410	선병우	김해서	462
서동욱	남부천서	302	서소담	대구청	397	서은주	평서	209	서지형	인천서	293	선봉관	국세청	122
서동원	강릉서	264	서울지	동래서	442	서은주	지방재정	498	서지훈	대구청	401	선봉래	인천청	282
서동원	대구청	401	서수아	이천서	256	서은지	서인천서	291	서지훈	안동서	422	선수아	용인서	254
서동정	순천서	376	서수정	통영서	473	서은지	광산서	365	서지희	인천청	283	선승규	광주세관	496
서동진	기재부	84	서수연	남대문서	174	서은철	서울청	159	서진	용인서	254	선승민	이천서	256
서동진	북전주서	387	서수현	금정서	441	서은파	용산서	207	서진호	기재부	75	선양기	광산서	364
서동천	부천서	304	서순기	순천서	376	서은혜	기재부	79	서진호	반포서	186	선연자	동울산서	456
서동현	목포서	374	서순연	해운대서	455	서은혜	대구청	396	서창덕	인천서	280	선우영진	용인서	254
서동화	서대전서	326	서승경	구리서	230	서은혜	부산청	437	서창완	홍성서	345	선욱	금융위	93
서두환	시흥서	246	서승규	서울청	145	서은혜	조세재정	504	서창호	김앤장	51	선유정	남인천서	286
서래훈	구리서	230	서승원	서울청	160	서은혜	조세재정	504	서철호	국세청	131	선은미	서부산서	448
서명국	인천청	284	서승원	용산서	206	서은호	동대구서	405	서충석	부산청	434	선의현	대전청	317
서명권	익산서	388	서승의	동청주서	347	서의성	강릉서	264	서태웅	시흥서	246	선종구	김포서	299
서명남	중부서	217	서승현	삼성서	188	서이현	구미서	416	서학근	마산서	465	선지혜	강남서	163
서명선	기재부	91	서승현	대구세관	494	서익준	서울청	142	서한도	서광주서	370	선창규	파주서	310
서명숙	남대구서	403	서승혜	강서서	167	서인기	중랑서	215	서한솔	마포서	184	선혁우	고양서	294
서명옥	아산서	339	서승화	안양서	253	서인숙	도봉서	179	서혁준	중부서	216	선행렬	분당서	241
서명준	수영서	451	서승희	국세청	127	서인창	동화성서	260	서혁진	성북서	196	선화영	화성서	263
서명진	서울청	151	서신자	기재부	81	서인현	남대구서	403	서현경	제주서	474	선희	성동서	194
서명진	도봉서	178	서아름	의정부서	309	서일준	국회재정	64	서현서	북인천서	288	선희숙	광주청	363
서명진	북부산서	447	서여진	양천서	201	서자영	부산진서	444	서현영	동화성서	260	설경양	광주청	362
서문경	인천서	292	서연정	삼일회계	16	서자원	창원서	471	서현주	부산서	432	설관수	국세주류	132
서문교	서울청	154	서연주	대전서	323	서장은	남대구서	407	서현준	중부청	226	설도현	부산청	433
서문석	대전청	319	서연지	안산서	251	서재균	부산청	439	서현지	성동서	195	설미숙	양천서	200
서문영	인천서	292	서연진	국세주류	132	서재완	역삼서	202	서현지	서대구서	408	설미현	서울청	160
서문지영	서울청	149	서영교	경산서	413	서재완	금감원	96	서현희	인천청	283	설병완	강남서	298
서미	성동서	194	서영국	수성서	410	서재용	관세청	478	서형렬	서울청	142	설미	중부청	221
서미경	통수원서	236	서영빈	서울청	141	서재운	성동서	195	서형민	중부청	221	설승환	익산서	388
서미네	국세청	118	서영빈	조세재정	504	서재용	중기회	111	서형선	진주서	469	설영태	목포서	374
서미래	영등포서	205	서영삼	국세청	118	서재은	금정서	441	서형욱	통영서	472	설재형	서울청	161
서미리	양천서	200	서영상	잠실서	211	서재익	예일법인	44	서혜경	기재부	76	설전	부산서	434
서미선	서초서	192	서영수	기재부	75	서재필	영등포서	205	서혜경	동대구서	405	설정란	서초서	193
서미선	부산진서	444	서영순	강남서	162	서재필	마산서	464	서혜란	강남서	163	설종훈	역삼서	202
서미숙	중부청	223	서영우	광주청	361	서재훈	김앤장	51	서혜숙	평택서	258	설진	익산서	389
서미순	순천서	377	서영일	국세청	143	서정규	국세청	115	서혜숙	충주서	354	설진우	경주서	414
서미연	국세청	116	서영조	북광주서	368	서정균	부산청	437	서혜영	기재부	82	설진원	전주서	390
서미영	강서서	167	서영준	국세청	130	서정년	인천세관	488	서호성	통영서	472	설창환	지방재정	499
서미영	동래서	443	서영지	대구청	398	서정석	삼성서	188	서호성	지방재정	498	설환우	인천청	285
서미영	김해서	463	서영춘	수원서	244	서정숙	나주서	372	서호석	이천서	257	섭시수	동고양서	301
서미정	북대구서	407	서영환	기재부	78	서정아	금융위	93	서화영	동래서	443	성가현	영등포서	204
서민	금융위	93	서예림	서울청	140	서정연	성동서	194	서효영	남양주서	234	성경옥	금천서	172
서민	금감원	96	서예원	원주서	272	서정우	서울청	152	서효우	원주서	272	성경진	서울청	156

이름	소속	쪽
성고운	지방재정	499
성광민	화성서	263
성기동	중기회	111
성기동	남대문서	176
성기영	마포서	185
성기오	홍성서	344
성기웅	기재부	78
성기원	평택서	259
성기일	동래서	442
성기창	중기회	111
성낙진	대구청	396
성노주	법인하나	41
성다진	김포서	298
성대경	은평서	209
성대경	동래서	443
성도현	서대구서	409
성동연	광주서	366
성명재	광주청	361
성문성	해운대서	454
성미경	전주서	391
성미로	통영서	473
성민규	은평서	208
성민수	안양서	252
성민영	법무율촌	54
성민주	서부산서	449
성민지	서대구서	408
성민혁	기재부	81
성백경	동청주서	346
성병규	부산청	438
성병모	중부청	220
성보경	청주서	352
성복석	삼일회계	16
성봉준	북부산서	447
성봉진	의정부서	308
성상진	동래서	443
성상현	국세청	280
성수미	동수원서	236
성수연	강남서	162
성승용	국세청	117
성시우	구로서	171
성시현	예일법인	44
성아영	중부청	119
성연일	성동서	194
성연주	조세재정	502
성연주	조세재정	504
성영순	구미서	416
성완유	대전서	323
성용욱	광주세관	495
성용욱	광주세관	496
성우진	서대문서	190
성원용	인천청	423
성유경	조세재정	502
성유미	평택서	259
성유빈	경기광주	249
성유진	국세청	114
성은경	용인서	254
성은숙	대전청	319
성은애	경산서	413
성은정	안산서	251
성이택	국세청	127
성인영	기재부	78
성인용	기재부	76
성장부	중기회	111
성재경	인천청	256
성재영	인천청	285
성성현	진주서	468
성종만	인천청	281
성종호	구미서	416
성수경	국세청	116
성주석	조세재정	502
성주호	남대문서	174
성준범	경산서	413
성준희	송파서	198
성지은	역삼서	202
성지우	안양서	245
성지혜	마산서	464
성지환	대전청	319
성진규	기재부	82
성진수	삼성서	188
성진혁	청주서	352
성창경	북대전서	325
성창미	서대전서	327
성창석	삼일회계	16
성창화	시흥서	247
성창훈	기재부	88
성창훈	기재부	89
성창훈	기재부	89
성태곤	서울세관	481
성태곤	서울세관	482
성태선	금정서	440
성한기	대구청	396
성해리	남부천서	302
성행제	서울세관	482
성현성	안동서	422
성현영	수영서	450
성현주	국세청	114
성현진	서인천서	291
성혜경	포항서	428
성혜리	송파서	198
성혜전	동래서	442
성혜정	성북서	197
성혜철	서울청	145
성혜진	국세청	119
성호경	보령서	333
성호승	조세심판	501
성화경	국세청	116
성화경	정진세림	24
성희경	마산서	465
소규철	시흥서	246
소기형	동화성서	261
소미현	수원서	244
소민	안양서	189
소병권	세종서	337
소병욱	조세재정	504
소병인	영주서	388
소병철	국회법제	66
소병혁	예산서	341
소병혁	기재부	86
소본영	광명서	297
소서희	인천서	292
소섭	서울청	151
소수정	수원서	245
소수현	전주서	391
소수혜	군산서	382
소연	서울청	152
소연경	화성서	262
소영석	영등포서	204
소유섭	안양서	252
소윤섭	군산서	382
소재성	청주서	353
소재준	동안양서	239
소종태	중부서	217
소준영	조세재정	504
소진수	법무율촌	54
소충섭	대구청	397
소태섭	익산서	388
소현철	경산서	413
손가영	상주서	421
손가희	동작서	183
손경근	광주서	366
손경미	평택서	259
손경선	강서서	167
손경수	서대구서	408
손경아	북대전서	324
손경진	서울청	146
손광민	목포서	375
손광섭	동대문서	181
손국	성북서	197
손권호	아산서	338
손규리	충주서	354
손근만	포항서	429
손기만	국세청	115
손기봉	서대문서	191
손기혜	성동서	195
손길진	은평서	208
손다영	부산청	436
손다희	포천서	312
손대균	조세심판	501
손동민	대구청	398
손동석	기재부	89
손동영	포천서	312
손동우	포항서	428
손동주	부산진서	444
손동주	지방재정	498
손동진	조세재정	502
손동진	김천서	418
손동칠	김포서	298
손명	포천서	312
손명수	은평서	209
손명숙	부산청	435
손명주	수성서	411
손명희	순천서	376
손문갑	인천세관	485
손문갑	인천세관	487
손미량	영등포서	205
손미숙	국세청	128
손민	부산진서	445
손민석	남부천서	303
손민석	기흥서	232
손민선	강동서	164
손민영	천안서	342
손민자	관악서	168
손민정	서울청	159
손민정	부산진서	445
손민정	부산진서	445
손민지	남대구서	402
손민호	지방재정	498
손병석	기재부	80
손병석	용산서	206
손병규	중부서	216
손병양	국세교육	137
손병열	창원서	471
손병준	법무법인	52
손병중	강릉서	264
손병환	부산청	438
손보경	부산서	432
손봉현	삼성서	192
손삼락	포항바른	428
손삼락	법무바른	1
손상영	관악서	168
손상익	역삼서	203
손상영	서울세무	28
손상필	해남서	380
손상현	국세교육	136
손석민	부산서	432
손석임	국세청	118
손석주	부산청	437
손석오	이천서	257
손석호	서인천서	290
손선미	성동서	194
손선미	관악서	366
손선수	이천서	257
손선아	잠실서	210
손선영	기재부	75
손선영	안양서	252
손선화	송파서	199
손선희	부산진서	444
손성국	마포서	185
손성규	국세청	117
손성배	삼덕회계	15
손성수	의정부서	308
손성웅	울산서	458
손성원	중기회	111
손성은	금융위	94
손성자	부산청	432
손성주	창원서	470
손성주	국세청	127
손성희	순천서	376
손세규	수성서	411
손세민	순천서	376
손세영	군산서	383
손세종	중부청	220
손세희	마포서	185
손소희	대구서	404
손수아	김포서	298
손수정	순천서	377
손수정	반포서	172
손수현	전주서	390
손승모	마포서	185
손승재	광산서	364
손승진	서울청	156
손승희	중랑서	215
손승희	고양서	301
손신혜	대전청	320
손신혜	북대구서	407
손아름	반포서	80
손안상	전주서	391
손연숙	수영서	450
손영대	반포서	187
손영대	동안양서	239
손영란	서울청	161
손영미	경기광주	249
손영미	김해서	463
손영이	서초서	192
손영주	세종서	336
손영진	충주서	355
손영환	서울세관	481
손영훈	서울세관	483
손예정	남대구서	402
손오석	광주청	359
손옥주	서울청	142
손완수	부산진서	445
손요나	인천세관	488
손용석	지방재정	498
손우성	기재부	75
손원영	남양주서	234
손원우	반포서	187
손유진	성북서	196
손유진	조세재정	502
손윤섭	국세교육	136
손윤숙	대구청	398
손은경	진주서	469
손은경	지방재정	498
손은숙	대구청	398
손은식	경산서	412
손은애	예산서	341
손은태	서대문서	190
손은하	분당서	240
손은희	서부산서	448
손의철	연수서	307
손이슬	울산서	459
손인권	서대구서	408
손인준	남산서	243
손재명	국세청	114
손재명	광주청	363
손재원	원주서	272
손재하	강남서	163
손정아	서울청	146
손정욱	서울청	144
손정우	북광주서	368
손정혁	기재부	81
손정현	군산서	382
손정화	충주서	355
손정화	금정서	441
손정훈	대구청	401
손정희	성동서	194
손정희	경기광주	248
손종대	인천청	283
손종욱	국세청	129
손종현	전주서	391
손주연	기재부	83
손주영	파주서	311
손주희	동울산서	457
손주희	금천서	172
손준표	북대구서	406
손준혁	북대구서	407
손준호	영주서	427
손증렬	영주서	427
손지선	파주서	199
손지아	중부청	224
손지혜	이천서	256
손지훈	군산서	458
손진락	통영서	473
손진욱	서울청	157
손진이	천안서	342
손진현	국회재정	63
손진호	동래서	442
손찬희	제주서	474
손창수	남부천서	303
손창용	서울세무	28
손창환	태평양	58
손채령	부산청	433
손채리	수영서	450
손춘호	서대구서	408
손충식	광주청	358
손태빈	조세심판	501
손태영	안산서	250
손태우	경산서	413
손태유	영등포서	205
손택영	안산서	251
손한준	국세청	124
손해리	수원서	245
손해수	부산진서	444
손해원	성동서	195
손해진	진주서	468
손현경	의정부서	308
손현석	기재부	86
손현숙	관악서	168
손현숙	수영서	450
손현정	서대전서	326
손현주	해남서	381
손현주	북전주서	387
손현지	남인천서	286
손현진	인천서	293
손현태	남원서	385
손형미	평택서	258
손형주	전주서	390
손혜림	서울청	161
손혜은	평택서	258
손혜정	삼성서	188
손혜진	평택서	258
손호근	삼덕회계	15
손호의	인천청	281
손홍필	종로서	212
손화승	천안서	343
손효근	포항서	428
손효정	국세상담	135
손효현	국세청	117
손희경	부산서	439
손희영	서부산서	449
손희정	중부청	222
송강	해운대서	454
송건	김해서	462
송경덕	안산서	251
송경령	고양서	294
송경아	금천서	173
송경원	성동서	194
송경주	지방재정	499
송경주	청주서	353
송경호	조세재정	502
송경호	조세재정	503
송경호	조세재정	504
송경희	정읍서	393
송광근	성동서	194
송광선	서울청	140
송권호	국세교육	136
송규호	국세청	114
송기삼	경주서	414
송기선	기재부	77
송기선	파주서	310
송기순	동화성서	260
송기영	조세심판	500
송기영	평택서	259
송기원	부천서	305
송기익	북대구서	407
송기영	국회법제	66
송기화	서울청	140
송나연	포천서	312
송남영	조세재정	504
송노용	영등포서	205
송다성	김해서	462
송다연	광산서	364
송다은	서울청	141
송대근	국세상담	135
송대섭	삼성서	188
송대섭	창원서	470
송도관	서초서	192
송도규	북전주서	386
송동규	성동서	194
송동규	인천청	282
송동복	광교법인	34
송동식	지방재정	499
송동훈	조세심판	500
송만수	광산서	364
송명림	삼성서	189
송명진	고양서	294
송미나	용산서	206
송미나	예산서	340
송미소	광주청	359
송미연	수원서	245
송미연	창원서	470
송미원	대전청	317
송미정	부산서	433
송민경	국회정무	67
송민국	부산진서	444
송민석	경기광주	248
송민섭	분당서	240
송민수	마포서	185
송민숙	중부청	229
송민영	서초서	193
송민우	동청주서	347

이름	소속	번호	이름	소속	번호	이름	소속	번호	이름	소속	번호	이름	소속	번호
송민익	기재부	75	송용기	나주서	372	송정아	안양서	253	송필재	서현이현	7	신남숙	잠실서	211
송민정	통영서	473	송우경	화성서	262	송정은	남양주서	235	송하나	조세심판	500	신다해	종로서	213
송민준	경산서	412	송우락	안산서	250	송정현	남대문서	174	송하영	제주서	474	신담호	제주서	475
송민철	동안양서	239	송우람	중부청	223	송정화	서대문서	191	송하준	전주서	390	신대수	대전서	322
송바우	국세청	122	송우용	창원서	470	송정환	삼성서	189	송해영	국세청	169	신대영	기재부	91
송바우	국세청	123	송우진	부산진서	445	송정희	남대문서	175	송향기	서부산서	448	신대환	북대구서	407
송바위	국세청	124	송우진	광교법인	34	송종민	국세청	113	송향희	국세청	117	신덕수	광산서	364
송방의	광주서	358	송우철	태평양	58	송종범	서울청	145	송현근	포천서	313	신도인	울산서	459
송병섭	강서서	167	송웅호	광주세관	496	송종철	영등포서	205	송현남	광주세관	496	신동규	서울청	146
송병호	서울청	161	송원기	용인서	255	송종호	서울청	141	송현동	중부청	221	신동근	창원서	470
송병희	성동서	194	송원호	국세청	117	송종훈	양천서	201	송현수	동작서	182	신동배	동작서	182
송보경	용인서	255	송원호	광산서	365	송주민	김포서	299	송현정	수원서	244	신동복	서현이현	6
송보경	동래서	443	송유나	서산서	334	송주영	반포서	186	송현정	동화성서	261	신동식	북대구서	406
송보라	인천청	282	송유란	분당서	241	송주은	중부서	217	송현종	기흥서	232	신동연	국세청	125
송보섭	성남서	243	송유민	기재부	78	송주은	세종서	337	송현주	광산서	206	신동섭	광산서	364
송보화	동대문서	180	송유정	영등포서	204	송주은	북부산서	447	송현주	춘천서	275	신동우	북대전서	324
송복철	기재부	89	송유진	국세청	116	송주한	평택서	259	송현래	동래서	442	신동윤	서울세관	482
송봉선	광주청	359	송윤민	여수서	379	송주현	서울청	160	송현철	경기광주	249	신동은	파주서	311
송상목	기재부	87	송윤정	영주서	426	송주현	남대구서	403	송현탁	조세심판	500	신동익	동수원서	236
송상민	안산서	250	송윤식	동대문서	180	송주현	울산서	459	송현호	서울청	147	신동주	용산서	207
송상우	법무율촌	54	송윤정	의정부서	308	송주영	서인천서	290	송현화	광산서	206	신동주	평택서	258
송상율	동화성서	261	송윤주	기재부	86	송주희	안산서	251	송현희	북대전서	324	신동준	고양서	294
송석중	대전서	323	송윤태	대전서	322	송준승	서울청	157	송형승	도봉서	178	신동준	조세재정	503
송석철	남부천서	302	송윤호	국세청	116	송준식	기재부	77	송형철	대전청	318	신동진	구로서	170
송선경	북대전서	325	송윤화	예일회계	21	송준오	국세상담	135	송혜리	청주서	353	신동진	남부천서	302
송선영	의정부서	309	송은별	서울청	160	송준현	북인천서	288	송혜원	이천서	256	신동표	정진세림	24
송선용	양천서	200	송은선	광주서	366	송준호	안산서	251	송혜원	구로서	171	신동혁	관악서	169
송선주	김포서	299	송은영	동화성서	260	송지미	서울청	141	송혜인	영등포서	204	신동현	기재부	81
송선태	성동서	195	송은영	목포서	374	송지선	남대문서	177	송혜인	동화성서	261	신동현	부산세관	491
송설희	도봉서	178	송은영	부산진서	444	송지선	잠실서	211	송혜정	수성서	410	신동현	기재부	77
송성근	북대구서	407	송은우	강남서	162	송지아	성동서	194	송호근	국세교육	137	신동호	서울청	140
송성심	부천서	304	송은정	서울청	161	송지연	서울청	143	송호연	광명서	296	신동호	강서서	166
송성욱	창원서	470	송은주	서울청	160	송지영	보령서	332	송호필	관악서	168	신동호	양천서	200
송성일	기재부	75	송은주	서광주서	370	송지예	강남서	163	송화영	서울청	149	신동화	지방재정	499
송성철	양천서	200	송은주	지방재정	498	송지우	동수원서	236	송환용	서울청	146	신동훈	송파서	198
송성희	국세청	116	송은주	조세재정	502	송지원	국세청	122	송효주	공주서	328	신동훈	중부서	217
송성희	용인서	254	송은지	종로서	212	송지원	국세청	131	송효진	진주서	469	신동훈	파주서	310
송세미	김해서	462	송은지	경산서	413	송지원	부천서	305	송휴종	기흥서	232	신동훈	북부산서	446
송송이	북전주서	387	송은하	중부청	228	송지윤	성동서	194	송흥철	중부청	225	신동희	강동서	165
송수빈	청주서	352	송은희	안양서	253	송지윤	서울청	155	송희라	지방재정	499	신래철	강서서	167
송수인	동청주서	347	송의미	마포서	184	송지은	구리서	230	송희성	동대문서	180	신민호	관악서	169
송수희	잠실서	211	송의진	익산서	389	송지은	동안양서	238	송희정	원주서	273	신명관	삼성서	188
송숭	의정부서	309	송익범	익산서	334	송지은	평택서	259	송희정	광주청	362	신명도	성북서	197
송승리	창원서	471	송인경	동울산서	456	송지은	아산서	338	송희진	중부산서	453	신명록	기재부	82
송승수	송파서	199	송인광	대전서	323	송지인	평택서	258	시종원	서울청	153	신명섭	고양서	295
송승언	대구세관	494	송인규	인천서	282	송지현	기재부	81	시진기	구미서	417	신명수	중랑서	214
송승용	북인천서	288	송인범	용산서	206	송지현	서울청	161	시현구	서초서	192	신명숙	기재부	87
송승윤	논산서	330	송인수	울산서	459	송지혜	중부서	216	시각성	부산세관	490	신명숙	마포서	184
송승재	용인서	254	송인숙	마산서	464	송지혜	고양서	295	시갑수	송파서	199	신명식	대전청	319
송승준	송파서	198	송인숙	북부산서	446	송지훈	서초서	193	신강민	서울세관	481	신명진	삼척서	266
송승철	서울청	148	송인숙	부산세관	491	송지훈	북인천서	288	신강민	서울세관	483	신명희	나주서	372
송승한	시흥서	247	송인순	포항서	428	송진미	서울청	160	신거련	국세청	311	신무성	동안양서	239
송승한	의정부서	309	송인용	서울청	159	송진민	조세재정	502	신건묵	상주서	421	신문정	동화성서	261
송승혁	상공회의	109	송인용	대전청	320	송진수	중부서	217	신경섭	남부천서	302	신문정	경주서	414
송승호	천안서	342	송인우	중부청	224	송진용	용산서	206	신경수	마포서	185	신미경	삼성서	189
송시운	대구청	400	송인우	대전서	322	송진용	익산서	388	신경식	남대문서	177	신미경	인천서	292
송신애	인천청	283	송인춘	서울청	141	송진욱	중부산서	452	신경아	기재부	77	신미경	금정서	440
송신호	분당서	240	송인출	서울청	467	송진혁	기재부	81	신경아	서인천서	291	신미덕	마포서	185
송아란	기재부	87	송인한	서대전서	327	송진호	국세청	114	신경우	서대구서	409	신미라	국세청	119
송연서	북대전서	324	송인형	서울청	145	송진호	송파서	198	신경희	천안서	343	신미리	중부청	228
송연주	중랑서	214	송인화	파주서	311	송진희	서울청	161	신계희	서인천서	342	신미미	의정부서	308
송연지	김해서	463	송인희	대전청	318	송진희	광주서	367	신고현	북인천서	288	신미선	남대문서	174
송연호	제천서	351	송일훈	고양서	294	송찬규	국세청	115	신관호	부산서	432	신미숙	광주청	359
송영기	남부천서	303	송재경	기재부	83	송찬미	강동서	164	신광수	국회재정	63	신미식	시흥서	246
송영덕	중부세무	29	송재경	김해서	462	송찬빈	남부천서	302	신광재	대전서	322	신미애	동화성서	260
송영민	미래회계	14	송재민	수성서	411	송찬주	중부청	223	신광철	대전청	320	신미영	중부서	216
송영석	강남서	163	송재봉	시흥서	247	송창성	강남서	156	신구호	강남서	162	신미영	서대전서	327
송영석	중부청	225	송재성	인천청	280	송창식	구로서	171	신규명	광교법인	35	신미영	북대구서	406
송영석	서현이현	7	송재열	기재부	81	송창영	금융위	92	신규승	삼척서	266	신미옥	수영서	450
송영아	부산청	435	송재영	동대문서	181	송창호	양천청	348	신규용	정읍서	392	신미정	부산진서	444
송영우	북인천서	289	송재원	인천세무	30	송창훈	동안양서	239	신근모	서울청	148	신민경	중랑서	215
송영욱	김포서	290	송재윤	대전청	318	송창훈	부산청	435	신근수	남대구서	403	신민규	동안양서	238
송영인	광명서	297	송재윤	광주청	359	송창희	부산청	436	신기력	딜로이트	13	신민기	서부산서	448
송영주	동청주서	346	송재은	안산서	250	송채성	논산서	330	신기룡	인천청	284	신민서	제주서	474
송영지	포천서	312	송재익	한국관세	46	송채연	김천서	418	신기선	법무율촌	54	신민섭	서울청	146
송영진	국세청	120	송재준	대구서	398	송채연	서인천서	291	신기주	인천청	283	신민아	중부청	224
송영진	안동서	423	송재중	광주청	360	송채원	잠실서	210	신기철	제천서	350	신민지	영등포서	205
송영찬	청주서	353	송재천	서울청	159	송청자	서울청	157	신기탁	서울세무	28	신민채	국세청	122
송영재	의정부서	309	송재철	의정부서	159	송충종	부천서	304	신기태	기재부	81	신민철	광명서	296
송영춘	중부청	223	송재호	서산서	334	송충호	남인천서	287	신기한	진주서	468	신민철	연수서	307
송영태	서울청	152	송재호	국회정무	68	송치호	수영서	451	신기환	기재부	85	신민혜	부산청	438
송영화	청주서	353	송재호	대전서	322	송칠선	대전서	318	신나리	북인천서	289	신민호	강릉서	265
송예은	통영서	472	송정금	포천서	313	송태정	예산서	340	신나영	동안양서	239	신방인	대전청	318
송예체	강서서	166	송정민	제주서	474	송태준	국세청	118	신나영	수원서	244	신범하	삼성서	189
송오은	분당서	241	송정복	광교법인	36	송평근	국세청	114	신나현	서초서	192	신병전	북부산서	446
송옥연	국세청	120	송정숙	광명서	296	송필섭	마포서	185	신나혜	연수서	306	신병준	동울산서	457

이름	소속	쪽
신보경	수원서	244
신보경	아산서	338
신복희	서울청	156
신봉식	서울청	145
신상덕	여수서	378
신상례	대전청	318
신상민	동작서	182
신상수	논산서	330
신상수	동울산서	457
신상우	남대구서	403
신상욱	송파서	199
신상은	서울청	147
신상철	양천서	201
신상홍	중기회	111
신상훈	감사원	71
신상훈	성남서	242
신상훈	대전청	321
신상희	영월서	271
신서연	서대문서	191
신석균	은평서	208
신석주	남대구서	402
신선	중랑서	214
신선미	동고양서	300
신선미	금정서	440
신선주	고양서	294
신선혜	남대구서	402
신선희	대전청	318
신성규	연수서	306
신성근	서울청	144
신성만	해운대서	455
신성봉	양천서	201
신성용	대구서	400
신성원	통영서	472
신성일	북부산서	447
신성장	기재부	82
신성장	상공회의	109
신성철	포천서	313
신성호	홍성서	345
신성환	포천서	313
신세연	광주서	367
신세용	서울청	149
신소연	안동서	423
신소은	지방재정	499
신소희	성남서	243
신솔지	정읍서	392
신수경	동수원서	236
신수남	서대전서	326
신수령	중부청	223
신수미	부산청	437
신수미	조세재정	502
신수민	동작서	182
신수범	파주서	310
신수빈	도봉서	178
신수용	기재부	75
신수정	분당서	240
신수정	여수서	379
신수진	분당서	241
신수창	광명서	296
신숙경	서울세관	482
신숙희	반포서	186
신숙희	대전청	321
신순영	홍성서	344
신승수	속초서	268
신승애	강남서	162
신승연	성동서	195
신승우	국회정무	67
신승우	서인천서	290
신승우	동청주서	346
신승일	삼일회계	17
신승진	동고양서	300
신승철	삼일회계	17
신승태	진주서	468
신승헌	기재부	88
신승현	구리서	230
신승현	경산서	412
신승호	인천세관	487
신승환	영동서	349
신승환	금정서	440
신승훈	시흥서	246
신승훈	영월서	270
신승훈	광산서	365
신아름	동화성서	261
신아영	동작서	182
신아영	대구청	398
신언수	중부산서	453
신언순	동청주서	347
신여경	시흥서	246
신연숙	대구청	399
신연순	북인천서	288
신연정	부산서	437
신연주	서울청	149
신연주	남인천서	286
신연준	수원서	245
신연희	서인천서	290
신열석	대전청	319
신영남	광주서	363
신영남	조세심판	500
신영남	조세심판	500
신영남	조세심판	501
신영두	기재부	253
신영민	이천서	257
신영선	북인천서	289
신영섭	성동포서	205
신영수	시흥서	246
신영순	마포서	184
신영숙	안산서	266
신영승	북부산서	447
신영심	영등포서	204
신영아	서울청	366
신영웅	서울청	159
신영일	감사원	70
신영재	남대구서	402
신영주	부천서	305
신영준	서울청	151
신영준	수성서	411
신영진	남대문서	177
신영철	남양주서	235
신영철	조세재정	502
신영철	조세재정	502
신영호	수원서	245
신영희	제주서	474
신영희	은평서	209
신예람	북대구서	407
신예비	성동서	194
신예슬	삼척서	266
신예원	북인천서	288
신예진	여수서	378
신예진	부산청	432
신옥미	구로서	171
신옥희	수성서	411
신요한	중부청	222
신용대	해운대서	454
신용도	울산서	459
신용범	서울청	149
신용석	동작서	183
신용석	남대구서	402
신용섭	김포서	298
신용순	기재부	75
신용식	천안서	342
신용현	통영서	473
신용호	광주청	358
신우교	동대문서	180
신우영	강동서	164
신우용	원주서	272
신우일	해운대서	454
신웅식	택스홈	42
신웅식	택스홈앤	243
신원경	안동서	423
신원섭	동작서	183
신원식	강릉서	264
신원일	북대전서	324
신원정	원주서	273
신원철	충주서	355
신유나	남인천서	286
신유동	영등포서	204
신유라	중부청	237
신유미	중부청	228
신유미	기흥서	232
신유진	상주서	199
신유진	상주서	420
신유진	창원서	470
신유하	안산서	251
신유환	영주서	426
신유환	영주서	427
신유희	남대구서	402
신윤경	강남서	162
신윤섭	삼일회계	16
신윤숙	수성서	411
신윤정	기재부	88
신윤철	예일법인	44
신은경	서울청	140
신은수	동작서	182
신은숙	양산서	466
신은우	국세상담	134
신은정	시흥서	247
신은정	동대구서	405
신은주	서인천서	290
신은희	천안서	342
신은지	파주서	310
신은화	목포서	374
신의현	인천청	283
신이길	강남서	162
신익철	서대구서	408
신인식	기재부	90
신장규	EY한영	12
신장수	금융위	94
신재봉	서울청	160
신재원	기재부	84
신재원	진주서	469
신재은	대구서	398
신재평	파주서	311
신재화	춘천서	275
신정곤	부산서	434
신정무	중부청	220
신정미	춘천서	275
신정민	조세심판	500
신정석	서대구서	409
신정수	동고양서	300
신정숙	서울청	155
신정아	용인서	255
신정아	제주서	474
신정연	북대구서	406
신정용	광주청	362
신정원	기재부	87
신정원	파주서	311
신정현	중랑서	214
신정화	예일법인	44
신정환	도봉서	178
신정환	시흥서	247
신정훈	국세청	124
신정훈	중부청	224
신종부	안산서	251
신종범	광교법인	36
신종식	속초서	268
신종식	나주서	373
신종웅	서초서	192
신종필	삼덕회계	15
신종필	지방재정	498
신종훈	국세청	118
신주령	동대문서	180
신주영	구미서	416
신주영	수영서	450
신주현	동대문서	180
신주현	구리서	320
신준규	남양주서	234
신준기	진주서	469
신준봉	강동서	164
신준호	기재부	87
신준호	부천서	304
신중현	국세청	118
신중훈	김포서	299
신지명	북대전서	324
신지선	평택서	258
신지성	잠실서	211
신지수	북인천서	289
신지수	익산서	388
신지숙	성북서	196
신지애	동대구서	404
신지연	구로서	170
신지연	동작서	183
신지연	역삼서	202
신지연	구리서	230
신지연	동수원서	236
신지연	서대구서	409
신지영	국세청	120
신지우	서울청	149
신지원	조세재정	502
신지은	동고양서	300
신지은	남부천서	302
신지혜	강남서	162
신지혜	삼성서	188
신지혜	시흥서	246
신지혜	금정서	440
신지호	기재부	77
신지환	부천서	304
신지훈	안양서	252
신지훈	서현이현	7
신진규	분당서	241
신진균	잠실서	211
신진섭	강릉서	265
신진아	천안서	343
신진아	남대구서	403
신진우	충주서	355
신진우	남대구서	403
신진욱	기재부	80
신진욱	기재부	91
신진일	인천세관	485
신진일	인천세관	488
신진주	지방재정	498
신진호	금융위	94
신찬호	여수서	379
신창영	인천청	285
신창환	딜로이트	13
신창훈	국세청	115
신채영	마포서	184
신채영	인천청	283
신채용	기재부	81
신채원	지방재정	499
신철송	동대문서	181
신철원	서울청	157
신철주	안산서	251
신철호	나주서	373
신치원	의정부서	308
신탁	금감원	101
신태섭	기재부	81
신하나금	북부산서	446
신학순	세원법인	43
신해규	인천청	283
신향식	서울청	161
신헌태	조세재정	504
신혁	충주서	355
신현경	종로서	212
신현구	기재부	212
신현국	국세교육	136
신현국	북대전서	325
신현근	종로서	212
신현삼	잠실서	211
신현석	서울청	149
신현영	송파서	198
신현우	동래서	442
신현원	남부천서	303
신현일	중부청	226
신현준	김포서	299
신현중	국세청	127
신현진	남인천서	286
신현창	삼일회계	16
신현철	동대문서	181
신형원	서초서	352
신형진	기재부	76
신혜경	구미서	416
신혜란	북인천서	289
신혜민	분당서	240
신혜선	아산서	338
신혜숙	서울청	154
신혜인	아산서	338
신혜정	평택서	258
신혜진	고양서	294
신혜진	김해서	463
신호빈	동고양서	301
신호석	서현이현	7
신호석	서현이현	7
신호철	북부산서	447
신홍용	서초서	193
신효경	국세청	117
신효경	중부청	221
신효요	인천세관	486
신희라	연수서	306
신희명	인천청	280
신희웅	서울청	161
신희철	서울청	139
심경섭	은평서	208
심경아	도봉서	179
심경자	기재부	83
심경희	기재부	74
심규민	화성서	262
심규연	종로서	211
심규진	기재부	81
심규찬	태평양	58
심규현	지방재정	499
심기보	연수서	306
심기현	인천세관	488
심단비	남양주서	234
심란주	국세상담	134
심명진	광산서	364
심미선	전주서	391
심미희	이천서	257
심민경	서울청	148
심민기	울산서	459
심민정	동작서	182
심민정	중부청	224
심민정	북부산서	446
심민준	기재부	82
심백교	조세재정	504
심별	남양주서	234
심상동	익산서	388
심상미	서울청	161
심상수	대구세관	494
심상옥	중기회	111
심상욱	지방재정	499
심상운	구미서	417
심상원	목포서	374
심새별	성남서	242
심서현	금정서	441
심선미	구로서	170
심선화	분당서	241
심선화	경기광주	249
심성연	순천서	376
심성환	순천서	376
심세라	군산서	382
심소영	파주서	310
심수경	감사원	70
심수경	동화성서	261
심수린	구로서	171
심수빈	반포서	187
심수연	은평서	208
심수진	김포서	298
심수한	서울청	157
심수현	기재부	79
심수현	영월서	271
심수희	조세재정	502
심순보	마산서	464
심승미	기재부	81
심아미	역삼서	203
심연수	마포서	184
심연주	마산서	465
심연택	동대문서	181
심영일	은평서	209
심영주	동울산서	456
심영찬	논산서	330
심영창	춘천서	274
심예진	잠실서	211
심완수	기흥서	232
심용주	서대전서	327
심용훈	용인서	254
심우돈	조세심판	501
심우용	부산청	437
심우진	기재부	74
심우택	이천서	257
심우홍	원주서	272
심욱기	중부청	219
심욱기	중부청	221
심유정	기재부	75
심윤미	금천서	173
심윤보	영등포서	204
심윤상	김앤장	51
심윤성	국세청	127
심윤정	역삼서	202
심은경	해운대서	454
심은정	국세상담	134
심은진	국세청	119
심자연	김포서	299
심재걸	서울청	154
심재경	조세재정	504
심재곤	감사원	70
심재량	서울청	146
심재도	서울청	140
심재옥	익산서	388
심재용	고시회	31
심재운	광주서	367
심재인	김해서	463
심재일	파주서	310
심재진	대전청	318
심재진	법무광장	53
심재진	남양주서	234
심재현	인천세관	485

이름	소속	쪽	이름	소속	쪽	이름	소속	쪽	이름	소속	쪽	이름	소속	쪽
심재현	인천세관	486	안대엽	삼성서	189	안소형	영덕서	424	안재영	기재부	77	안진영	의정부서	308
심재호	남양주서	234	안대엽	중부청	226	안수경	국세청	426	안재호	부산청	436	안진영	천안서	343
심재훈	국세청	128	안대철	거창서	461	안수림	국세청	117	안재진	대전청	318	안진영	나주서	372
심재훈	대구청	399	안대호	부산진서	444	안수만	부산청	434	안재필	북부산서	447	안진용	구미서	417
심재형	국세청	140	안덕수	서울청	139	안수민	서울청	157	안재학	파주서	248	안진우	경주서	414
심정규	국세청	126	안도걸	기재부	75	안수민	평택서	259	안재혁	김앤장	51	안진환	서울청	161
심정미	부산청	434	안도형	국세청	117	안수민	남인천서	286	안재현	성북서	197	안진희	남대구서	403
심정민	기재부	82	안동민	청주서	295	안수빈	파주서	311	안재현	경기광주	248	안창남	잠실서	211
심정보	서울청	147	안동상	북대구서	407	안수아	국세청	130	안재현	창원서	471	안창모	기재부	76
심정보	해운대서	455	안동섭	반포서	186	안수안	북대전서	325	안재형	광주청	363	안창현	부산청	434
심정석	은평서	209	안동섭	서초서	193	안수연	국세청	118	안재홍	파주서	310	안창희	동화성서	260
심정식	서울청	147	안동섭	택스홈	42	안수용	충주서	354	안재희	영주서	426	안초희	경주서	415
심정연	용산서	207	안동숙	서울청	153	안수정	삼성서	189	안재희	송파서	198	안춘자	북전주서	386
심정은	서울청	142	안래본	서울청	118	안수정	잠실서	211	안정미	잠실서	210	안치영	남원서	385
심정희	해운대서	455	안만식	서현이현	7	안수정	법무율촌	54	안정민	서울청	155	안태균	남인천서	287
심종기	홍천서	277	안명환	지방재정	498	안수지	파주서	310	안정민	용인서	254	안태길	삼척서	266
심종보	북광주서	369	안모세	남대문서	177	안수진	구미서	416	안정빈	금정서	440	안태동	파주서	311
심종숙	양천서	201	안무혁	은평서	208	안수진	마산서	465	안정섭	강동서	165	안태명	국세청	115
심주영	국세청	115	안문철	성남서	243	안수현	동화성서	260	안정수	서대문서	190	안태수	성동서	194
심주용	인천청	280	안미경	중부청	224	안순주	중부청	223	안정심	수영서	359	안태영	통영서	472
심준	서대문서	191	안미경	남대구서	408	안순호	삼성서	188	안정은	화성서	262	안태유	예산서	341
심준보	국세청	114	안미라	강남서	162	안슬비	남인천서	286	안정은	중랑서	214	안태일	서울청	159
심준석	충주서	355	안미분	충주서	355	안승연	천안서	342	안정은	택스홈	42	안태준	용인서	254
심지섭	서울청	141	안미선	영등포서	205	안승우	국세청	116	안정호	남양주서	235	안태진	강남서	163
심지숙	남대문서	175	안미영	서울청	151	안승진	성동서	195	안정호	인천세관	487	안태훈	국세청	123
심지애	기재부	88	안미영	파주서	310	안승진	예일법인	44	안정환	수영서	451	안한솔	송파서	199
심지영	청명서	296	안미진	동작서	182	안승연	기재부	83	안정환	남대구서	402	안해송	남대문서	177
심지은	용산서	207	안미진	동작서	183	안승현	마포서	185	안정훈	강서서	166	안해준	삼척서	267
심지현	구리서	231	안민규	해운대서	455	안승현	강릉서	264	안정헌	양산서	466	안해찬	남대구서	403
심진영	청주서	352	안민규	여수서	221	안승현	중부산서	453	안제은	논산서	331	안현수	구리서	231
심진용	금천서	173	안민숙	여수서	378	안승화	서울청	156	안종규	마산서	465	안현자	중부청	225
심진홍	지방재정	499	안민석	화성서	262	안승훈	창원서	471	안종은	북인천서	288	안현정	대전서	323
심창수	지방재정	498	안민기	서울청	114	안신영	서울청	154	안종정	춘천서	274	안현준	국세상담	134
심창현	서울청	160	안민희	인천청	283	안애선	연수서	306	안종정	삼덕회계	15	안현창	김천서	418
심창훈	북부산서	447	안병수	대구청	397	안양순	홍천서	277	안종호	동작서	183	안형민	국세청	130
심철구	지방재정	498	안병옥	도봉서	178	안양후	국세청	458	안주영	서울청	148	안형선	인천서	292
심태석	동래서	442	안병용	평택서	259	안언형	북부산서	447	안주영	관악서	169	안형수	인천청	283
심태완	조세재정	503	안병윤	부산세관	491	안연숙	삼성서	188	안주훈	기재부	88	안형숙	북전주서	386
심한보	고양서	294	안병일	감사원	152	안연찬	강서서	166	안주혁	국세청	125	안형식	대전서	322
심현	마포서	184	안병준	감사원	70	안영길	동대구서	405	안주희	파주서	311	안형자	기재부	86
심현석	광주청	359	안병진	국세청	124	안영서	북부산서	446	안주희	동청주서	346	안형준	법인하나	41
심현우	기재부	87	안병철	북인천서	289	안영선	금정서	204	안준	김포서	299	안형진	서울청	148
심현이	북대전서	325	안병태	서울청	151	안영수	삼덕회계	15	안준	서울세관	481	안형태	북전주서	386
심현정	남대문서	174	안병현	서울청	150	안영순	안양서	252	안준	서울세관	483	안혜령	북부산서	446
심현주	남부천서	303	안복수	서울청	429	안영신	기재부	88	안준수	역삼서	202	안혜숙	삼성서	188
심현희	남대문서	176	안상숙	조세재정	504	안영준	양천서	200	안준연	김해서	463	안혜영	서울청	145
심형섭	서인천서	290	안상순	영등포서	205	안영준	동울산서	457	안준연	중기회	111	안혜영	부산청	432
심형섭	삼덕회계	15	안상연	북부산서	446	안영채	서울청	149	안준영	기재부	76	안혜원	파주서	310
심혜경	국세상담	134	안상영	강릉서	264	안영환	기재부	83	안준철	국회법제	66	안혜은	국세청	117
심혜원	충주서	355	안상원	국세청	117	안영훈	기재부	75	안준현	서대구서	408	안혜정	국세청	124
심혜정	충주서	355	안상재	서울청	466	안영희	대전서	322	안중관	조세심판	501	안혜정	남대문서	180
심혜진	전주서	390	안상진	국세청	119	안예지	상주서	421	안중현	시흥서	247	안혜정	해남서	381
심효선	지방재정	498	안상춘	서현이현	7	안옥자	그룹토은	37	안중호	서울청	148	안혜진	서인천서	291
심효진	반포서	186	안상현	대전청	316	안요한	목포서	375	안중준	서울청	187	안혜진	동고양서	301
심희선	남대문서	175	안새롬	조세재정	503	안용	강릉서	264	안지민	영동서	349	안호정	광주청	358
심희열	구로서	170	안서연	부천서	429	안용수	남양주서	235	안지민	서대구서	409	안호진	예산서	341
심희정	양산서	467	안서진	아산서	338	안우형	대구청	398	안지섭	북인천서	288	안홍갑	포천서	312
심희준	중부청	224	안선	동고양서	301	안원기	진주서	468	안지섭	순천서	377	안홍주	상주서	421
			안선일	대전청	317	안유미	화성서	262	안지연	대전청	318	안홍진	용산서	207
			안성경	정읍서	393	안유정	목포서	375	안지연	북대구서	407	안회석	반포서	186
			안성경	인천청	282	안유진	용인서	254	안지영	통영서	472	안희성	성동서	194
			안성국	광명서	296	안유현	서울청	159	안지영	국세청	120	안희숙	강릉서	264
			안성덕	수성서	410	안유희	서울청	145	안지영	남양주서	235	양가은	파주서	310

○

이름	소속	쪽	이름	소속	쪽	이름	소속	쪽	이름	소속	쪽	이름	소속	쪽
안가혜	성동서	195	안성민	양천서	201	안윤미	고양서	294	안지영	수원서	244	양경길	인천청	279
안건희	기재부	82	안성빈	도봉서	178	안윤선	조세재정	504	안지영	대전청	317	양경렬	인천청	285
안경민	국세청	125	안성식	서울청	253	안윤섭	북전주서	386	안지영	수영서	451	양경철	기재부	77
안경우	기재부	83	안성엽	대구청	397	안윤정	기재부	75	안지윤	포천서	312	양경호	국회재정	64
안경우	부천서	304	안성준	서대문서	190	안윤혜	강릉서	264	안지은	도봉서	179	양경숙	부천서	304
안경호	김해서	462	안성진	잠실서	211	안은경	북대전서	324	안지은	중부청	220	양경애	강서서	166
안경화	성북서	197	안성진	강서서	166	안은근	국세청	326	안지은	경기광주	248	양경화	국회재정	63
안광선	기재부	77	안성진	관악서	168	안은미	동울산서	456	안지은	김포서	298	양고운	기재부	75
안광승	감사원	70	안성호	서울청	141	안은정	서울청	150	안지은	포천서	312	양광식	국세청	128
안광용	감사원	71	안성호	안산서	251	안은주	인천청	285	안지은	수원서	244	양광준	북전주서	386
안광원	서울청	141	안성희	서울청	158	안은주	동울산시	456	안지현	울산서	459	양구철	중부청	227
안광인	구리서	231	안세연	연수서	307	안은지	서대전서	326	안지혜	서울청	150	양국화	서울청	161
안광혁	원주서	272	안세미	부산청	438	안은향	대전청	318	안지혜	강서서	166	양규복	울산서	458
안광훈	감사원	70	안소라	강남서	163	안응석	삼척서	267	안지혜	부천서	304	양규원	김앤장	51
안국찬	고양서	294	안소연	국세청	125	안의진	동수원서	237	안지훈	중부청	228	양규성	잠실서	211
안규민	수성서	410	안소연	삼성서	188	안이슬	광주청	362	안진경	영등포서	205	양금영	중부청	225
안규상	송파서	199	안소연	광산서	364	안인기	원주서	273	안진경	원주서	272	양기석	EY한영	12
안근옥	기재부	87	안소영	은평서	208	안인엽	구로서	171	안진모	송파서	199	양기인	인천세무	30
안기웅	남원서	384	안소영	중랑서	215	안일근	국세청	117	안진성	삼성서	188	양기정	성동서	194
안기호	충주서	354	안소영	서울청	159	안자영	북광주서	368	안진수	국세청	130	양기태	춘천서	274
안다경	종로서	212	안소진	기재부	88	안장열	분당서	240	안진술	성동서	194	양기혁	금정서	440
안대근	서대구서	408	안소현	동안양서	238	안재근	남대구서	403	안진아	서울청	144	양기현	서울청	147
						안재문	서대전서	326	안진영	서울청	159	양기화	부산청	434

이름	소속	번호
양길호	광산서	364
양나연	서초서	193
양다연	조세재정	504
양다은	남원서	384
양다희	국세청	118
양다희	경기광주	249
양대식	서산서	335
양덕열	성남서	243
양동구	중부청	220
양동구	구리서	231
양동규	서울청	158
양동규	성남서	242
양동길	성남서	242
양동석	동안양서	239
양동욱	대전청	318
양동원	강남서	162
양동준	성남서	194
양동혁	송파서	198
양동혁	광산서	365
양동현	예산서	340
양동훈	국세청	116
양동훈	서울청	139
양동희	국세상담	134
양두열	부산세관	490
양명숙	송파서	198
양명지	은평서	208
양명철	북광주서	369
양문석	해운대서	454
양문욱	포천서	312
양미경	영등포서	146
양미덕	서울청	146
양미란	동수원서	236
양미례	남대구서	402
양미선	국세청	125
양미선	서울서	150
양미선	관악서	169
양미숙	남대문서	177
양미영	남대문서	174
양민정	중랑서	214
양병구	감사원	71
양병문	북대전서	324
양병수	법무율촌	54
양병열	경산서	413
양봉규	동래서	442
양상민	반포서	186
양상원	역삼서	203
양상원	세종서	337
양서안	서대구서	408
양서영	기재부	79
양서영	김해서	462
양서용	안산서	251
양서진	용인서	254
양석모	지방재정	499
양석범	목포서	375
양석재	서울청	148
양석재	제주서	474
양선미	대전청	317
양선숙	서대전서	326
양선욱	서울청	141
양성봉	중부청	220
양성욱	중부청	226
양성철	기재부	75
양성철	인천청	285
양성철	연수서	306
양성철	전주서	390
양성현	태평양	58
양성훈	지방재정	499
양세영	구미서	416
양세희	예산서	340
양소라	논산서	331
양소라	부산진서	444
양소영	잠실서	210
양소영	동안양서	239
양송이	서울청	146
양송이	남인천서	286
양수미	성남서	242
양수원	금정서	441
양숙진	인천청	282
양순관	경주서	415
양순석	인천청	280
양순영	강남서	162
양순필	기재부	79
양순희	삼성서	188
양술	광주세관	496
양승규	안양서	252
양승민	기흥서	232
양승민	수영서	450
양승용	예일법인	44
양승우	경기광주	248
양승정	광주서	361
양승종	김앤장	51
양승준	인천세관	488
양승진	기재부	91
양승철	금정서	440
양승철	법인하나	41
양승혁	관세청	478
양승혜	양천서	201
양승훈	인천청	280
양시범	중부청	228
양시은	경주서	366
양시준	시흥서	247
양신	남대문서	177
양심영	서대문서	191
양아라	성동서	195
양아람	군산서	382
양아영	서울청	144
양연화	서울청	160
양영경	국세교육	137
양영규	남부산서	303
양영동	은평서	208
양영선	울산서	458
양영정	국세청	130
양영진	남양주서	235
양영진	대전청	316
양영철	중랑서	214
양영혁	제주서	474
양영훈	익산서	388
양영희	삼성서	188
양예람	용인서	255
양예주	경주서	414
양예진	창원서	471
양옥석	동작서	182
양옥석	중기회	111
양옥철	은평서	209
양옥철	양주서	366
양용산	대전청	319
양용선	국세상담	135
양용선	중부청	227
양용환	국세청	130
양용훈	남원서	384
양웅	중부청	361
양원봉	법무율촌	54
양원석	성북서	197
양원혁	제주서	475
양월숙	수원서	244
양유나	포항서	429
양유모	관악서	169
양윤선	서대문서	190
양윤성	순천서	377
양윤숙	고양서	294
양은영	마포서	185
양은정	광주서	366
양은주	수영서	451
양은주	조세재정	504
양은지	양산서	466
양을수	관세청	479
양이곤	북대전서	325
양이지	동고양서	300
양인영	중부청	224
양인영	삼일회계	16
양인애	북부산서	446
양인영	서울청	152
양인환	도봉서	178
양일환	송파서	199
양재규	광주세관	495
양재규	관세청	496
양재림	택스홈	42
양재영	금천서	172
양재영	마산서	465
양재우	남인천서	286
양재중	중랑서	215
양재호	포천서	312
양재훈	북광주서	368
양재흥	동안양서	238
양전호	공주서	328
양정미	인천서	292
양정숙	정읍서	393
양정인	서인천서	290
양정일	해운대서	454
양정주	안양서	252
양정필	영등포서	204
양정화	영등포서	190
양정화	경주서	414
양정희	북전주서	387
양제문	제주서	474
양종렬	중부청	220
양종명	기흥서	232
양종선	관악서	169
양종열	중부서	217
양종천	중부세무	29
양종혜	천안서	319
양종훈	중부청	226
양주원	안양서	253
양주희	경기광주	248
양주희	대전청	318
양준권	은평서	208
양준모	삼척서	266
양준복	익산서	389
양준석	안산서	250
양준호	북대구서	407
양중구	지방재정	499
양지상	마포서	184
양지선	북인천서	288
양지영	전주서	391
양지영	조세재정	502
양지원	포천서	312
양지원	인천청	283
양지현	성남서	243
양지현	대전청	322
양지호	EY한영	12
양진석	남양주서	234
양진혁	국세교육	136
양진호	금감원	99
양진호	광주서	358
양진호	영등포서	204
양찬회	중기회	111
양창한	북광주서	368
양창혁	강서서	166
양창훈	세종서	337
양천일	북전주서	387
양철근	중부산서	453
양철민	영천서	384
양철승	대구청	396
양철원	강남서	162
양철호	국세청	114
양태석	서울청	144
양태영	여수서	378
양태용	강릉서	264
양태호	동고양서	301
양필수	지방재정	498
양필흥	경산서	413
양하섭	광산서	364
양한별	북광주서	368
양한별	잠실서	210
양해민	제천서	350
양해숙	서대전서	326
양해준	잠실서	200
양행훈	나주서	372
양향열	익산서	388
양향임	포천서	313
양향준	국회재정	64
양현	서울세관	482
양현	김해서	463
양현모	평택서	259
양현숙	서울청	152
양현식	인천청	281
양현아	남대문서	174
양현열	분당서	240
양현우	강동서	164
양현준	중부산서	452
양현준	역삼서	202
양현준	서광주서	371
양현진	지방재정	498
양현황	광주서	366
양혜선	기재부	74
양혜진	성동서	195
양혜진	대구청	398
양호정	김해서	462
양홍철	은평서	209
양홍철	인천청	281
양환준	광주서	366
양회수	홍성서	344
양회종	해운대서	454
양효진	울산서	458
양희국	반포서	187
양희상	성북서	196
양희석	서인천서	291
양희선	도봉서	179
양희연	대전청	318
양희욱	관악서	169
양희윤	동청주서	346
양희재	국세상담	135
양희정	의정부서	309
양희정	경산서	412
어경윤	천안서	343
어기선	강남서	162
어명진	잠실서	210
어수임	남대문서	174
어영준	국회재정	63
어윤경	안산서	251
어우주	기재부	85
어원경	동고양서	301
어윤제	분당서	240
어윤필	김해서	463
어이슬	원주서	272
어장규	서초서	192
어재경	영등포서	205
어정아	서대문서	190
어지환	기재부	88
어태룡	인천세관	487
엄경애	대구청	397
엄경학	역삼서	203
엄기관	남대문서	176
엄기동	동울산서	457
엄기범	동대구서	405
엄기붕	청주서	353
엄기황	국세청	130
엄남식	시흥서	247
엄명주	서울청	145
엄미라	북부산서	446
엄병섭	김해서	462
엄봉준	영월서	271
엄상우	성동서	194
엄상혁	북부산서	446
엄새안	국세청	128
엄새안	동울산서	456
엄석찬	광주서	367
엄선호	중부청	233
엄성용	상공회의	109
엄세열	지방재정	498
엄세영	영주서	426
엄세진	성북서	196
엄소정	서대전서	326
엄수민	동대구서	405
엄수민	동울산서	457
엄수빈	택스홈	42
엄수율	서대구서	408
엄숭웅	기재부	75
엄애화	중부산서	453
엄언희	남인천서	286
엄영석	남양주서	234
엄영옥	서울청	145
엄영희	성동서	195
엄유섭	북대구서	406
엄은주	영월서	270
엄익춘	종로서	212
엄인성	부산청	436
엄인영	평택서	259
엄인찬	중부청	225
엄일선	서울청	141
엄일용	금감원	99
엄일해	인천청	285
엄장원	인천서	292
엄재희	아산서	338
엄정상	서울청	159
엄정은	포항서	429
엄정임	국세청	119
엄제관	서광주서	371
엄제현	울산서	459
엄종덕	춘천서	275
엄주원	남양주서	234
엄준호	포항서	428
엄준희	서울청	149
엄지명	해운대서	455
엄지원	은평서	208
엄지원	김해서	463
엄지은	세종서	336
엄지환	서초서	192
엄지희	중부청	224
엄진숙	예산서	340
엄채연	대전청	319
엄청분	남인천서	287
엄태선	국세청	131
엄태성	북대전서	324
엄태영	동수원서	237
엄태자	중부서	216
엄태준	울산서	458
엄태진	서대전서	327
엄하얀	광산서	364
엄하은	도봉서	178
엄형태	남대문서	174
엄호만	북광주서	368
엄황용	청주서	352
엄희지	창원서	471
엄희진	부천서	304
엄희규	구로서	171
여경숙	서울청	145
여경훈	기재부	74
여동근	김앤장	51
여리화	진주서	469
여명철	진주서	468
여미라	대전청	319
여민호	서울청	140
여선	파주서	310
여성훈	창원서	470
여세영	영덕서	425
여수민	금정서	441
여승구	부천서	304
여원선	용인서	254
여윤수	북대전서	325
여의주	연수서	307
여인순	대전청	316
여인훈	서울청	148
여전업	금감원	100
여전업	금감원	100
여정민	진주서	469
여정재	영등포서	205
여정주	서울청	149
여정현	수성서	410
여종수	북인천서	289
여종엽	송파서	199
여주연	강서서	167
여주희	서대문서	191
여중구	북대전서	324
여지수	평택서	258
여지은	부산청	437
여지현	고양서	294
여진동	안산서	250
여진섭	서울청	161
여진혁	중부청	229
여창숙	동대구서	404
여태승	감사원	71
여태환	서울청	158
여행자	인천세관	487
여현정	인천청	285
여혜진	마포서	184
여호종	금천서	172
여호철	서울청	153
여환준	인천세관	486
여효정	서울청	158
여효정	울산서	459
연경태	대전청	320
연규천	수원서	245
연근영	이천서	256
연덕현	동작서	183
연명희	평택서	259
연상훈	경산서	413
연성준	국세청	170
연송수	구로서	170
연수민	대전청	318
연영민	기재부	77
연정현	북인천서	288
연제관	세월법인	43
연제민	국세청	114
연제석	천안서	343
연제열	동화성서	260
연태석	제천서	350
연혜정	기재부	83
염가연	성남서	242
염경훈	기재부	77
염경진	의정부서	308
염관진	화성서	263
염귀남	서울청	153
염나래	동청주서	346
염대성	남원서	384
염대성	남원서	385
염래경	광주서	366

이름	소속	페이지
염문환	대전청	317
염미숙	천안서	343
염미정	서초서	192
염보규	기재부	86
염보라	조세재정	503
염보름	익산서	389
염보미	광주서	367
염보희	서울청	147
염삼열	순천서	377
염상미	삼성서	188
염선경	성남서	243
염선희	서울청	141
염세환	서울청	156
염수진	삼척서	267
염승열	인천세관	487
염승화	기재부	85
염시웅	국세교육	136
염예나	강동서	165
염왕기	해운대서	455
염유섭	남인천서	287
염인균	마산서	465
염정식	중부청	225
염주선	서울청	118
염준호	국세청	117
염지영	광주청	359
염지훈	강남서	162
염진옥	성북서	196
염철민	기재부	88
염철웅	인천서	293
염태섭	예산서	341
염현경	EY한영	12
염현주	광주청	359
염혜윤	국회재정	63
염훈선	역삼서	203
예동희	경주서	414
예병찬	지방재정	498
예상국	남인천서	287
예성미	부산서	435
예성민	안산서	250
예성진	서대구서	408
예정욱	동대문서	181
예종옥	부산진서	445
예찬순	성동서	194
오가영	조세재정	504
오가원	북광주서	369
오가은	남대구서	403
오강재	삼성서	189
오건우	아산서	339
오경미	평택서	259
오경민	중랑서	214
오경선	경기광주	249
오경선	인천서	293
오경애	동작서	183
오경언	동울산서	457
오경자	양천서	200
오경태	광주청	358
오경택	동수원서	236
오경택	인천청	280
오경환	광명서	297
오경훈	국세상담	135
오고은	파주서	311
오관택	의정부서	308
오광석	동청주서	346
오광선	성동서	195
오광철	부천서	305
오광현	중부청	220
오규열	경주서	414
오규용	국세청	124
오규욱	삼척서	267
오규진	해운대서	455
오규철	삼성서	188
오근님	북광주서	368
오근선	중부서	217
오금선	북광주서	369
오금탁	목포서	375
오기남	기재부	85
오기범	정읍서	392
오기일	중부청	224
오기철	김포서	299
오기형	국회정무	68
오길재	광주청	360
오길준	대전서	323
오나현	동화성서	261
오남교	삼일회계	16
오남임	서초서	192
오다은	기재부	80
오다혜	서울청	159
오대규	원주서	272
오대근	조세심판	500
오대석	통영서	473
오대성	서울청	140
오대식	영등포서	205
오대창	도봉서	179
오덕희	관악서	168
오도열	서울청	144
오도영	기재부	77
오도영	인천세관	487
오도훈	동작서	182
오동구	포천서	312
오동기	광교법인	35
오동문	강동서	165
오동석	남대문서	177
오동식	수원서	245
오동현	경기광주	249
오동화	정읍서	392
오두현	기재부	89
오두환	군산서	383
오로라	북광주서	368
오로지	연수서	306
오만석	북대구서	406
오명식	광주세관	495
오명식	광주세관	496
오명준	서울청	146
오명진	인천청	284
오문수	송파서	349
오문탁	국세청	117
오미경	익산서	388
오미선	포항서	428
오미순	중부청	224
오미영	기재부	75
오미영	기재부	80
오미정	대전서	322
오미정	인천서	293
오미진	제주서	474
오미화	기재부	77
오민경	대전청	320
오민기	예일법인	44
오민석	양천서	201
오민선	중부청	227
오민수	광주서	367
오민숙	인천서	195
오민철	국세청	124
오배석	서울청	141
오백진	삼정회계	348
오병걸	경기광주	249
오병관	평택서	259
오병탁	동양서	300
오병환	진주서	469
오봉신	종로서	212
오상범	삼정회계	19
오상식	기재부	77
오상우	기재부	89
오상욱	동부서	217
오상원	광주청	358
오상은	제천서	350
오상준	파주서	311
오상택	수원서	245
오상훈	서울청	158
오상훈	광주청	359
오상훈	서울세관	481
오상훈	서울세관	482
오상훈	국세청	116
오서영	마포서	184
오서주	서초서	193
오서진	아산서	338
오선우	수원서	245
오선주	북광주서	368
오선지	서울청	141
오선희	관악서	160
오성실	해남서	380
오성진	기재부	91
오성태	서울청	161
오성태	기재부	82
오성택	반포서	187
오성필	기흥서	232
오성현	마포서	185
오성현	진주서	468
오세덕	동청주서	347
오세두	부산청	434
오세민	청주서	352
오세민	대구청	399
오세민	조세심판	500
오세윤	대전청	320
오세은	창원서	470
오세정	서울청	146
오세종	양천서	200
오세찬	서울청	160
오세혁	순천서	377
오세혁	서울청	160
오세현	인천세관	486
오소라	이천서	257
오소은	조세재정	503
오소진	포천서	312
오쇄병	충주서	355
오수경	중부청	226
오수미	인천청	282
오수빈	북대전서	324
오수연	국세주류	132
오수연	구로서	170
오수연	중부청	221
오수연	논산서	331
오수영	안양서	253
오수정	조세재정	503
오수진	국세상담	135
오수진	잠실서	211
오수진	대전청	292
오수진	대전청	317
오수진	대전청	321
오수현	연수서	307
오순학	부산세관	491
오슬기	동안양서	239
오승민	조세재정	502
오승배	의정부서	308
오승상	기재부	88
오승연	광산서	364
오승연	국세상담	135
오승연	성동서	195
오승연	서울청	144
오승준	삼성서	188
오승진	천안서	342
오승찬	중부청	226
오승철	국세청	128
오승필	고양서	294
오승현	북부산서	447
오승훈	대전청	319
오승훈	청주서	353
오승훈	동대구서	405
오승희	천안서	342
오승희	김해서	462
오시원	구로서	171
오신영	익산서	388
오신형	고양서	294
오아람	중부청	224
오아름	송파서	198
오아름	지방재정	498
오애란	북부산서	447
오양금	보령서	332
오연관	삼일회계	16
오연균	서대전서	326
오연우	분당서	240
오연정	진주서	469
오연호	서울청	159
오영	인천서	305
오영권	진주서	469
오영동	부산진서	444
오영민	남대구서	402
오영석	국세청	129
오영석	법무율촌	54
오영우	익산서	389
오영우	남대문서	177
오영주	금천서	172
오영주	부산진서	444
오영주	서현이현	7
오영진	인천세관	487
오영철	안산서	250
오예정	조세재정	504
오용규	예일법인	44
오용락	대전서	322
오용호	여수서	378
오우진	성북서	196
오원균	대전청	315
오원균	대전청	317
오원균	대전청	318
오원정	속초서	268
오원철	대전서	316
오원화	중부청	224
오유리	의정부서	309
오유미	인천서	293
오유빈	서울청	146
오유석	국세교육	136
오유진	전주서	391
오윤경	경기광주	249
오윤라	김포서	298
오윤미	조세재정	504
오윤섭	감사원	71
오윤정	해남서	381
오윤화	서울청	144
오은경	종로서	212
오은경	중부청	220
오은미	EY한영	12
오은숙	구미서	417
오은숙	동고양서	300
오은영	전주서	390
오은정	중부산서	452
오은주	서울청	140
오은주	해남서	381
오은주	창원서	471
오은지	마포서	185
오은혜	조세재정	503
오은희	구리서	230
오은희	북인천서	288
오의식	북부산서	446
오익수	조세심판	500
오인석	화성서	215
오인섭	순천서	376
오인철	화성서	263
오인화	북인천서	291
오임순	서대문서	191
오자은	북광주서	369
오잔디	강남서	163
오재경	국세청	114
오재경	연수서	307
오재구	서현이현	6
오재란	목포서	374
오재열	동수원서	236
오재현	기재부	86
오재헌	서울청	144
오재현	국세청	125
오재홍	충주서	355
오재환	구미서	416
오정근	서울청	150
오정림	기재부	90
오정민	서울청	150
오정민	창원서	470
오정민	북대전서	324
오정식	포천서	313
오정윤	기재부	86
오정은	연수서	304
오정일	연수서	306
오정임	부산청	433
오정탁	서대전서	327
오정현	동안양서	238
오정환	강동서	165
오정환	이천서	256
오정현	보령서	428
오조섭	영주서	427
오종권	서대전서	326
오종민	의정부서	309
오종민	북부산서	447
오종수	북광주서	369
오종식	남대구서	368
오종진	삼일회계	17
오종현	조세재정	502
오종현	조세재정	503
오종주	서광주서	371
오종화	딜로이트	13
오주경	수성서	411
오주영	국세상담	135
오주영	강남서	162
오주영	동래서	442
오주원	상공회의	109
오주원	송파서	199
오주하	금정서	441
오주학	부천서	305
오주해	분당서	240
오준영	북인천서	289
오준오	경주서	415
오준섭	제주서	474
오지섭	고양서	295
오지연	부산진서	445
오지연	조세재정	503
오지윤	청주서	353
오지윤	수영서	450
오지은	동대구서	180
오지철	서울청	140
오지현	동수원서	237
오지현	용인서	255
오지현	동래서	443
오지혜	금정서	440
오지훈	종로서	213
오진명	광산서	365
오진선	기흥서	232
오진성	아산서	338
오진수	양산서	467
오진숙	중부청	223
오진용	제천서	350
오진욱	수원서	245
오진택	남부천서	303
오찬현	서대구서	409
오창곤	제주서	474
오창기	서울청	151
오창옥	여수서	378
오창주	서울청	157
오철규	동청주서	347
오철민	관악서	168
오철환	화성서	262
오청은	국세청	117
오초룡	서부산서	449
오춘식	대구청	400
오춘택	목포서	375
오충용	법인하나	41
오태진	서울청	140
오태진	서인천서	290
오태환	법무화우	7
오푸른	양천서	200
오필성	중부세무	29
오하경	잠실서	210
오하라	대전서	323
오한솔	광주청	358
오항우	기흥서	233
오해정	마포서	184
오향아	동대구서	404
오혁	법무광장	53
오혁기	금정서	441
오혁경	기재부	83
오현경	의정부서	309
오현민	광산서	365
오현민	청주서	352
오현민	조세재정	503
오현석	강남서	163
오현석	영동서	349
오현섭	양천서	200
오현숙	남양주서	235
오현숙	분당서	240
오현숙	강동서	165
오현아	김해서	462
오현정	서울청	145
오현정	서울청	156
오현정	동화성서	260
오현주	강남서	163
오현주	은평서	208
오현주	수원서	245
오현준	남대문서	177
오현지	파주서	310
오현직	안동서	423
오현직	관세청	479
오현창	정읍서	392
오형식	기재부	90
오형진	서울청	159
오형철	인천세무	30
오혜경	북광주서	368
오혜미	화성서	263
오혜미	용산서	207
오혜선	반포서	187
오혜성	강서서	166
오혜실	강서서	166
오호석	김천서	418
오호석	딜로이트	13
오호선	국세청	118
오호선	국세청	119
오홍희	남대문서	176
오화섭	국세청	114
오화세	금융위	93
오흥수	국세청	117
오희정	대전청	318
오희준	서울청	160

성명	소속	번호	성명	소속	번호	성명	소속	번호	성명	소속	번호	성명	소속	번호
옥경훈	양산서	466	우은혜	인천청	284	원호선	동안양서	239	유동현	삼덕회계	15	유세은	김천서	418
옥민석	서현이현	7	우을숙	동래서	443	원효정	경기광주	249	유두현	영등포서	205	유세종	용산서	206
옥상하	마산서	464	우인식	고양서	300	원희경	성동서	195	유두현	송파서	198	유소연	수원서	244
옥석봉	국세상담	135	우인영	동울산서	457	원희정	기흥서	232	유로아	국세청	114	유소열	성동서	194
옥수빈	부산진서	445	우인제	거창서	461	위경환	서울청	161	유만수	금천서	172	유소영	기재부	81
옥수진	북대구서	407	우인호	포항서	428	위광환	남원서	384	유명옥	부산세관	490	유소정	강서서	167
옥승찬	인천세무	30	우재경	창원서	471	위다현	구로서	171	유명재	시흥서	246	유소정	도봉서	178
옥영주	성동서	194	우재만	나주서	372	위민국	서울청	157	유명헌	동울산서	456	유소정	분당서	241
옥지연	기재부	83	우재진	천안서	342	위부일	동래서	443	유명훈	국세청	114	유소진	관악서	169
옥지웅	청주서	352	우재진	창원서	471	위석	여수서	379	유문희	동래서	442	유소현	양천서	200
옥진경	서대전서	327	우정순	울산서	458	위성호	국세청	259	유미경	기재부	75	유소희	경기광주	249
옥창의	서울청	156	우정은	경기광주	249	위승희	마포서	185	유미경	성동서	194	유솔리	구리서	230
옥채순	통영서	472	우정호	안동서	422	위용	성동서	195	유미나	삼성서	189	유송화	창원서	470
옥혁규	은평서	208	우정화	성동서	195	위장훈	평택서	259	유미나	남대구서	403	유수경	도봉서	179
온상준	반포서	187	우정희	국세상담	135	위종	강동서	165	유미라	잠실서	210	유수권	삼성서	188
왕성국	대전서	321	우제경	경주서	414	위주안	서울청	145	유미선	동작서	182	유수재	고양서	295
왕수현	천안서	343	우제혜	관세청	477	위지혜	광주서	360	유미선	평택서	259	유수정	국세청	117
왕윤미	서울청	150	우제선	국세청	123	위지혜	중부산서	453	유미선	강릉서	265	유수정	삼성서	189
왕지영	청주서	352	우주연	화성서	263	위찬필	국세청	127	유미성	마포서	184	유수지	천안서	343
왕지은	남대문서	177	우주현	잠실서	211	위태홍	대전서	322	유미숙	서산서	335	유수진	중부세무	29
왕준근	중부청	227	우준식	천안서	343	위현후	안양서	253	유미숙	예산서	340	유수향	대전청	318
왕태선	김포서	299	우지수	서울청	145	위형원	지방재정	498	유미연	광명서	297	유수현	서대구서	409
왕한길	서현이현	7	우지수	기흥서	232	유가람	강릉서	265	유미영	중부청	220	유수현	해남서	380
왕현	택스홈	42	우지영	남양주서	234	유가연	대전청	316	유민설	서인천서	290	유수호	부산청	434
왕훈희	성동서	195	우지완	기재부	79	유가현	이천서	257	유민자	수영서	451	유순복	강서서	167
용수화	영등포서	204	우지은	조세재정	504	유강훈	강서서	167	유민정	서울청	140	유순희	종로서	212
용승환	성북서	196	우지혜	국세청	116	유경근	국세청	131	유민호	진주서	469	유순희	서인천서	291
용연훈	잠실서	210	우진원	영월서	271	유경모	아산서	339	유민희	국세청	126	유승관	기재부	77
용진숙	서인천서	291	우진하	연수서	306	유경민	서산서	334	유민희	용산서	207	유승규	마포서	185
용혜원	국회재정	64	우창영	천안서	343	유경민	중랑서	214	유민희	목포서	375	유승명	부산청	438
용혜인	기재부	78	우창완	국세청	131	유경선	딜로이트	13	유범상	아산서	338	유승아	청주서	353
용환희	중부청	222	우창완	국세교육	136	유경숙	종로서	213	유병관	광교법인	36	유승연	동안양서	238
우가람	마포서	184	우창제	서대전서	327	유경열	국세교육	342	유병모	대구청	397	유승우	기재부	87
우경화	북부산서	447	우창화	북부산서	447	유경열	기재부	88	유병민	대전청	319	유승우	중부청	220
우근영	분당서	241	우철윤	서대전서	284	유경원	서울청	146	유병서	기재부	73	유승종	서대전서	327
우근중	청주서	353	우한솔	평택서	259	유경원	인천청	282	유병선	중부청	228	유승종	남대문서	176
우나경	국세교육	136	우해나	중부청	229	유경은	반포서	186	유병성	동대구서	405	유승주	부산청	438
우남구	국세상담	134	우해영	기재부	82	유경준	국회재정	64	유병수	용산서	207	유승천	중부청	229
우남준	순천서	376	우현광	한국관세	46	유경진	구리서	231	유병욱	성남서	243	유승철	해남서	380
우덕규	서울청	142	우현구	도봉서	178	유경화	기재부	87	유병민	서울청	145	유승헌	포항서	428
우동연	기재부	88	우현지	성동서	194	유경훈	중부청	225	유병창	영등포서	205	유승현	중부청	229
우동욱	광주세관	495	우현지	구미서	416	유경희	대전서	322	유병호	감사원	69	유승현	인천서	292
우동욱	광주세관	496	우현하	창원서	471	유관석	나주서	372	유병호	감사원	71	유승환	조세재정	504
우동윤	북부산서	447	우형기	부천서	304	유관호	아산서	339	유병호	감사원	71	유승환	원주서	272
우동훈	진주서	468	우형래	영등포서	205	유관희	대전서	322	유병호	충주서	354	유승희	기재부	87
우동희	안양서	252	우형수	경주서	414	유광근	남부천서	274	유보차	서대구서	408	유승희	삼성서	188
우만기	평택서	259	우희정	서울청	427	유광선	춘천서	274	유봉석	삼척서	267	유승희	관세청	479
우명주	경산서	412	우희준	금정서	441	유광호	나주서	373	유상범	국회법제	66	유승희	삼정회계	19
우문연	원주서	273	원가영	인천서	293	유귀안	조세재정	504	유상선	부산청	439	유시은	수원서	245
우미라	구로서	170	원경희	한국세무	27	유극종	도봉서	178	유상욱	서울청	147	유시현	북인천서	288
우미라	부산청	436	원광호	분당서	240	유근만	동작서	182	유상욱	순천서	377	유신국	동안양서	239
우병옥	포항서	428	원광호	대전서	323	유근순	익산서	389	유상윤	강남서	145	유신혜	강남서	163
우병재	대구청	401	원규로	고양서	295	유근정	기재부	81	유상호	국세청	130	유아람	도봉서	178
우병철	중부청	224	원대로	서울청	146	유근조	강남서	164	유상화	중부청	225	유어진	삼성서	242
우병호	서대구서	409	원대연	삼성서	189	유금숙	인천서	293	유상화	남양주서	235	유연숙	서부산서	449
우보람	안산서	250	원대진	대전청	317	유기무	역삼서	202	유석모	대전청	319	유연우	서산서	334
우상준	상주서	420	원두진	여수서	378	유기선	서울청	157	유석찬	기재부	75	유연영	기재부	86
우상훈	구미서	416	원범석	인천서	293	유길용	고양서	294	유선아	분당서	241	유연진	서울청	159
우성광	성동서	195	원병덕	서울청	159	유나연	천안서	343	유선애	구로서	170	유연찬	예일법인	44
우성락	양산서	466	원봉희	기재부	77	유남철	서인천서	290	유선영	중랑서	214	유연혜	한국관세	46
우성식	동화성서	261	원상호	남대문서	176	유다래	성남서	242	유선영	남인천서	286	유엽	삼일회계	17
우성현	부산청	433	원선미	기재부	77	유다빈	기재부	82	유선우	창원서	471	유영	감사원	71
우세진	평택서	258	원설희	동화성서	260	유다현	평택서	258	유선정	연수서	307	유영	중부청	225
우세훈	동울산서	456	원성택	동래서	442	유다형	기재부	74	유선준	역삼서	202	유영근	경기광주	248
우수정	고양서	294	원순영	천안서	342	유다영	의정부서	308	유선화	성북서	196	유영근	순천서	377
우수희	삼척서	266	원시열	중부서	216	유다정	금천서	173	유선희	기재부	81	유영복	남부천서	302
우승수	딜로이트	13	원욱	북부산서	447	유다정	동청주서	346	유선희	상주서	420	유영복	청주서	352
우승철	EY한영	12	원윤아	국세청	124	유달곤	평택서	258	유성두	중랑서	214	유영숙	동고양서	300
우승엽	중랑서	215	원은미	용인서	255	유대근	더택스	39	유성문	국세청	120	유영숙	구미서	416
우승하	대구청	398	원정윤	강동서	164	유대현	인천서	284	유성숙	중부서	216	유영숙	서울청	150
우승형	포항서	428	원정일	중랑서	214	유더미	이천서	256	유성압	서울청	140	유영조	중부세무	29
우신동	법인하나	41	원정호	서울청	257	유도권	창원서	471	유성영	양천서	201	유영준	역삼서	202
우신애	역삼서	202	원정희	법무광장	52	유동균	서울청	140	유성운	동울산서	457	유영진	북부산서	447
우영만	국세청	116	원종민	동화성서	260	유동민	의정부서	309	유성은	아산서	339	유영찬	조세재정	504
우영만	목포서	375	원종욱	서울청	148	유동석	기재부	85	유성은	안양서	253	유영진	서울청	156
우영재	대구청	396	원종학	조세재정	503	유동석	성동서	194	유성진	해남서	380	유예림	기재부	84
우영진	마산서	464	원종혁	기재부	82	유동재	국회정무	68	유성준	영주서	426	유예림	국세청	116
우영철	예일법인	77	원종호	구로서	171	유동열	춘천서	275	유성현	국세상담	134	유예림	강서서	167
우용민	상주서	420	원종화	수성서	411	유동영	조세재정	502	유성훈	인천청	285	유예림	구리서	230
우운하	영주서	426	원종훈	의정부서	309	유동완	국세상담	135	유성희	남대문서	182	유옥근	거창서	460
우원식	국회재정	64	원지혜	서울청	153	유동욱	감사원	70	유세곤	세종서	337	유요덕	전주서	391
우원준	평택서	258	원진희	중부청	229	유동원	남대문서	174	유세명	동래서	443	유용근	강서서	161
우원훈	잠실서	210	원진희	원주서	273	유동재	인천서	292	유세열	태평양	58	유용환	동작서	183
우윤중	부산청	439	원한규	남대문서	175	유동준	강서서	166	유세용	정읍서	392	유원숙	홍천서	276
우은주	홍성서	345	원현수	삼성서	189	유동준	울산서	458				유원재	마포서	185
						유동철	중랑서	214				유원형	중부서	217

이름	소속	쪽	이름	소속	쪽	이름	소속	쪽	이름	소속	쪽	이름	소속	쪽
유윤희	구리서	231	유주민	마포서	185	유현순	익산서	388	윤공자	종로서	212	윤민숙	광산서	364
유은경	기재부	84	유주상	서대전서	326	유현애	삼성서	189	윤관석	국회정무	68	윤민아	서울청	141
유은빈	기재부	87	유주연	국세청	125	유현아	도봉서	178	윤광섭	중부청	221	윤민오	서초서	193
유은선	김포서	299	유주희	용산서	206	유현인	수영서	450	윤광진	연수서	307	윤민정	은평서	209
유은숙	강남서	162	유주희	중부청	223	유현정	성동서	195	윤광철	수영서	451	윤민지	국세청	117
유은순	한국세무	27	유준	서광주서	371	유현정	중부청	228	윤광현	의정부서	309	윤민지	도봉서	179
유은애	북전주서	387	유준상	김포서	299	유현정	춘천서	274	윤국한	은평서	208	윤범일	서울청	142
유은영	아산서	339	유준영	강남서	141	유현종	부산세관	491	윤규열	광명서	296	윤병준	광주청	359
유은주	국세청	115	유준호	반포서	186	유현주	부천서	304	윤규섭	삼일회계	17	윤병지	파주서	310
유은주	서울청	142	유준희	이안법인	45	유현준	보령서	332	윤근희	대구청	399	윤병현	성남서	242
유은주	관악서	169	유지민	강남서	146	유현진	포천서	313	윤근희	조세심판	501	윤보람	분당서	241
유은주	안양서	252	유지선	반포서	187	유현희	서인천서	290	윤금남	서부산서	448	윤보배	동청주서	347
유은주	동고양서	300	유지숙	서초서	193	유형근	목포서	374	윤기덕	강남서	162	윤보영	역삼서	203
유은지	반포서	187	유지연	동화성서	260	유형대	서울청	147	윤기섭	잠실서	210	윤봉원	마산서	465
유은진	성동서	195	유지연	구미서	416	유형래	기천서	173	윤기성	중랑서	215	윤봉한	북부산서	447
유은혜	논산서	331	유지영	남대문서	175	유형선	기재부	86	윤기숙	역삼서	203	윤상건	서대문서	190
유은희	반포서	186	유지영	남대문서	176	유형철	중부청	226	윤기순	화성서	262	윤상돈	상공회의	110
유의동	국회정무	68	유지원	남양주서	234	유형철	기재부	83	윤기영	국세재정	63	윤상동	아산서	338
유의상	서인천서	291	유지은	서울청	151	유혜경	국세청	115	윤기찬	국세청	117	윤상락	원주서	272
유이슬	기재부	77	유지향	마산서	465	유혜란	금천서	173	윤기철	서울청	145	윤상목	화성서	263
유이슬	잠실서	210	유지현	연수서	306	유혜리	안산서	255	윤기철	안산서	250	윤상봉	국세청	122
유인선	성남서	242	유지현	동청주서	346	유혜미	종로서	212	윤기한	남대구서	403	윤상섭	국세청	114
유인성	용산서	207	유지현	부산청	434	유혜민	대전청	318	윤길성	광주청	362	윤상아	수성서	410
유인숙	국세상담	134	유지현	택스홈	42	유혜선	조세재정	504	윤나래	기흥서	232	윤상용	역삼서	203
유인숙	대전청	316	유지혜	기재부	75	유혜영	시흥서	246	윤나영	해운대서	454	윤상욱	서울청	159
유인식	이천서	257	유지혜	서부산서	448	유혜정	기재부	81	윤낙중	청주서	352	윤상준	논산서	330
유인혜	서울청	150	유지호	화성서	263	유혜정	경기광주	249	윤난영	강서서	166	윤상탁	예산서	341
유인호	홍천서	276	유지환	성남서	242	유혜지	역삼서	202	윤난희	북인천서	288	윤상호	북부산서	446
유일찬	대전청	316	유지희	용산서	206	유호경	강남서	163	윤남식	동래서	443	윤상호	대전서	323
유일호	상공회의	109	유지희	아산서	339	유호근	신대동	48	윤노영	해운대서	454	윤상환	경주서	415
유자연	광주서	367	유진	종로서	213	유호영	국세상담	134	윤다솜	지방재정	499	윤새롬	동고양서	300
유장혁	송파서	198	유진목	기재부	75	유호정	춘천서	274	윤다솜	조세재정	504	윤샛별	안양서	252
유장현	북대전서	325	유진선	기흥서	232	유홍근	평택서	258	윤다영	순천서	376	윤서영	성북서	197
유장현	세종서	337	유진선	광주청	359	유홍선	평택서	258	윤다희	남대문서	174	윤서울	구로서	170
유재곤	남원서	385	유진아	구로서	170	유홍재	중부청	224	윤단비	용달영	434	윤서진	역삼서	202
유재남	아산서	339	유진영	북부천서	302	유홍주	부산청	434	윤대호	중부청	221	윤석	서울청	143
유재룡	군산서	383	유진옥	은평서	208	유화윤	금정서	440	윤덕원	통영서	473	윤석규	기재부	85
유재민	지방재정	499	유진우	영월서	270	유화정	서인천서	290	윤덕희	김해서	462	윤석길	북광주서	369
유재민	조세재정	502	유진우	포천서	312	유환동	평택서	258	윤도란	중부청	220	윤석미	수영서	451
유재복	중부청	225	유진재	조세심판	500	유환문	관악서	169	윤동규	국세청	118	윤석배	동수원서	237
유재상	성남서	242	유진하	부천서	305	유환성	남대문서	176	윤동규	홍천서	277	윤석숙	중부청	223
유재석	삼성서	188	유진호	중기회	111	유환일	고양서	294	윤동석	인천세관	488	윤석신	북전주서	386
유재식	북인천서	288	유진호	국세청	119	유효정	조세재정	504	윤동석	서울청	148	윤석영	영등포서	205
유재연	서울청	149	유진호	창원서	471	유효진	북부산서	447	윤동수	국세청	128	윤석중	해운대서	455
유재웅	국세상담	134	유진호	서울청	141	유후양	종로서	212	윤동수	중부세무	29	윤석진	대전청	317
유재원	종로서	213	유진희	구리서	230	유훈주	정읍서	392	윤동주	관세청	478	윤석천	대전청	317
유재원	천안서	342	유진희	포천서	313	유훈희	기흥서	233	윤동현	성북서	197	윤석천	남대구서	402
유재은	포천서	312	유진희	동울산서	456	유위리	용산서	206	윤동형	기재부	78	윤석태	국세상담	135
유재준	인천청	279	유찬영	세원법인	43	유희경	광주청	358	윤동호	중부청	220	윤석현	광주청	363
유재준	인천청	282	유창경	동래서	443	유희경	광주청	359	윤동환	강서서	167	윤석환	조세심판	501
유재준	인천청	283	유창성	국세청	123	유희근	인천서	292	윤동화	잠실서	211	윤선기	동대문서	180
유재학	서부산서	448	유창수	고양서	294	유희민	서초서	192	윤두현	국회정무	68	윤선덕	서울세관	481
유재현	경주서	414	유창우	중부청	222	유희봉	서인천서	290	윤만성	국세상담	134	윤선덕	서울세관	482
유재훈	금융위	93	유창진	남대구서	402	유희정	서울청	156	윤만식	서울청	300	윤선미	송파서	198
유정곤	딜로이트	13	유창현	택스홈	42	유희준	서울청	151	윤명덕	이천서	257	윤선우	춘천서	274
유정림	삼성서	189	유채원	조세재정	502	유희진	동울산서	456	윤명준	서울청	161	윤선영	서울청	156
유정미	기재부	85	유철형	태평양	58	유희태	경기광주	249	윤명한	북대전서	325	윤선영	파주서	311
유정미	서울청	143	유춘선	광주청	363	육강일	삼척서	267	윤명희	관악서	169	윤선영	동작서	182
유정선	기흥서	232	유치현	부산진서	444	육건우	국회재정	63	윤명희	대전청	318	윤선익	서초서	193
유정식	고양서	294	유탁	광동서	195	육경아	아산서	338	윤문구	이안법인	45	윤선중	딜로이트	13
유정아	기재부	84	유탁균	포천서	312	육건후	국세청	119	윤문수	영동서	349	윤선태	광산서	459
유정아	인천서	292	유태수	인천세관	485	육근영	동대문서	180	윤문원	중부청	317	윤선화	강남서	163
유정우	마산서	464	유태우	반포서	186	육동선	서울청	147	윤문	강동서	165	윤선희	서대문서	191
유정욱	해운대서	454	유태웅	북대전서	325	육옥희	남대문서	177	윤미경	국세청	122	윤선희	포천서	313
유정은	마포서	184	유태정	정읍서	393	육영란	서울청	145	윤미경	강서서	167	윤설진	서울청	161
유정은	안양서	252	유태준	서울청	140	육영찬	서대전서	326	윤미경	경기광주	249	윤성귀	고양서	295
유정현	남대문서	177	유태호	경기광주	249	육재하	서산서	335	윤미나	서인천서	290	윤성규	예산서	340
유정호	법무광장	52	유판종	광주서	361	육정섭	대전청	320	윤미라	서인천서	290	윤성두	북부산서	446
유정호	삼정회계	18	유하선	인천청	316	육지원	홍천서	277	윤미로	북인천서	288	윤성민	북광주서	369
유정호	마포서	185	유하수	서울청	161	육현수	경기광주	249	윤미숙	강남서	162	윤성민	남대문서	176
유정화	송파서	199	유하영	예일법인	44	윤가연	안양서	253	윤미숙	성북서	197	윤성아	경산서	412
유정환	인천세관	488	유학승	강서서	189	윤간오	창원서	470	윤미순	지방재정	499	윤성영	강남서	296
유정훈	성동서	195	유한순	삼성서	189	윤강로	남대구서	402	윤미영	대구청	191	윤성열	역삼서	203
유정훈	연수서	307	유한웅	서울청	140	윤건	청주서	353	윤미영	동수원서	236	윤성욱	경산서	413
유정훈	EY한영	12	유한진	서울청	140	윤경	영월서	270	윤미옥	광산서	364	윤성조	김해서	463
유정희	서울청	156	유항수	광주청	359	윤경님	중부청	221	윤미옥	구미서	417	윤성주	조세재정	503
유정희	중부청	223	유행철	군산서	382	윤경옥	양천서	201	윤미자	서울청	149	윤성주	조세재정	503
유제근	영등포서	204	유향란	강서서	166	윤경주	인천청	285	윤미정	성남서	243	윤성준	정읍서	392
유제석	익산서	389	유현정	경주서	414	윤경출	서부산서	448	윤미정	통영서	473	윤성중	서울청	157
유제언	안산서	250	유현경	동안양서	238	윤경현	중부청	223	윤미희	삼성서	188	윤성태	인천청	285
유제선	중부청	223	유현상	강남서	263	윤경현	진주서	468	윤민경	성남서	242	윤성혜	진주서	468
유종선	광주청	358	유현석	부천서	304	윤경호	광주청	362	윤민경	강릉서	265	윤성호	국세청	123
유종일	서울청	141	유현수	인천청	281	윤경효	구리서	230	윤민수	종로서	213	윤성호	조세재정	504
유종현	국세상담	134	유현수	북전주서	386	윤경희	서울청	144				윤성환	중부산서	453
유종호	구미서	417	유현숙	구미서	417	윤경희	서울청	149						
유주미	광주서	367				윤경희	순천서	376						

이름	소속	페이지
윤성훈	중랑서	214
윤성훈	양산서	466
윤성정	송파서	198
윤세진	종로서	212
윤소영	국세청	116
윤소영	강남서	163
윤소영	조세재정	503
윤소월	서울청	159
윤소윤	강남서	162
윤소윤	용산서	207
윤소현	시흥서	247
윤소희	국세청	121
윤솔	서울청	153
윤송희	안산서	250
윤수빈	남대문서	177
윤수연	북광주서	369
윤수열	양천서	200
윤수정	고시회	31
윤수향	성북서	197
윤수현	기재부	79
윤수환	대전청	319
윤수환	목포서	375
윤수훈	영등포서	204
윤숙영	서산서	334
윤숙희	기재부	75
윤순녀	동대문서	180
윤순상	서울청	155
윤순영	대전청	318
윤순옥	은평서	208
윤슬기	서울청	144
윤승갑	논산서	331
윤승미	국세청	130
윤승철	광주청	362
윤승호	통영서	473
윤승희	조세심판	501
윤승희	조세심판	501
윤아름	수원서	244
윤애림	인천청	280
윤양호	연수서	307
윤여관	광주청	359
윤여룡	세종서	336
윤여준	동고양서	300
윤여진	서울청	158
윤여진	조세재정	502
윤여찬	서광주서	370
윤연갑	통영서	472
윤연심	아산서	338
윤연원	조세심판	500
윤연자	광주서	366
윤연주	성남서	242
윤영광	중부청	227
윤영규	동작서	182
윤영근	부산청	437
윤영길	서울청	151
윤영랑	중랑서	215
윤영민	중랑서	214
윤영배	서울세관	481
윤영배	서울세관	483
윤영복	인천세무	30
윤영상	중부서	228
윤영석	국세청	116
윤영석	국세청	117
윤영석	국세청	118
윤영선	법무광장	52
윤영섭	김포서	299
윤영섭	연수서	306
윤영수	기재부	86
윤영수	통영서	473
윤영숙	도봉서	178
윤영순	서울청	145
윤영순	송파서	198
윤영순	원주서	273
윤영식	성북서	197
윤영우	국세청	128
윤영우	화성서	263
윤영순	시흥서	246
윤영원	남원서	384
윤영은	상공회의	109
윤영일	중부청	227
윤영자	울산서	458
윤영재	천안서	342
윤영준	기재부	87
윤영준	대전서	323
윤영진	경기광주	248
윤영진	부산청	437
윤영진	부산세관	491
윤영택	동안양서	238
윤영현	천안서	343
윤영호	도봉서	179
윤영훈	삼성서	188
윤영훈	조세재정	504
윤영훈	조세재정	504
윤예지	도봉서	179
윤옥진	북대전서	324
윤옥현	상공회의	109
윤용	마포서	184
윤용구	서초서	190
윤용운	삼덕회계	15
윤용준	삼정회계	19
윤용호	중부청	228
윤용화	북대전서	325
윤용훈	국세청	131
윤우찬	서초서	192
윤웅묵	구미서	417
윤원정	북대구서	406
윤위상	중기회	111
윤유라	대전청	299
윤유선	순천서	377
윤윤숙	안산서	250
윤윤식	서울교육	137
윤윤오	경산서	413
윤은미	도봉서	178
윤은미	송파서	198
윤은미	동화성서	261
윤은미	광주청	363
윤은미	김해서	462
윤은숙	남대문서	177
윤은지	국세청	114
윤은지	서초서	193
윤은택	대전청	317
윤인경	중부청	223
윤인대	기재부	75
윤인대	기재부	76
윤인대	기재부	76
윤인철	부산세관	490
윤인형	기재부	75
윤일식	북대구서	407
윤일주	화성서	262
윤일한	수원서	236
윤일호	용산서	207
윤장원	마포서	184
윤장원	중부청	226
윤장현	동수원서	236
윤재갑	서초서	256
윤재길	잠실서	211
윤재두	대전청	320
윤재만	대전청	464
윤재복	대구청	396
윤재연	중부청	226
윤재옥	국회정무	67
윤재웅	국회정무	68
윤재원	남인천서	286
윤재원	인천청	280
윤재원	파주서	310
윤재헌	잠실서	211
윤재현	서인천서	291
윤점희	성북서	196
윤정기	서울세무	28
윤정도	원주서	273
윤정미	강서서	166
윤정기	창원서	470
윤정민	기재부	83
윤정민	남산서	206
윤정민	잠실서	211
윤정선	동청주서	347
윤정섭	마포서	184
윤정식	기재부	90
윤정아	김해서	462
윤정욱	광주서	293
윤정원	부산청	432
윤정은	영등포서	204
윤정욱	광주청	362
윤정인	기재부	87
윤정임	이천서	257
윤정재	잠실서	210
윤정주	기재부	82
윤정필	여수서	378
윤정현	원주서	272
윤정현	고양서	295
윤정호	국세청	125
윤정호	서광주서	370
윤정화	금천서	173
윤정환	경기광주	249
윤정훈	김해서	463
윤정희	동수원서	236
윤제현	해운대서	454
윤조아	광주서	366
윤종규	동안양서	238
윤종상	남대문서	177
윤종영	서울청	227
윤종현	서울청	155
윤종현	경기광주	249
윤종호	구미서	417
윤종희	여수서	378
윤종훈	경산서	413
윤주경	국회정무	68
윤주현	울산서	458
윤주민	울산서	458
윤주영	구로서	170
윤주영	은평서	208
윤주영	기흥서	232
윤주영	경기광주	249
윤주영	서울청	293
윤주호	국세청	131
윤주휘	화성서	262
윤주희	남대구서	232
윤준승	국회재정	63
윤준식	서울청	145
윤준영	북광주서	369
윤준용	분당서	240
윤준호	중부청	223
윤준호	안산서	251
윤준리	동안양서	238
윤중해	진주서	469
윤중호	남대구서	402
윤지미	성북서	196
윤지수	동작서	183
윤지수	의정부서	309
윤지승	영덕서	425
윤지연	수성서	411
윤지연	부산서	432
윤지영	국세청	119
윤지영	강남서	162
윤지영	동안양서	238
윤지영	부산진서	444
윤지영	통영서	473
윤지영	고시회	31
윤지예	용인서	255
윤지원	기재부	77
윤지원	송파서	198
윤지원	김포서	299
윤지윤	은평서	208
윤지은	안산서	251
윤지은	서초서	193
윤지현	잠실서	211
윤지현	북인천서	289
윤지현	서인천서	290
윤지현	포천서	312
윤지혜	정읍서	393
윤지혜	강동서	165
윤지혜	성동서	195
윤지환	국세청	129
윤지희	인천서	292
윤지희	공주서	328
윤진	기재부	75
윤진	중랑서	214
윤진명	마산서	465
윤진영	상공회의	109
윤진일	중부청	222
윤진희	강서서	166
윤차용	성동서	194
윤찬균	평택서	258
윤찬섭	지방재정	498
윤창	평택서	259
윤창복	국세청	120
윤창식	시흥서	246
윤창용	종로서	213
윤창일	국세청	117
윤창중	동래서	442
윤창현	국회정무	68
윤채린	광산서	364
윤채원	지방재정	498
윤철규	서울청	141
윤철민	상공회의	109
윤철민	잠실서	210
윤철수	신대동	48
윤철수	한국관세	46
윤철원	홍성서	344
윤청연	용산서	207
윤청정	서울세관	482
윤춘미	논산서	331
윤충식	법무율촌	54
윤태경	분당서	241
윤태경	대전청	318
윤태수	기재부	88
윤태식	기재부	74
윤태영	남대구서	402
윤태영	창원서	470
윤태영	예일회계	21
윤태영	삼대전서	326
윤태우	울산서	459
윤태인	김포서	299
윤태현	서울청	151
윤태현	국세청	118
윤태훈	마포서	184
윤태희	상주서	420
윤하영	김포서	298
윤하정	삼척서	266
윤학섭	삼정회계	18
윤한	금정서	440
윤한길	수원서	245
윤한빛	북전주서	386
윤한수	시흥서	246
윤한솔	북광주서	369
윤한철	춘천서	275
윤한표	나주서	372
윤한필	창원서	470
윤한홍	국회법제	66
윤해욱	부산세관	491
윤해진	해남서	380
윤혁	남대구서	175
윤혁진	안동서	423
윤현경	구로서	171
윤현경	동화성서	260
윤현경	동고양서	300
윤현곤	기재부	81
윤현구	서울청	145
윤현미	금천서	172
윤현미	잠실서	210
윤현숙	서울청	141
윤현숙	서울청	159
윤현숙	동청주서	346
윤현식	국세청	129
윤현식	해운대서	455
윤현아	중부산서	452
윤현웅	목포서	374
윤현자	인천세무	30
윤현정	고양서	295
윤현정	구로서	171
윤현화	창원서	470
윤형길	광주청	360
윤형식	서울청	146
윤혜경	울산서	458
윤혜미	중부서	217
윤혜미	인천서	293
윤혜민	국세청	124
윤혜수	은평서	208
윤혜순	구로서	171
윤혜순	조세재정	503
윤혜순	조세재정	504
윤혜영	수원서	298
윤혜원	수원서	244
윤혜원	경기광주	249
윤혜원	구리서	231
윤혜정	울산서	458
윤혜진	중부청	221
윤혜진	중부청	222
윤호연	부산진서	445
윤호현	수성서	411
윤홍규	서울청	436
윤홍기	기재부	76
윤홍덕	대전청	318
윤홍분	남대문서	188
윤환	화성서	263
윤효준	분당서	240
윤효덕	국회재정	63
윤후덕	국회재정	64
윤희겸	광주청	359
윤희경	조세재정	243
윤희경	평택서	258
윤희경	광주서	359
윤희관	남대문서	174
윤희만	남양주서	234
윤희문	지방재정	499
윤희범	대전청	320
윤희범	경주서	414
윤희상	이천서	256
윤희선	동고양서	301
윤희선	광명서	297
윤희영	중부서	216
윤희원	영삼서	202
윤희정	송파서	198
윤희창	서산서	335
윤희철	동화성서	261
윤희철	대구청	401
은경례	북부산서	447
은기남	동안양서	238
은성도	경주서	414
은종온	잠실서	210
은지현	광교법인	34
은진수	역삼서	202
은진용	강남서	162
은하얀	순천서	377
은희도	조세심판	501
은희훈	북광주서	369
음지영	역삼서	202
음홍식	서초서	193
이가연	대전청	317
이가영	반포서	186
이가영	부산진서	444
이가영	지방재정	499
이가원	종로서	212
이가원	경기광주	249
이가희	대전청	316
이가희	대전청	318
이갑수	부산세관	490
이강경	송파서	199
이강구	서초서	192
이강구	동화성서	261
이강민	상공회의	109
이강민	법무율촌	54
이강산	강남서	162
이강석	기흥서	232
이강석	기흥서	233
이강석	남대구서	403
이강신	부산청	432
이강신	조세재정	504
이강연	서울청	145
이강연	조세재정	503
이강영	광주청	360
이강우	김해서	462
이강욱	부산청	439
이강욱	수영서	451
이강욱	충주서	354
이강윤	김천서	173
이강일	서울청	159
이강일	고양서	294
이강혁	국세청	310
이강현	국세청	117
이강현	동래서	442
이강훈	구미서	416
이강희	경기광주	249
이건구	역삼서	202
이건도	서울청	156
이건빈	부천서	304
이건석	분당서	241
이건솔	은평서	209
이건옥	포항서	428
이건우	청주서	353
이건위	기재부	75
이건일	서초서	192
이건주	광주청	358
이건준	제주서	475
이건호	성북서	197
이건호	광산서	364
이건호	광교법인	34
이건훈	법무광장	52
이건홍	논산서	331
이걸	원주서	272
이경	반포서	187
이경구	진주서	468
이경권	동고양서	301
이경근	법무율촌	54
이경근	이안법인	45
이경노	아산서	338
이경달	기재부	88
이경란	성남서	242
이경록	인천서	293

이름	소속	쪽
이동수	광주세관	496
이동열	영등포서	204
이동열	삼일회계	16
이동엽	금융위	94
이동엽	동화성서	261
이동엽	광산서	364
이동영	전주서	390
이동우	종로서	213
이동우	경주서	415
이동우	안동서	422
이동욱	금융위	93
이동욱	국세청	123
이동욱	충주서	355
이동욱	포항서	428
이동욱	포항서	429
이동욱	부산청	434
이동운	서울청	139
이동원	은평서	209
이동원	포항서	429
이동윤	창원서	471
이동은	분당서	241
이동인	지방재정	498
이동일	국세청	119
이동일	은평서	209
이동일	한국세무	27
이동주	송파서	199
이동주	목포서	374
이동준	청주서	352
이동준	남대구서	402
이동준	부산청	433
이동진	서울청	140
이동진	정읍서	393
이동진	거창서	460
이동찬	동고양서	300
이동찬	대구청	395
이동찬	대구청	400
이동찬	대구청	401
이동철	부산진서	444
이동출	서울청	148
이동하	서대구서	408
이동하	지방재정	498
이동한	서울청	159
이동혁	상공회의	110
이동혁	부산청	432
이동혁	조세심판	501
이동현	국세청	114
이동현	강남서	162
이동현	역삼서	202
이동현	남양주서	234
이동현	광주청	360
이동현	인천세관	485
이동현	서대전세관	487
이동형	동래서	443
이동형	동래서	443
이동호	중부청	229
이동호	북대구서	406
이동화	인천세관	488
이동환	서대전세관	326
이동환	동래서	442
이동훈	기재부	84
이동훈	기재부	87
이동훈	금융위	93
이동훈	남대문서	176
이동훈	중부청	227
이동훈	인천청	280
이동훈	김포서	299
이동훈	광산서	364
이동훈	대구청	397
이동훈	부산청	438
이동훈	부산세관	491
이동훈	지방재정	499
이동훈	법인하나	41
이동휘	기재부	77
이동희	서울청	151
이동희	서울청	156
이동희	영덕서	424
이동희	포항서	429
이두원	국세청	128
이두원	국세교육	137
이두원	지방재정	499
이두호	안산서	250
이두호	북전주서	386
이득규	파주서	310
이득수	부산세관	490
이란희	동화성서	260
이래경	서울청	155
이래하	국세상담	135
이령조	시흥서	247
이로아	광주서	366
이루리	고양서	295
이루안	수원서	244
이류기	서울청	141
이륜경	서초서	193
이만구	기재부	78
이만식	동화성서	260
이만호	국세청	126
이명건	국세청	131
이명구	은평서	209
이명구	조세심판	501
이명기	반포서	187
이명길	시흥서	246
이명례	국세상담	135
이명문	영등포서	205
이명석	북대전서	324
이명선	기재부	82
이명선	기재부	84
이명선	서초서	192
이명섭	종로서	212
이명수	금천서	172
이명수	경기광주	248
이명수	남대구서	402
이명순	금융위	92
이명식	법인하나	41
이명용	성남서	243
이명용	서부산서	448
이명욱	강서서	167
이명욱	성남서	242
이명원	반포서	187
이명원	법인하나	41
이명인	조세재정	504
이명재	삼성서	189
이명주	광명서	297
이명주	대구청	399
이명주	지방재정	498
이명주	인천세무	30
이명준	북전주서	387
이명진	기재부	76
이명진	기재부	87
이명진	용산서	207
이명하	수원서	245
이명하	청주서	353
이명한	영동서	348
이명해	보령서	332
이명행	포천서	312
이명호	서부산서	448
이명훈	국세청	121
이명훈	인천서	293
이명희	서울청	151
이명희	서울청	160
이명희	구로서	171
이명희	역삼서	202
이명희	포천서	312
이명희	북대구서	407
이모성	예산서	340
이묘금	해운대서	454
이묘진	삼성서	189
이묘환	양천서	201
이무황	아산서	338
이무훈	국세청	117
이문석	제천서	350
이문수	동대문서	180
이문영	의정부서	308
이문원	국세청	127
이문원	중부청	223
이문태	대구청	397
이문한	안동서	422
이문형	춘천서	274
이문호	부산진서	445
이문환	은평서	209
이문희	용인서	254
이문희	용인서	255
이미경	서울청	143
이미경	서울청	145
이미경	동작서	183
이미경	성동서	195
이미경	인천청	283
이미경	북인천서	288
이미경	천안서	343
이미경	금정서	440
이미경	수영서	450
이미경	광교법인	34
이미나	수원서	244
이미남	남대구서	403
이미녀	남대문서	176
이미라	서울청	149
이미라	관악서	169
이미란	고양서	294
이미령	잠실서	211
이미림	구리서	230
이미선	국회재정	63
이미선	반포서	186
이미선	영등포서	205
이미선	시흥서	247
이미선	서대전서	326
이미선	전주서	390
이미선	동대구서	404
이미선	포항서	428
이미선	통영서	473
이미소	도봉서	179
이미숙	국세청	131
이미숙	삼성서	189
이미숙	잠실서	210
이미숙	대구청	397
이미숙	수영서	450
이미애	서울청	161
이미애	인천청	280
이미애	안동서	422
이미애	북부산서	446
이미연	동안양서	239
이미연	안산서	250
이미연	동래서	442
이미영	서울청	152
이미영	남대문서	176
이미영	송파서	199
이미영	인천청	285
이미영	대전청	317
이미영	보령서	333
이미영	서대구서	409
이미영	북부산서	447
이미자	기재부	75
이미자	나주서	373
이미자	안동서	422
이미정	마포서	184
이미정	서초서	192
이미정	종로서	213
이미정	분당서	240
이미정	보령서	333
이미정	제천서	350
이미주	서대전서	326
이미주	부산청	436
이미지	동화성서	261
이미진	서초서	193
이미진	용산서	206
이미진	동안양서	238
이미진	인천청	284
이미진	남인천서	287
이미진	예산서	340
이미향	동래서	442
이미현	동작서	182
이미현	동수원서	236
이미현	보령서	332
이미혜	조세재정	503
이미혜	기재부	88
이미화	중랑서	215
이미희	경기광주	248
이미희	북대구서	324
이미희	진주서	468
이민경	서울청	141
이민경	은평서	208
이민경	아산서	338
이민경	부산진서	445
이민규	익산서	388
이민규	중부서	217
이민규	시흥서	247
이민규	김포서	299
이민규	천안서	343
이민규	법무율촌	54
이민규	관세청	478
이민병	화성서	263
이민상	마산서	116
이민선	중부청	223
이민수	중부청	224
이민순	북부산서	446
이민순	서초서	192
이민아	고양서	295
이민아	지방재정	499
이민영	관악서	169
이민영	군산서	382
이민영	동래서	442
이민옥	삼성서	189
이민우	경기광주	248
이민우	남대구서	403
이민우	경주서	415
이민우	부산청	439
이민욱	성북서	197
이민정	기재부	83
이민정	남대문서	174
이민정	동작서	182
이민정	남인천서	287
이민정	동고양서	301
이민정	북부산서	447
이민주	영월서	271
이민주	동래서	443
이민지	서울청	147
이민지	북인천서	289
이민지	연수서	306
이민지	파주서	311
이민지	동청주서	346
이민지	서대구서	408
이민창	국세청	130
이민철	잠실서	210
이민철	중부청	228
이민철	인천서	292
이민표	예산서	340
이민해	구미서	416
이민형	택스홈	42
이민호	기재부	90
이민호	홍성서	344
이민호	익산서	389
이민훈	부천서	305
이민희	삼성서	189
이민희	중부청	226
이민희	시흥서	246
이민희	광명서	296
이민희	여수서	379
이민희	울산서	459
이민희	조세심판	500
이방원	서울청	158
이방훈	수원서	244
이배삼	해운대서	455
이배인	서울청	146
이백용	광산서	364
이백준	경주서	414
이범구	안동서	423
이범규	남대문서	177
이범락	대구청	398
이범석	서울청	148
이범수	동화성서	261
이범수	역삼서	202
이범재	한국관세	46
이범주	중부청	225
이범주	안산서	250
이범주	인천세관	485
이범주	인천세관	488
이범준	서울청	155
이범철	대구청	396
이범한	기재부	89
이법주	마포서	184
이병곤	서대문서	190
이병국	마산서	464
이병권	홍성서	344
이병규	춘천서	275
이병길	성동서	195
이병노	인천청	281
이병노	김포서	298
이병도	양천서	200
이병두	기재부	89
이병두	구로서	170
이병만	구로서	170
이병만	금천서	172
이병수	반포서	187
이병숙	진주서	468
이병영	수성서	411
이병오	보령서	332
이병옥	안양서	252
이병용	북인천서	288
이병욱	청주서	353
이병욱	구미서	416
이병인	북인천서	289
이병재	군산서	383
이병주	국세청	115
이병주	서울청	147
이병주	강남서	162
이병주	중랑서	215
이병주	수성서	410
이병준	금천서	172
이병준	마산서	464
이병진	용인서	255
이병철	송파서	199
이병철	역삼서	202
이병철	마산서	465
이병탁	국세청	123
이병택	부산청	436
이병하	법무광장	53
이병현	서울청	152
이병호	관세청	478
이병훈	거창서	461
이병희	동안양서	239
이병희	경주서	414
이보라	국세청	129
이보라	서울청	155
이보라	반포서	187
이보라	용인서	254
이보라	김포서	298
이보라	영동서	349
이보라	북대구서	407
이보라	진주서	468
이보람	정읍서	392
이보람	지방재정	499
이보배	기재부	91
이보배	강동서	164
이보배	도봉서	179
이보배	해남서	380
이보배	예일법인	44
이보영	기재부	81
이보영	전주서	390
이보영	영덕서	425
이보은	부산청	438
이보인	기재부	91
이보화	조세재정	503
이복남	중부청	426
이복식	남양주서	234
이복원	기재부	86
이복자	서울청	145
이복재	부산청	435
이복희	중부청	223
이봉근	국세청	129
이봉기	동래서	442
이봉림	동안양서	238
이봉숙	도봉서	178
이봉숙	중부청	229
이봉열	서울청	153
이봉철	마산서	464
이봉현	대전서	323
이봉형	경기광주	248
이봉화	창원서	470
이봉희	강동서	164
이부경	창원서	470
이부창	동작서	182
이부형	제주서	474
이빛나	분당서	240
이사영	전주서	390
이삼만	동안양서	239
이삼섭	감사원	71
이삼섭	동안양서	239
이상견	경주서	414
이상걸	국세청	122
이상경	북대구서	407
이상곤	북인천서	288
이상곤	김해서	462
이상국	중부청	223
이상규	기재부	82
이상규	수원서	244
이상규	구미서	416
이상근	해운대서	455
이상금	동청주서	346
이상기	성동서	195
이상기	법무광장	52
이상길	서울청	158
이상길	광명서	297
이상길	삼정회계	18
이상덕	서울청	153
이상덕	이천서	256
이상덕	금정서	441
이상도	부산진서	444
이상도	삼일회계	16
이상두	북전주서	387
이상락	김포서	299

이름	관서	쪽	이름	관서	쪽	이름	관서	쪽	이름	관서	쪽	이름	관서	쪽
이상락	구미서	416	이상철	순천서	377	이석화	성남서	242	이성민	송파서	198	이세라	순천서	376
이상로	지방재정	499	이상표	중부산서	452	이선	양천서	201	이성민	기흥서	232	이세란	남양주서	234
이상명	동래서	443	이상필	서대문서	191	이선경	북전주서	387	이성민	대전청	316	이세리	익산서	388
이상목	잠실서	211	이상하	반포서	187	이선경	지방재정	498	이성민	광주청	360	이세미	기재부	86
이상무	국세교육	136	이상학	충주서	354	이선구	중부서	217	이성민	동울산서	456	이세미	삼성서	189
이상무	삼정회계	18	이상헌	기재부	77	이선규	부산청	438	이성복	종로서	213	이세미	조세재정	504
이상묵	서울청	159	이상헌	상공회의	109	이선기	연수서	307	이성복	김포서	299	이세미	서울청	159
이상묵	부산청	438	이상헌	서울청	157	이선림	대전청	318	이성삼	홍천서	277	이세연	서울청	160
이상묵	김앤장	51	이상헌	강서서	167	이선미	국세상담	134	이성수	금천서	173	이세연	시흥서	247
이상미	동대문서	180	이상헌	구미서	417	이선미	동작서	183	이성수	춘천서	274	이세이	반포서	186
이상미	역삼서	203	이상헌	김해서	463	이선미	반포서	187	이성식	전주서	391	이세정	동대문서	181
이상미	중부서	217	이상헌	조세심판	500	이선미	북인천서	289	이성실	순천서	377	이세주	관악서	168
이상미	마산서	465	이상혁	감사원	71	이선미	천안서	342	이성애	도봉서	179	이세진	서울청	152
이상민	기재부	86	이상혁	진주서	468	이선아	강서서	167	이성애	용산서	207	이세진	성북서	197
이상민	국세청	131	이상현	강동서	165	이선민	도봉서	178	이성엽	서인천서	290	이세진	은평서	208
이상민	동작서	182	이상현	용인서	255	이선민	잠실서	211	이성엽	포항서	429	이세풍	서울청	141
이상민	중랑서	214	이상현	춘천서	275	이선아	광주청	362	이성엽	서산서	335	이세협	중부청	223
이상민	중부청	221	이상현	연수서	306	이선아	강서서	166	이성욱	강동서	165	이세형	강서서	166
이상민	남양주서	235	이상현	북부산서	447	이선아	동작서	183	이성용	광주서	367	이세호	제천서	351
이상민	인천청	281	이상현	마산서	465	이선아	서초서	193	이성용	상공회의	109	이세호	동래서	442
이상민	상주서	421	이상협	구미서	416	이선아	서인천서	291	이성우	택스홈	42	이세환	기재부	77
이상민	마산서	465	이상호	서울청	141	이선아	인천서	292	이성욱	국세청	116	이세환	서울청	159
이상범	안산서	250	이상호	대구청	397	이선아	고양서	294	이성욱	송파서	199	이세훈	금융위	92
이상봉	대전청	319	이상호	창원서	470	이선애	북대구서	407	이성욱	삼정회계	19	이세훈	김해서	462
이상봉	충주서	354	이상호	통영서	472	이선영	강남서	162	이성원	기재부	90	이세희	예일법인	44
이상분	북대구서	406	이상홍	기재부	81	이선영	동작서	183	이성원	고양서	295	이소라	속초서	268
이상석	동청주서	346	이상화	종로서	212	이선영	마포서	185	이성은	중부서	217	이소면	광주세관	495
이상선	의정부서	308	이상화	법인삼릉	40	이선영	영등포서	204	이성은	북전주서	387	이소면	광주세관	496
이상수	국세청	116	이상후	기재부	77	이선영	잠실서	210	이성은	동울산서	456	이소명	강동서	164
이상수	국세청	125	이상훈	서울청	149	이선영	대전청	318	이성은	의정부서	308	이소애	부산청	434
이상수	인천청	280	이상훈	강동서	164	이선영	세종서	336	이성일	서울청	154	이소연	성남서	243
이상수	전주서	391	이상훈	동작서	183	이선영	대구청	396	이성재	서울청	152	이소연	안산서	251
이상수	서울세관	481	이상훈	동안양서	238	이선영	서대구서	408	이성재	중부청	225	이소연	연수서	306
이상수	서울세관	483	이상훈	홍천서	276	이선영	서대구서	408	이성재	부산청	432	이소연	서광주서	370
이상수	예일법인	44	이상훈	북대전서	324	이선영	법인하나	41	이성재	부산청	438	이소연	동대구서	404
이상숙	강동서	164	이상훈	목포서	375	이선옥	중부청	227	이성재	딜로이트	13	이소영	기재부	75
이상순	익산서	389	이상훈	남대구서	403	이선우	남대문서	175	이성종	삼척서	266	이소영	서초서	193
이상아	기재부	83	이상훈	포항서	428	이선우	고양서	295	이성주	대전청	316	이소영	중부청	228
이상언	서울청	154	이상훈	부산청	436	이선우	보령서	332	이성준	서울청	146	이소영	안산서	250
이상언	중부산서	453	이상훈	금정서	441	이선유	양천서	201	이성준	역삼서	202	이소영	북인천서	288
이상열	지방재정	499	이상훈	북부산서	447	이선육	상주서	420	이성준	공주서	329	이소영	남부천서	302
이상열	서대문서	191	이상훈	해운대서	455	이선의	서울청	143	이성준	안산서	388	이소영	광주서	366
이상영	중부청	228	이상희	기재부	77	이선이	남대구서	403	이성준	북부산서	446	이소영	대구청	397
이상영	경기광주	248	이상희	경기광주	249	이선자	금정서	440	이성진	남대문서	174	이소영	해운대서	454
이상왕	북인천서	289	이상희	인천서	292	이선재	남대문서	174	이성진	역삼서	202	이소영	동울산서	456
이상요	서산서	334	이상희	대구청	396	이선정	서울청	145	이성진	기흥서	232	이소원	국세청	117
이상용	경기광주	249	이상희	북전주서	474	이선정	김천서	418	이성진	나주서	373	이소은	전주서	391
이상용	남부천서	302	이새롬	기재부	77	이선주	국세상담	134	이성창	순천서	376	이소은	마산서	465
이상용	세종서	337	이샘나	기재부	87	이선주	구로서	171	이성창	김앤장	51	이소정	동대문서	181
이상우	동청주서	347	이서구	국세청	117	이선주	종로서	213	이성철	금정서	440	이소정	성동서	195
이상우	김앤장	51	이서연	용산서	207	이선주	예일법인	44	이성태	삼정회계	18	이소정	남인천서	287
이상우	법무율촌	54	이서연	부천서	304	이선진	서울청	158	이성태	삼정회계	19	이소정	광명서	297
이상욱	감사원	70	이서영	강남서	162	이선철	해운대서	455	이성택	기재부	84	이소정	부산진서	444
이상욱	서대문서	190	이서영	송파서	198	이선태	홍성서	344	이성필	서울청	149	이소진	국세상담	134
이상욱	동안양서	239	이서원	중랑서	215	이선행	서울청	149	이성한	안동서	84	이소진	중부서	216
이상욱	홍성서	344	이서은	광명서	297	이선행	인천청	285	이성한	영덕서	424	이소현	동대문서	181
이상욱	충주서	354	이서재	익산서	389	이선호	기재부	77	이성현	성동서	194	이소현	안동서	423
이상욱	대구청	397	이서진	북전주서	386	이선호	구미서	416	이성현	조세재정	502	이솔	서울청	150
이상욱	동울산서	457	이서하	안양서	253	이선호	금정서	441	이성혜	도봉서	179	이솔	송파서	198
이상욱	관세청	478	이서행	구리서	230	이선화	보령서	332	이성혜	동작서	182	이솔	충주서	354
이상욱	지방재정	498	이서현	강동서	164	이선화	목포서	374	이성혜	창원서	471	이솔아	강서서	166
이상운	대전청	317	이서현	구로서	170	이선화	안양서	457	이성호	국세청	117	이솔아	금천서	172
이상원	서울청	145	이서현	조세재정	502	이선훈	법인하나	41	이성호	안양서	253	이솔지	수원서	244
이상원	대구청	396	이서형	양천서	200	이선희	남대구서	402	이성호	예산서	340	이송	정진세림	24
이상윤	기재부	89	이서희	고양서	294	이설아	의정부서	308	이성호	천안서	342	이송미	천안서	342
이상윤	경기광주	248	이서희	송파서	198	이설이	아산서	338	이성호	여수서	378	이송규	서광주서	371
이상윤	이천서	257	이석규	서초서	193	이섭	서울청	140	이성호	경주서	414	이송우	마산서	465
이상율	조세심판	500	이석규	딜로이트	13	이성	인천청	308	이성호	북부산서	446	이송이	이천서	257
이상은	안양서	253	이석동	서산서	334	이성	광주청	359	이성호	조세심판	500	이송이	인천청	283
이상익	잠실서	211	이석동	양천서	201	이성	광주청	360	이성현	성남서	151	이송하	의정부서	308
이상일	화성서	262	이석란	금융위	93	이성	강서서	166	이성환	대구청	399	이송향	동작서	182
이상재	국세청	131	이석문	관세서	478	이성경	용산서	207	이성환	수성서	410	이송화	역삼서	203
이상재	아산서	338	이석봉	서울청	150	이성구	기재부	77	이성환	구미서	417	이송희	춘천서	274
이상조	도봉서	178	이석봉	역삼서	202	이성국	마포서	185	이성훈	감사원	71	이송희	서광주서	371
이상조	김해서	462	이석봉	역삼서	202	이성규	용산서	207	이성훈	중부서	217	이송희	마포서	185
이상준	감사원	71	이석원	기재부	78	이성규	진주서	468	이성훈	중부청	223	이수경	영등포서	205
이상준	상공회의	109	이석원	대전서	322	이성근	중랑서	214	이성훈	이천서	256	이수경	동고양서	300
이상준	국세청	120	이석임	이천서	257	이성근	광주청	361	이성훈	남부천서	302	이수경	서대구서	408
이상준	광주청	358	이석재	강동서	164	이성기	영동서	349	이성훈	대구청	397	이수경	수영서	450
이상준	광산서	365	이석재	고시회	31	이성도	북대전서	324	이성훈	창원서	471	이수경	중부산서	452
이상준	부산진서	445	이석정	고시회	31	이성렬	택스홈	42	이성희	기재부	74	이수경	법무바른	1
이상직	중부서	216	이석준	삼성서	188	이성률	목포서	374	이성희	남대문서	177	이수길	창원서	470
이상진	국세상담	134	이석중	부산청	434	이성묵	광산서	365	이성희	삼척서	266	이수덕	서인천서	290
이상진	서초서	192	이석진	대구청	399	이성민	기재부	76	이세나	국세청	117	이수라	서광주서	370
이상진	남양주서	234	이석한	기재부	74	이성민	서울청	149				이수락	금천서	172
이상진	제주서	475										이수란	금천서	173

546

이름	소속	쪽	이름	소속	쪽	이름	소속	쪽	이름	소속	쪽	이름	소속	쪽
이수란	중부서	216	이수현	역삼서	202	이승연	기재부	75	이승훈	북광주서	368	이연화	중부청	225
이수련	강서서	166	이수현	고양서	295	이승연	잠실서	210	이승훈	군산서	382	이연희	홍성서	345
이수미	국세청	117	이수현	군산서	383	이승연	관세청	479	이승훈	익산서	388	이연희	정읍서	392
이수미	국세청	130	이수현	북전주서	386	이승엽	경산서	412	이승훈	대구청	396	이염휘	한국관세	46
이수미	논산서	330	이수현	예일회계	21	이승엽	구미서	416	이승훈	중부산서	452	이영	춘천서	274
이수미	김천서	418	이수형	서울청	142	이승엽	지방재정	499	이승훈	울산서	458	이영	대전청	317
이수미	양산서	466	이수형	중부청	224	이승완	광주청	362	이승훈	조세심판	500	이영구	대전청	317
이수민	법인하나	41	이수호	기재부	90	이승우	전주서	391	이승휘	서대구서	409	이영권	남인천서	286
이수민	국세청	127	이수화	지방재정	498	이승우	인천청	280	이승희	역삼서	202	이영규	제천서	350
이수민	서울청	141	이수화	마포서	184	이승윤	기재부	83	이승희	잠실서	211	이영근	수영서	451
이수민	수원서	244	이숙	기재부	156	이승윤	국세청	123	이승희	성남서	243	이영길	부천서	305
이수민	포천서	313	이숙경	기재부	77	이승은	국세청	114	이승희	광주청	359	이영도	인천청	280
이수민	북대전서	325	이숙경	정읍서	392	이승은	남대구서	402	이승희	서부산서	448	이영도	서울세관	482
이수민	제주서	475	이숙영	서울청	159	이승은	북대구서	406	이승희	인천세관	486	이영득	광교법인	34
이수복	전주서	390	이숙정	수원서	244	이승은	구미서	417	이승희	조세심판	500	이영락	보령서	333
이수비	청주서	352	이숙희	대전서	322	이승익	포항서	428	이승희	조세심판	501	이영란	부산진서	444
이수빈	중부청	228	이순기	상주서	421	이승일	서울청	155	이승희	조세심판	501	이영례	북인천서	289
이수빈	기흥서	232	이순길	천안서	343	이승일	전주서	391	이시연	중부청	229	이영로	금감원	105
이수빈	성남서	242	이순모	서인천서	290	이승재	경기광주	248	이시은	영등포서	205	이영롱	남부천서	302
이수빈	안산서	251	이순민	여수서	378	이승재	동고양서	300	이시은	북광주서	369	이영미	기재부	76
이수빈	원주서	272	이순민	북대구서	406	이승재	충주서	354	이시형	경주서	415	이영미	국세청	117
이수빈	동청주서	346	이순복	중부서	226	이승재	정읍서	392	이시호	수영서	450	이영미	강동서	164
이수빈	동청주서	346	이순아	안산서	250	이승재	포항서	429	이시화	국세청	116	이영미	경기광주	248
이수빈	나주서	373	이순엽	서울청	150	이승재	예일회계	21	이신규	남부천서	303	이영미	영월서	271
이수빈	중부산서	453	이순영	서초서	192	이승종	홍천서	276	이신숙	인천청	285	이영미	진주서	469
이수아	부천서	304	이순영	서초서	192	이승주	국세상담	134	이신애	동래서	442	이영민	남대문서	176
이수안	성북서	196	이순영	서대전서	326	이승주	남대문서	176	이신열	공주서	328	이영민	인천청	293
이수연	감사원	71	이순영	북부산서	446	이승주	부산진서	445	이신영	서울청	155	이영민	나주서	372
이수연	국세청	117	이순옥	춘천서	275	이승준	기재부	75	이신정	강릉서	265	이영민	전주서	391
이수연	서울청	147	이순임	남대구서	403	이승준	서울청	141	이신정	동성서	349	이영민	반포서	186
이수연	서울청	160	이순정	영월서	270	이승준	강서서	166	이신혜	서대문서	191	이영석	서울청	149
이수연	도봉서	179	이순주	경기광주	248	이승준	광산서	365	이신호	딜로이트	13	이영석	종로서	213
이수연	삼성서	188	이순철	중부청	228	이승준	해남서	380	이신화	송파서	198	이영석	분당서	240
이수연	중부청	227	이순향	조세재정	503	이승준	수성서	410	이아라	북광주서	368	이영선	기재부	85
이수연	시흥서	246	이순화	서울청	145	이승준	북부산서	446	이아람	울산서	458	이영선	서울청	161
이수연	동화성서	260	이순희	영등포서	204	이승준	미래회계	14	이아람	국세청	114	이영선	인천청	280
이수연	대전서	322	이슬	서울청	147	이승진	부산청	433	이아름	금천서	172	이영수	기재부	83
이수연	보령서	332	이슬	고양서	294	이승진	동울산서	457	이아름	안산서	251	이영수	삼성서	188
이수연	서광주서	371	이슬	남부천서	302	이승찬	인천청	283	이아름	북인천서	289	이영수	영등포서	205
이수연	순천서	377	이슬	대구청	398	이승찬	공주서	329	이아름	조세재정	503	이영수	남부천서	303
이수연	남원서	385	이슬	조세재정	504	이승철	동청주서	346	이아림	서광주서	371	이영수	영주서	426
이수연	해운대서	454	이슬기	강동서	164	이승철	국세청	129	이아미	인천청	281	이영수	마산서	464
이수연	조세재정	503	이슬기	강서서	167	이승철	남대문서	176	이아연	남인천서	287	이영숙	기재부	84
이수영	금융위	93	이슬기	송파서	198	이승철	광산서	181	이아영	인천청	293	이영숙	인천청	280
이수영	동안양서	238	이슬기	동고양서	300	이승택	대전서	323	이안나	성남서	161	이영숙	인천서	292
이수영	세종서	337	이슬기	조세재정	502	이승택	동대구서	405	이안섭	남대구서	402	이영숙	인천서	292
이수영	충주서	355	이슬기	조세재정	503	이승필	성북서	196	이안수	대전청	319	이영순	동안양서	239
이수영	대구청	396	이슬린	서울청	151	이승필	부산세관	491	이안희	북대전서	324	이영순	공주서	328
이수영	중부산서	453	이슬비	구로서	170	이승하	서울청	152	이안희	서대전서	326	이영순	아산서	338
이수용	화성서	262	이슬비	중부청	228	이승하	전주서	390	이애경	삼성서	189	이영신	국세청	117
이수용	동래서	443	이슬비	인천청	283	이승학	성동서	194	이애란	삼성서	140	이영신	인천청	435
이수원	금천서	173	이슬비	광명서	296	이승한	기재부	82	이애신	남대문서	176	이영신	삼일회계	16
이수원	북부산서	447	이슬이	평택서	259	이승한	강서서	166	이양래	동수원서	236	이영아	안양서	252
이수은	안산서	257	이승걸	수영서	450	이승현	구로서	171	이양로	천안서	342	이영아	남대구서	402
이수인	남대문서	176	이승곤	전주서	390	이승현	도봉서	178	이양우	서울청	150	이영옥	국세상담	134
이수임	잠실서	211	이승괄	대구청	401	이승현	남양주서	235	이양원	순천서	377	이영옥	서울청	156
이수임	지방재정	458	이승구	역삼서	202	이승현	광주청	361	이양호	동청주서	347	이영옥	인천청	282
이수정	기재부	81	이승규	중부청	221	이승현	상주서	420	이억원	기재부	74	이영옥	동래서	442
이수정	서울청	156	이승규	마산서	464	이승현	고양서	294	이억원	기재부	75	이영옥	수영서	451
이수정	서울청	160	이승근	동청주서	347	이승혜	구리서	231	이언종	마포서	185	이영우	서울청	156
이수정	구로서	171	이승근	해남서	380	이승호	기재부	81	이여경	고양서	295	이영우	동작서	183
이수정	금천서	172	이승기	서산서	335	이승호	서울청	153	이여성	안산서	251	이영우	경산서	412
이수정	중부서	217	이승기	기재부	77	이승호	삼성서	189	이여울	동대문서	180	이영욱	영등포서	204
이수정	북인천서	288	이승도	기재부	77	이승호	성북서	197	이여진	강동서	165	이영욱	고양서	295
이수정	구미서	417	이승래	부천서	304	이승호	종로서	213	이연경	성동서	194	이영웅	감사원	71
이수정	부산진서	444	이승렬	경주서	414	이승호	기흥서	233	이연경	서인천서	291	이영은	동수원서	236
이수지	기재부	85	이승록	통영서	472	이승호	남인천서	287	이연경	기흥서	406	이영은	동안양서	238
이수지	동작서	183	이승리	고양서	295	이승환	법무세촌	54	이연미	서울청	145	이영은	광주청	361
이수지	동수원서	236	이승명	대구청	399	이승환	국세청	116	이연서	남인천서	286	이영은	중부세무	29
이수진	국회법제	66	이승모	영덕서	424	이승환	남양주서	235	이연석	중부청	222	이영은	광교법인	36
이수진	반포서	186	이승미	중부청	223	이승환	인천청	280	이연선	중부청	220	이영일	부산진서	444
이수진	성동서	194	이승민	기재부	84	이승환	서인천서	291	이연수	인천청	280	이영임	기재부	81
이수진	용산서	206	이승민	기재부	86	이승환	아산서	338	이연수	울산서	459	이영재	서인천서	291
이수진	성남서	243	이승민	남대문서	176	이승환	광주청	360	이연숙	남대구서	402	이영재	북대전서	325
이수진	인천청	280	이승민	역삼서	203	이승환	북대구서	406	이연숙	부산진서	445	이영재	북대구서	407
이수진	북인천서	289	이승민	서부산서	448	이승환	서대구서	409	이연실	구로서	170	이영재	부산청	438
이수진	광명서	296	이승민	법인하나	41	이승환	제주서	474	이연우	금천서	173	이영재	동래서	443
이수진	천안서	343	이승배	동화성서	261	이승환	국세청	122	이연정	성북서	196	이영재	양산서	466
이수진	청주서	353	이승범	구리서	230	이승훈	서울청	148	이연주	중부청	272	이영정	국세청	120
이수진	광주청	363	이승빈	중부청	220	이승훈	강서서	167	이연주	김포서	298	이영조	경산서	412
이수진	북광주서	368	이승수	부산청	431	이승훈	삼성서	189	이연주	충주서	354	이영주	기재부	79
이수진	지방재정	499	이승수	부산청	436	이승훈	영등포서	205	이연지	서울청	143	이영주	기재부	80
이수창	해남서	380	이승수	부산청	437	이승훈	은평서	208	이연지	중부청	229	이영주	서울청	140
이수철	반포서	186	이승신	제천서	350	이승훈	성남서	243	이연진	수성서	410	이영주	서울청	142
이수택	기재부	86	이승아	안산서	250	이승훈	광주청	358	이연호	국세청	119	이영주	반포서	186
이수현	기재부	85	이승아	부천서	305				이연호	관악서	168	이영주	서초서	193
			이승아	경산서	412									

성명	소속	쪽
이영주	중부청	223
이영주	서산서	334
이영주	홍성서	345
이영주	대구청	396
이영주	안동서	422
이영준	대전청	316
이영직	충주서	354
이영진	서울청	158
이영진	구로서	170
이영진	중부서	217
이영진	인천청	284
이영진	김해서	462
이영찬	예산서	340
이영채	종로서	213
이영채	동래서	442
이영철	동대구서	404
이영철	동대구서	404
이영태	중부청	229
이영태	동수원서	236
이영태	남양서	384
이영태	중부산서	453
이영하	감사원	70
이영호	강서서	166
이영호	구로서	171
이영호	중부청	220
이영호	서대전서	326
이영호	보령서	333
이영화	대전청	316
이영환	시흥서	246
이영훈	용산서	207
이영훈	광주청	360
이영휘	국세청	127
이영휘	북인천서	289
이영희	관악서	168
이영희	통영서	472
이예담	동래서	442
이예림	중부청	225
이예림	포천서	313
이예미	진주서	468
이예슬	기재부	75
이예슬	인천서	293
이예슬	구미서	416
이예연	홍천서	277
이예영	양산서	466
이예원	영덕서	424
이예원	동울산서	456
이예지	강남서	163
이예지	강동서	164
이예지	삼성서	188
이예지	서초서	192
이예지	용산서	206
이예지	중부청	227
이예지	삼척서	266
이예지	영월서	270
이예지	해운대서	455
이예진	국세청	131
이예진	강남서	162
이예진	아산서	338
이오나	영등포서	205
이오령	충주서	354
이오섭	안양서	253
이오혁	경기광주	248
이오형	국세상담	134
이옥녕	국세청	125
이옥선	서울청	158
이옥임	부산진서	444
이옥재	서울세관	482
이옥주	기재부	80
이옥주	양산서	466
이옥진	서광주서	371
이옥희	영등포서	204
이온유	남인천서	286
이완배	금천서	172
이완식	북대구서	406
이완표	대전청	317
이완희	국세청	127
이왕수	서산서	334
이왕재	연수서	306
이요섭	동수원서	236
이요원	서울청	152
이용	삼일회계	16
이용광	국세청	120
이용권	성동서	195
이용규	부산청	439
이용균	수성서	410
이용만	동대문서	181
이용문	서울청	156
이용문	수원서	245
이용배	구리서	230
이용범	삼성서	189
이용수	영등포서	205
이용래	동래서	443
이용식	양천서	200
이용안	기재부	76
이용안	중부청	224
이용우	국회정무	68
이용우	기재부	91
이용우	성북서	196
이용우	김포서	298
이용욱	경기광주	249
이용욱	여수서	379
이용재	중부청	223
이용재	인천청	284
이용정	부산서	432
이용제	잠실서	210
이용주	기재부	80
이용주	기재부	91
이용주	광명서	297
이용준	국회정무	67
이용준	기재부	86
이용진	성동서	194
이용진	역삼서	202
이용진	전주서	391
이용진	부산청	437
이용찬	딜로이트	13
이용철	북대전서	325
이용철	순천서	376
이용출	익산서	389
이용혁	해남서	381
이용현	딜로이트	13
이용현	광교법인	34
이용형	조세심판	501
이용호	기재부	78
이용호	은평서	208
이용환	순천서	377
이용환	동청주서	346
이용환	북부산서	447
이용후	국세청	130
이용훈	서초서	192
이용희	북인천서	288
이용희	의정부서	308
이우경	남양주서	235
이우남	인천서	293
이우람	공주서	328
이우리	기재부	87
이우복	중부세무	29
이우석	기재부	89
이우석	서울청	142
이우석	서울청	157
이우석	부산청	434
이우섭	평택서	258
이우성	금천서	173
이우성	이천서	256
이우영	홍천서	277
이우용	북대전서	325
이우재	강남서	162
이우재	광명서	297
이우정	구리서	230
이우정	서부산서	448
이우종	지방재정	498
이우진	국세청	115
이우진	서울청	144
이우철	기재부	75
이우철	송파서	198
이우태	기재부	83
이우현	구리서	230
이우현	분당서	241
이우형	김해서	463
이운형	종로서	213
이원경	국세상담	135
이원교	전주서	390
이원구	중부청	228
이원규	서대전서	327
이원근	대전청	321
이원기	잠실서	211
이원나	동대문서	180
이원남	평택서	258
이원도	부산서	184
이원락	화성서	262
이원만	도봉서	178
이원명	서대구서	408
이원복	경주서	415
이원상	동대구서	405
이원상	관세청	478
이원섭	수원서	245
이원섭	김해서	463
이원영	서울청	155
이원우	영덕서	424
이원우	영덕서	425
이원익	구로서	170
이원일	국세청	116
이원일	법무바른	1
이원자	기흥서	232
이원재	기재부	83
이원재	기재부	86
이원정	성북서	196
이원종	동청주서	347
이원주	기재부	91
이원준	국세청	128
이원준	국세청	117
이원진	부천서	305
이원형	서대전서	326
이원형	북대구서	406
이원희	동대문서	180
이원희	원주서	272
이원희	연수서	306
이위형	울산서	458
이유강	아산서	338
이유경	서울청	151
이유경	양천서	200
이유경	북인천서	288
이유경	지방재정	498
이유나	홍성서	344
이유라	중부청	228
이유리	서울청	157
이유리	중부청	226
이유림	기재부	80
이유림	수원서	244
이유만	김해서	462
이유미	평택서	258
이유미	나주서	373
이유민	남양주서	235
이유빈	강서서	166
이유상	잠실서	210
이유상	북인천서	288
이유상	경주서	415
이유안	홍천서	277
이유영	마포서	185
이유원	북인천서	289
이유원	북인천서	289
이유정	강서서	167
이유정	중부서	216
이유정	중부서	217
이유정	예산서	340
이유정	서대구서	409
이유정	김해서	462
이유조	수성서	411
이유하	북대구서	407
이유진	기재부	81
이유진	국세청	116
이유진	서울청	144
이유진	서울청	147
이유진	관악서	169
이유진	구로서	170
이유진	중랑서	215
이유진	중부청	220
이유진	경기광주	248
이유진	강릉서	265
이유진	서대전서	326
이유진	김천서	419
이유진	조세심판	500
이유진	삼일회계	17
이윤경	금천서	173
이윤경	남대문서	177
이윤경	시흥서	247
이윤경	안양서	253
이윤경	연수서	306
이윤경	광산서	364
이윤경	서부산서	449
이윤경	지방재정	499
이윤노	동작서	182
이윤미	강남서	164
이윤미	잠실서	210
이윤미	마산서	465
이윤미	동울산서	457
이윤서	세원법인	43
이윤석	구리서	230
이윤선	관악서	168
이윤선	용산서	206
이윤선	시흥서	246
이윤선	정읍서	392
이윤수	금융위	93
이윤수	김포서	298
이윤숙	천안서	343
이윤애	인천청	284
이윤우	인천청	285
이윤우	대전청	319
이윤재	서울청	152
이윤재	동대구서	404
이윤정	서울청	160
이윤정	금천서	172
이윤정	남대문서	176
이윤정	은평서	208
이윤정	중부청	223
이윤정	정읍서	393
이윤정	구미서	417
이윤주	서울청	149
이윤주	서울청	151
이윤주	강서서	167
이윤주	금천서	173
이윤주	중부청	225
이윤주	수성서	410
이윤주	관세청	423
이윤진	역삼서	202
이윤태	기재부	83
이윤태	구미서	416
이윤택	인천세관	486
이윤하	마포서	184
이윤행	도봉서	179
이윤호	김포서	298
이윤호	북광주서	369
이윤환	인천세무	30
이윤희	국세교육	137
이윤희	서울청	141
이윤희	서울청	145
이윤희	남대문서	176
이윤희	성동서	195
이윤희	영등포서	204
이율배	인천청	280
이융건	동대문서	181
이융희	서초서	193
이은	서울청	143
이은경	서울청	141
이은경	강동서	164
이은경	수원서	245
이은경	시흥서	246
이은경	이천서	257
이은경	원주서	272
이은경	세종서	337
이은경	해남서	380
이은경	익산서	388
이은경	조세재정	503
이은경	조세재정	503
이은경	조세재정	504
이은광	광산서	364
이은교	분당서	240
이은규	국세청	122
이은규	국세청	123
이은규	국세청	127
이은규	춘천서	275
이은기	고양서	295
이은길	종로서	212
이은렬	서울세관	482
이은미	서울청	153
이은미	반포서	186
이은미	경기광주	248
이은미	마산서	464
이은미	진주서	469
이은미	중랑서	214
이은범	용인서	254
이은비	서울청	161
이은상	서울청	145
이은상	동대문서	181
이은상	거창서	460
이은상	창원서	470
이은석	여수서	378
이은선	서울청	149
이은선	삼성서	188
이은선	인천세무	30
이은섭	인천청	282
이은솔	조세재정	503
이은송	인천청	284
이은수	국세상담	134
이은수	수원서	245
이은수	남부천서	303
이은숙	기재부	76
이은숙	대전서	322
이은숙	논산서	330
이은숙	아산서	339
이은숙	지방재정	499
이은순	진주서	468
이은실	국세청	114
이은실	송파서	198
이은실	중부청	220
이은아	잠실서	211
이은아	목포서	374
이은애	용인서	254
이은영	기재부	78
이은영	서울청	145
이은영	강남서	162
이은영	마포서	185
이은영	중랑서	215
이은영	중부서	216
이은영	파주서	310
이은영	파주서	311
이은영	보령서	332
이은영	서대구서	409
이은영	서대구서	409
이은영	진주서	468
이은영	제주서	475
이은옥	파주서	310
이은용	서대문서	190
이은우	기재부	87
이은자	북인천서	288
이은자	중부세무	29
이은장	서초서	192
이은정	강남서	140
이은정	구로서	171
이은정	송파서	198
이은정	역삼서	202
이은정	용산서	206
이은정	종로서	212
이은정	종로서	212
이은정	중부청	223
이은정	중부청	226
이은정	동수원서	236
이은정	화성서	262
이은정	남인천서	286
이은정	북대구서	406
이은정	구미서	416
이은정	부산청	433
이은정	수영서	450
이은정	해운대서	455
이은제	동작서	183
이은종	안양서	252
이은주	국세청	127
이은주	서울청	145
이은주	중부청	226
이은주	대구청	398
이은주	부산청	436
이은주	마산서	465
이은준	남대문서	175
이은지	강남서	163
이은지	역삼서	203
이은지	영월서	271
이은지	북인천서	288
이은지	의정부서	308
이은지	포천서	313
이은지	청주서	353
이은지	남양주서	234
이은진	분당서	240
이은진	인천청	285
이은진	광산서	364
이은진	여수서	379
이은진	수영서	450
이은창	수원서	244
이은창	상공회의	110
이은총	김앤장	51
이은하	조세심판	501
이은행	순천서	377
이은형	중부청	227
이은형	서울청	148
이은혜	천안서	343
이은혜	충주서	355
이은호	포항서	428
이은호	서울세관	482
이은홍	태평양	58

이름	소속	쪽	이름	소속	쪽	이름	소속	쪽	이름	소속	쪽	이름	소속	쪽
이은화	기재부	77	이재근	서울청	141	이재인	화성서	262	이정민	국세청	119	이정표	반포서	187
이은희	강동서	164	이재남	시흥서	246	이재일	은평서	208	이정민	국세청	120	이정표	분당서	241
이은희	강동서	165	이재남	광주청	358	이재일	대전서	322	이정민	삼성서	189	이정필	금정서	441
이은희	서초서	193	이재덕	서현이현	6	이재준	남양주서	234	이정민	성북서	197	이정하	도봉서	178
이은희	송파서	198	이재락	수성서	411	이재준	수원서	245	이정민	영등포서	204	이정학	기재부	75
이은희	경주서	415	이재룡	경기광주	248	이재진	성북서	196	이정민	중부청	220	이정학	서초서	192
이은희	서부산서	449	이재만	경기광주	249	이재진	세종서	336	이정민	김포서	299	이정한	의정부서	308
이은희	울산서	459	이재면	기재부	79	이재진	북부산서	446	이정민	의정부서	308	이정현	서울청	141
이응기	송파서	198	이재명	대전청	319	이재철	기재부	76	이정민	광주청	359	이정현	역삼서	202
이응기	송파서	199	이재명	홍성서	344	이재철	삼성서	189	이정민	울산서	459	이정현	고양서	295
이응봉	강남서	162	이재민	용인서	254	이재철	동래서	443	이정범	원주서	273	이정현	의정부서	308
이응석	중기회	111	이재민	연수서	307	이재철	중부산서	453	이정복	북광주서	368	이정현	북부산서	446
이응석	서울청	156	이재민	파주서	310	이재춘	부산청	433	이정상	북인천서	288	이정현	딜로이트	13
이응수	북인천서	288	이재범	국세청	118	이재택	연수서	307	이정석	광주서	366	이정형	남양주서	235
이응준	조세재정	504	이재복	서울청	158	이재평	통영서	472	이정선	대전청	318	이정호	광산서	364
이응찬	서대문서	190	이재복	수성서	410	이재하	동작서	183	이정선	북대전서	325	이정호	익산서	389
이응찬	중부청	222	이재봉	동청주서	346	이재향	기재부	84	이정선	서울세무	84	이정호	대구청	400
이의상	서울세관	482	이재빈	동화성서	260	이재향	삼성서	188	이정섭	법인삼륭	40	이정호	동래서	443
이의신	예산서	340	이재상	강서서	167	이재헌	기재부	81	이정수	동안양서	239	이정호	서부산서	449
이의태	파주서	311	이재상	안양서	252	이재혁	반포서	187	이정수	전주서	391	이정화	국세청	116
이이네	서울청	161	이재석	기재부	86	이재혁	잠실서	210	이정숙	서울청	141	이정화	마포서	184
이익중	동청주서	347	이재석	마포서	185	이재혁	중부청	223	이정숙	서대문서	190	이정화	김포서	299
이익훈	강서서	166	이재석	해운대서	455	이재혁	안양서	252	이정숙	동래서	442	이정화	광주청	360
이인권	서울청	150	이재석	한국관세	46	이재혁	대구청	400	이정숙	김해서	463	이정화	부산청	438
이인권	통영서	472	이재성	조세재정	503	이재혁	삼일회계	17	이정순	국세청	128	이정화	조세심판	501
이인근	서산서	335	이재성	국세청	120	이재현	기재부	88	이정순	은평서	209	이정환	법인삼륭	40
이인기	서산서	334	이재성	서울청	148	이재현	중부청	228	이정순	구미서	416	이정환	대전서	323
이인기	예일법인	44	이재성	서울청	161	이재현	화성서	262	이정식	강릉서	265	이정환	서광주서	371
이인기	예일법인	211	이재성	강남서	163	이재현	청주서	353	이정식	서울세무	28	이정훈	기재부	87
이인선	서울청	149	이재성	세종서	336	이재현	구미서	417	이정아	기재부	87	이정훈	동작서	182
이인섭	서울청	158	이재성	천안서	342	이재호	서울청	146	이정아	국세청	125	이정훈	영등포서	204
이인수	상주서	420	이재성	정읍서	393	이재호	지방재정	498	이정아	국세청	126	이정훈	구리서	230
이인수	법무광장	52	이재성	안동서	422	이재홍	연수서	306	이정아	국세청	128	이정훈	서인천서	290
이인숙	서울청	142	이재성	김해서	463	이재홍	구미서	417	이정아	아산서	338	이정훈	부천서	304
이인숙	서초서	193	이재성	제주서	474	이재환	포천서	313	이정애	중부청	223	이정훈	대전청	321
이인숙	중부청	224	이재수	동래서	442	이재훈	금천서	172	이정애	군산서	383	이정훈	동청주서	347
이인숙	동청주서	347	이재숙	성북서	197	이재훈	화성서	262	이정애	부산청	435	이정훈	해남서	381
이인숙	북광주서	368	이재숙	영동서	349	이재훈	광명서	297	이정애	동울산서	456	이정훈	북대구서	406
이인심	경기광주	249	이재순	인천세무	30	이재훈	경주서	415	이정언	기흥서	232	이정훈	중부산서	453
이인아	서초서	193	이재순	북대전서	324	이재훈	인천세관	486	이정연	기재부	76	이정훈	거창서	460
이인영	국회재정	64	이재식	성남서	242	이재훈	딜로이트	13	이정연	서울세관	145	이정훈	삼일회계	17
이인우	국세교육	136	이재식	창원서	470	이재희	화성서	262	이정옥	성동서	195	이정희	강서서	166
이인우	남대구서	402	이재아	여수서	379	이재희	논산서	330	이정옥	마산서	465	이정희	삼성서	188
이인원	포항서	428	이재연	서울청	160	이재희	정읍서	392	이정우	천안서	343	이정희	종로서	213
이인이	김포서	299	이재연	구로서	171	이재희	예일법인	44	이정우	북광주서	368	이정희	중랑서	215
이인자	서울청	144	이재연	동울산서	456	이전승	서울청	157	이정우	나주서	372	이정희	원주서	273
이인재	영등포서	205	이재열	양천서	201	이전승	진주서	468	이정우	인천세관	487	이정희	인천청	281
이인재	진주서	469	이재열	논산서	331	이점수	용인서	255	이정우	지방재정	498	이정희	북대전서	325
이인하	서울청	158	이재열	금정서	441	이점순	마산서	464	이정욱	고양서	295	이정희	경산서	412
이인혁	창원서	471	이재열	동울산서	457	이점희	목포서	374	이정운	대전청	316	이정희	인천세관	487
이인형	법무광장	52	이재영	서울청	151	이정	연수서	306	이정운	북전주서	387	이정희	조세심판	500
이인호	경산서	412	이재영	서울청	161	이정	서광주서	371	이정웅	남대문서	176	이제안	서초서	192
이인희	홍성서	344	이재영	도봉서	178	이정걸	동수원서	237	이정웅	서부산서	449	이제연	금정서	441
이일구	서부산서	448	이재영	안산서	250	이정걸	울산서	458	이정원	남양주서	235	이제연	김앤장	51
이일생	서울청	140	이재영	평택서	258	이정걸	제주서	474	이정원	고양서	295	이제욱	서대구서	408
이일성	서울청	141	이재영	수성서	411	이정관	광주청	363	이정원	세종서	336	이제일	은평서	209
이일영	중부서	216	이재영	부산청	436	이정관	김해서	462	이정윤	기재부	90	이제헌	중부서	216
이일재	광산서	364	이재영	해운대서	454	이정구	성남서	242	이정윤	서울청	154	이제현	대전청	319
이일환	인천서	292	이재영	조세재정	503	이정규	대구청	397	이정윤	중부청	226	이조은	분당서	241
이임동	서울청	156	이재영	예일회계	21	이정규	동울산서	457	이정윤	성남서	242	이존열	도봉서	179
이임순	서울청	160	이재완	기재부	86	이정균	분당서	240	이정윤	조세재정	503	이종경	부산청	431
이임주	택스홈	42	이재용	나주서	373	이정균	고양서	294	이정은	서울청	145	이종경	동대문서	180
이자연	반포서	186	이재용	고양서	295	이정기	의정부서	308	이정은	서울청	158	이종관	고양서	294
이자열	인천세관	486	이재우	기재부	83	이정기	의정부서	309	이정은	남대문서	174	이종광	김앤장	51
이자영	영월서	270	이재우	인천청	285	이정기	서산서	335	이정은	동대문서	180	이종국	김앤장	51
이자원	금정서	440	이재우	인천서	292	이정기	EY한영	12	이정은	삼성서	188	이종국	송파서	199
이장근	서광주서	370	이재우	지방재정	498	이정길	대전서	323	이정은	영등포서	205	이종기	서인천서	291
이장로	기재부	81	이재우	딜로이트	13	이정길	정읍서	392	이정은	중부청	222	이종길	홍성서	344
이장영	도봉서	179	이재욱	서울청	141	이정남	대구청	399	이정은	평택서	258	이종길	고양서	345
이장원	광주청	360	이재욱	양천서	201	이정노	용산서	206	이정은	화성서	262	이종남	동수원서	236
이장호	창원서	471	이재욱	안산서	251	이정노	남대구서	402	이정은	청주서	352	이종록	삼성서	189
이장훈	용인서	255	이재욱	예산서	340	이정례	진주서	468	이정은	북전주서	386	이종룡	중부서	217
이장환	대구청	399	이재욱	포항서	429	이정로	서울청	143	이정은	구미서	416	이종률	제주서	475
이장환	수영서	450	이재운	여수서	378	이정로	동작서	182	이정은	수영서	450	이종만	지방재정	498
이장훈	도봉서	178	이재웅	창원서	471	이정룡	논산서	331	이정은	제주서	475	이종면	김해서	463
이재갑	순천서	377	이재원	기재부	79	이정림	강서서	167	이정은	조세재정	503	이종명	상공회의	109
이재강	강남서	163	이재원	중기회	111	이정묵	국세청	117	이정인	세종서	336	이종명	상공회의	109
이재강	공주서	328	이재원	도봉서	179	이정문	국회정무	68	이정인	조세재정	503	이종명	김앤장	51
이재경	삼성서	188	이재원	마포서	185	이정문	김포서	299	이정일	서울청	156	이종면	기재부	81
이재경	수성서	410	이재원	분당서	240	이정미	국세상담	134	이정임	남양주서	234	이종민	상공회의	109
이재경	경주서	414	이재원	청주서	353	이정미	서울청	149	이정임	대전청	320	이종민	성동서	194
이재곤	동화성서	261	이재원	순천서	377	이정미	동화성서	260	이정자	국세교육	137	이종민	춘천서	275
이재구	신대동	48	이재원	영덕서	424	이정미	대전서	318	이정주	국세청	114	이종민	광명서	296
이재국	조세재정	503	이재원	부산진서	444	이정미	양산서	466	이정주	은평서	209	이종민	영덕서	424
이재균	의정부서	308	이재원	조세재정	503	이정미	조세재정	504	이정철	여수서	378	이종배	수영서	451
이재균	조세심판	500							이정태	포천서	313	이종보	서초서	193

이름	소속	쪽	이름	소속	쪽	이름	소속	쪽	이름	소속	쪽	이름	소속	쪽
이종복	안산서	251	이주영	잠실서	210	이준표	강남서	163	이지영	김해서	462	이진경	부산청	435
이종석	홍천서	276	이주영	중부서	216	이준표	경기광주	249	이지우	평택서	88	이진경	진주서	469
이종섭	남부천서	302	이주영	동안양서	238	이준학	국세청	115	이지우	강남서	163	이진경	지방재정	499
이종성	기재부	75	이주영	성남서	242	이준혁	강남서	163	이지우	기흥서	232	이진관	조세재정	504
이종성	서초서	193	이주영	인천청	281	이준혁	대전서	323	이지우	평택서	84	이진구	서초서	192
이종수	기재부	89	이주영	대전청	320	이준혁	동래서	443	이지원	성동서	194	이진규	잠실서	210
이종숙	서대구서	408	이주영	부산청	432	이준현	국세청	120	이지원	영등포서	205	이진규	구리서	230
이종순	강동서	164	이주용	북인천서	289	이준형	인천청	280	이지원	용산서	207	이진규	서대구서	409
이종신	대전청	320	이주우	제주서	475	이준호	서울청	140	이지원	은평서	209	이진규	더택스	39
이종영	국세청	120	이주원	서울청	155	이준호	남인천서	286	이지원	기흥서	232	이진균	서초서	192
이종영	화성서	262	이주원	기재부	79	이준호	지방재정	498	이지원	평택서	259	이진명	성동서	194
이종완	홍천서	277	이주은	인천서	282	이준홍	광명서	297	이지원	파주서	310	이진명	경기광주	248
이종우	서울청	160	이주은	부천서	304	이준희	국세청	128	이지유	울산서	459	이진문	중랑서	215
이종우	동화성서	261	이주은	정읍서	393	이준희	국세청	129	이지유	역삼서	202	이진석	금감원	95
이종우	포항서	429	이주은	동수원서	236	이준희	성동서	195	이지유	잠실서	210	이진석	금감원	97
이종우	관세청	477	이주한	서울청	151	이준희	기흥서	232	이지윤	경기광주	249	이진석	아산서	338
이종욱	기재부	75	이주한	강서서	166	이준희	남인천서	286	이지윤	보령서	333	이진석	법무화우	56
이종욱	인천서	292	이주한	김포서	298	이준희	거창서	460	이지율	서초서	192	이진석	법무화우	56
이종욱	마산서	465	이주한	대전청	316	이중건	중부세무	29	이지은	기재부	82	이진선	기재부	80
이종운	관세청	478	이주한	서대전서	326	이중승	대구청	399	이지은	기재부	82	이진선	인천청	285
이종운	군산서	383	이주헌	조세심판	500	이중승	동대문서	181	이지은	국세청	129	이진선	제주서	475
이종원	진주서	468	이주헌	법무율촌	54	이중재	잠실서	210	이지은	동작서	182	이진섭	김해서	463
이종윤	파주서	311	이주혁	국회정무	67	이중한	인천서	256	이지은	삼성서	189	이진수	금융위	94
이종인	서현이현	7	이주현	기재부	85	이중현	삼일회계	16	이지은	삼성서	189	이진수	서울서	150
이종준	국세교육	137	이주현	서울청	159	이중호	마산서	464	이지은	영등포서	205	이진수	고양서	295
이종찬	부천서	304	이주현	서초서	193	이지민	서울청	145	이지은	용산서	206	이진수	대전청	319
이종철	조세심판	501	이주현	양천서	201	이지민	서울서	158	이지은	잠실서	210	이진수	공주서	329
이종태	북대전서	325	이주현	분당서	240	이지민	천안서	342	이지은	잠실서	211	이진수	청주서	353
이종필	순천서	376	이주현	시흥서	246	이지민	대구청	401	이지은	삼척서	267	이진수	동울산서	456
이종필	대구세관	493	이주현	북광주서	368	이지민	수영서	451	이지은	의정부서	308	이진숙	국세청	127
이종필	대구세관	494	이주현	포항서	428	이지상	국세청	119	이지은	북대전서	324	이진숙	연수서	306
이종학	광산서	364	이주현	중부산서	452	이지석	제주서	475	이지은	천안서	343	이진승	기재부	76
이종혁	기재부	85	이주현	김해서	463	이지석	서울청	116	이지은	남대구서	402	이진실	성동서	195
이종혁	대전서	322	이주협	용산서	207	이지선	서울청	144	이지은	부산청	437	이진아	강남서	163
이종혁	법무율촌	54	이주형	역삼서	202	이지선	남대문서	175	이지은	해운대서	454	이진아	양천서	201
이종현	강서서	166	이주형	안양서	253	이지선	잠실서	210	이지은	제주서	474	이진아	인천청	280
이종현	서인천서	291	이주형	동청주서	346	이지선	인천청	284	이지응	구로서	170	이진영	서울청	141
이종현	파주서	310	이주형	제천서	351	이지수	국세상담	134	이지하	서대구서	409	이진영	서울청	144
이종현	북전주서	386	이주형	북전주서	386	이지수	서울청	156	이지하	부산청	432	이진영	분당서	240
이종현	수성서	411	이주형	경주서	414	이지수	구로서	171	이지헌	국세청	117	이진영	강릉서	264
이종현	경산서	412	이주형	김천서	418	이지수	성남서	242	이지헌	서울청	149	이진영	원주서	273
이종현	부산청	436	이주혜	동래서	442	이지수	성남서	243	이지헌	김포서	376	이진영	인천서	292
이종현	중부세무	29	이주호	기재부	85	이지수	안양서	253	이지현	서울청	148	이진영	북부산서	447
이종형	삼일회계	16	이주환	남인천서	287	이지수	동래서	443	이지현	강남서	162	이진용	한국관세	46
이종호	기재부	75	이주환	인천서	292	이지수	창원서	470	이지현	관악서	169	이진우	금천서	173
이종호	홍천서	276	이주환	예일법인	44	이지수	지앤장	51	이지현	역삼서	202	이진우	동대문서	181
이종호	대전청	320	이주환	법인화우	57	이지숙	서울청	157	이지현	동안양서	238	이진우	인천청	283
이종호	군산서	382	이주희	구로서	170	이지숙	강동서	165	이지현	시흥서	246	이진우	김포서	298
이종호	부산청	436	이주희	성북서	197	이지숙	평택서	259	이지현	동화성서	260	이진우	순천서	377
이종호	서울세관	482	이주희	영등포서	204	이지숙	인천청	283	이지현	김포서	298	이진욱	대구청	400
이종호	한국관세	46	이주희	중부청	227	이지숙	홍성서	344	이지현	광산서	364	이진욱	수성서	410
이종화	기재부	87	이주희	부천서	304	이지안	남인천서	287	이지현	안동서	422	이진욱	법무광장	52
이종훈	기재부	88	이주희	포천서	313	이지안	수성서	410	이지현	수영서	450	이진재	용산서	206
이종훈	영월서	270	이준	중부서	228	이지연	감사원	71	이지현	창원서	470	이진재	광주청	359
이종훈	인천서	292	이준건	북대구서	407	이지연	국세청	126	이지형	서울청	141	이진주	강서서	166
이종훈	포항서	429	이준규	삼성서	189	이지연	강남서	162	이지형	서울청	81	이진주	영등포서	205
이종훈	남대구서	402	이준길	부산진서	444	이지연	동대문서	180	이지혜	기재부	86	이진주	춘천서	274
이종희	청주서	352	이준년	서인천서	291	이지연	역삼서	203	이지혜	기재부	89	이진주	보령서	333
이주경	서초서	193	이준목	서대전서	326	이지연	구리서	231	이지혜	서울청	157	이진주	진주서	468
이주경	중부서	216	이준배	중부서	224	이지연	동안양서	238	이지혜	강남서	162	이진택	광주청	362
이주경	부산청	436	이준범	서울청	140	이지연	분당서	240	이지혜	강서서	167	이진하	반포서	187
이주경	조세재정	504	이준범	기재부	87	이지연	안양서	252	이지혜	반포서	187	이진혁	대전청	318
이주미	중부청	228	이준서	금융위	92	이지연	용인서	255	이지혜	평택서	258	이진형	예일법인	44
이주미	수원서	244	이준서	이천서	257	이지연	남인천서	286	이지혜	원주서	273	이진호	서울청	155
이주비	조세재정	504	이준석	국세청	114	이지연	광산서	364	이지혜	지방재정	499	이진호	중부서	216
이주석	서울청	149	이준석	북대전서	324	이지연	정읍서	392	이지혜	조세심판	502	이진호	용인서	255
이주석	수성서	411	이준석	영주서	426	이지연	북대구서	406	이지혜	택스홈	42	이진호	마산서	464
이주석	통영서	473	이준성	기재부	88	이지연	부산진서	444	이지호	서울청	152	이진홍	북부산서	447
이주선	금천서	172	이준성	중부서	220	이지연	수영서	450	이지호	산청서	199	이진화	송파서	199
이주선	서초서	193	이준성	조세재정	504	이지연	조세심판	500	이지호	영동서	348	이진화	부산청	437
이주성	부천서	305	이준수	금감원	95	이지연	국회정무	67	이지환	제주서	475	이진환	광주서	366
이주성	영동서	348	이준수	금감원	99	이지영	국세청	125	이지훈	영등포서	204	이진환	부산청	436
이주성	서울세무	28	이준식	수성서	410	이지영	국세청	140	이지훈	남인천서	287	이진희	국세청	115
이주안	남대구서	402	이준아	관세청	477	이지영	서울청	143	이지훈	조세심판	501	이진희	남양주서	234
이주안	인천세관	485	이준야	국세청	114	이지영	서울청	154	이지희	국세청	114	이진희	용인서	254
이주연	국세청	122	이준영	기흥서	232	이지영	마포서	184	이지희	용산서	206	이진희	용인서	254
이주연	서울청	157	이준영	안양서	253	이지영	송파서	198	이지희	중랑서	214	이진희	홍성서	344
이주연	강서서	167	이준영	동고양서	301	이지영	양천서	200	이지희	수영서	450	이진희	동울산서	456
이주연	중부청	224	이준용	중부청	222	이지영	용산서	207	이진	강동서	164	이진희	관세청	478
이주연	구리서	231	이준우	성남서	242	이지영	삼척서	267	이진	용산서	206	이차웅	기재부	81
이주연	동안양서	238	이준우	남부천서	302	이지영	동고양서	300	이진	부산청	433	이찬	서울청	146
이주연	서대전서	326	이준우	부산청	432	이지영	파주서	310	이진	예일법인	44	이찬	강동서	165
이주연	부산청	435	이준우	지방재정	499	이지영	광산서	365	이진경	기재부	82	이찬	중부서	216
이주엽	양산서	467	이준익	대구청	399	이지영	대구청	398	이진경	성동서	195	이찬무	성동서	194
이주영	성동서	195	이준재	감사원	70	이지영	구미서	416	이진경	부산청	434	이찬석	국세청	114
이주영	용산서	206	이준탁	대전청	317	이지영	금정서	441				이찬송	춘천서	275

이름	소속	번호
이찬수	부천서	305
이찬우	금감원	95
이찬우	금감원	96
이찬우	김천서	418
이찬주	반포서	186
이찬형	중랑서	215
이찬호	청주서	353
이찬희	기재부	87
이찬희	서울청	149
이찬희	인천서	293
이창건	도봉서	179
이창구	영주서	426
이창권	영동서	349
이창규	울산서	458
이창근	목포서	375
이창근	북대구서	406
이창남	서초서	193
이창남	양천서	201
이창남	중부청	227
이창렬	부산청	438
이창림	제주서	474
이창만	금천서	172
이창민	종로서	212
이창민	분당서	240
이창민	남대구서	402
이창석	서울청	155
이창석	법인하나	41
이창수	중부청	225
이창수	동안양서	238
이창수	수원서	245
이창수	대전청	320
이창수	포항서	428
이창수	법무율촌	54
이창식	고시회	31
이창언	강남서	162
이창언	제주서	475
이창열	중부청	226
이창오	삼성서	189
이창우	역삼서	203
이창우	서인천서	291
이창우	남대구서	403
이창욱	국세청	117
이창욱	제주서	474
이창원	연수서	307
이창윤	인천청	281
이창인	국세청	117
이창일	양산서	466
이창주	광주청	363
이창주	영주서	472
이창준	서울청	154
이창준	서울청	160
이창준	익산서	389
이창준	대구세관	494
이창진	분당서	241
이창진	지방재정	499
이창학	인천청	283
이창한	서대문서	191
이창한	경기광주	248
이창한	김천서	418
이창현	남대문서	175
이창현	인천청	281
이창현	순천서	377
이창형	기재부	88
이창형	상공회의	110
이창호	강남서	162
이창호	춘천서	274
이창호	양산서	466
이창호	조세재정	502
이창홍	예산서	341
이창환	제주서	474
이창훈	국세청	127
이창훈	역삼서	202
이창훈	화성서	263
이창훈	순천서	377
이창훈	동울산서	457
이창훈	조세심판	500
이창흠	남대문서	176
이창희	기재부	84
이창희	중기회	111
이창희	경기광주	248
이창희	인천청	280
이창희	창원서	470
이창희	인천세관	486
이채곤	영등포서	205
이채린	국세청	123
이채민	서대전서	327
이채민	청주서	353
이채민	포항서	428
이채아	도봉서	179
이채연	마포서	185
이채영	기재부	86
이채원	영등포서	204
이채원	남대구서	403
이채윤	대전청	317
이채율	대구청	399
이채은	양산서	466
이채은	양산서	466
이채현	인천서	293
이채현	광주청	361
이채호	북부산서	447
이철	서울청	141
이철	용산서	206
이철	순천서	377
이철경	마산서	464
이철규	기재부	90
이철규	광교법인	36
이철민	중부청	220
이철민	서부산서	449
이철수	강동서	165
이철수	제주서	474
이철승	나주서	372
이철승	진주서	469
이철영	기재부	74
이철옥	부산세관	490
이철용	국세상담	135
이철우	동화성서	261
이철우	남인천서	286
이철우	대전청	321
이철우	법인하나	41
이철원	중부청	223
이철원	이천서	256
이철재	서울청	158
이철재	관세청	479
이철주	제천서	351
이철형	춘천서	275
이철형	동고양서	300
이철호	북전주서	386
이철호	북부산서	447
이철환	수원서	245
이철효	예산서	340
이청림	북부산서	447
이청하	전주서	390
이초록	삼성서	189
이초롱	시흥서	247
이춘근	관악서	168
이춘복	동대구서	404
이춘식	동대문서	181
이춘우	경주서	414
이춘주	서인천서	291
이춘하	삼성서	189
이충행	남원서	385
이춘호	춘천서	274
이춘희	동청주서	346
이충구	국세청	114
이충근	대전서	322
이충섭	금천서	173
이충오	서울청	146
이충원	송파서	199
이충원	인천서	293
이충인	평택서	258
이충일	국세주류	132
이충형	포항서	428
이충호	대구청	399
이충환	중부청	229
이치권	통영서	472
이치옥	남대구서	403
이치웅	동화성서	261
이치원	국세청	129
이치훈	중부산서	452
이탁수	삼성서	188
이탁신	여수서	379
이탁희	부산진서	444
이태경	기재부	88
이태경	서울청	153
이태경	성북서	197
이태경	예일회계	21
이태곤	연수서	307
이태균	중부청	224
이태상	김포서	298
이태순	금천서	173
이태연	국세청	129
이태용	광명서	296
이태욱	국세청	120
이태욱	그룹토은	37
이태원	강동서	164
이태윤	기재부	81
이태진	광주서	367
이태진	동울산서	456
이태한	인천청	284
이태현	강남서	163
이태형	북부산서	446
이태호	수영서	450
이태호	동울산서	456
이태호	동울산서	467
이태환	역삼서	203
이태훈	국세청	115
이태훈	국세청	131
이태훈	광주서	367
이태훈	지방재정	498
이태희	중기회	111
이태희	대전청	320
이태희	대구청	397
이택건	북부산서	446
이택근	서산서	334
이택민	용인서	254
이택수	제천서	283
이택호	원주서	273
이판식	광주청	357
이판식	중부청	358
이평년	양천서	201
이평재	경기광주	248
이평재	김앤장	51
이평호	송파서	199
이평희	청주서	353
이푸루미	시흥서	247
이풍훈	국세청	119
이필	성북서	197
이필용	광주청	358
이하경	인천서	292
이하경	천안서	342
이하경	동래서	442
이하나	영등포서	205
이하나	중부청	222
이하나	중부청	222
이하나	기흥서	233
이하림	서인천서	290
이하림	중부산서	453
이하승	전주서	390
이하연	광산서	365
이하영	서인천서	388
이하준	기재부	86
이하철	대구서	396
이하현	광주청	363
이학련	공주서	328
이학보	부산세관	491
이학승	중부청	227
이학승	군산서	382
이한결	기재부	81
이한기	대전청	320
이한나	중부서	216
이한나	천안서	343
이한나	딜로이트	13
이한배율	삼성서	189
이한빈	부산서	433
이한상	세무서	160
이한샘	남대구서	403
이한선	광주세관	496
이한설	동수원서	236
이한성	대전청	317
이한솔	안산서	251
이한솔	부산청	436
이한송	성동서	195
이한승	대전서	323
이한아	서부산서	449
이한우	서울세무	28
이한이	여수서	378
이한일	익산서	389
이한임	국세청	116
이한종	법인화우	57
이한진	부산청	436
이한진	금융위	93
이한택	파주서	310
이해나	기흥서	232
이해남	용인서	254
이해미	송파서	199
이해봉	수성서	410
이해석	삼성서	189
이해섭	역삼서	203
이해성	양천서	200
이해욱	고양서	295
이해운	강남서	163
이해운	중부세무	29
이해웅	통영서	472
이해웅	북대구서	407
이해인	기재부	82
이해인	기재부	84
이해인	국세청	125
이해인	서울청	144
이해자	동화성서	260
이해장	영등포서	204
이해진	국세청	116
이해진	중부청	223
이해진	경산서	413
이해창	지방재정	498
이행과	기재부	80
이향구	서울청	142
이향석	포항서	429
이향섭	경기광주	249
이향옥	대구청	400
이향은	분당서	240
이향주	서울청	147
이향화	광주청	359
이한배	상공회의	110
이헌석	중부청	221
이헌수	택스홈	42
이헌식	성남서	243
이헌종	파주서	310
이헌진	천안서	342
이혁섭	부산청	432
이혁재	인천서	292
이혁재	광주청	358
이현	서울청	141
이현규	중부청	224
이현규	인천청	279
이현규	인천청	280
이현규	동고양서	301
이현균	이천서	256
이현기	익산서	388
이현기	금정서	440
이현도	국세청	116
이현도	김해서	463
이현무	부산청	434
이현무	중부청	220
이현문	원주서	272
이현미	삼성서	188
이현민	인천청	282
이현민	김포서	298
이현범	울산서	459
이현범	인천청	284
이현상	대전청	317
이현상	대전청	320
이현석	서대문서	191
이현석	북인천서	289
이현선	강릉서	265
이현선	남인천서	286
이현성	동작서	183
이현수	서울청	156
이현수	대구청	400
이현수	경산서	413
이현숙	서울청	153
이현숙	강릉서	265
이현순	서울청	145
이현순	남대문서	176
이현순	속초서	268
이현승	동래서	442
이현실	김해서	463
이현아	서울청	161
이현아	동대문서	180
이현아	양천서	200
이현아	의정부서	308
이현아	통영서	472
이현애	남인천서	287
이현영	서대문서	191
이현영	서초서	193
이현영	대구청	399
이현영	조세재정	502
이현옥	국세청	114
이현우	국세청	116
이현우	서울청	149
이현우	성북서	196
이현우	진주서	468
이현우	창원서	471
이현우	조세심판	501
이현욱	강서서	166
이현이	중부청	223
이현임	동화성서	260
이현임	군산서	383
이현재	대전서	323
이현재	부산진서	444
이현재	중부산서	452
이현정	국세상담	134
이현정	서울청	148
이현정	성북서	196
이현정	시흥서	246
이현정	경기광주	248
이현정	용인서	255
이현정	동화성서	261
이현정	춘천서	274
이현정	전주서	390
이현정	남대구서	403
이현정	동대구서	405
이현정	김해서	462
이현정	김해서	463
이현종	국세청	121
이현종	지방재정	499
이현종	삼일회계	16
이현주	기재부	84
이현주	기재부	86
이현주	서울청	147
이현주	반포서	187
이현주	삼성서	188
이현주	잠실서	210
이현주	중부청	227
이현주	성남서	243
이현주	경기광주	248
이현주	안산서	250
이현주	이천서	256
이현주	광명서	296
이현주	동고양서	301
이현주	동청주서	346
이현주	익산서	388
이현주	전주서	390
이현주	통영서	472
이현주	인천세관	487
이현준	기재부	88
이현준	국세청	118
이현준	기흥서	232
이현준	분당서	241
이현준	경기광주	248
이현준	인천청	282
이현지	기재부	87
이현지	기재부	88
이현지	반포서	186
이현지	성북서	197
이현지	영등포서	204
이현지	수원서	244
이현지	익산서	388
이현지	구미서	416
이현지	동래서	442
이현진	국세청	116
이현진	분당서	241
이현진	경기광주	249
이현진	안양서	252
이현진	용인서	254
이현진	대전청	321
이현진	금정서	441
이현진	김해서	462
이현진	양산서	467
이현찬	천안서	343
이현채	남부천서	302
이현철	동고양서	301
이현탁	남대구서	402
이현택	기재부	82
이현택	중부청	225
이현혜	시흥서	246
이현호	국세청	118
이현화	용산서	207
이현화	김포서	299
이현희	영등포서	204
이현희	서인천서	290
이현희	부산청	437
이현희	마산서	464
이형경	기재부	86
이형구	국세상담	135
이형근	원주서	273
이형근	동울산서	457
이형동	신대동	48
이형민	조세재정	502
이형배	국세청	115

이름	소속	쪽
이형석	춘천서	274
이형석	중부산서	453
이형석	조세재정	503
이형섭	대전청	316
이형오	부산진서	444
이형용	나주서	372
이형우	대구청	396
이형욱	수성서	410
이형원	국세청	120
이형원	광명서	296
이형준	경주서	415
이형진	이천서	256
이형진	광교법인	35
이형훈	북대전서	324
이혜경	김포서	298
이혜경	연수서	306
이혜경	세종서	337
이혜경	광주청	359
이혜경	서광주서	370
이혜경	수성서	410
이혜경	서부산서	448
이혜경	창원서	471
이혜규	동안양서	238
이혜란	경주서	414
이혜란	부산청	435
이혜련	고양서	294
이혜령	김해서	462
이혜리	서대문서	190
이혜리	용인서	255
이혜린	서울청	160
이혜림	기재부	84
이혜림	중부청	224
이혜림	양산서	467
이혜림	지방재정	498
이혜미	고양서	295
이혜미	북부산서	447
이혜민	강서서	166
이혜민	역삼서	202
이혜민	분당서	241
이혜민	수원서	244
이혜민	북대전서	325
이혜선	성동서	194
이혜선	잠실서	211
이혜선	인천청	281
이혜수	구로서	170
이혜승	영등포서	205
이혜연	서울청	140
이혜영	수원서	146
이혜영	서인천서	290
이혜영	동고양서	301
이혜영	남대구서	403
이혜옥	고양서	295
이혜은	국세청	114
이혜인	기재부	85
이혜인	기재부	89
이혜인	서울청	161
이혜인	서울청	206
이혜인	화성서	262
이혜전	영등포서	205
이혜정	창원서	75
이혜정	창원서	470
이혜정	통영서	472
이혜지	서초서	192
이혜지	동고양서	301
이혜진	기재부	78
이혜진	서울청	147
이혜진	성동서	194
이혜진	역삼서	203
이혜진	충주서	355
이혜진	동래서	443
이혜화	인천서	292
이호	마포서	185
이호	공주서	328
이호	홍성서	344
이호	광주청	362
이호	남대구서	402
이호경	강남서	163
이호관	동수원서	236
이호근	평택서	258
이호근	기재부	80
이호근	기재부	91
이호길	강동서	164
이호남	순천서	376
이호상	부산청	432
이호석	광주청	360
이호섭	기재부	80
이호성	삼성서	188
이호성	북부산서	447
이호수	중부청	227
이호승	국세주류	132
이호승	서광주서	370
이호연	서울청	150
이호열	반포서	186
이호열	대구청	399
이호영	대전서	322
이호영	북부산서	446
이호용	양천서	201
이호은	서울청	151
이호인	안동서	423
이호정	김포서	298
이호제	서대문서	326
이호준	강동서	165
이호준	김포서	299
이호준	삼정회계	18
이호준	택스홈	42
이호준	택스홈	42
이호중	서대전서	327
이호찬	지방재정	499
이호창	기흥서	233
이호철	여수서	379
이호태	법무광장	53
이호필	국세청	123
이홍규	대구청	400
이홍범	조세재정	503
이홍석	기재부	87
이홍숙	동작서	183
이홍순	대전서	323
이홍욱	강남서	164
이홍조	국세청	117
이홍환	경주서	414
이화령	지방재정	499
이화명	국세청	114
이화석	마산서	464
이화선	은평서	208
이화섭	광주서	366
이화순	그룹토은	37
이화영	관악서	168
이화영	통영서	472
이화용	북대전서	325
이화용	홍성서	345
이화자	대전청	318
이화진	성동서	194
이화진	서대전서	327
이환	서광주서	370
이환구	법무광장	53
이환선	진주서	168
이환성	서광주서	370
이환수	분당서	240
이환윤	남양주서	235
이환율	조세재정	503
이환희	서초서	192
이효경	중부청	224
이효나	동수원서	237
이효선	광산서	364
이효선	거성서	393
이효영	광교법인	35
이효영	창원서	470
이효재	의정부서	309
이효정	국세교육	136
이효정	성북서	197
이효정	종로서	213
이효주	잠실서	210
이효주	조세재정	504
이효진	기재부	85
이효진	서울청	141
이효진	은평서	208
이효진	포천서	313
이효진	청주서	353
이효진	수성서	410
이효진	동래서	442
이효진	북부산서	446
이효진	울산서	458
이효진	지방재정	499
이효철	국세상담	134
이효헌	금정서	441
이후건	중랑서	214
이후돈	포천서	274
이후림	송파서	199
이훈	금감원	97
이훈	서울청	154
이훈	북전주서	386
이훈기	경기광주	248
이훈희	서울세관	482
이훈희	대구청	399
이훈희	북부산서	447
이휘승	인천서	292
이휘현	종로서	212
이흥열	한국관세	46
이희경	기재부	79
이희경	관악서	168
이희곤	기재부	81
이희라	강동서	164
이희령	서울청	159
이희령	부산진서	444
이희범	국세청	127
이희범	서울청	140
이희복	조세심판	500
이희석	안산서	251
이희선	조세재정	502
이희선	조세재정	504
이희숙	강동서	164
이희열	동대문서	181
이희영	관악서	168
이희영	동대문서	180
이희영	동고양서	300
이희영	김천서	418
이희윤	제주서	475
이희정	분당서	240
이희정	안양서	253
이희정	김포서	299
이희정	부산진서	444
이희종	동울산서	457
이희종	서대전서	326
이희준	금감원	95
이희준	금감원	100
이희진	서울청	204
이희진	순천서	377
이희진	마산서	465
이희창	중부서	217
이희태	삼성서	189
이희한	기재부	85
이희현	중부서	217
이희환	강동서	164
인경훈	동안양서	238
인길성	제천서	350
인길식	안산서	250
인병춘	법무광장	53
인소민	원주서	273
인순영	성북서	196
인애선	동수원서	237
인영수	딜로이트	13
인윤경	동고양서	300
인윤희	성동서	194
인정덕	강동서	164
인찬욱	중부청	227
인한용	경기광주	249
임강빈	기재부	86
임강욱	서울청	160
임강혁	북광주서	368
임거성	서울청	141
임건아	화성서	263
임경남	동대문서	181
임경미	서울청	152
임경미	성북서	196
임경민	중기회	111
임경석	고양서	294
임경선	강주서	366
임경섭	도봉서	179
임경수	국세청	126
임경수	인천서	257
임경수	천안서	342
임경숙	논산서	330
임경선	인천서	292
임경주	부산청	433
임경준	서울청	150
임경태	성북서	196
임경택	부산청	432
임경표	제주서	474
임경환	강남서	154
임경희	포항서	429
임고은	기재부	91
임관수	포천서	312
임광빈	인천서	292
임광섭	파주서	311
임광열	남양주서	235
임광준	거창서	460
임광혁	상주서	420
임광현	서울세관	113
임광훈	삼성서	189
임교진	동화성서	261
임국빈	북대전서	324
임국훈	국세청	116
임권택	인천서	293
임규빈	김해서	463
임규성	금천서	172
임규진	기재부	91
임근재	국세청	117
임근재	서울청	151
임금자	은평서	208
임기근	기재부	77
임기문	남부천서	303
임기양	서울청	141
임기준	전주서	391
임기준	법인화우	57
임기향	국세청	117
임길묵	국세청	128
임길수	영등포서	204
임길호	서울세관	482
임나경	부산청	435
임다림	국세청	131
임다혜	서울청	159
임달순	영등서	348
임담윤	반포서	186
임대규	조세심판	500
임대근	화성서	262
임대승	태평양	58
임덕수	인천청	282
임도훈	거창서	460
임동구	광명서	51
임동섭	대전청	319
임동옥	영등포서	205
임동욱	기재부	77
임동욱	국세청	117
임동균	금정서	441
임득규	부산청	439
임명규	국세청	131
임명숙	부천서	305
임명일	삼척서	267
임문숙	성동서	194
임미라	서울청	145
임미란	광주청	361
임미선	부산청	435
임미선	동안양서	239
임미숙	속초서	269
임미영	남대문서	174
임미영	남대문서	181
임미정	국세청	117
임미화	조세재정	504
임미희	마포서	366
임민경	중부청	221
임민지	기재부	87
임민철	기재부	125
임병국	기재부	83
임병복	관세청	479
임병섭	남양주서	234
임병섭	창원서	471
임병수	동작서	183
임병일	남대문서	176
임병일	평택서	258
임병주	남대구서	403
임병훈	국세청	129
임병훈	제주서	475
임보라	서울청	140
임보라	동청주서	347
임보람	마포서	185
임보영	감사원	71
임보현	중부서	216
임봉근	감사원	70
임봉숙	용산서	207
임부선	구리서	230
임부은	부산청	436
임빛나	춘천서	274
임상규	의정부서	308
임상균	김앤장	70
임상록	서초서	192
임상만	통영서	472
임상미	조세재정	502
임상민	국세청	118
임상빈	대전청	316
임상진	국세청	128
임상진	남대문서	175
임상진	서대구서	408
임상헌	국세청	115
임상혁	감사원	70
임상현	기재부	75
임상현	중부산서	452
임상현	창원서	470
임상훈	중부청	223
임새봄	청주서	352
임샘터	서울청	158
임서현	국세청	121
임석규	남대문서	175
임석민	동대문서	180
임석봉	용산서	206
임석영	남인천서	287
임석준	수원서	245
임석현	국세교육	137
임석호	인천청	280
임선미	광주청	362
임선영	국세청	121
임선영	서대전서	326
임선옥	인천서	292
임선하	서대전서	326
임선호	기재부	90
임선희	안산서	251
임성미	김해서	462
임성범	지방재정	498
임성빈	서울청	139
임성빈	서울청	140
임성아	제주서	474
임성섭	송파서	199
임성연	동수원서	236
임성영	삼성서	189
임성욱	충주서	355
임성준	국세청	129
임성찬	서초서	193
임성혁	원주서	272
임성훈	대구청	401
임세실	용인서	254
임세창	성동서	195
임세혁	인천청	284
임세희	논산서	331
임소미	전주서	391
임소연	종로서	212
임소연	남양주서	234
임소영	구로서	171
임소영	안양서	252
임소영	의정부서	308
임소영	조세재정	503
임소현	공주서	328
임소희	전주서	390
임송대	김앤장	51
임송빈	천안서	342
임수경	광주청	358
임수경	북대구서	407
임수기	양천서	201
임수미	북광주서	369
임수민	대전청	318
임수연	서울청	158
임수연	마포서	185
임수연	국세청	113
임수정	동화성서	261
임수정	충주서	355
임수정	창원서	471
임수정	통영서	473
임수진	강서서	167
임수진	동대문서	180
임수진	양천서	200
임수진	역삼서	203
임수혁	법무광장	52
임수현	국세청	116
임수현	중부청	225
임수현	서대구서	408
임수현	통영서	473
임숙자	중부서	217
임순길	남인천서	286
임순종	부천서	304
임순하	동고양서	300
임슬기	북대전서	325
임슬기	동청주서	346
임승명	강서서	167
임승빈	중부청	225
임승섭	중부청	224
임승수	중부청	224
임승순	법무화우	56
임승순	법무화우	56
임승용	평택서	258

이름	소속	번호
임승원	평택서	259
임승윤	지방재정	499
임승주	감사원	71
임승철	금융위	93
임승하	서초서	192
임승혁	예일회계	21
임승환	예일법인	44
임시원	대구청	398
임시형	남양주서	235
임식용	국세청	120
임신욱	시흥서	246
임신희	서울청	150
임아련	북전주서	387
임아름	중랑서	215
임아사	용인서	255
임안나	북대전서	324
임애리	중부청	228
임양건	강남서	163
임양록	김앤장	51
임양주	익산서	389
임여경	국세청	116
임여울	강동서	165
임연빈	조세재정	503
임영교	화성서	262
임영미	대전청	320
임영상	기재부	82
임영선	종로서	212
임영수	송파서	199
임영수	제천서	350
임영신	서울청	144
임영신	서울청	145
임영아	서울청	158
임영운	서울청	148
임영주	기재부	84
임영주	중기회	111
임영진	기재부	85
임영탁	중부세무	29
임영현	서대문서	190
임예인	영주서	426
임예지	잠실서	210
임옥경	강남서	163
임옥규	국세청	131
임온순	동안양서	238
임완수	경주서	414
임완진	익산서	389
임완진	서부산서	449
임용걸	동대문서	180
임용견	인천세관	487
임용규	거창서	460
임용목	신대동	48
임용주	남인천서	286
임용택	김앤장	51
임우영	안양서	253
임우철	수영서	450
임우현	중부청	227
임욱	인천청	280
임원실	중기회	111
임원아	중부청	220
임원주	성북서	197
임원희	진주서	469
임유란	논산서	330
임유리	평택서	258
임유리	예산서	341
임유선	포항서	429
임유순	기재부	75
임유정	서울청	140
임유진	영등포서	205
임유진	안산서	250
임유화	북인천서	288
임윤섭	청주서	352
임윤영	부산진서	445
임윤정	서부산서	448
임윤정	조세심판	500
임윤택	중랑서	214
임은란	기재부	88
임은미	영등포서	204
임은미	부산진서	444
임은식	인천청	284
임은영	인천서	293
임은주	도봉서	178
임은형	양천서	200
임은화	마포서	184
임의순	금천서	173
임인규	택스홈	42
임인섭	통영서	473
임인수	부산청	438
임인재	종로서	212
임인정	서울청	146
임인택	홍성서	344
임인택	충주서	354
임인혁	동화성서	261
임인혜	서인천서	290
임일훈	서울청	142
임자혁	인천서	292
임장섭	중부서	228
임재규	평택서	258
임재돈	예산서	341
임재미	중부청	228
임재석	인천서	280
임재성	북전주서	386
임재승	중부청	228
임재영	홍천서	276
임재은	의정부서	309
임재주	국세교육	137
임재철	아산서	339
임재혁	북대구서	407
임재혁	경기광주	249
임재현	서울청	140
임재현	관세청	477
임재현	관세청	478
임정경	분당서	240
임정관	대구청	397
임정근	서울청	140
임정미	기재부	77
임정미	국세청	122
임정미	광주청	363
임정미	나주서	372
임정석	서울청	153
임정섭	부산청	432
임정숙	기재부	77
임정숙	국세청	169
임정연	세종서	336
임정완	인천세무	30
임정영	중부청	227
임정일	서울청	156
임정진	해운대서	455
임정진	용인서	255
임정혁	조세재정	504
임정현	국세청	123
임정현	대전청	319
임정호	서울청	145
임정환	춘천서	274
임정환	부산청	432
임정훈	국세상담	134
임정훈	포항서	429
임정훈	법무율촌	54
임정희	구로서	170
임정희	서초서	187
임종건	금감원	99
임종권	조세재정	504
임종덕	중부산서	452
임종민	대구세관	494
임종민	역삼서	203
임종섭	부산세관	490
임종수	서울청	140
임종수	서울청	149
임종수	국세세무	28
임종순	동안양서	238
임종안	광산서	365
임종영	서인천서	290
임종진	서울청	148
임종진	부산청	433
임종찬	동부산서	374
임종철	대구청	400
임종철	영주서	426
임종필	창원서	470
임종헌	서초서	193
임종혁	동청주서	347
임종화	국세청	116
임종호	수성서	410
임종화	보령서	332
임종훈	국세청	119
임종희	반포서	186
임종희	마포서	185
임주경	울산서	458
임주청	광주청	361
임주영	양산서	467
임주현	기재부	77
임주현	시흥서	246
임주환	동대구서	404
임준	동대구서	405
임준빈	중부서	217
임준일	인천청	283
임중균	서대구서	409
임지강	성남서	242
임지남	성동서	194
임지민	동대문서	180
임지수	포항서	428
임지숙	성북서	197
임지순	천안서	342
임지아	국세청	118
임지영	서울청	146
임지영	서초서	193
임지원	포항서	428
임지은	동안양서	238
임지은	세종서	337
임지은	경주서	414
임지은	김해서	463
임지혁	김포서	298
임지섭	삼성서	188
임지용	용산서	207
임지현	부산진서	444
임지현	서울청	144
임지형	동작서	182
임지혜	구리서	230
임지혜	대전서	323
임지훈	대전청	318
임지훈	아산서	338
임지훈	전주서	390
임진	상공회의	109
임진규	영동서	348
임진묵	삼척서	266
임진아	남원서	385
임진연	동고양서	300
임진영	의정부서	308
임진영	홍성서	344
임진옥	서울청	141
임진옥	고양서	294
임진정	광주청	357
임진정	광주서	359
임진정	광주청	360
임진주	강서서	166
임진주	인천서	293
임진호	서울청	154
임진홍	기재부	87
임진화	관악서	169
임진환	안동서	423
임진혁	마포서	184
임찬휘	보령서	332
임창관	목포서	375
임창규	서울청	159
임창범	서울청	147
임창빈	도봉서	179
임창섭	서울청	141
임창섭	부산서	436
임창수	서초서	334
임창수	남대구서	402
임창수	창원서	471
임창현	원주서	272
임재희	부천서	305
임채두	남대문서	177
임채문	원주서	273
임채무	한국세무	27
임채수	가현택스	157
임채수	가현택스	211
임채수	가현택스	146
임채영	북광주서	368
임채영	북부산서	447
임채일	금정서	440
임채준	국세청	117
임채현	수성서	411
임채현	대구청	396
임철	상공회의	110
임철우	기재부	77
임철우	중부청	225
임철진	광주청	360
임춘호	중기회	111
임충현	상공회의	109
임치성	경기광주	249
임치수	대구청	398
임치현	광주서	366
임칠성	포천서	312
임태수	진주서	469
임태순	부산청	435
임태윤	금천서	172
임태일	서울청	156
임태호	동작서	182
임태호	인천청	280
임하경	잠실서	210
임하나	중부산서	452
임하연	중부청	221
임한경	경산서	412
임한균	영등포서	204
임한섭	수원서	244
임한솔	정읍서	393
임한준	대전청	318
임해리	국세청	329
임해숙	남인천서	286
임행완	서울청	140
임향숙	여수서	379
임향원	수성서	410
임향자	중부청	224
임헌경	기재부	85
임헌진	충주서	355
임현경	중랑서	214
임현구	남양주서	234
임현석	서울청	152
임현수	충주서	355
임현숙	국회재정	63
임현영	중랑서	215
임현웅	관세청	479
임현정	성동서	194
임현정	부천서	305
임현정	조세재정	503
임현주	중부청	226
임현철	서초서	193
임현진	창원서	470
임현철	대전청	318
임현철	관세청	478
임현택	순천서	376
임형걸	국세교육	137
임형빈	보령서	332
임형수	마포서	184
임형수	파주서	310
임형수	조세재정	504
임형용	북전주서	386
임형우	고양서	294
임형은	아산서	338
임형철	서초서	192
임형태	서울청	151
임혜경	동래서	442
임혜란	중부청	227
임혜령	서울청	152
임혜연	성동서	195
임혜연	화성서	262
임혜영	중부청	222
임혜정	금정서	440
임혜진	반포서	187
임호진	서울청	159
임홍남	딜로이트	13
임홍래	조세재정	504
임홍숙	성동서	194
임홍철	서초서	193
임화춘	국세청	116
임효선	인천세관	487
임효선	서울청	144
임효선	영등포서	204
임효선	EY한영	12
임효신	남대구서	403
임효정	강서서	166
임훈	구리서	230
임흥식	광명서	297
임희건	남대문서	177
임희경	중부청	221
임희수	고시회	31
임희영	조세재정	504
임희영	조세재정	504
임희은	성동서	195
임희원	양천서	201
임희인	남대구서	403
임희정	구로서	170
임희정	구로서	170
임희정	중부청	227
임희택	창원서	471

ㅈ

이름	소속	번호
장강혁	지방재정	498
장건수	서울청	160
장건식	송파서	198
장건후	의정부서	309
장경란	양천서	200
장경숙	동대구서	404
장경승	기재부	90
장경애	안양서	252
장경일	중부청	220
장경주	서대문서	191
장경호	국세청	118
장경호	부산세관	490
장경화	속초서	269
장경희	동화성서	260
장경희	경산서	413
장광석	국세청	116
장광순	광교법인	36
장광식	영월서	271
장광웅	국세상담	134
장광택	울산서	458
장교준	경산서	413
장경혜	서대문서	190
장규복	남대구서	402
장근철	경기광주	249
장기승	서인천서	290
장기영	북광주서	368
장기웅	상주서	160
장기원	대전청	316
장기현	목포서	375
장길엽	용인서	254
장낙주	조세재정	503
장난주	감사원	70
장다혜	부천서	304
장남흥	EY한영	12
장남홍	광교법인	34
장노기	금정서	441
장다혜	김해서	463
장대식	수원서	245
장대현	서울청	140
장덕구	대전청	320
장덕윤	관악서	169
장덕희	거창서	461
장덕희	부산청	434
장동규	순천서	376
장동민	금감원	106
장동은	구로서	171
장동철	서초서	192
장동철	서울청	153
장동환	속초서	355
장동훈	영등포서	205
장두수	경주서	414
장두영	중랑서	214
장두진	부산청	434
장명기	지방재정	498
장명걸	시흥서	246
장명수	창원서	471
장명석	영등포서	204
장명진	안양서	422
장명철	청주서	352
장명훈	동안양서	238
장명희	지방재정	499
장문석	중부청	223
장문석	조세재정	503
장문수	동대구서	347
장문영	광주서	366
장미랑	포천서	313
장미선	서울청	141
장미숙	세종서	336
장미영	군산서	382
장미자	이천서	257
장미진	동울산서	456
장미향	김포서	299
장민	반포서	186
장민경	중랑서	214
장민근	서울청	147
장민기	경기광주	249
장민석	나주서	372
장민수	홍천서	277
장민우	남대문서	176
장민재	중부청	225
장민철	구리서	230
장민혜	조세재정	504
장민환	천안서	342
장백용	창원서	470
장병국	서울청	143
장병찬	포천서	313
장병채	서울청	161

이름	소속	쪽	이름	소속	쪽	이름	소속	쪽	이름	소속	쪽	이름	소속	쪽
장병호	서대구서	408	장승일	태평양	58	장은영	구로서	171	장지원	서광주서	371	장혜미	관악서	169
장병호	구미서	417	장승연	진주서	469	장은영	포항서	428	장지원	조세재정	504	장혜미	해운대서	455
장보수	분당서	240	장승희	중부청	221	장은영	진주서	468	장지윤	영등포서	205	장혜민	지방재정	498
장보영	기재회	77	장시열	기재부	87	장은영	지방재정	498	장지은	서울청	149	장혜영	국제재정	64
장보원	고시회	31	장시원	의정부서	309	장은정	인천서	293	장지은	분당서	240	장혜영	서울청	144
장비	인천세관	486	장시원	광주청	358	장은정	구로서	170	장지혜	서울청	145	장혜원	창원서	471
장상기	부산세관	490	장시원	양산서	466	장은정	동대문서	181	장지혜	동화성서	260	장혜인	의정부서	308
장상록	딜로이트	13	장시찬	국세청	114	장은정	조세재정	502	장지환	평택서	258	장혜주	수원서	244
장상우	동청주서	347	장신기	조세재정	502	장은주	천안서	343	장지환	정진세림	24	장혜지	반포서	186
장상원	해운대서	454	장아론	조세재정	504	장은희	대구청	398	장지훈	김해서	462	장혜지	이천서	256
장서라	국세청	119	장아론	서울청	150	장의순	기재부	88	장지훈	삼정회계	18	장혜진	구리서	231
장서영	강동서	165	장아름미	의정부서	308	장이삭	국세청	116	장진기	인천세무	30	장혜진	김해서	462
장서영	남대문서	176	장연경	조세재정	312	장이지	관악서	168	장진범	동대문서	181	장호강	이안법인	45
장서윤	금천서	173	장연근	삼성서	189	장익성	제주서	222	장진식	동대구서	404	장호영	경산서	412
장서현	구로서	171	장연숙	중부청	220	장익준	제주서	474	장진아	김포서	299	장호욱	동화성서	261
장서희	마포서	184	장연숙	서대구서	409	장인섭	용산서	207	장진영	도봉서	178	장호윤	삼척서	266
장석만	중부청	221	장연택	중부청	220	장인수	동대문서	181	장진영	안동서	423	장호철	북대구서	406
장석문	부산청	435	장연호	법무광장	52	장인숙	서울청	145	장진욱	종로서	212	장호철	울산서	459
장석안	아산서	339	장연화	북인천서	288	장인숙	부산청	435	장진욱	남대구서	402	장홍정	북부산서	447
장석오	국세청	117	장영	기재부	78	장인영	안동서	161	장진혁	파주서	310	장화정	해운대서	455
장석일	금감원	95	장영규	기재부	79	장인영	동안양서	239	장진혁	나주서	372	장효경	남대구서	403
장석일	금감원	103	장영란	삼성서	188	장인영	성남서	243	장진희	강동서	165	장효숙	조세심판	500
장석준	중부청	222	장영림	삼성서	188	장인천	기재부	90	장찬순	홍성서	344	장효순	홍성서	344
장석진	중부청	226	장영민	서울세관	482	장인철	금정서	441	장찬용	강남서	163	장효은	기재부	87
장석현	서산서	334	장영삼	서대구서	474	장일영	금천서	173	장창걸	남대구서	403	장훈	청주서	352
장석형	동대구서	405	장영석	대전청	317	장일웅	고양서	294	장창령	경산서	116	장훈	수성서	411
장선미	남양주서	234	장영수	광주청	362	장일현	국세청	128	장창민	인천세무	30	장훈	김포서	298
장선영	서인천서	291	장영일	중부청	229	장일현	국세청	129	장창복	역삼서	203	장훈희	북부산서	447
장선우	금정서	441	장영주	전주서	391	장자문	금감원	97	장창숙	국세청	130	장희라	한국관세	46
장선정	인천청	285	장영진	국세주류	132	장재림	서울청	140	장창호	수성서	410	장희숙	강동서	165
장선희	강남서	162	장영진	남대문서	174	장재민	중부청	227	장창환	서울청	145	장희숙	동고양서	301
장선희	광명서	296	장영철	전주서	390	장재선	부산진서	444	장철	남대구서	402	장희원	서울청	159
장선희	상주서	420	장영태	국세상담	134	장재수	서울청	156	장철성	금천서	172	장희정	동작서	182
장설희	동고양서	300	장영호	동울산서	457	장재영	중부서	216	장철현	종로서	212	장희정	동작서	183
장성근	서부산서	449	장영환	구로서	171	장재영	중부청	225	장철현	안동서	419	장희정	종로서	213
장성근	양산서	466	장예원	남인천서	286	장재영	광명서	296	장철호	시흥서	246	장희정	서대구서	408
장성기	국세청	121	장완재	전주서	391	장재영	여수서	378	장준호	인천세관	487	장희철	서울청	150
장성두	태평양	58	장외자	수성서	410	장재웅	기재부	75	장탁순	서현이현	7	저현관	법무바른	1
장성미	충주서	354	장용자	중부청	223	장재웅	연수서	307	장태복	동안양서	238	전가람	경기광주	249
장성봉	북대전서	325	장용준	군산서	383	장재원	구로서	170	장태성	중부청	225	전강식	경주서	414
장성우	국세청	120	장용호	인천세관	486	장재원	울산서	459	장태희	조세심판	501	전강희	국세청	121
장성우	동대문서	181	장우석	의정부서	308	장재필	중부서	452	장필수	서인천서	290	전강희	동안양서	238
장성우	서초서	192	장우인	경기광주	249	장재형	김천서	418	장필효	군산서	382	전건모	김포서	298
장성우	세종서	337	장우정	국세청	119	장재형	법무율촌	54	장하영	서울청	148	전경란	양천서	200
장성욱	북부산서	447	장우현	조세재정	503	장재호	금천서	172	장한별	서대구서	409	전경선	동수원서	236
장성재	남원서	385	장운정	조세재정	503	장재훈	은평서	208	장한울	충주서	355	전경선	조세심판	501
장성주	구미서	417	장웅진	국재정	63	장재희	원주서	273	장해미	양산서	466	전경숙	금정서	441
장성필	광주청	361	장원국	서대구서	409	장정수	기재부	230	장해성	서울청	156	전경욱	부천서	304
장성하	국세청	119	장원대	부산청	433	장정순	조세재정	502	장해성	원주서	273	전경호	강남서	162
장성환	중부청	226	장원미	마포서	185	장정엽	인천청	284	장해순	중부청	228	전경호	성동서	194
장세리	동화성서	260	장원석	인천청	285	장정욱	의정부서	308	장해영	기재부	76	전광준	서초서	193
장세연	천안서	342	장원석	조세재정	504	장정용	남양주서	234	장해준	익산서	389	전광철	기재부	74
장세원	속초서	269	장원식	국세청	116	장정윤	조세재정	504	장혁민	영주서	427	전광현	중부서	217
장세창	인천세관	486	장원식	서울청	158	장정은	서초서	193	장혁배	성남서	243	전광호	기재부	76
장세철	울산서	459	장원일	국세청	118	장정혜	김포서	298	장현근	지방재정	499	전광희	청주서	353
장세황	포항서	428	장원준	구로서	171	장정환	남대구서	402	장현기	안산서	250	전구식	중부세무	29
장세훈	안동서	423	장원창	국세교육	136	장정환	의정부서	308	장현기	영주서	426	전국화	울산서	458
장소연	안산서	251	장유나	서대구서	408	장제환	국회법제	66	장현미	서대구서	408	전국휘	이안양서	252
장소영	서울청	156	장유나	해운대서	454	장조희	중랑서	215	장현석	지방재정	498	전규표	광교법인	34
장소영	기흥서	232	장유민	경산서	413	장종철	남대구서	404	장현수	서대구서	171	전근	구미서	417
장소영	남부천서	302	장유석	기재부	84	장종용	화성서	262	장현수	화성서	262	전기석	중부청	227
장소영	제주서	474	장유송	광주세관	496	장종희	부산세관	490	장현수	남부천서	303	전기승	서울청	150
장송영	부산진서	445	장유정	동수원서	237	장주연	고양서	294	장현승	북전주서	386	전기영	국세교육	136
장수안	서울청	141	장유정	연수서	307	장주영	북부산서	446	장현우	동대구서	404	전다솜	서대문서	190
장수연	광주청	359	장유정	지방재정	498	장주현	서울청	150	장현정	북전주서	386	전다영	국세청	129
장수연	북대구서	407	장유진	원주서	273	장주환	부산진서	444	장현정	대구청	398	전다인	구리서	230
장수연	수영서	450	장유진	동고양서	300	장주홍	감사원	71	장현주	중부청	228	전대섭	파주서	310
장수연	김해서	463	장유진	동래서	443	장준	북대전서	325	장현주	영주서	427	전대웅	용산서	206
장수영	인천청	282	장유진	동울산서	456	장준	김해서	462	장현준	삼일회계	252	전대진	삼척서	266
장수원	영등포서	205	장유진	지방재정	498	장준	국세청	124	장현준	삼일회계	16	전동길	국세청	130
장수은	기재부	89	장윤석	대전청	317	장준엽	전주서	391	장현중	기재부	75	전동길	국세청	117
장수정	중부청	224	장윤정	기재부	75	장준엽	기재부	80	장현진	서울청	149	전동철	중부청	220
장수정	대구서	404	장윤정	기재부	77	장준영	북부산서	446	장현진	춘천서	275	전동표	기재부	79
장수진	남양주서	235	장윤정	수영서	450	장준영	부산세관	491	장현진	양산서	466	전동현	익산서	388
장수현	서울청	152	장윤지	조세재정	504	장준용	대전청	321	장현한	아산서	338	전동호	서울청	141
장수현	동작서	182	장윤호	북인천서	288	장준영	영등포서	205	장현구	서울청	155	전동훈	법무율촌	54
장수환	국세청	128	장윤화	진주서	468	장준재	국세청	129	장형순	구미서	416	전명진	종로서	213
장수희	광산서	364	장은결	서울청	144	장준혁	기재부	87	장형욱	해남서	381	전명진	대전청	318
장수희	북광주서	368	장은경	남부천서	302	장준환	포항서	428	장형원	북인천서	289	전문숙	북부산서	447
장순남	법무광장	53	장은경	대구서	396	장준희	기재부	76	장형재	서광주서	370	전미례	삼성서	188
장순임	수원서	245	장은경	부산청	435	장준희	조세재정	503	장형준	북전주서	386	전미선	순천서	376
장슬기	시흥서	247	장은석	국세청	117	장준희	북광주서	368	장혜경	강동서	164	전미애	인천청	284
장슬비	목포서	375	장은수	국세청	122	장지선	순천서	376	장혜경	동대문서	181	전미영	고양서	294
장슬빈	인천서	292	장은수	서울세관	482	장지영	동작서	183	장혜린	대전서	323	전미자	남대구서	403
장승대	기재부	78	장은심	동화성서	260	장지영	동래서	442	장혜림	평택서	258	전민재	강서서	166
장승연	광명서	297				장지우	송파서	199	장혜미	서울청	161			

이름	소속	번호
전민정	서울청	142
전민정	청주서	353
전민지	삼성서	188
전민휘	강남서	163
전범준	청주서	352
전범철	중부청	226
전병건	인천세관	486
전병도	부산진서	444
전병두	은평서	208
전병목	조세재정	502
전병무	포천서	312
전병오	기흥서	232
전병우	중부산서	453
전병일	부산진서	444
전병준	강동서	165
전병진	서울청	146
전병헌	대전청	317
전보원	의정부서	308
전보현	동작서	182
전복진	순천서	376
전본희	감사원	71
전봄내	양산서	466
전봉민	동래서	442
전봉준	중부청	224
전봉철	익산서	388
전상규	서울청	117
전상련	북대구서	406
전상배	아산서	338
전상은	그룹토은	37
전상주	영주서	426
전상현	도봉서	178
전상호	파주서	311
전상훈	안산서	250
전샛별	강동서	165
전서동	청주서	353
전선영	서울청	161
전선화	서울청	153
전선희	용인서	262
전성곤	울산서	459
전성수	강서서	166
전성우	김천서	418
전성익	조세심판	500
전성준	광산서	364
전성헌	기재부	86
전성화	부산청	437
전성훈	남대문서	176
전성훈	동청주서	346
전성훈	법무율촌	54
전세림	인천청	285
전세연	충주서	355
전세영	분당서	240
전세정	국세상담	134
전세현	금정서	440
전소연	국세청	117
전소원	서대구서	408
전소윤	서인천서	290
전소연	원주서	272
전소희	중부청	225
전소희	동청주서	346
전수안	국세청	266
전수미	서부산서	448
전수연	강남서	162
전수연	이천서	257
전수영	정읍서	393
전수정	기재부	75
전수진	국세청	119
전수진	동대구서	404
전수현	군산서	383
전순호	국세청	195
전승조	남대구서	402
전승필	분당서	240
전승한	국세청	113
전승현	동고양서	300
전승현	서울청	154
전승현	남인천서	287
전승훈	용산서	206
전시영	충주서	355
전신희	용인서	254
전아라	서울청	147
전애라	기재부	90
전애진	국세청	131
전양호	구미서	416
전연주	성동서	194
전연진	조세심판	500
전영	북대전서	324
전영균	반포서	187
전영무	북인천서	289
전영수	금천서	440
전영심	울산서	459
전영우	금천서	173
전영우	북부산서	447
전영욱	북부산서	446
전영의	서울청	142
전영준	은평서	241
전영준	법무율촌	54
전영지	용인서	255
전영창	법인하나	41
전영철	진주서	469
전영출	인천청	285
전영현	대구청	396
전영호	국세청	117
전영호	동대구서	405
전영훈	춘천서	274
전예원	조세재정	503
전예은	인천청	280
전예제	지방재정	499
전예지	남인천서	286
전오영	법무화우	56
전오영	법무화우	56
전옥선	대전청	317
전완규	법무화우	56
전완규	법무화우	56
전왕기	서울청	140
전요섭	금융위	93
전요찬	군산서	382
전용수	서울청	151
전용준	동대문서	181
전용준	울산서	459
전용진	마산서	465
전용찬	금천서	173
전용찬	삼덕회계	15
전용현	북광주서	368
전용훈	동안양서	239
전우승	사원	70
전우식	성북서	196
전우식	서인천서	290
전우정	영주서	427
전우찬	구로서	171
전운	성남서	243
전원석	국세청	117
전원실	시흥서	246
전원엽	삼일회계	16
전원진	남부천서	303
전유광	서인천서	291
전유나	마포서	185
전유라	송파서	198
전유리	삼성서	189
전유림	국세청	116
전유미	종로서	213
전유석	기재부	77
전유영	인천청	282
전유완	남부천서	303
전유진	전주서	390
전유진	예일법인	44
전유욱	택스홈	42
전윤석	마포서	185
전윤아	구리서	231
전윤나	동래서	442
전윤현	포항서	429
전윤희	예산서	340
전은미	서대구서	408
전은상	관악서	169
전은상	서광주서	370
전은선	파주서	311
전은영	중부청	223
전은정	안산서	251
전은지	남대문서	176
전은혜	서대구서	408
전이나	군산서	383
전이현	정진세림	24
전익선	국세청	126
전익성	상주서	421
전익표	안산서	250
전인경	서울청	159
전인복	북대전서	324
전인석	북부산서	446
전인지	상공회의	109
전인지	이천서	256
전인향	서초서	193
전일권	국세청	116
전일수	국세청	131
전재달	경산서	412
전재령	영동서	348
전재문	기재부	74
전재수	국회정무	68
전재형	용인서	255
전정영	국세청	126
전정은	군산서	382
전정일	파주서	310
전정호	중부청	222
전정화	서초서	192
전정훈	남대문서	177
전제간	삼성서	189
전제범	지방재정	498
전제영	해운대서	455
전종경	동대구서	405
전종근	성동서	195
전종길	지방재정	499
전종상	남대문서	177
전종선	송파서	199
전종원	광주청	360
전종태	김해서	463
전종선	남대문서	470
전종희	국세청	114
전주석	인천청	283
전주연	포천서	312
전주현	서울청	144
전주혜	국회법제	66
전주화	북전주서	387
전주희	영등포서	205
전준고	기재부	76
전준일	역삼서	203
전준호	인천청	284
전준희	국세청	123
전중원	세종서	336
전지민	창원서	152
전지민	창원서	471
전지선	광산서	364
전지연	인천서	293
전지영	기재부	78
전지영	포천서	312
전지영	서대구서	409
전지용	부산청	433
전지원	마포서	185
전지은	청주서	353
전지현	국세청	126
전지현	남인천서	286
전지현	대전청	317
전지현	대전서	322
전지현	부산청	438
전지혜	동래서	442
전진관	한국세무	27
전진무	안산서	251
전진선	남대문서	177
전진아	성동서	195
전진우	중부청	220
전진철	해남서	380
전진하	부산서	434
전진효	송파서	199
전찬범	기재부	83
전찬희	정읍서	393
전창선	인천청	293
전창우	예산서	341
전채환	분당서	240
전철	은평서	208
전충선	국세청	130
전치성	서산서	334
전태병	강서서	163
전태경	서울청	145
전태원	관악서	169
전태복	나주서	372
전태수	서광주서	370
전태호	중부산서	453
전태회	거창서	461
전태훈	은평서	209
전하나	해운대서	455
전하돈	중부청	227
전하윤	부산진서	445
전하준	남부천서	302
전학심	마포서	185
전한식	잠실서	211
전한준	김앤장	51
전해일	기재부	79
전해철	국회재정	64
전해철	북광주서	369
전현명	중부산서	453
전현민	서인천서	291
전현숙	제천서	350
전현아	북대전서	324
전현우	서울청	143
전현우	양천서	200
전현정	서울청	154
전현정	대전서	322
전현정	대구청	398
전현주	동청주서	346
전현주	울산서	459
전현진	남대구서	402
전현진	서대구서	408
전현혜	국세청	127
전형용	강남서	162
전형용	기재부	88
전형원	중부청	220
전형정	평택서	258
전형진	조세재정	504
전혜숙	중기회	111
전혜영	서울청	160
전혜영	용인서	255
전혜영	평택서	259
전혜영	대전청	317
전혜윤	동고양서	300
전혜정	동대문서	181
전혜정	인천청	283
전혜진	정읍서	392
전혜진	대구청	399
전호남	예산서	340
전호순	대전청	316
전호영	용산서	206
전호종	영덕서	425
전호규	기재부	73
전홍근	파주서	311
전홍민	창원서	471
전홍석	북광주서	368
전화영	성동서	194
전화영	분당서	241
전확	은평서	209
전환진	법무율촌	54
전환선	기재부	79
전후영	국세상담	134
전훈희	금천서	172
전희경	잠실서	211
전희석	대전청	316
전희원	북부산서	447
정가영	김해서	462
정가희	동안양서	239
정강미	중랑서	214
정강영	시흥서	247
정거성	서초서	192
정건	용산서	206
정건제	서울청	156
정건철	광주서	366
정건화	북부산서	446
정경남	대구청	396
정경돈	북인천서	289
정경란	은평서	208
정경미	서대구서	408
정경미	구미서	417
정경미	부산청	436
정경미	화성서	263
정경민	부산진서	445
정경석	법무율촌	54
정경숙	강서서	166
정경순	도봉서	178
정경순	조세재정	502
정경식	여수서	379
정경식	구미서	416
정경은	중기회	111
정경인	안산서	250
정경일	광주청	360
정경일	수성서	411
정경임	울산서	458
정경종	광주청	362
정경주	부산진서	445
정경주	제주서	474
정경진	강서서	166
정경진	삼척서	266
정경철	중부청	228
정경택	남대문서	176
정경화	중부청	226
정경화	평택서	258
정경화	조세재정	503
정경훈	한국세무	27
정경희	남대구서	403
정계승	논산서	331
정계훈	신대동	48
정관성	구로서	170
정관세	기재부	80
정광륜	서울청	146
정광조	기재부	88
정광준	강동서	164
정광진	김앤장	51
정광춘	인천세관	485
정광준	인천세관	487
정광현	화성서	262
정광호	서대전서	327
정교미	강동서	165
정교진	인천세관	487
정교필	구로서	170
정구선	인천세관	486
정구현	서산서	334
정구휘	인천청	283
정국교	중부청	228
정국일	서초서	193
정권	북부산서	447
정권율	예일법인	44
정권술	창원서	470
정규남	수원서	244
정규명	서울청	160
정규민	대전서	323
정규삼	대구청	401
정규식	국세청	130
정규진	부산청	439
정규호	경주서	414
정균영	기재부	84
정균호	전주서	391
정근선	북대전서	324
정근우	구로서	170
정근익	인천서	292
정금미	반포서	187
정금미	익산서	389
정금자	대전서	322
정금숙	동작서	182
정기선	반포서	186
정기선	인천청	284
정기섭	관세청	478
정기숙	국세청	117
정기열	북인천서	288
정기원	국세청	122
정기은	목포서	375
정기종	광주서	366
정기주	서인천서	291
정기중	광산서	365
정기태	청주서	352
정기호	동수원서	236
정기환	국세청	116
정길채	기재부	87
정길호	광산서	365
정나영	강릉서	264
정낙열	삼일회계	17
정난영	구로서	170
정남숙	의정부서	309
정남희	기재부	85
정년숙	국세청	123
정녕현	북대구서	406
정다겸	국세청	131
정다솔	안양서	253
정다영	동작서	183
정다영	성동서	194
정다운	기재부	87
정다운	화성서	263
정다운	북인천서	289
정다운	대구서	400
정다운	마산서	464
정다운	조세재정	502
정다운	조세재정	503
정다윗	해운대서	455
정다은	구리서	230
정다은	평택서	259
정다음	남인천서	286
정다이	김포서	299
정다혜	삼성서	188
정다혜	파주서	311
정다희	광주청	358
정대교	삼성회계	18
정대길	삼정회계	18
정대석	대구청	397
정대섭	경산서	412

이름	소속	쪽	이름	소속	쪽	이름	소속	쪽	이름	소속	쪽	이름	소속	쪽
정대수	용산서	207	정미영	인천청	283	정상남	서대전서	326	정성주	서부산서	449	정순욱	양천서	201
정대영	국회정무	67	정미영	북대전서	325	정상렬	강남서	162	정성진	대전청	316	정순예	동울산서	456
정대영	양천서	200	정미영	북광주서	368	정상미	국세청	131	정성한	서울청	148	정순임	서울청	154
정대혁	서울청	155	정미원	관악서	169	정상민	서울청	154	정성현	성북서	196	정순재	서대구서	409
정대화	수영서	450	정미진	중부청	223	정상봉	부산청	432	정성호	국회재정	64	정슬기	춘천서	274
정대환	중부청	227	정미진	광주청	360	정상수	영동서	349	정성호	중부청	227	정슬기	파주서	310
정대희	마산서	464	정미향	광주서	366	정상술	남대문서	176	정성호	대구청	396	정슬기	양산서	466
정덕균	광주서	366	정미현	기재부	88	정상아	용인서	254	정성호	창원서	470	정슬아	분당서	241
정덕영	기재부	91	정미현	세종서	337	정상암	서대구서	408	정성화	서부산서	449	정승갑	강남서	162
정덕주	국세상담	134	정미현	영동서	349	정상열	중랑서	214	정성훈	국세교육	137	정승기	평택서	258
정도식	부산청	432	정미화	마포서	184	정상오	중부청	228	정성훈	서울청	144	정승기	인천청	284
정도연	남인천서	286	정미화	제천서	350	정상우	감사원	69	정성훈	대전청	322	정승렬	동대문서	181
정도영	강남서	162	정미희	영등포서	205	정상우	감사원	71	정성훈	부산청	436	정승복	국세상담	134
정도영	김해서	463	정민경	서부산서	449	정상원	영등포서	204	정성훈	울산서	458	정승식	잠실서	210
정도희	서울청	149	정민국	서울청	150	정상원	원주서	347	정성훈	마산서	465	정승아	마산서	464
정동기	동수원서	236	정민기	기재부	76	정상진	국세청	118	정세경	동고양서	301	정승오	국세청	125
정동엽	충주서	354	정민기	국세청	130	정상천	보령서	333	정세나	은평서	208	정승용	평택서	258
정동영	기재부	78	정민기	은평서	208	정상헌	원주서	273	정세나	제주세	475	정승유	대구청	398
정동욱	관악서	168	정민석	관악서	168	정상화	삼성서	189	정세미	평택서	258	정승우	부산청	438
정동욱	인천청	285	정민석	북부산서	447	정상훈	해운대서	455	정세미	광산서	364	정승원	서대문서	190
정동원	한국세무	27	정민섭	역삼서	203	정새하	군산서	383	정세미	북부산서	446	정승재	서산서	335
정동재	국세청	131	정민수	서울청	143	정서빈	부천서	304	정세연	중부서	216	정승철	부천서	305
정동주	김해서	462	정민수	홍천서	277	정서규	강남서	162	정세연	강남서	163	정승태	국세청	126
정동준	김천서	419	정민수	삼일회계	16	정서규	도봉서	179	정세윤	서울청	140	정승태	용산서	206
정동진	예일회계	21	정민순	남대문서	175	정석우	부산청	436	정세훈	나주서	373	정승태	대전청	319
정동철	경주서	414	정민아	남대구서	402	정석주	해운대서	455	정세희	경주서	415	정승호	서초서	192
정동혁	국세청	127	정민영	공주서	329	정석진	조세재정	502	정소라	세종서	337	정승호	서울청	160
정동현	기재부	87	정민영	부산진서	444	정석철	구미서	416	정소라	천안서	342	정승환	광주세관	495
정동현	기재부	91	정민영	광주세관	495	정석현	용인서	254	정소연	남대문서	174	정승환	광주세관	496
정동화	지방재정	499	정민우	마포서	184	정석호	김천서	418	정소연	인천서	292	정승훈	남부천서	303
정동환	국세상담	134	정민재	시흥서	246	정석환	춘천서	274	정소연	의정부서	309	정승희	영등포서	205
정동환	서울청	141	정민재	의정부서	308	정석훈	서울청	156	정소영	기재부	90	정시영	서현이현	7
정두레	동화성서	261	정민종	기재부	82	정석훈	동대문서	181	정소영	서울청	140	정시연	송파서	198
정두식	예일법인	44	정민주	관악서	168	정석훈	잠실서	210	정소영	강남서	163	정시온	순천서	377
정두영	예산서	340	정민주	구미서	417	정선경	해운대서	454	정소영	강서서	166	정신애	북인천서	288
정란	북광주서	368	정민철	기재부	76	정선군	대전청	317	정소영	광주청	361	정신년	동수원서	237
정록환	기재부	78	정민철	서대문서	190	정선균	국세청	116	정소영	해남서	381	정쌍화	서대구서	408
정류빈	고양서	295	정민혜	인천청	281	정선두	부산청	433	정소영	경산서	413	정아람	서울청	151
정리나	북광주서	369	정민호	동대부서	181	정선례	김포서	298	정소영	통영서	472	정안석	영등포서	205
정맑음	포천서	312	정민호	성동서	195	정선아	인천청	281	정소윤	금정서	440	정애라	중부청	226
정맹헌	수원서	245	정민화	서울청	159	정선애	춘천서	275	정소정	동고양서	300	정애리	북전주서	386
정명교	서초서	192	정방현	금천서	172	정선영	영등포서	205	정소현	삼정회계	19	정애정	동작서	183
정명근	목포서	374	정범식	상공회의	109	정선영	인천청	280	정솔희	지방재정	498	정애진	서울청	156
정명수	기재부	76	정병관	국세청	383	정선옥	광주청	360	정수경	국세청	124	정양기	지방재정	499
정명수	전주서	390	정병록	국세류	132	정선이	경기광주	248	정수길	춘천서	274	정여명	영등포서	204
정명숙	국세청	117	정병문	김앤장	51	정선재	서울청	145	정수명	전주서	390	정여원	중부서	217
정명숙	충주서	354	정병숙	서울청	307	정선재	인천청	280	정수미	강동서	165	정여진	기재부	82
정명숙	나주서	372	정병식	기재부	86	정선태	서광주서	371	정수빈	도봉서	178	정연경	서초서	192
정명순	동수원서	237	정병식	기재부	87	정선현	중부청	224	정수빈	북대구서	406	정연경	동청역서	347
정명운	서광주서	371	정병주	북광주서	369	정선홍	삼일회계	16	정수연	양천서	201	정연국	진주서	468
정명주	성동서	194	정병진	분당서	240	정선화	성동서	195	정수연	서대전서	326	정연득	용인서	254
정명지	기재부	84	정병진	지방재정	499	정선희	대구청	398	정수연	서대전서	326	정연선	성북서	196
정명하	공주서	328	정병섭	중부세무	29	정성곤	화성서	262	정수연	서대구서	409	정연선	광명서	297
정명호	국회재정	63	정병창	영동서	246	정성관	기재부	74	정수연	부산청	438	정연섭	서인천서	291
정명환	동래서	442	정병철	해남서	381	정성관	영동서	348	정수영	종로서	212	정연오	영등포서	204
정명훈	강동서	165	정병춘	법무광장	52	정성구	기재부	87	정수영	북부산서	446	정연오	부산세관	490
정명희	대구서	398	정병호	대전청	316	정성만	부산청	432	정수영	진주서	468	정연옥	포항서	428
정무현	대전청	316	정병호	춘천서	274	정성만	대전청	320	정수용	남대문서	175	정연옥	기재부	77
정문승	속초서	269	정보경	동울산서	456	정성모	지방재정	498	정수인	서울청	156	정연옥	통영서	472
정문제	서대구서	409	정보경	서울청	159	정성모	충주서	355	정수인	역삼서	203	정연욱	서울청	159
정문현	파주서	311	정보경	서초서	192	정성문	광주서	367	정수인	북부산서	447	정연재	부산서	453
정문희	양천서	201	정보경	북대전서	324	정성민	서울청	144	정수일	용인서	255	정연재	서인천서	290
정미경	서울청	159	정보근	관악서	168	정성민	김천서	418	정수자	양천서	371	정연주	종로서	213
정미경	관악서	168	정보기	서대문서	191	정성민	강남서	440	정수지	잠실서	211	정연주	구리서	230
정미경	송파서	199	정보길	남인천서	286	정성수	광산서	365	정수진	서울청	146	정연주	남인천서	286
정미경	잠실서	210	정보람	반포서	187	정성실	지방재정	498	정수진	서울청	157	정연철	고양서	294
정미경	인천청	283	정보령	서울청	155	정성아	서울청	144	정수진	서인천서	290	정연호	국회재정	63
정미경	의정부서	308	정보름	조세재정	503	정성오	북광주서	368	정수진	광명서	296	정연호	국세청	114
정미금	서대구서	408	정보빈	서울청	342	정성용	수영서	451	정수진	광산서	365	정연호	경주서	414
정미라	고양서	294	정보팀	북광주서	369	정성우	중부청	221	정수진	부산청	433	정영곤	여수서	379
정미라	광산서	364	정보현	광산서	364	정성우	창원서	471	정수진	마산서	465	정영균	영등포서	205
정미란	국세청	128	정복순	중부청	223	정성욱	금정서	441	정수현	국회정무	67	정영달	서울청	140
정미란	서울청	150	정봉균	서울청	144	정성욱	통영서	472	정수현	동안양서	238	정영록	동울산서	457
정미래	서초서	193	정봉석	수원서	244	정성원	기재부	76	정수현	광주청	358	정영우	서인천서	290
정미리	부산청	435	정봉수	강릉서	265	정성원	진주서	468	정수현	구미서	416	정영민	김앤장	51
정미선	용산서	206	정봉훈	반포서	186	정성원	포항서	428	정수호	대구청	397	정영배	부산청	436
정미선	광주서	367	정부교	송파서	198	정성윤	김해서	463	정수환	창원서	470	정영의	상공회의	110
정미선	나주서	373	정부섭	마산서	464	정성은	송파서	198	정수희	동울산서	456	정영석	경기광주	249
정미선	해남서	380	정부용	광명서	296	정성은	동화성서	261	정숙경	북광주서	368	정영석	대전서	323
정미선	양산서	466	정부원	양산서	466	정성은	인천청	282	정숙자	북전주서	386	정영석	딜로이트	13
정미애	동화성서	261	정분석	국세청	118	정성은	대구세관	493	정숙희	북부산서	446	정영선	국세청	123
정미연	목포서	374	정빛나	조세재정	502	정성의	해남서	381	정순남	동안양서	238	정영숙	광주청	359
정미연	구미서	417	정사랑	기재부	77	정성익	남부천서	302	정순범	중부청	221	정영순	국세청	120
정미영	서울청	148	정삼근	남부천서	302	정성일	연수서	307	정순범	중부청	222	정영순	천안서	342
정미영	성동서	194	정상기	조세재정	503	정성일	순천서	377	정순삼	강동서	164	정영식	서울청	140
정미영	은평서	208				정성주	삼척서	267				정영욱	중부청	222
												정영운	국세교육	136

이름	근무처	쪽	이름	근무처	쪽	이름	근무처	쪽	이름	근무처	쪽	이름	근무처	쪽
정창근	반포서	187	정해진	서울청	140	정혜원	경산서	413	정희섭	서울청	140	조길현	익산서	388
정창근	분당서	240	정해원	상주서	420	정혜원	부산청	434	정희섭	광주청	360	조나래	남양주서	235
정창근	대구청	398	정해천	반포서	186	정혜윤	서대문서	191	정희수	부천서	304	조남건	서울청	149
정창기	지방재정	498	정헌미	서울청	148	정혜윤	서초서	193	정희숙	서대문서	190	조남규	남대구서	403
정창성	서부산서	448	정헌호	서초서	353	정혜윤	울산서	457	정희숙	통영서	472	조남숙	남대문서	176
정창수	강릉서	265	정혁철	안동서	423	정혜인	북인천서	288	정희연	서대문서	190	조남웅	동청주서	347
정창우	서울청	159	정현	중부청	220	정혜정	강남서	162	정희연	성동서	194	조남철	동작서	182
정창원	울산서	459	정현규	서인천서	290	정혜정	서초서	193	정희원	구로서	170	조남철	포항서	428
정창재	부산청	436	정현대	서대구서	408	정혜정	동수원서	236	정희원	택스홈	42	조다인	서인천서	290
정창후	북부산서	446	정현대	인천청	284	정혜정	화성서	262	정희재	남대문서	176	조다현	종로서	212
정창훈	대전서	323	정현묵	중부청	227	정혜지	동작서	182	정희종	중부청	223	조다혜	포천서	313
정채규	광주서	366	정현명	김천서	418	정혜진	기재부	83	정희정	구리서	230	조대서	북대전서	324
정채환	기재부	90	정현모	북대구서	407	정혜진	서울청	156	정희정	충주서	354	조대연	국세청	116
정철	서초서	193	정현서	여수서	379	정혜진	광주서	366	정희종	금정서	441	조대현	서울청	153
정철	인천서	293	정현민	안양서	252	정혜진	포항서	429	정희진	기재부	88	조대회	경기광주	249
정철교	기재부	84	정현민	대구청	398	정혜진	동래서	442	정희진	중부서	216	조대훈	동작서	183
정철규	북부산서	447	정현빈	분당서	240	정혜진	조세재정	504	정희진	조세심판	501	조덕상	동수원서	236
정철기	광주청	358	정현석	조세재정	504	정혜화	광주서	366	제갈용	남대문서	176	조덕희	서울세무	28
정철식	중부세무	29	정현수	종로서	213	정호근	춘천서	275	제갈형	김해서	462	조동관	법인하나	41
정철우	국세교육	136	정현수	중부청	221	정호남	인천세관	486	제갈희진	서울청	149	조동석	중기회	111
정철우	서울청	140	정현숙	서울청	159	정호선	수성서	411	제민수	북부산서	447	조동표	도봉서	179
정철화	남부천서	303	정현숙	도봉서	179	정호성	동화성서	261	제범모	양산서	466	조동표	동대문서	180
정철환	법인화우	57	정현아	삼성서	189	정호성	부천서	304	제병민	인천청	285	조동혁	인천청	141
정청운	북광주서	368	정현아	광주청	358	정호성	진주서	468	제상훈	부산청	432	조라영	경산서	412
정초희	남원서	384	정현옥	부산청	438	정호식	구리서	231	제영광	한국관세	46	조란	전주서	390
정춘영	동래서	442	정현우	양천서	200	정호연	광산서	365	제우성	중랑서	214	조래성	남대구서	403
정충우	법인화우	57	정현우	여수서	442	정호영	구로서	170	제은아	서울청	202	조만호	광주서	366
정치권	중부청	229	정현위	성남서	243	정호영	인천서	293	제일한	부산서	435	조명관	북광주서	368
정치은	택스홈	42	정현욱	성동서	195	정호영	광산서	364	제재호	동울산서	456	조명기	남대문서	176
정치중	서울청	161	정현주	경기광주	248	정호용	동대구서	405	제정임	북부산서	446	조명상	영등포서	204
정치헌	연수서	307	정현주	용인서	254	정호진	기재부	78	제현종	역삼서	202	조명상	대전서	323
정태경	서울청	159	정현주	연수서	306	정호진	서부산서	449	제홍주	부산청	434	조명석	대구청	398
정태경	수원서	244	정현주	천안서	342	정호철	반포서	187	조가람	국세청	115	조명석	인천세무	30
정태권	삼덕회계	15	정현주	경주서	414	정호태	수성서	411	조가람	부천서	305	조명석	광교법인	36
정태민	김포서	298	정현주	국세청	118	정호형	역삼서	203	조가연	동안양서	239	조명순	대전청	317
정태상	성동서	194	정현주	국세청	125	정홍도	국세교육	137	조가영	서울청	294	조명신	중부청	227
정태식	분당서	240	정현주	서울청	145	정홍석	성남서	243	조가윤	북광주서	368	조명완	국세청	119
정태영	국세청	116	정현주	동안양서	239	정홍선	강릉서	265	조가을	서초서	193	조명익	부산청	434
정태욱	해운대서	454	정현주	수원서	245	정홍서	인천청	283	조강래	거창서	461	조명희	부천서	304
정태윤	경기광주	249	정현주	부천서	304	정화선	강남서	163	조강식	대구세관	494	조무연	태평양	58
정태윤	천안서	343	정현주	양산서	466	정화승	영등포서	204	조강우	평택서	259	조문경	기재부	81
정태호	광주청	361	정현석	중부청	221	정화영	동대구서	180	조강호	상주서	420	조문균	기재부	79
정태환	서초서	192	정현준	기흥서	232	정화동	북대구서	406	조강훈	기재부	77	조문현	서초서	193
정태환	거창서	461	정현준	대구서	399	정환주	구미서	416	조강훈	부산청	432	조미겸	동청주서	347
정택주	분당서	241	정현준	고양서	300	정환철	파주서	311	조강희	북인천서	288	조미경	구미서	416
정택준	평택서	259	정현중	북대구서	406	정회영	부산청	439	조강희	대전청	316	조미경	진주서	469
정판균	대전서	323	정현지	중부서	217	정회정	원주서	272	조건희	남양주서	234	조미란	양산서	466
정평조	광고법인	36	정현진	서인천서	289	정회위	이천서	257	조경민	서울청	151	조미성	강서서	167
정필경	익산서	388	정현진	남대문서	177	정회훈	구로서	170	조경민	더택스	39	조미숙	김해서	462
정필섭	광주청	360	정현진	동대문서	181	정효근	홍성서	345	조경배	부산청	439	조미애	파주서	310
정필영	대전청	316	정현철	성북서	196	정효인	평택서	259	조경선	기재부	80	조미애	김해서	462
정필윤	구리서	230	정현철	국세청	116	정효상	기재부	77	조경선	기재부	91	조미영	서울청	140
정하경	서울세관	482	정현철	동대문서	180	정효성	북인천서	288	조경숙	영주서	427	조미영	용인서	254
정하나	수원서	245	정현철	성동서	191	정효숙	국세청	120	조경아	서울청	195	조미옥	국세청	118
정하나	강릉서	264	정현태	광산서	364	정효영	잠실서	210	조경윤	해남서	380	조미옥	전주서	390
정하늘	서울청	149	정현표	화성서	263	정효주	삼성서	189	조경제	전주서	391	조미정	대구청	398
정하덕	기흥서	233	정현호	성동서	194	정효주	수영서	450	조경진	금천서	173	조미주	김해서	463
정하석	기재부	78	정현호	광주청	359	정효준	양천서	200	조경진	김해서	462	조미진	서울청	159
정하선	양산서	467	정현희	구리서	231	정효중	평택서	258	조경태	강서서	166	조미진	구로서	170
정하영	도봉서	178	정형	기재부	80	정훈	국세청	120	조경혜	통영서	472	조미현	서인천서	290
정하용	기재부	80	정형범	서초서	193	정훈	평택서	258	조경호	남인천서	287	조미화	서대문서	327
정하용	기재부	91	정형석	김포서	298	정훈	조세재정	502	조경화	이천서	256	조미희	국세청	121
정하정	진주서	468	정형준	나주서	372	정훈	조세재정	503	조경화	남인천서	286	조미희	김해서	462
정학관	광주서	366	정형준	서울청	140	정훈	삼일회계	16	조경희	동대구서	405	조민경	국세청	118
정학기	남대구서	402	정형준	해남서	380	정훈석	EY한영	12	조계호	춘천서	274	조민경	관악서	168
정학순	서울청	142	정형진	구로서	170	정휘섭	중부청	229	조관우	북부산서	446	조민경	속초서	269
정학식	국세청	117	정형진	광주서	367	정휘언	북대구서	407	조광덕	중부세무	29	조민경	광명서	296
정한길	군산서	383	정형태	북대구서	407	정휘언	기재부	75	조광래	송파서	198	조민경	마산서	464
정한나	화성서	262	정형필	서광주서	371	정휴진	동안양서	238	조광래	조세심판	500	조민라	부산청	438
정한슬	국회정무	67	정혜경	기재부	75	정흥기	북전주서	386	조광석	금천서	173	조민석	서울청	147
정한신	동작서	182	정혜경	성동서	194	정흥식	서울청	151	조광제	이천서	257	조민석	광명서	296
정한영	천안서	343	정혜경	남원서	384	정흥엽	북전주서	387	조광진	국세청	116	조민성	국세청	125
정한욱	잠실서	211	정혜경	동울산서	456	정흥자	도봉서	178	조광호	중부서	217	조민성	서울청	145
정한진	도봉서	178	정혜린	연수서	307	정흥진	시흥서	246	조구영	구로서	170	조민성	동화성서	260
정해경	용산서	206	정혜림	관악서	168	정희	동수원서	237	조규범	딜로이트	13	조민수	동대문서	180
정해동	국세청	130	정혜림	안동서	423	정희경	중부청	225	조규봉	순천서	377	조민수	구로서	170
정해란	의정부서	308	정혜미	송파서	198	정희경	광주청	359	조규산	기재부	83	조민영	국세청	130
정해룡	양산서	467	정혜수	남부천서	303	정희남	논산서	330	조규상	중부청	224	조민영	용인서	255
정해빈	조세심판	500	정혜아	남부천서	302	정희도	포천서	312	조규창	남대문서	177	조민영	인천청	283
정해시	광명서	297	정혜영	서울청	145	정희라	서울청	144	조근비	여수서	379	조민재	역삼서	202
정해식	통영서	473	정혜영	구로서	170	정희문	제주서	475	조근호	군산서	383	조민정	대전청	316
정해연	국세상담	436	정혜영	잠실서	211	정희봉	마산서	464	조금나	화성서	263	조민제	경주서	415
정해원	부산청	436	정혜영	중부청	227	정희상	광교법인	36	조금옥	영덕서	424	조민지	마포서	184
정해원	남대문서	176	정혜원	삼성서	189	정희석	포항서	429	조기문	기재부	78	조민현	중랑서	214
정해인	인천청	285	정혜원	성북서	197	정희선	성동서	194	조기정	전주서	390	조민호	북인천서	289
정해주	기재부	91	정혜원	중부서	216	정희선	김해서	463	조길현	남대문서	174	조민희	분당서	240

이름	소속	쪽	이름	소속	쪽	이름	소속	쪽	이름	소속	쪽	이름	소속	쪽
조민희	중부산서	453	조성익	서울청	148	조영순	강동서	165	조윤서	서부산서	449	조재형	마산서	464
조범래	강동서	164	조성인	중부청	225	조영심	고양서	295	조윤석	국세청	128	조재화	서부산서	449
조범제	경주서	415	조성재	광산서	365	조영심	제주서	475	조윤아	국세청	125	조재훈	성북서	196
조병구	기재부	75	조성주	강동서	165	조영우	제천서	351	조윤영	남양주서	235	조재훈	구리서	231
조병구	기재부	78	조성주	동안양서	238	조영욱	기재부	81	조윤영	분당서	240	조재훈	인천청	285
조병길	충주서	355	조성준	강동서	165	조영익	금감원	95	조윤영	인천서	292	조정대	세종서	337
조병녕	제주서	474	조성진	용산서	206	조영익	금감원	98	조윤정	감사원	71	조정목	부산청	436
조병덕	파주서	311	조성찬	성북서	196	조영일	부산청	438	조윤정	서울청	141	조정미	성북서	196
조병래	포항서	428	조성철	성남서	242	조영자	영동서	348	조윤주	인천청	284	조정석	금감원	106
조병만	양천서	201	조성현	기재부	76	조영재	삼덕회계	15	조윤주	경산서	412	조정선	창원서	470
조병민	국세청	124	조성현	마포서	184	조영재	삼일회계	16	조윤주	통영서	473	조정연	원주서	272
조병섭	시흥서	246	조성현	군산서	383	조영종	청주서	353	조윤호	안양서	253	조정섭	삼성서	189
조병성	동작서	182	조성호	강동서	165	조영주	서대문서	190	조윤희	성남서	242	조정은	서인천서	291
조병욱	평택서	259	조성호	신대동	48	조영주	용산서	206	조윤희	법무율촌	54	조정은	고양서	294
조병주	국세청	120	조성훈	국세청	114	조영주	서대전서	327	조은경	대구청	398	조정은	해운대서	455
조병준	부천서	304	조성훈	안양서	252	조영준	상공회의	109	조은기	남대문서	176	조정일	국회정무	67
조병철	국세상담	135	조성훈	익산서	388	조영준	중부청	221	조은덕	서울청	149	조정자	인천청	283
조병호	예일법인	44	조세영	중랑서	214	조영진	금천서	173	조은미	경주서	415	조정석	대전서	321
조복환	보령서	332	조세영	수영서	450	조영진	인천청	283	조은미	중부서	216	조정진	논산서	331
조상래	해운대서	455	조세진	마포서	185	조영진	해운대서	454	조은비	화성서	262	조정철	법무율촌	54
조상미	삼척서	266	조세흠	충주서	354	조영탁	국세청	145	조은비	북대구서	406	조정팀	금감원	97
조상미	전주서	390	조세희	천안서	343	조영탁	동고양서	300	조은빈	중부청	222	조정해	부천서	304
조상욱	광주청	360	조소연	구로서	171	조영태	안동서	422	조은빛	남인천서	287	조정현	광산서	365
조상운	울산서	458	조소연	동울산서	456	조영혁	국세청	169	조은빛	조세재정	504	조정현	경산서	412
조상진	해남서	380	조소영	춘천서	275	조영혁	대전청	321	조은상	이천서	256	조정화	서울청	141
조상현	국세청	120	조소윤	안양서	252	조영현	삼성서	189	조은서	제천서	350	조정환	안산서	250
조상현	포항서	206	조소현	영등포서	205	조영현	관악서	198	조은서	부산청	434	조정행	삼일회계	16
조상현	삼덕회계	19	조소현	안산서	251	조영호	양천서	200	조은솔	잠실서	211	조정효	목포서	375
조상훈	국세청	120	조소현	북부산서	446	조영호	동고양서	301	조은수	분당서	240	조정훈	남대문서	174
조상희	이천서	256	조소희	반포서	186	조예린	남대문서	176	조은애	의정부서	308	조정훈	김포서	299
조서연	동작서	182	조수동	동래서	443	조예림	성북서	197	조은애	대전청	321	조정훈	수영서	450
조서영	분당서	240	조수빈	종로서	212	조예슬	법인하나	41	조은애	서울세관	481	조정훈	관세청	479
조서현	금천서	172	조수연	중부청	223	조예언	김해서	462	조은영	수성서	410	조정희	중부청	223
조서혜	강남서	162	조수영	동안양서	238	조예현	영주서	427	조은영	제주서	475	조종래	감사원	71
조석균	포천서	313	조수영	김포서	298	조예훈	역삼서	202	조은용	기흥서	233	조종수	남인천서	287
조석정	북대전서	325	조수정	삼성서	188	조완석	진주서	468	조은정	동대문서	180	조종연	대전서	322
조석주	동울산서	457	조수진	국회법제	66	조외숙	부산청	435	조은정	관세청	479	조종읍	조세재정	504
조석훈	감사원	70	조수진	김천서	418	조요한	국세청	127	조은주	지방재정	499	조종필	광주청	358
조석훈	지방재정	498	조수진	삼정회계	18	조용균	기재부	89	조은지	국세청	117	조종화	분당서	241
조석훈	삼덕회계	15	조수현	역삼서	203	조용균	삼정회계	19	조은지	역삼서	202	조종호	영동서	348
조선경	광주청	359	조숙연	관악서	168	조용도	조세심판	501	조은지	북광주서	369	조주현	동화성서	260
조선미	중부청	228	조숙연	중부서	228	조용래	기재부	79	조은하	북부산서	445	조주환	서울청	156
조선영	경기광주	249	조숙현	동울산서	456	조용문	제주서	474	조은해	부산진서	445	조주희	서울청	155
조선영	대전청	319	조순행	영덕서	425	조용민	조세심판	501	조은희	서울청	144	조주희	강동서	164
조선영	부산청	433	조슬기	관악서	168	조용석	서울청	156	조은희	동대문서	181	조준	금천서	172
조선영	지방재정	498	조승연	부산청	436	조용석	서울청	159	조은희	역삼서	203	조준기	원주서	273
조선제	부산청	436	조승철	안산서	251	조용수	서울청	160	조은희	은평서	209	조준서	남대구서	403
조선진	송파서	198	조승현	경주서	415	조용식	남인천서	287	조은희	중부서	217	조준석	대전서	322
조선형	기재부	83	조승호	기재부	78	조용식	익산서	388	조은희	속초서	268	조준식	군산서	383
조선희	기재부	88	조승호	서울청	153	조용식	지방재정	498	조은희	김포서	299	조준영	인천청	282
조선희	동작서	182	조식	안동서	422	조용우	청주서	352	조익현	지방재정	498	조준영	정읍서	392
조선희	용산서	207	조아라	관악서	169	조용재	평택서	258	조인국	삼덕회계	15	조준영	양산서	466
조성광	강서서	167	조아라	남대문서	177	조용재	중부청	228	조인순	부산진서	444	조준영	법무율촌	54
조성구	춘천서	274	조아라	서초서	192	조용진	동안양서	238	조인애	서대구서	408	조준우	북부산서	447
조성권	김앤장	51	조아라	동안양서	238	조용택	부산청	436	조인영	강서서	166	조준국	광교법인	36
조성규	강남서	162	조아라	분당서	240	조용현	중부산서	453	조인옥	동작서	183	조준철	익산서	388
조성덕	인천청	280	조아라	성남서	243	조용호	부천서	304	조인정	서울청	151	조준호	중기회	111
조성래	국세청	127	조아라	서인천서	290	조용호	김해서	462	조인찬	부천서	304	조준호	부산청	437
조성래	대구청	395	조아로미	택스홈	42	조용환	김앤장	51	조인태	영월서	271	조준환	동대구서	404
조성래	대구청	397	조아름	송파서	198	조용희	수영서	451	조인혁	서울청	156	조중연	기재부	83
조성래	대구청	398	조양선	남부천서	303	조용희	삼덕회계	15	조인호	남인천서	286	조중연	역삼서	203
조성래	동울산서	457	조언혜	경주서	414	조우리	조세재정	502	조일수	중랑서	215	조중현	인천서	292
조성리	강서서	167	조연	보령서	333	조우숙	강서서	166	조일숙	서울청	145	조중훈	서인천서	290
조성목	영등포서	205	조연상	동대문서	181	조우정	강산서	364	조일영	태평양	58	조지영	중부서	117
조성문	마포서	185	조연숙	대전청	316	조우진	천안서	343	조일제	분당서	241	조지영	중부서	217
조성문	남양주서	234	조연우	남양주서	234	조운학	성동서	195	조일훈	중부청	224	조지영	전주서	391
조성민	안동서	423	조연종	남원서	385	조원석	인천청	284	조자허	기재부	75	조지현	고양서	294
조성빈	천안서	342	조연주	동울산서	456	조원영	성동서	195	조재규	대전청	320	조지현	구리서	230
조성수	국세청	119	조연화	부천서	305	조원영	상주서	420	조재량	남부천서	303	조지현	인천청	282
조성수	분당서	241	조영경	강릉서	265	조원영	딜로이트	13	조재범	서울청	149	조지현	천안서	342
조성수	동울산서	456	조영규	이천서	257	조원준	강서서	166	조재범	강서서	167	조진동	인천서	282
조성식	중부서	216	조영기	연수서	306	조원형	구로서	171	조재범	북대구서	406	조진배	지방재정	498
조성연	서광주서	371	조영두	광주서	366	조원희	중부청	225	조재성	금정서	441	조진숙	서울청	160
조성애	인천서	293	조영란	목포서	374	조원희	거창서	460	조재성	서부산서	449	조진욱	국세청	115
조성오	송파서	199	조영래	중부청	226	조원희	지방재정	498	조재승	양산서	467	조진용	서울세관	483
조성용	서울청	147	조영록	중부청	223	조유리	여수서	378	조재연	광주서	366	조진한	한국세무	27
조성용	마포서	185	조영문	인천세무	30	조유영	인천서	292	조재영	서울청	156	조진형	중기회	111
조성용	부산청	434	조영미	구로서	170	조유정	영주서	367	조재영	남대구서	403	조진희	조세심판	500
조성우	국세청	131	조영미	구리서	231	조유진	대전서	323	조재완	국세교육	136	조찬우	기재부	81
조성욱	익산서	388	조영빈	동화성서	261	조유흠	서울청	145	조재웅	부천서	304	조창국	중부청	222
조성욱	국세청	117	조영상	인천세관	487	조윤경	인천청	284	조재웅	법무광장	53	조창규	용산서	206
조성욱	삼일회계	16	조영수	남양주서	235	조윤경	남인천서	286	조재일	기재부	78	조창상	기재부	78
조성원	송파서	198	조영수	통영서	473	조윤경	서광주서	371	조재일	대구청	399	조창일	국세청	122
조성원	용인서	254	조영숙	목포서	374	조윤미	국세상담	134	조재천	울산서	459	조창일	안산서	250
조성은	감사원	70	조영숙	북전주서	387	조윤방	강릉서	264	조재평	성동서	194	조창현	국세청	123
조성익	감사원	71										조창호	삼일회계	16

이름	소속	번호
조채연	원주서	273
조채영	광명서	296
조천령	종로서	212
조철	부산세관	490
조철호	남대구서	402
조초희	서인천서	290
조춘옥	김포서	299
조충행	금융위	93
조치상	대전서	323
조치원	세종서	337
조태복	법무광장	53
조태성	부산청	433
조태욱	포천서	313
조태희	기재부	83
조태희	대전서	323
조판규	종로서	213
조하나	반포서	186
조하나	수원서	244
조하영	동청주서	346
조학래	동울산서	457
조학래	태평양	58
조학준	평택서	259
조한경	강남서	162
조한규	북대전서	325
조한규	구미서	417
조한덕	고양서	295
조한민	대전서	323
조한솔	국세청	118
조한송	성동서	194
조한식	서초서	192
조한아	종로서	213
조한영	금천서	173
조한용	동대문서	180
조한우	화성서	262
조한정	화성서	262
조한진	관세청	478
조한철	삼일회계	16
조항진	대전청	316
조해동	고양서	294
조해영	중랑서	215
조해원	삼척서	266
조해윤	속초서	269
조해일	중부청	224
조해정	기흥서	232
조해정	나주서	372
조행순	동수원서	236
조헌일	강서서	167
조현	부산청	434
조현경	동청주서	347
조현관	인천청	281
조현구	대전청	318
조현국	부천서	305
조현국	해남서	380
조현덕	남대구서	403
조현두	기재부	84
조현민	수원서	244
조현선	국세청	131
조현성	화성서	263
조현수	양천서	200
조현숙	삼척서	266
조현승	양천서	201
조현아	마포서	185
조현아	마산서	465
조현옥	법인하나	41
조현용	진주서	469
조현우	원주서	273
조현은	도봉서	178
조현종	남인천서	286
조현주	구리서	230
조현주	반포서	187
조현준	천안서	342
조현준	남대구서	402
조현지	서인천서	291
조현진	기재부	87
조현진	서울청	149
조현진	포항서	429
조현진	부산청	436
조현진	부산청	438
조현진	금정서	441
조현철	강서서	167
조현태	구미서	416
조현하	경기광주	249
조현혜	지방재정	499
조현희	은평서	208
조현희	강릉서	264
조현희	서산서	334
조형구	남양주서	234
조형래	금정서	440
조형래	법인화우	57
조형석	양천서	200
조형석	부산청	434
조형오	전주서	391
조형주	부산청	437
조형준	택스홈	42
조형진	지방재정	499
조혜민	성북서	197
조혜민	안산서	250
조혜민	서대전서	327
조혜빈	기재부	85
조혜숙	동화성서	260
조혜연	서울청	141
조혜영	청주서	353
조혜영	군산서	383
조혜영	서울청	148
조혜윤	동수원서	452
조혜윤	중부산서	452
조혜진	고양서	295
조혜진	조세심판	500
조혜진	국세청	120
조혜진	용인서	254
조혜진	인천청	280
조혜진	광주서	366
조혜진	조세재정	502
조호령	성남서	242
조호연	북광주서	368
조호연	대구서	408
조호철	국세주류	132
조호형	순천서	377
조홍규	사서	459
조홍기	서울청	161
조홍섭	동래서	443
조홍우	군산서	382
조홍우	부산서	452
조홍준	강동서	165
조화경	서광주서	370
조화진	지방재정	499
조환연	용인서	255
조효숙	기재부	83
조효신	구리서	231
조효원	남부천서	302
조훈연	청주서	352
조흥기	기재부	255
조희근	평택서	259
조희성	서울청	156
조희숙	동수원서	236
조희숙	서울청	158
조희정	중부청	221
조희정	분당서	240
조희정	이천서	257
조희정	부산청	438
조희정	서울청	160
조희진	용인서	255
조희평	조세재정	503
조희평	조세재정	503
종만	홍성서	344
좌용준	제주서	474
좌용훈	제주서	474
좌현미	화성서	262
주강석	조세심판	500
주경관	안산서	250
주경섭	관악서	168
주경탁	구로서	171
주경희	고양서	294
주관종	북대전서	324
주광수	부산서	438
주구종	서대전서	327
주군선	신대동	48
주기영	동화성서	261
주기환	금천서	173
주나라	영등포서	205
주남균	조세재정	503
주동철	도봉서	178
주란	인천서	343
주맹식	울산서	458
주명오	대구서	399
주명진	대전서	319
주명진	동래서	442
주명화	서울청	145
주미균	남부산서	447
주미영	국세청	125
주미진	구리서	231
주민석	국세청	131
주민희	남부천서	302
주민희	부천서	304
주민준	세정서	149
주병욱	기재부	86
주보영	연수서	306
주보은	부산청	432
주상철	예일회계	21
주상희	기재부	77
주선규	강릉서	265
주선돈	동울산서	457
주선영	서울청	140
주선영	북광주서	369
주선정	인천청	284
주성렬	인천세관	488
주성민	동울산서	456
주성숙	김포서	298
주성옥	서울청	145
주성용	성동서	195
주성재	강서서	166
주성준	태평양	58
주성진	분당서	240
주성태	역삼서	203
주성희	도봉서	178
주세정	서울청	144
주세훈	기재부	81
주소미	남인천서	287
주소연	성남서	243
주소희	경기광주	248
주송현	광주청	359
주수미	용산서	206
주승연	인천청	281
주승윤	인천청	282
주시경	인천세관	485
주시경	인천세관	486
주아라	양산서	466
주아람	남대문서	175
주아라	반포서	187
주애란	의정부서	309
주연봉	여수서	379
주연신	수영서	450
주영상	용삼서	203
주영석	송파서	199
주영진	인천세무	30
주오식	서부산세관	449
주온슬	광주청	363
주용태	서초서	192
주용호	삼성서	189
주우성	북대구서	406
주원숙	국세청	124
주유숙	반포서	187
주윤아	역삼서	203
주윤정	반포서	186
주용호	기재부	81
주은경	충주서	354
주은미	경기광주	249
주은상	여수서	378
주은영	북광주서	368
주은진	창원서	471
주은화	역삼서	203
주자연	동수원서	237
주자환	해운대서	454
주재관	서초서	192
주재명	수원서	245
주재만	조세재정	503
주재임	성북서	197
주재정	광주서	366
주재채	대전청	317
주재현	조세심판	500
주정권	공주서	328
주정일	삼일회계	16
주정희	남양주서	145
주종기	부산청	433
주종휘	북부산서	446
주지홍	부산서	436
주지훈	김해서	463
주진선	경기광주	249
주진선	논산서	330
주진아	안산서	250
주진영	중랑서	214
주철우	북부산서	446
주충용	화성서	262
주태영	원주서	273
주태용	남양주서	234
주평하	화성서	262
주하나	안산서	250
주해인	기재부	82
주향미	남양주서	235
주현경	양천서	200
주현민	지방재정	499
주현식	반포서	187
주현아	국세청	116
주현아	서울청	160
주현정	구미서	417
주현철	순천서	376
주형렬	부산청	433
주형열	북대전서	325
주혜령	중부서	217
주혜영	마포서	184
주혜진	기재부	87
주혜진	창원서	470
주홍준	경주서	415
주환욱	대전청	319
주효종	금천서	172
주희의	나주서	373
주희정	남대문서	174
지경덕	양천서	201
지광민	영월서	270
지광철	기재부	87
지다슬	기재부	90
지대진	파주서	310
지대현	대전청	316
지만	마산서	465
지민경	동화성서	260
지민규	동안양서	238
지민정	택스홈	42
지상근	중랑서	215
지상수	남대문서	174
지상수	대전청	321
지상용	강남서	198
지상준	국세청	131
지상현	이안법인	45
지서연	강남서	163
지선영	중부청	228
지성	국세청	118
지성근	중부청	275
지성근	인천세관	486
지성수	서울청	160
지성은	청주서	201
지소영	청주서	353
지소정	남대문서	176
지수	김포서	299
지슬찬	대전청	316
지승룡	익산서	388
지승훈	국세청	116
지신영	종로서	213
지연우	동작서	183
지연주	부산청	434
지영근	조세심판	501
지영미	기재부	87
지영웅	서울청	342
지영주	파주서	310
지영진	북대전서	325
지영희	성북서	263
지영환	강릉서	265
지용권	용인서	255
지용수	광교법인	36
지우석	부산청	434
지운영	금감원	97
지유미	안산서	250
지유미	세원법인	43
지윤서	기재부	87
지은섭	성북서	197
지은정	송파서	340
지임구	고양서	294
지장근	국세상담	134
지장근	조세심판	500
지재기	금정서	441
지재홍	부산청	437
지점숙	서울청	145
지정국	북광주서	369
지정인	안양서	252
지정훈	포천서	313
지원원	금감원	96
지창익	이천서	257
지충환	보령서	333
지행주	목포서	374
지현민	김해서	462
지현배	마포서	184
지현철	제주서	474
지혜림	광산서	365
지혜수	강남서	163
지혜연	광주서	366
지혜조	기재부	83
진강렬	기재부	75
진경	북인천서	289
진경숙	나주서	372
진경준	전주서	469
진경천	상공회의	109
진경천	상공회의	110
진경철	부천서	304
진경화	도봉서	179
진경희	제주서	474
진관수	중부서	217
진나현	평택서	258
진남식	서광주서	371
진누리	목포서	374
진덕용	상공회의	109
진덕화	중랑서	214
진동권	전주서	390
진동욱	평택서	258
진문수	서광주서	370
진미란	영주서	426
진미선	서대문서	190
진민정	강남서	163
진민정	고양서	294
진병환	남대문서	177
진병훈	서울청	141
진보람	원주서	272
진상철	용인서	254
진석주	창원서	470
진선미	국회정무	68
진선미	동울산서	456
진선영	금융위	93
진선조	서울청	161
진선호	강남서	163
진선홍	기재부	77
진성민	남대문서	174
진성욱	동대문서	181
진성호	부산진서	444
진소영	대전서	323
진소연	구미서	416
진소현	구리서	231
진솔	수원서	245
진수미	서울청	152
진수민	중부청	220
진수민	청주서	352
진수영	국세주류	132
진수정	서울청	158
진수진	수원서	244
진수현	서울청	141
진순자	세종서	336
진승은	서초서	193
진승들	인천청	280
진승호	시흥서	246
진승환	천안서	343
진승환	김앤장	51
진실화	북전주서	386
진언지	김천서	419
진영근	남인천서	287
진영상	안양서	252
진영석	속초서	268
진영한	구리서	230
진영희	동청주서	346
진예슬	중부서	216
진용미	화성서	263
진용훈	광주서	367
진우영	동울산서	457
진우형	국세청	129
진유신	부산청	433
진윤영	성남서	242
진윤지	역삼서	203
진은주	강남서	458
진인수	중부서	216
진재경	중부서	217
진재화	중부청	222
진정	순천서	377
진정록	용산서	206
진정욱	서대전서	326
진정호	강동서	164
진종범	춘천서	275
진종욱	국세청	131
진종희	부산진서	444
진주연	이천서	256
진주화	남양주서	234
진주회	김포서	298
진준식	수성서	411
진중기	광주서	366

이름	소속	쪽
진채영	해운대서	454
진태호	조세재정	504
진판곤	지방재정	499
진평일	국세청	119
진한일	서울청	144
진항미	분당서	241
진혁환	국세청	367
진현덕	마산서	465
진현서	용산서	206
진현정	아산서	338
진현탁	진주서	468
진현호	창원서	471
진형석	은평서	209
진혜경	마포서	184
진혜정	서울청	154
진혜진	인천청	285
진호근	통영서	472
진호범	남부천서	302
진홍탁	중랑서	214
진효영	중부산서	453
진훈미	서부산서	448
진휘철	삼일회계	17
진희성	서울청	159

大

이름	소속	쪽
차건수	대전청	317
차경진	광주청	363
차광섭	국세청	130
차규상	수영서	450
차기숙	동울산서	456
차나리	국세상담	135
차나리	서인천서	290
차동희	은평서	149
차무중	은평서	209
차무환	부산청	432
차미선	서울청	141
차민식	마산서	465
차보미	대전청	320
차상두	광주세관	495
차상두	광주세관	496
차상윤	익산서	389
차상훈	국세청	130
차선영	서울청	160
차선주	중부청	228
차성수	용인서	255
차세원	인천서	293
차송근	용인서	255
차수빈	국세청	114
차수빈	마포서	185
차수빈	고양서	294
차순백	강서서	166
차순조	서울청	144
차순화	용인서	254
차승기	역삼서	202
차양호	성동서	195
차연수	안산서	251
차연아	인천서	292
차연주	서대문서	191
차연호	기재부	75
차영석	동화성서	260
차영준	광주청	390
차예슬	국세청	116
차용철	청주서	352
차용희	은평서	209
차원영	강남서	163
차유경	중부서	217
차유곤	순천서	376
차유나	안산서	250
차유라	서울청	161
차유미	강서서	167
차유해	용산서	207
차윤주	부산진서	444
차윤중	구리서	230
차은규	대전서	322
차은영	안산서	251
차은정	남대문서	176
차은정	나주서	372
차일규	삼일회계	16
차일현	인천서	292
차재익	동대구서	404
차정미	영등포서	204
차정우	제주서	474
차정환	북대전서	325
차종언	대구청	401
차주황	고시회	31
차준형	남부천서	302
차중협	남대문서	174
차지연	인천서	280
차지연	순천서	377
차지원	세종서	336
차지인	강남서	163
차지해	금천서	172
차지현	동대문서	181
차지훈	국세청	125
차지훈	삼척서	266
차진선	서울청	143
차현근	성동서	194
차혜진	서울청	156
차호현	국세상담	135
차화윤	충주서	355
채가람	지방재정	499
채가환	시흥서	246
채경수	국세상담	135
채경아	지방재정	498
채규욱	북부산서	447
채규상	북전주서	386
채규홍	서울청	150
채만식	영주서	426
채명석	순천서	376
채백리	남대구서	407
채명훈	남부천서	303
채문석	남대문서	176
채미언	국세청	402
채미옥	인천청	281
채민재	시흥서	246
채민정	마포서	185
채민호	도봉서	178
채민화	서울청	156
채백서	중부세무	29
채보경	기재부	74
채봉규	관세청	477
채상윤	동안양서	238
채상조	기흥서	232
채상철	국세청	120
채상인	북대전서	325
채성운	경산서	413
채성호	안산서	251
채성임	기흥서	232
채송화	서인천서	290
채수민	서대문서	191
채수정	기재부	88
채수정	익산서	388
채수필	국세주류	132
채수향	반포서	186
채옥경	나주서	372
채승아	동래서	442
채승완	태평양	58
채양숙	경주서	415
채여정	국세청	129
채연기	창원서	471
채연이	성북서	196
채연식	이천서	257
채연아	중부서	214
채연학	김포서	299
채여지	동고양서	300
채용민	서초서	192
채용찬	종로서	212
채우리	북광주서	368
채웅길	국세청	126
채원식	파주서	311
채유진	고양서	294
채은정	국세상담	135
채정균	인천세관	486
채정석	남양주서	234
채정현	국회정무	67
채정화	포천서	313
채정환	서초서	192
채정훈	북대구서	406
채종성	법무율촌	54
채종길	서울청	144
채종철	성북서	196
채종희	양천서	200
채주희	대구청	397
채준석	북전주서	386
채준형	수원서	245
채중숙	중부청	222
채지원	인천세무	30
채지유	송파서	198
채진병	인천서	293
채진우	국세청	114
채충모	한국관세	46
채충우	포항서	428
채칠용	중부청	228
채한기	서대전서	433
채현경	성북서	197
채현석	영등포서	205
채현숙	지방재정	499
채혜란	북인천서	289
채혜미	연수서	307
채혜빈	중부청	224
채혜정	삼성서	188
채호정	동안양서	239
채홍선	충주서	354
채화영	서광주서	370
채희문	북인천서	288
채희열	관세청	479
채희열	더택스	39
채희원	안양서	253
채희원	성동서	194
채희준	천안서	343
천경식	광주서	366
천경필	양천서	200
천근영	국세청	131
천금미	서울청	145
천기문	포항서	428
천명길	중부청	220
천명일	정읍서	392
천명일	강서서	166
천문희	국세상담	134
천미영	송파서	199
천미영	연수서	307
천미영	구미서	416
천민아	진주서	468
천민지	기재부	78
천병선	중부청	220
천병희	순천서	377
천상미	서산서	334
천상규	김천서	418
천새봄	용산서	207
천서정	목포서	375
천선경	인천서	242
천세훈	국세상담	135
천소현	동화성서	260
천수진	인천서	293
천승렬	구미서	416
천승리	진주서	468
천승이	진주서	469
천승범	종로서	212
천승현	원주서	272
천영익	예일법인	44
천영평	지방재정	499
천영현	역삼서	202
천영환	성동서	194
천용욱	창원서	470
천우남	남원서	384
천원철	금정서	440
천은영	대전청	318
천인호	광명서	296
천일	잠실서	210
천재도	인천청	283
천정희	남대구서	402
천주석	국세청	128
천준호	지방재정	498
천지연	기재부	75
천지연	순천서	377
천진영	익산서	389
천진해	국세상담	135
천진호	동화성서	260
천태근	부산진서	445
천해인	서울청	159
천혜영	중부세무	29
천혜정	북인천서	289
천현식	인천청	280
천현창	기재부	76
천혜미	중부청	225
천혜미	동울산서	457
천혜빈	서초서	192
천혜영	고시회	31
천혜원	지방재정	498
천혜진	수원서	244
천호철	서부산서	449
천효순	서부산서	448
천효심	대구청	398
최가람	서울청	146
최가은	국세청	200
최가인	광주서	366
최갑순	양산서	467
최갑진	서대전서	327
최강식	부산청	432
최강욱	국회법제	66
최강현	국세청	131
최건희	전주서	391
최경남	기재부	77
최경락	이천서	257
최경모	종로서	212
최경민	포항서	429
최경민	조세심판	501
최경애	북전주서	386
최경수	제주서	475
최경아	제천서	351
최경인	동울산서	457
최경인	서대전서	326
최경준	북인천서	289
최경철	성동서	194
최경하	수원서	244
최경하	동청주서	347
최경호	잠실서	211
최경화	원주서	273
최경화	의정부서	309
최경화	경산서	413
최경희	도봉서	178
최경희	마산서	464
최고든	군산서	383
최고은	관악서	169
최고은	안산서	251
최고은	해운대서	454
최고진	동래서	443
최관수	기재부	78
최광민	인천청	283
최광백	태평양	58
최광석	안산서	250
최광식	금감원	103
최광신	충주서	354
최광신	역삼서	203
최광신	평택서	259
최교학	딜로이트	13
최권호	광주청	363
최규균	택스홈	42
최규선	영월서	271
최규식	서초서	193
최규종	상공회의	109
최규철	기재부	84
최규한	서인천서	291
최규환	법무율촌	54
최근선	서울청	125
최근식	동래서	442
최근영	마포서	185
최근재	수성서	410
최근창	강동서	164
최근형	평택서	258
최근호	국세청	116
최금년	대전청	318
최금주	조세재정	504
최금희	서초서	192
최기상	국회법제	66
최기순	서산서	335
최기영	국세청	129
최기영	성북서	196
최기영	중부청	228
최기영	대구청	396
최기용	대구청	397
최기웅	성북서	196
최기웅	서울청	199
최기원	창원서	470
최기환	강서서	167
최길만	양산서	364
최길섭	파주서	311
최길섭	반포서	186
최길숙	서울청	144
최나연	금천서	172
최나연	기재부	85
최나영	구리서	231
최나은	기재부	88
최낙훈	여수서	378
최남숙	대구청	396
최남오	기재부	89
최남원	동작서	182
최남철	서울청	159
최누리	구리서	230
최능하	인천세관	485
최능하	인천세관	486
최다솜	홍성서	345
최다예	시흥서	247
최다혜	고양서	295
최다혜	광주서	367
최달영	감사원	70
최대림	창원서	471
최대선	기재부	77
최대현	동래서	443
최덕선	강릉서	265
최덕희	기재부	75
최도석	서울청	155
최도영	경산서	413
최돈섭	속초서	268
최돈희	중부청	224
최동근	안양서	253
최동기	중부청	224
최동락	동화성서	261
최동석	동울산서	456
최동수	남대문서	177
최동일	서울청	153
최동주	용인서	255
최동준	김포서	298
최동진	김앤장	51
최동진	대전청	320
최동혁	서울청	157
최동혁	서울청	158
최동호	기재부	78
최동호	공주서	329
최동휘	구리서	230
최두위	동안양서	239
최두환	중부청	452
최락진	중부청	227
최만림	지방재정	498
최면석	부산청	434
최명	안산서	251
최명길	부산청	439
최명상	안산서	251
최명석	인천서	293
최명선	포천서	312
최명순	인천청	283
최명식	남대문서	174
최명일	국세청	122
최명준	서울청	160
최명진	중부청	226
최명현	강남서	163
최명호	안산서	251
최명화	동안양서	238
최명환	통영서	473
최명현	은평서	208
최문경	강서서	166
최문기	법무바른	1
최문석	광대문서	180
최문영	광주청	360
최문자	북광주서	368
최문재	관악서	169
최미경	마포서	184
최미경	중랑서	215
최미경	중부청	223
최미경	군산서	382
최미경	서부산서	449
최미나	북대구서	406
최미녀	중부산서	452
최미란	서울청	161
최미란	안양서	252
최미란	전주서	391
최미란	영주서	426
최미르	수영서	450
최미리	서울청	144
최미리	서울청	144
최미선	서울청	158
최미선	조세재정	504
최미숙	광주청	152
최미숙	강서서	167
최미숙	인천서	293
최미숙	대전청	320
최미순	동작서	182
최미애	부천서	429
최미영	성동서	195
최미영	안산서	250
최미영	인천청	280

이름	소속	번호	이름	소속	번호	이름	소속	번호	이름	소속	번호	이름	소속	번호
최미영	인천청	280	최상대	기재부	78	최성찬	제천서	350	최시온	중랑서	214	최영호	서울청	150
최미영	광산서	364	최상덕	수영서	451	최성태	한국관세	46	최시원	조세재정	504	최영호	동작서	182
최미영	조세재정	503	최상림	구리서	231	최성한	충주서	355	최시은	대전청	316	최영호	수영서	450
최미영	조세재정	503	최상만	국세청	116	최성현	삼척서	266	최시은	서광주서	371	최영환	서울청	161
최미영	조세재정	504	최상복	평택서	259	최성호	감사원	69	최시훈	기재부	83	최영환	양천서	200
최미옥	송파서	199	최상복	대구청	398	최성호	국세청	114	최신애	부산청	436	최영환	분당서	240
최미옥	구리서	230	최상선	천안서	343	최성호	서울청	144	최신호	광주서	366	최영환	인천서	292
최미자	역삼서	203	최상연	서울청	145	최성호	대전청	320	최아라	남부천서	303	최영환	관세청	478
최미정	중부청	224	최상연	인천서	292	최성희	잠실서	210	최아라	동래서	443	최영환	고시회	31
최미혜	목포서	374	최상연	서광주서	370	최성희	중부청	229	최아현	역삼서	203	최영훈	국세청	123
최미희	인천청	280	최상운	여수서	378	최성환	해운대서	455	최안나	경기광주	248	최예나	조세재정	504
최민	대전청	318	최상운	중부청	220	최성환	광명서	296	최안욱	김해서	463	최예린	서광주서	371
최민경	서울청	146	최상원	법인삼룡	40	최세라	용산서	206	최애련	부천서	305	최예숙	북인천서	288
최민경	인천청	285	최상임	송파서	198	최세미	성동서	194	최여은	성동서	194	최예영	김해서	462
최민교	기재부	81	최상재	중부청	222	최세영	남양주서	234	최연	기재부	82	최예은	삼성서	188
최민규	도봉서	178	최상채	서초서	193	최세영	부산청	436	최연구	고양서	295	최오동	서울청	141
최민규	광명서	297	최상혁	관악서	168	최세영	고시회	31	최연규	구리서	230	최오미	국세청	116
최민서	평택서	259	최상혁	광주서	366	최세우	부천서	305	최연규	기재부	76	최오구	중부청	222
최민석	동작서	183	최상형	논산서	330	최세운	시흥서	246	최연덕	제주서	474	최옥미	부천서	304
최민석	경기광주	248	최새록	경기광주	249	최세진	용산서	206	최연선	기재부	79	최완규	시흥서	247
최민석	대구청	397	최서나	서울청	145	최세현	전주서	391	최연수	광주서	363	최완규	춘천서	275
최민수	역삼서	202	최서연	부산세관	489	최세희	동작서	183	최연수	관세청	478	최완규	파주서	311
최민식	부산청	439	최서영	천안서	342	최소라	성동서	195	최연옥	영동서	348	최요환	인천청	281
최민애	성남서	242	최서우	창원서	470	최소영	잠실서	210	최연우	원주서	273	최용	경기광주	249
최민우	서대전서	326	최서윤	강동서	164	최소영	분당서	241	최연욱	중부청	220	최용국	동래서	443
최민정	강서서	166	최서윤	고양서	295	최소영	평택서	259	최연재	인천세관	486	최용규	양천서	201
최민정	서대문서	191	최서윤	진주서	468	최소윤	동래서	443	최연정	용산서	213	최용근	잠실서	210
최민정	대전서	322	최서진	남대문서	175	최솔	서울청	147	최연주	중부청	221	최용민	서초서	193
최민준	동래서	442	최서진	북대전서	324	최솔잎	택스홈	42	최연주	북인천서	289	최용복	강동서	165
최민지	성동서	195	최서진	천안서	342	최송아	삼성서	189	최연평	보령서	332	최용복	제천서	350
최민지	대전서	322	최서현	세종서	336	최송엽	평택서	258	최연하	서울청	145	최용선	인천서	293
최민지	지방재정	498	최석운	북인천서	289	최수경	고양서	294	최연희	구로서	170	최용섭	서산서	334
최민혜	동화성서	261	최석영	안양서	252	최수미	국세상담	134	최연희	중부청	221	최용세	국세청	122
최민희	서울청	158	최석종	화성서	262	최수민	국세청	125	최연희	광주서	366	최용우	강서서	167
최방석	정읍서	392	최선	순천서	377	최수빈	국세청	119	최연희	북광주서	368	최용준	시흥서	246
최방주	지방재정	499	최선경	수영서	450	최수빈	서울청	160	최영	동안양서	239	최용진	종로서	212
최범식	동대문서	181	최선규	마포서	185	최수식	마산서	464	최영권	인천청	319	최용진	파주서	311
최병곤	인천세무	30	최선균	서울청	141	최수연	도봉서	179	최영근	전주서	390	최용철	국세청	126
최병구	국세청	120	최선근	수성서	410	최수연	중부서	216	최영둘	대전청	318	최용태	평택서	258
최병구	포항서	428	최선미	중부청	226	최수영	익산서	389	최영락	기재부	90	최용호	금융위	93
최병국	마포서	185	최선미	대전청	318	최수영	국세청	116	최영란	조세재정	502	최용호	금융위	93
최병국	시흥서	247	최선숙	중부서	216	최수정	영등포서	205	최영미	동수원서	236	최용호	수원서	244
최병기	대전청	321	최선우	서울청	153	최수정	분당서	241	최영미	청주서	353	최용화	평택서	258
최병달	동대구서	404	최선우	통영서	472	최수정	수성서	411	최영보	성북서	196	최용환	법무율촌	54
최병문	포천서	312	최선이	강남서	163	최수종	대전청	320	최영봉	서울청	152	최용훈	부천서	305
최병분	충주서	354	최선재	조세심판	501	최수지	인천청	280	최영선	부산청	432	최용훈	대구청	396
최병석	서울청	154	최선주	중부서	216	최수진	동대문서	181	최영수	동고양서	301	최용훈	영덕서	425
최병석	강남서	162	최선주	대구청	398	최수진	군산서	383	최영숙	은평서	209	최용훈	양산서	467
최병용	홍천서	277	최선학	서울청	152	최수진	김천서	418	최영숙	아산서	338	최우녕	김포서	299
최병우	구로서	171	최선혜	의정부서	308	최수진	중부산서	453	최영실	양천서	201	최우석	기재부	84
최병웅	부산세관	490	최선호	서초서	193	최수현	강남서	162	최영아	구로서	171	최우석	중부청	228
최병윤	순천서	376	최선호	용산서	207	최수현	중부서	275	최영우	국세청	116	최우석	삼척서	266
최병익	국세교육	137	최선희	서울청	141	최수현	목포서	375	최영우	춘천서	275	최우성	국세청	127
최병일	광교법인	35	최선희	남대문서	177	최수현	부산청	432	최영우	삼정회계	19	최우성	화성서	262
최병재	인천청	280	최선희	남대구서	402	최숙경	삼성서	438	최영우	중부세무	29	최우성	지방재정	498
최병준	경산서	412	최설향	영등포서	205	최숙현	서울청	160	최영윤	화성서	263	최우신	삼성서	188
최병철	부산청	436	최설희	안양서	253	최숙희	용인서	254	최영은	서초서	192	최우영	경기광주	249
최병태	강서서	167	최성관	익산서	388	최순분	수영서	450	최영은	북대구서	406	최우영	아산서	338
최병하	익산서	388	최성규	서울청	140	최순옥	북광주서	368	최영인	남대문서	176	최우영	북대구서	407
최보라	의정부서	309	최성균	서울청	145	최순용	양천서	201	최영일	인천청	285	최우영	부산청	434
최보람	여수서	379	최성도	중부청	227	최순의	구로서	171	최영일	이천서	257	최우일	강서서	166
최보령	국세청	122	최성례	안산서	250	최순희	북전주서	386	최영임	광주청	360	최우정	김포서	299
최보문	서울청	146	최성미	마포서	185	최슬기	국세청	130	최영임	목포서	375	최우진	동청주서	347
최보미	북인천서	289	최성미	서대전서	327	최슬기	마포서	185	최영정	기재부	78	최우현	수원서	245
최보선	택스홈	42	최성민	기재부	83	최슬기	강릉서	265	최영조	성남서	243	최욱경	진주서	468
최보영	강서서	166	최성민	안양서	252	최슬기	포천서	313	최영주	중부청	224	최욱진	안산서	251
최보영	분당서	241	최성민	김해서	463	최슬기	예산서	341	최영주	광주청	360	최욱수	도봉서	178
최보영	광주청	363	최성배	북광주서	368	최승규	북인천서	289	최영준	국세상담	135	최운한	서울청	152
최보윤	파주서	310	최성순	종로서	213	최승덕	거창서	461	최영준	동화성서	261	최웅	강남서	163
최보윤	동울산서	456	최성식	한국관세	46	최승복	동안양서	238	최영준	천안서	342	최웅	은평서	208
최보현	서대문서	191	최성실	동대구서	404	최승식	천안서	343	최영준	광주청	357	최원규	광주청	362
최복기	평택서	258	최성열	기재부	89	최승식	삼성서	157	최영준	광주청	361	최원길	용산서	206
최복례	북전주서	386	최성영	북인천서	289	최승오	서대전서	326	최영준	광주청	362	최원모	강남서	163
최봉석	기재부	87	최성영	기재부	80	최승웅	딜로이트	13	최영준	조세재정	502	최원봉	국세청	125
최봉수	국세청	120	최성영	기재부	81	최승일	삼성서	120	최영지	삼성서	188	최원석	종로서	213
최봉순	양산서	466	최성영	남인천서	287	최승재	북광주서	368	최영지	국세청	118	최원수	대구청	399
최봉순	중부세무	29	최성욱	의정부서	308	최승철	강릉서	264	최영진	종로서	213	최원영	강동서	164
최봉순	광교법인	35	최성은	조세재정	503	최승필	반포서	186	최영진	기흥서	232	최원우	동울산서	457
최삼영	중부청	220	최성일	국세청	114	최승혁	상주서	420	최영철	청주서	353	최원우	택스홈	42
최상	서울청	147	최성일	서울청	141	최승훈	시흥서	247	최영철	목포서	374	최원익	홍천서	277
최상구	기재부	76	최성일	서울청	158	최승훈	영주서	426	최영철	수영서	450	최원일	서현이현	7
최상권	서현이현	7	최성임	예일법인	44	최승훈	진주서	469	최영학	서울청	154	최원제	포항서	428
최상권	서현이현	7	최성임	동울산서	456	최승훈	조세재정	503	최영현	국세교육	137	최원호	영등포서	204
최상규	구미서	417	최성준	해운대서	455	최시영	기재부	78	최영현	삼성서	188	최원태	마산서	465
최상대	기재부	76	최성진	기재부	89				최영현	영등포서	204	최원택	전주서	391
최상대	기재부	77	최성찬	국회재정	63				최영호	국세청	116	최원현	북대전서	325

562

성명	부서	쪽	성명	부서	쪽	성명	부서	쪽	성명	부서	쪽	성명	부서	쪽
최원화	성동서	194	최은영	수성서	411	최재영	상주서	420	최준민	광산서	365	최찬규	중부청	224
최원희	도봉서	178	최은영	삼정회계	18	최재용	부산진서	444	최준성	중부청	226	최찬휘	중부청	226
최원희	성북서	196	최은옥	서인천계	290	최재우	양산서	466	최준성	역삼서	202	최찬배	지방재정	498
최유건	동작서	182	최은유	서대문서	191	최재원	기재부	85	최준영	대전서	323	최찬오	태평양	58
최유나	동고양서	301	최은정	삼성서	189	최재은	경산서	412	최준영	국세청	251	최창경	용산서	207
최유나	서대구서	408	최은정	서초서	192	최재일	익산서	389	최준욱	조세재정	503	최창근	삼성서	189
최유리	서대전서	327	최은정	잠실서	210	최재진	중부청	227	최준웅	성북서	196	최창덕	감사원	71
최유미	조세심판	500	최은정	남부천서	303	최재철	종로서	213	최준재	서인천서	291	최창무	광주서	367
최유성	김포서	298	최은주	서초서	193	최재해	감사원	69	최준호	영덕서	425	최창배	북부산서	453
최유연	용인서	255	최은주	동화성서	260	최재해	감사원	70	최준환	동수원서	236	최창선	기재부	76
최유연	안산서	251	최은지	금천서	173	최재혁	기재부	88	최중갑	조세재정	504	최창수	강남서	163
최유일	국세교육	137	최은진	인천서	292	최재혁	김포서	298	최중진	원주서	272	최창수	해운대서	455
최유일	경산서	413	최은진	남부천서	302	최재혁	서광주서	370	최지나	김해서	462	최창순	동대문서	180
최유정	아산서	338	최은진	구미서	416	최재혁	대구청	396	최지민	성동서	194	최창열	인천서	292
최유진	역삼서	302	최은진	딜로이트	13	최재훈	수영서	451	최지선	통영서	472	최창완	지방재정	499
최유진	의정부서	308	최은창	분당서	240	최재협	동작서	183	최지수	용산서	206	최창우	해운대서	455
최유철	남대구서	402	최은철	전주서	390	최재협	대구서	398	최지숙	구미서	416	최창욱	익산서	389
최유철	삼일회계	16	최은태	서부산서	448	최재형	삼성서	189	최지안	국세청	131	최창욱	아산서	339
최윤겸	부산청	432	최은하	서울청	142	최재호	중부산서	452	최지애	기재부	78	최창원	조세심판	500
최윤기	성남서	242	최은혜	서울청	161	최재화	경주서	414	최지연	아산서	339	최창주	강동서	165
최윤미	국세청	122	최은혜	대전서	318	최재훈	전주서	390	최지영	기재부	87	최창선	남인천서	287
최윤미	강서서	167	최은혜	조세재정	504	최재훈	제주서	475	최지영	기재부	88	최창호	잠실서	211
최윤미	남양주서	234	최은호	경주서	415	최전환	목포서	374	최지영	성동서	195	최창호	동울산서	457
최윤미	제주서	474	최은호	마산서	465	최점식	남대구서	404	최지영	북대전서	325	최천식	제주서	474
최윤미	조세재정	504	최은희	성동서	195	최정규	삼성서	189	최지영	남대구서	402	최천식	인천세관	487
최윤서	잠실서	210	최은희	대전서	322	최정림	성북서	197	최지영	부산청	437	최철승	광주청	358
최윤석	남인천서	286	최이진	북인천서	288	최정명	연수서	307	최지영	수영서	451	최청림	중부청	228
최윤선	국세상담	134	최이환	군산서	382	최정미	원주서	272	최지영	조세재정	504	최청흠	거창서	460
최윤섭	북대전서	324	최익성	감사원	71	최정민	삼성서	188	최지우	관악서	168	최초로	강동서	164
최윤섭	진주서	468	최익성	서울청	159	최정민	양산서	467	최지우	동안양서	238	최춘자	남대구서	402
최윤섭	동화성서	260	최익수	마산서	465	최정심	화성서	262	최지우	의정부서	308	최충의	경기광주	248
최윤실	부산청	435	최익영	은평서	208	최정아	구로서	170	최지웅	북인천서	288	최충일	아산서	338
최윤실	수영서	450	최인경	화성서	262	최정안	인천서	464	최지은	삼성서	189	최치권	삼성서	188
최윤아	양산서	467	최인광	순천서	376	최정연	동화성서	260	최지원	남양주서	235	최치연	금융위	93
최윤영	서울청	159	최인귀	구로서	170	최정연	익산서	388	최지윤	북부산서	446	최치환	양천서	201
최윤영	남원서	385	최인규	서울청	146	최정연	진주서	468	최지은	국세청	115	최칠성	북전주서	387
최윤영	대구청	399	최인규	구미서	230	최정열	서울청	154	최지은	중부청	228	최태규	국세주류	132
최윤영	서대구서	409	최인규	서울세관	482	최정영	구로서	170	최지은	화성서	263	최태규	송파서	198
최윤용	조세재정	502	최인범	중부청	223	최정완	대구서	299	최지은	논산서	331	최태영	울산서	458
최윤정	안양서	252	최인석	관악서	168	최정욱	송파서	198	최지은	해운대서	454	최태영	법인하나	41
최윤정	남인천서	286	최인선	기재부	84	최정욱	광주서	367	최지현	서울청	157	최태용	서대구서	408
최윤정	청주서	352	최인섭	삼성서	188	최정운	부산청	435	최지현	종로서	212	최태원	상공회의	109
최윤정	통영서	473	최인순	국세청	118	최정웅	김해서	463	최지현	안산서	250	최태전	광주청	359
최윤주	인천청	280	최인순	국세청	119	최정원	서울청	140	최지현	김포서	298	최태주	성동서	195
최윤주	서광주서	370	최인식	금정서	440	최정원	강남서	163	최지현	전주서	390	최태주	삼성서	189
최윤진	중랑서	215	최인실	부산청	439	최정원	강릉서	264	최지현	조세재정	503	최태현	국세상담	135
최윤형	경주서	414	최인아	남대문서	177	최정은	국세상담	135	최지혜	목포서	375	최태형	중부청	225
최윤호	국세청	116	최인애	예산서	340	최정이	광주청	359	최지훈	기재부	78	최태훈	국세청	123
최윤호	서울청	140	최인영	국세교육	136	최정인	경기광주	249	최지훈	충주서	355	최파란	인천청	285
최윤회	동수원서	236	최인영	서울청	149	최정인	삼척서	267	최지희	전주서	391	최필웅	서울청	142
최윤희	국회재정	63	최인영	중부청	226	최정인	고시회	31	최진	남대문서	175	최하나	구로서	171
최윤희	기재부	81	최인영	창원서	470	최정임	삼성서	194	최진	수성서	411	최하나	서초서	193
최윤희	송파서	198	최인옥	서울청	152	최정주	수영서	451	최진경	기재부	75	최하나	중부청	223
최은경	기재부	87	최인옥	영동서	349	최정헌	국세청	122	최진경	원주서	273	최하연	택스홈	42
최은경	국세청	123	최인우	대구청	399	최정현	진주서	118	최진관	진주서	469	최학규	금천서	172
최은경	구로서	171	최인혁	조세재정	502	최정현	서산서	334	최진광	기재부	82	최학규	국세청	117
최은경	서인천서	290	최인혜	강남서	163	최정혜	경주서	414	최진구	법무광장	53	최학묵	성북서	197
최은경	의정부서	308	최인화	동안양서	239	최정혜	부산서	434	최진규	기재부	80	최한근	중부산서	453
최은경	창원서	471	최인효	여수서	379	최정훈	중부산서	452	최진규	기재부	91	최한근	의정부서	309
최은경	통영서	472	최일	반포서	187	최정희	강남서	162	최진규	중부청	222	최한뫼	고양서	294
최은경	이안법인	45	최일동	감사원	71	최제민	감산서	459	최진규	분당서	240	최한선	경기광주	249
최은락	상공회의	109	최일암	서울청	157	최제후	나주서	372	최진남	국세청	124	최한진	천안서	343
최은미	국세상담	134	최일환	인천청	284	최종기	대구청	397	최진미	서울청	141	최한호	해운대서	454
최은미	동대문서	180	최임구	청주서	346	최종묵	연수서	306	최진민	부산청	435	최항	기재부	77
최은미	천안서	343	최임선	중부산서	452	최종민	서울청	145	최진복	송파서	198	최항호	양산서	466
최은복	의정부서	308	최임정	김앤장	51	최종민	북광주서	369	최진석	중부청	221	최해성	부산서	437
최은비	익산서	388	최자연	원주서	273	최종범	제주서	375	최진석	인천청	280	최해수	서부산서	448
최은선	안산서	250	최장균	북광주서	369	최종수	잠실서	210	최진숙	국세청	117	최해연	동안양서	238
최은선	천안서	343	최장영	북인천서	289	최종열	중랑서	214	최진숙	청주서	352	최해욱	대전청	316
최은선	북대구서	406	최장정	국세청	122	최종승	북인천서	289	최진숙	부산청	435	최해원	서울청	146
최은성	국세청	117	최재관	대구세관	493	최종운	안동서	423	최진숙	창원서	470	최해인	북대구서	406
최은수	기흥서	232	최재관	대구세관	494	최종인	은평서	208	최진식	성북서	196	최해철	강서서	166
최은수	울산서	458	최재광	기흥서	232	최종태	성북서	161	최진영	국세청	114	최행용	서울청	150
최은숙	국세청	116	최재광	안동서	422	최종호	수원서	244	최진영	종로서	212	최향성	성북서	197
최은숙	서울청	147	최재규	서울청	146	최종호	경기광주	248	최진영	울산서	458	최혁	원주서	273
최은숙	안동서	422	최재규	북전주서	386	최종훈	용인서	254	최진영	대전청	316	최혁진	이천서	256
최은숙	국세청	117	최재균	국세청	114	최주광	북인천서	288	최진용	국세청	116	최현	강남서	163
최은애	남대문서	176	최재덕	서울청	146	최주연	중랑서	214	최진욱	기재부	80	최현	속초서	268
최은애	남대구서	403	최재득	반포서	187	최주영	양산서	466	최진욱	서인천서	290	최현	북인천서	289
최은영	기재부	74	최재림	의정부서	308	최주영	구미서	417	최진원	성북서	196	최현규	기재부	74
최은영	강서서	166	최재명	국세청	115	최주영	동울산서	456	최진이	대전서	322	최현민	국세청	129
최은영	삼성서	189	최재봉	국세청	125	최주현	법무바른	1	최진혁	서울청	212	최현빈	통영서	472
최은영	양천서	200	최재석	딜로이트	13	최주현	분당서	241	최진현	조세심판	500	최현석	광산서	206
최은영	중부서	217	최재성	중부청	223	최주희	광명서	296	최진호	부산청	433	최현석	중부서	216
최은영	동고양서	300	최재영	기재부	82	최준	서울청	145	최진화	중부청	228	최현석	남대구서	402
최은영	대구청	398	최재영	구로서	171	최준기	마포서	185	최차영	성동서	194	최현선	국세청	124

이름	소속	쪽	이름	소속	쪽	이름	소속	쪽	이름	소속	쪽	이름	소속	쪽
한상훈	삼성서	189	한연주	인천청	283	한정현	동작서	182	한혜영	포항서	429	허송이	강서서	167
한상훈	공주서	329	한연지	기재부	77	한정현	울산서	458	한혜은	종로서	212	허수범	창원서	470
한상훈	군산서	382	한영규	잠실서	210	한정호	의정부서	308	한혜진	인천서	292	허수정	부산청	435
한상희	광명서	297	한영섭	중랑서	215	한정홍	부산청	432	한호성	삼일회계	17	허수진	중랑서	214
한상희	고시회	31	한영수	서초서	193	한정희	서울청	161	한홍석	딜로이트	13	허숙영	청주서	353
한서희	천안서	342	한영수	해남서	380	한정희	동청주서	346	한효경	북대전서	325	허순미	동래서	442
한석복	부산청	438	한영임	화성서	262	한정희	북부산서	446	한효숙	중부청	222	허순영	제천서	350
한석진	마포서	184	한영준	포천서	312	한제희	서울청	143	한훈	기재부	74	허승	구리서	231
한석희	대전서	323	한예숙	구로서	170	한제희	서울청	144	한희석	부산서	435	허승열	동청주서	347
한선배	서울청	152	한예슬	영등포서	205	한종건	조세심판	501	한희수	포천서	313	허승철	기재부	77
한선화	기재부	81	한예환	송파서	199	한종관	포항서	429	한희승	안양서	253	허승호	포천서	313
한성경	화성서	262	한완상	인천청	285	한종문	동수원서	236	한희정	의정부서	309	허양원	중부청	220
한성경	제천서	351	한용	세종서	336	한종업	삼일회계	17	함광수	부천서	305	허영락	기재부	75
한성미	화성서	262	한용균	조세재정	502	한종우	분당서	240	함광주	영등포서	205	허영명	성남서	242
한성민	국세상담	135	한용석	화성서	262	한종창	김해서	462	함귀옥	속초서	269	허영섭	중부청	221
한성삼	부산청	434	한용우	대구세관	493	한종태	북대전서	325	함다운	분당서	240	허영수	부산청	437
한성옥	김포서	298	한용철	광주서	366	한종환	남대문서	175	함다정	성동서	195	허오영	시흥서	247
한성욱	남대구서	403	한용희	여수서	379	한종훈	중부청	223	함두화	마포서	185	허유	동화성서	261
한성일	동작서	182	한우영	중부세무	29	한종훈	원주서	272	함명자	중부청	223	허원갑	제천서	350
한성일	서현이현	7	한원식	삼정회계	18	한주성	동고서	300	함미란	아산서	338	허원영	남부천서	302
한성호	서울서	144	한원윤	광주청	358	한주성	아산서	338	함민구	연수서	306	허유경	군산서	383
한성호	강릉서	265	한원주	대전청	321	한주성	대구청	397	함상봉	국세상담	135	허유미	북부산서	447
한성희	정읍서	392	한원찬	남인천서	286	한주연	강남서	163	함상현	포천서	313	허유정	동래서	443
한세영	화성서	117	한유경	서울청	141	한주진	삼성서	189	함석광	관악서	168	허윤봉	전주서	391
한세영	김포서	299	한유미	조세재정	502	한주호	서현이현	7	함수민	김해서	462	허윤숙	제주서	474
한세훈	시흥서	247	한유빈	기재부	90	한주희	중부청	223	함연이	남대문서	176	허윤영	부산세관	491
한세희	화성청	141	한유정	부천청	227	한주희	충주서	355	함영록	강릉서	264	허윤영	조세재정	502
한소라	남대문서	174	한유진	광명서	297	한준영	국세청	119	함영록	도봉서	179	허윤재	강동서	164
한소백	은평서	208	한유현	광주청	358	한준혁	성동서	194	함예원	예일회계	21	허윤제	삼일회계	16
한소연	수원서	245	한윤구	수성서	411	한준희	용인서	255	함용식	수원서	245	허윤진	부산서	435
한소영	조세재정	504	한윤숙	남대문서	174	한준희	수영서	450	함용유	금감원	95	허은석	남대문서	177
한소은	북전주서	386	한윤숙	동작서	183	한지민	용산서	206	함용일	금감원	102	허은성	고양서	294
한송이	북대전서	324	한윤정	영등포서	205	한지숙	동대문서	181	함은정	중부청	229	허인규	부천서	305
한송우	북광주서	368	한윤주	익산서	388	한지연	인천청	282	함은호	강릉서	265	허인범	국세청	131
한송이	서광주서	370	한윤주	부산청	439	한지영	서대문서	191	함인한	원주서	272	허인순	북대전서	324
한송희	인천청	281	한윤희	중부청	223	한지영	서인하나	41	함지영	잠실서	210	허일반	잠실서	210
한송희	공주서	328	한윤희	서광주서	371	한지예	삼성서	188	함태희	여수서	379	허장	잠실서	210
한수경	전주서	390	한은미	조세재정	504	한지우	충주서	355	함태희	수원서	244	허장범	기재부	76
한수관	아산서	338	한은섭	삼정회계	18	한지웅	송파서	199	함희정	구미서	416	허재	택스홈	42
한수덕	지방재정	498	한은숙	고양서	295	한지웅	국세청	125	허경란	전주서	391	허재석	서울청	154
한수연	성동서	195	한은숙	부산진서	444	한지원	금천서	172	허경선	조세재정	503	허재영	인천청	281
한수영	북대전서	324	한은영	세종서	337	한지원	은평서	209	허경선	조세재정	504	허재욱	순천서	376
한수은	성동서	194	한은정	삼성서	189	한지원	중부청	292	허경숙	북광주서	368	허재혁	공주서	328
한수이	대전청	316	한은정	동화성서	260	한지윤	관악서	168	허곤	분당서	241	허재호	거창서	460
한수정	역삼서	202	한은정	서광주서	370	한지은	국회재정	63	허광욱	조세심판	501	허재훈	대구청	399
한수정	용인서	255	한은정	순천서	376	한지혜	동대문서	164	허규석	울산서	458	허정	지방재정	498
한수지	남부천서	303	한은주	서울청	153	한지혜	창원서	470	허규진	동대구서	404	허정무	중부청	225
한수철	안양서	239	한은표	국세교육	136	한지훈	국회정무	67	허금희	통영서	472	허정미	중부청	272
한수현	서울청	141	한이수	종로서	213	한지희	동안양서	239	허기우	중부세무	29	허정미	남대구서	403
한수현	서울청	161	한인상	동청주서	346	한진규	김포서	298	허남규	서울청	150	허정순	북전주서	386
한수현	서대문서	190	한인수	서인천서	290	한진선	시흥서	246	허남동	국회정무	68	허정영	남대문서	174
한수현	성남서	243	한인정	인천서	293	한진아	중부청	227	허남승	국세청	122	허정인	북인천서	288
한수현	안산서	251	한일도	삼정회계	15	한진옥	남대문서	176	허남주	보령서	332	허정태	기재부	76
한수현	용인서	254	한일수	북전주서	387	한진형	삼성서	149	허남현	부산서	434	허정필	대전청	316
한수현	속초서	269	한일용	해남서	380	한창규	동고양서	300	허노환	안동서	423	허정희	도봉서	178
한수현	광주서	366	한임월	거창서	461	한창균	목포서	375	허덕두	인천세무	30	허종	통영서	473
한수홍	광주청	360	한자람	광주서	366	한창령	서울세관	481	허덕재	속초서	347	허종구	마산서	464
한숙란	대전청	318	한장우	강남서	163	한창렬	서울세관	482	허도곤	동울산서	457	허준	평택서	258
한숙향	양천서	201	한장혁	종로서	213	한창림	국세상담	134	허두영	용인서	255	허준영	국세청	121
한숙희	정읍서	393	한장희	구로서	170	한창수	중부청	194	허명화	동울산서	456	허준영	부산청	433
한순국	경산서	412	한재령	북전주서	386	한창수	남대구서	403	허문옥	정읍서	392	허준영	김해서	462
한순규	서초서	193	한재민	홍천서	277	한창용	부산청	434	허문정	서울청	161	허준용	인천청	285
한순근	중부청	225	한재상	서산서	334	한창우	김해서	179	허미나	여수서	378	허준호	서울청	144
한승구	북인천서	288	한재수	기재부	84	한창훈	경기광주	248	허미림	용인서	255	허준호	통영서	473
한승기	경기광주	248	한재영	대구청	180	한채모	대구청	397	허미영	영등포서	205	허지수	기재부	91
한승만	서울청	158	한재영	잠실서	210	한채윤	광주서	360	허미혜	조세재정	504	허지연	대전서	322
한승민	북인천서	288	한재영	인천청	280	한철희	김포서	298	허민주	이천서	256	허지연	성북서	196
한승범	국세청	124	한재영	북부산서	447	한형용	중부청	222	허민주	서울청	144	허지영	진주서	468
한승수	관악서	169	한재용	기재부	78	한정희	대구청	401	허비은	중부청	222	허지은	수원서	244
한승화	대대문서	180	한재일	삼성서	189	한초롱	국세청	114	허상엽	수원서	245	허지현	송파서	199
한승완	남대문서	176	한재희	마포서	185	한충열	서울청	141	허석룡	수원서	245	허지혜	대전청	319
한승우	잠실서	210	한정관	목포서	375	한헌춘	한국세무	27	허선	서대문서	190	허지혜	해남서	380
한승욱	반포서	186	한정규	광주청	363	한현	지방재정	498	허선덕	지방재정	498	허지희	용산서	207
한승욱	예일법인	44	한정덕	남대문서	174	한현국	부산서	437	허성경	김포서	298	허진	기재부	75
한승일	중부청	222	한정미	공주서	328	한현규	서대전서	327	허성길	포항서	429	허진	서울청	158
한승철	분당서	241	한정민	북대전서	324	한현숙	삼성서	188	허성미	대전청	320	허진	종로서	213
한승협	고양서	294	한정민	양산서	466	한혜경	동안양서	238	허성용	기재부	87	허진성	군산서	382
한승훈	영등포서	205	한정수	국세청	123	한혜란	조세재정	503	허성은	서대구서	409	허진수	중부서	216
한승희	북대전서	324	한정식	남대문서	177	한혜린	부산청	188	허성은	부산청	432	허진옥	수영서	450
한시윤	동래서	443	한정아	금천서	173	한혜림	기재부	91	허성준	수영서	451	허진이	동수원서	236
한아름	국세청	122	한정연	기재부	87	한혜빈	서초서	192	허성혁	남대구서	402	허진주	경기광주	248
한아름	서울청	143	한정예	중부산서	453	한혜선	중부청	220	허성훈	분당서	241	허진혁	반포서	187
한아름	종로서	213	한정용	광산서	365	한혜성	강남서	162	허세미	고양서	294	허진혁	구리서	231
한아름	안산서	251	한정필	북대전서	325	한혜숙	동울산서	457	허세욱	강서서	166	허진호	통영서	472
한연식	남원서	385				한혜영	금천서	172	허소미	중부서	217	허진화	관악서	168
한연옥	기재부	83				한혜영	원주서	273	허소영	포항서	428	허창식	중부세무	29

이름	소속	쪽	이름	소속	쪽	이름	소속	쪽	이름	소속	쪽	이름	소속	쪽
허천일	충주서	354	홍관의	논산서	330	홍성민	국세청	125	홍윤석	마포서	184	홍혜진	남대문서	177
허천회	동안양서	238	홍광식	마포서	185	홍성민	강남서	163	홍윤석	포천서	312	홍효숙	역삼서	203
허준도	통영서	473	홍광원	성북서	197	홍성수	울산서	458	홍윤선	수원서	244	홍후진	춘천서	274
허충회	대전청	318	홍광표	기재부	77	홍성수	천안서	343	홍윤종	부산청	437	화종원	진주서	469
허치환	진주서	468	홍규선	성동서	194	홍성옥	제주서	474	홍윤진	조세재정	504	황경서	남인천서	287
허태구	수영서	450	홍근배	중부청	222	홍성옥	역삼서	202	홍윤진	조세재정	504	황경숙	인천서	292
허태민	부산청	432	홍근화	마포서	184	홍성완	지방재정	499	홍은결	종로서	213	황경숙	광주청	359
허태욱	강서서	167	홍금자	대구청	398	홍성우	지방재정	498	홍은경	천안서	342	황경애	대전청	318
허필주	안양서	253	홍기범	춘천서	274	홍성윤	조세재정	502	홍은기	강남서	162	황경주	서초서	192
허헌	익산서	388	홍기석	국세상담	134	홍성일	서울청	157	홍은기	인천서	292	황경호	동울산서	456
허현	서부산서	448	홍기선	중랑서	215	홍성자	대전청	320	홍은아	창원서	470	황경희	양천서	201
허현정	북대구서	406	홍기오	충주서	355	홍성재	서울청	141	홍은영	여수서	379	황계숙	도봉서	178
허현정	조세재정	503	홍기철	중부세무	29	홍성준	인천청	280	홍은정	예산서	340	황경희	이천서	257
허형철	의정부서	308	홍기효	예일법인	44	홍성준	천안서	342	홍은지	연수서	306	황교언	여수서	379
허혜정	국세상담	134	홍나경	역삼서	203	홍성준	지방재정	155	홍은지	북대구서	407	황규동	천안서	343
허환	서대구서	408	홍남기	기재부	73	홍성철	지방재정	499	홍은화	서대전서	326	황규봉	인천청	280
허훈	구로서	170	홍다영	북인천서	288	홍성표	중부청	220	홍인표	서초서	193	황규석	평택서	258
허훈	구로서	170	홍다연	수원서	245	홍성표	순천서	376	홍장열	수원서	244	황규용	부산청	433
현경	광산서	364	홍다임	관악서	168	홍성한	서울청	145	홍장용	금감원	104	황규현	마산서	464
현경민	부산서	436	홍단기	기재부	78	홍성혜	서울청	145	홍장희	딜로이트	13	황규형	서울청	140
현경석	진주서	468	홍단비	용산서	206	홍성호	국세청	120	홍재욱	서울청	276	황규홍	서초서	193
현경훈	부산청	432	홍대근	그룹토은	37	홍성훈	서울청	142	홍정기	광주청	358	황기오	서초서	193
현근수	양천서	200	홍덕길	논산서	330	홍성훈	시흥서	246	홍정민	동대문서	180	황나래	동울산서	457
현기수	조세심판	501	홍덕재	강동서	164	홍성훈	인천서	292	홍정수	파주서	310	황남돈	대전청	318
현덕진	안산서	250	홍덕희	마산서	465	홍성희	삼성서	188	홍정수	서부산서	449	황남욱	대전청	315
현명기	서현이현	7	홍도현	조세재정	502	홍성희	서산서	335	홍정수	국세청	114	황남유	대전청	319
현명진	관세청	478	홍도진	조세재정	502	홍성희	조세재정	502	홍정은	국세교육	136	황다검	종로서	212
현미선	안산서	250	홍도현	한국세무	27	홍성희	조세재정	502	홍정의	서울청	142	황다빈	동고양서	300
현미정	국세상담	134	홍동기	논산서	330	홍세미	구리서	230	홍정일	울산서	458	황다영	안산서	250
현민웅	인천청	282	홍동준	북대구서	406	홍세정	국세청	122	홍정표	금천서	173	황다혜	포천서	313
현병연	중부청	228	홍두선	기재부	85	홍세정	수원서	244	홍정희	서울청	153	황대근	서초서	193
현보람	인천서	281	홍두선	기재부	86	홍세진	구로서	170	홍종복	구로서	170	황대림	국세청	122
현보훈	조세재정	504	홍라라	안동서	423	홍세희	인천청	284	홍종준	남부천서	303	황도곤	삼도회계	147
현상권	국세상담	134	홍명자	서울청	144	홍소영	국세청	120	홍주연	기재부	77	황도곤	삼도회계	189
현상필	국세청	124	홍문기	도봉서	178	홍소영	국세청	125	홍주현	강동서	164	황동수	서울청	160
현석	현석회계	203	홍문선	서촌서	127	홍소정	조세재정	504	홍주희	기흥서	233	황동수	기흥서	161
현석	현석회계	156	홍문희	기흥서	232	홍솔아	안양서	253	홍준경	인천청	282	황동욱	광주청	360
현선영	북인천서	289	홍미라	서울청	145	홍수경	서광주서	370	홍준만	삼일회계	17	황동일	부산청	432
현소정	서초서	193	홍미라	서초서	376	홍수옥	동래서	442	홍준만	동화성서	261	황동형	수원서	244
현소형	기재부	75	홍미숙	동대문서	181	홍수옥	마포서	184	홍준영	국세청	125	황두돈	국세청	124
현승철	영등포서	205	홍미숙	여수서	378	홍수은	제주서	475	홍준영	부천서	305	황득현	해남서	380
현양미	고양서	295	홍미영	성북서	196	홍수지	의정부서	308	홍준혁	포항서	428	황명희	기재부	83
현완교	감사원	70	홍민기	서울청	147	홍수현	서울청	160	홍지석	안산서	251	황명희	역삼서	203
현완교	감사원	70	홍민기	서울청	150	홍순영	서울청	158	홍지석	도봉서	178	황무근	경산서	412
현우정	관악서	169	홍민영	영주서	415	홍순준	국세주류	132	홍지성	서울청	140	황미경	서울청	145
현원석	기재부	79	홍민옥	조세재정	503	홍순지	충주서	355	홍지성	수영서	450	황미경	양산서	467
현원석	기재부	91	홍민정	마산서	464	홍순태	조세심판	501	홍지안	김포서	299	황미숙	동작서	182
현유진	서인천서	290	홍민정	삼정회계	19	홍순택	의정부서	308	홍지연	국세청	116	황미영	조세재정	502
현은영	중부청	224	홍민지	부산청	437	홍순호	남양서	243	홍지연	강남서	163	황미영	동대문서	180
현재민	서울청	160	홍민표	부산청	434	홍승균	기재부	87	홍지영	마산서	464	황미영	부천서	304
현정아	국세청	128	홍범교	조세재정	502	홍승모	삼정회계	18	홍지우	중부청	228	황미정	진주서	469
현정용	포천서	313	홍범교	조세재정	503	홍승모	삼정회계	19	홍지은	용인서	254	황미진	북부산서	446
현종원	인천서	292	홍범식	잠실서	211	홍승범	서울청	147	홍지혜	금천서	172	황미향	도봉서	178
현주호	예산서	340	홍병진	조세재정	502	홍승연	조세심판	500	홍지혜	남대문서	177	황미화	동청주서	347
현지용	조세재정	504	홍보경	부천서	305	홍승연	강릉서	265	홍지화	서울청	160	황민	구리서	231
현지훈	금정서	440	홍보희	화성서	262	홍승표	반포서	186	홍지흔	서울청	150	황민정	반포서	187
현지희	동작서	183	홍삼기	지방재정	498	홍승현	동래서	443	홍진규	동대문서	180	황민주	부산청	433
현진희	분당서	241	홍상기	서울청	177	홍승현	남대문서	175	홍진기	수원서	245	황민철	역삼서	202
현창훈	서울청	146	홍상우	아산서	338	홍에스더	기재부	87	홍진표	서울청	161	황민호	국세청	113
현창훈	제주서	475	홍새로미	분당서	240	홍여주	구로서	171	홍차령	동대문서	180	황민훈	마산서	465
현하영	조세재정	502	홍서연	동안양서	238	홍연아	국세청	113	홍창규	반포서	186	황민희	북인천서	288
현하영	조세재정	503	홍서윤	군산서	383	홍연희	기재부	83	홍창표	대전청	322	황범석	분당서	241
현혜은	영등포서	205	홍서준	동고양서	301	홍영국	서울청	142	홍창호	마포서	185	황병광	국세청	123
형만우	삼척서	267	홍서진	조세재정	502	홍영국	제주서	474	홍창화	영등포서	204	황병권	강서서	166
형비오	북부산서	446	홍석광	기재부	88	홍영민	서울청	147	홍창화	천안서	342	황병규	남대문서	177
형서우	북부산서	446	홍석우	충주서	355	홍영선	송파서	199	홍철수	수원서	244	황병록	대구청	397
형성우	서울청	161	홍석원	부천서	305	홍영옥	서울청	131	홍충	예산서	341	황병석	성동서	194
형신애	순천서	377	홍석의	삼척서	266	홍영실	중랑서	214	홍충훈	김해서	463	황병준	군산서	382
형유경	영등포서	205	홍석일	인천세무	30	홍영임	서부산서	449	홍필성	마포서	185	황보경	조세재정	503
호미영	지방재정	499	홍석주	동울산서	457	홍영준	강릉서	264	홍하진	중부청	221	황보람	기흥서	232
홍가람	기재부	88	홍석진	기재부	87	홍영준	순천서	377	홍학봉	삼정회계	18	황보승	원주서	273
홍가영	기재부	88	홍석헌	부산세관	490	홍영준	삼정회계	19	홍해라	강릉서	264	황보영곤	삼척서	267
홍강표	평택서	259	홍석후	남부천서	303	홍영화	광주청	360	홍해라	광산서	365	황보영희	서울청	156
홍강훈	도봉서	179	홍선아	서울청	147	홍영호	인천청	285	홍혁기	은평서	208	황보정여	대구청	400
홍건택	동작서	182	홍선영	구리서	231	홍예령	남인천서	286	홍현기	수원서	245	황보주경	서울청	145
홍경	평택서	258	홍성각	대전청	316	홍완표	서광주서	370	홍현삼	기재부	77	황보현	기재부	77
홍경란	경주서	414	홍성걸	인천청	281	홍요섭	강릉서	264	홍현승	구로서	170	황상욱	동작서	183
홍경숙	창원서	470	홍성구	관세청	479	홍용길	북광주서	368	홍현아	기재부	76	황상인	금천서	172
홍경옥	용산서	206	홍성국	국회정무	68	홍용석	예산서	148	홍현정	남대구서	403	황상준	영주서	427
홍경원	강남서	162	홍성권	안산서	250	홍우환	경기광주	248	홍현지	북전주서	387	황상준	수영서	450
홍경은	금정서	441	홍성권	지방재정	498	홍욱기	성동서	195	홍형적	북인천서	289	황상진	중부청	222
홍경은	안양서	252	홍성기	인천서	292	홍원필	도봉서	178	홍혜령	대전서	322	황상진	거창서	461
홍경표	아산서	339	홍성기	진주서	469	홍유민	인천서	292	홍혜연	의정부서	308	황상태	택스홈	42
홍경헌	잠실서	210	홍성대	원주서	272	홍유종	역삼서	202	홍혜인	국세청	114	황서진	송파서	199
홍경희	안양서	252	홍성도	홍성서	344	홍윤기	전주서	391	홍혜진	남대문서	174	황서하	강남서	162
홍고은	마산서	465	홍성미	서울청	148									

1등 조세회계 경제신문

조세일보

www.joseilbo.com

2022년 1월 17일 현재

2022 재무인명부

발　　　행	2022년 1월 17일
발 행 인	황춘섭
발 행 처	조세일보(주)
주　　　소	서울시 서초구 사임당로 32
전　　　화	02-737-7004
팩　　　스	02-737-7037
조 세 일 보	www.joseilbo.com
정　　　가	25,000원
I S B N	978-89-98706-26-5